2025학년도

수능 연계교재

수능완성

과학탐구영역

지구과학 I

이 책의 차례 CONTENTS

이 책의 **구성과 특징** STRUCTURE

테마별 교과 내용 정리

교과서의 주요 내용을 핵심만 일목요연하게 정리하고, 하단에 더 알기를 수록하여 심층적인 이해를 도모하였습니다.

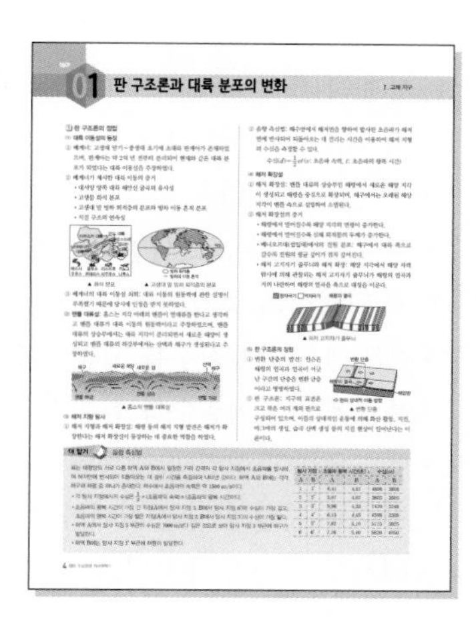

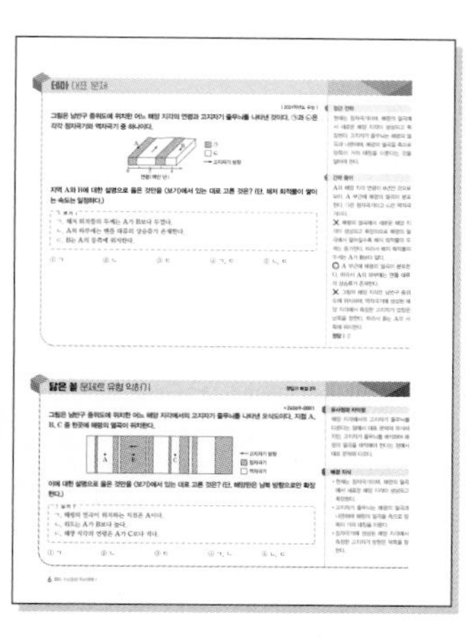

테마 대표 문제

테마 대표 문제, 접근 전략, 간략 풀이를 통해 대표 유형을 익힐 수 있고, 함께 실린 닮은 꼴 문제를 스스로 풀며 유형에 대한 적응력을 기를 수 있습니다.

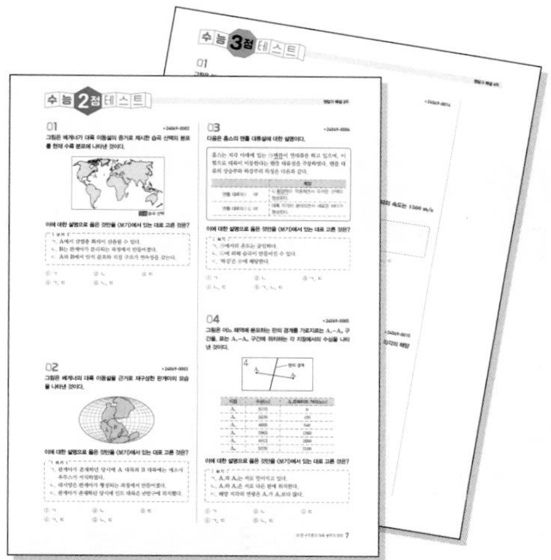

수능 2점 테스트와 수능 3점 테스트

수능 출제 경향 분석에 근거하여 개발한 다양한 유형의 문제들을 수록하였습니다.

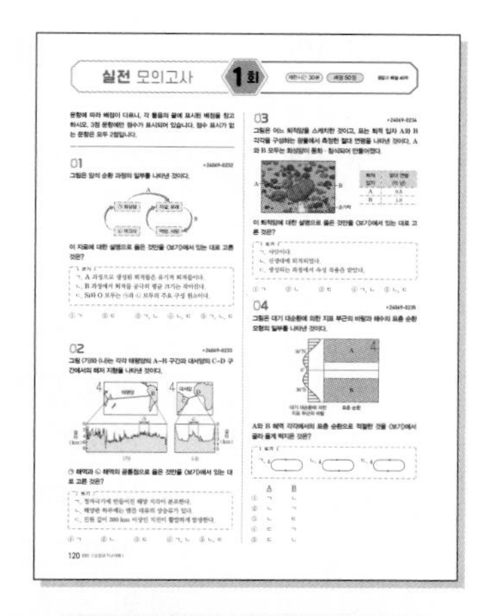

실전 모의고사 5회분

실제 수능과 동일한 배점과 난이도의 모의고사를 풀어봄으로써 수능에 대비할 수 있도록 하였습니다.

정답과 해설

정답의 도출 과정과 교과의 내용을 연결하여 설명하고, 오답을 찾아 분석함으로써 유사 문제 및 응용 문제에 대한 대비가 가능하도록 하였습니다.

학생

인공지능 DANCHQQ 푸리봇 문|제|검|색

EBS*i* 사이트와 **EBS*i* 고교강의 APP** 하단의 **AI 학습도우미 푸리봇**을 통해 문항코드를 검색하면 푸리봇이 해당 문제의 해설과 해설 강의를 찾아 줍니다. **사진 촬영으로도 검색**할 수 있습니다.

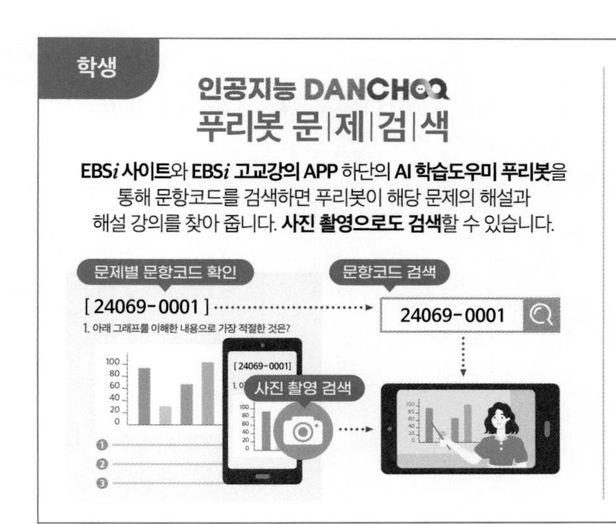

선생님

EBS 교사지원센터 교재 관련 자|료|제|공

교재의 문항 한글(HWP) 파일과 교재이미지, 강의자료를 무료로 제공합니다.

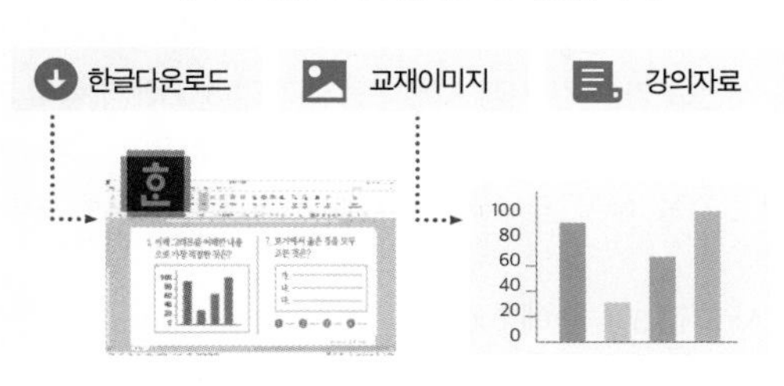

- 교사지원센터(teacher.ebsi.co.kr)에서 '교사인증' 이후 이용하실 수 있습니다.
- 교사지원센터에서 제공하는 자료는 교재별로 다를 수 있습니다.

01 판 구조론과 대륙 분포의 변화

1 판 구조론의 정립

(1) 대륙 이동설의 등장

① 베게너: 고생대 말기~중생대 초기에 초대륙 판게아가 존재하였으며, 판게아는 약 2억 년 전부터 분리되어 현재와 같은 대륙 분포가 되었다는 대륙 이동설을 주장하였다.

② 베게너가 제시한 대륙 이동의 증거

- 대서양 양쪽 대륙 해안선 굴곡의 유사성
- 고생물 화석 분포
- 고생대 말 빙하 퇴적층의 분포와 빙하 이동 흔적 분포
- 지질 구조의 연속성

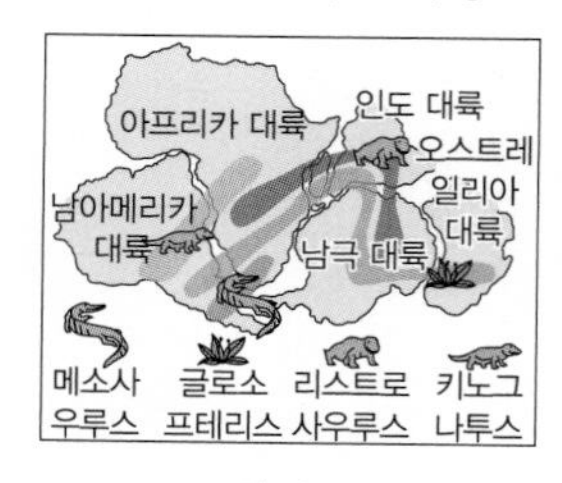

▲ 화석 분포

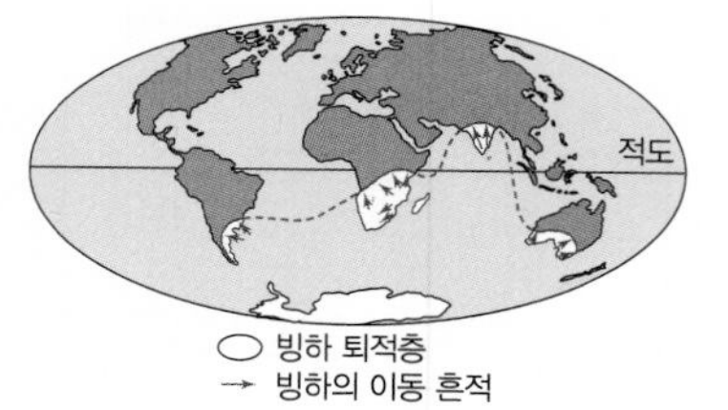

▲ 고생대 말 빙하 퇴적층의 분포

③ 베게너의 대륙 이동설 쇠퇴: 대륙 이동의 원동력에 관한 설명이 부족했기 때문에 당시에 인정을 받지 못하였다.

(2) 맨틀 대류설

(2) 맨틀 대류설: 홈스는 지각 아래의 맨틀이 열대류를 한다고 생각하고 맨틀 대류가 대륙 이동의 원동력이라고 주장하였으며, 맨틀 대류의 상승부에서는 대륙 지각이 분리되면서 새로운 해양이 생성되고 맨틀 대류의 하강부에서는 산맥과 해구가 생성된다고 주장하였다.

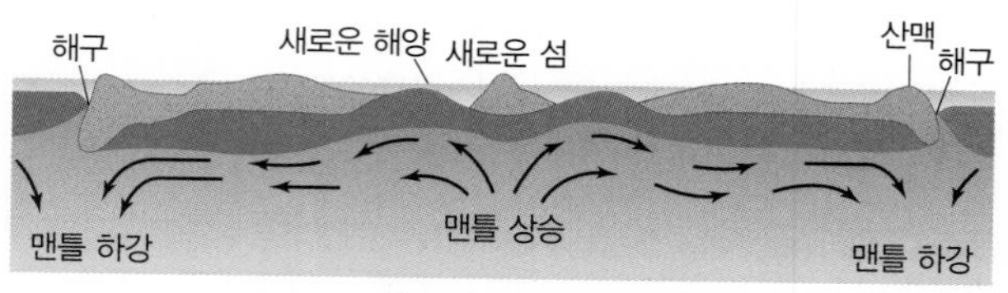

▲ 홈스의 맨틀 대류설

(3) 해저 지형 탐사

① 해저 지형과 해저 확장설: 해령 등의 해저 지형 발견은 해저가 확장한다는 해저 확장설이 등장하는 데 중요한 역할을 하였다.

② 음향 측심법: 해수면에서 해저면을 향하여 발사한 초음파가 해저면에 반사되어 되돌아오는 데 걸리는 시간을 이용하여 해저 지형의 수심을 측정할 수 있다.

$$수심(d)=\frac{1}{2}vt\ (v\text{: 초음파 속력, } t\text{: 초음파의 왕복 시간})$$

(4) 해저 확장설

① 해저 확장설: 맨틀 대류의 상승부인 해령에서 새로운 해양 지각이 생성되고 해령을 중심으로 확장되며, 해구에서는 오래된 해양 지각이 맨틀 속으로 섭입하여 소멸된다.

② 해저 확장설의 증거

- 해령에서 멀어질수록 해양 지각의 연령이 증가한다.
- 해령에서 멀어질수록 심해 퇴적물의 두께가 증가한다.
- 베니오프대(섭입대)에서의 진원 분포: 해구에서 대륙 쪽으로 갈수록 진원의 평균 깊이가 점차 깊어진다.
- 해저 고지자기 줄무늬와 해저 확장: 해양 지각에서 해양 자력 탐사에 의해 관찰되는 해저 고지자기 줄무늬가 해령의 열곡과 거의 나란하며 해령의 열곡을 축으로 대칭을 이룬다.

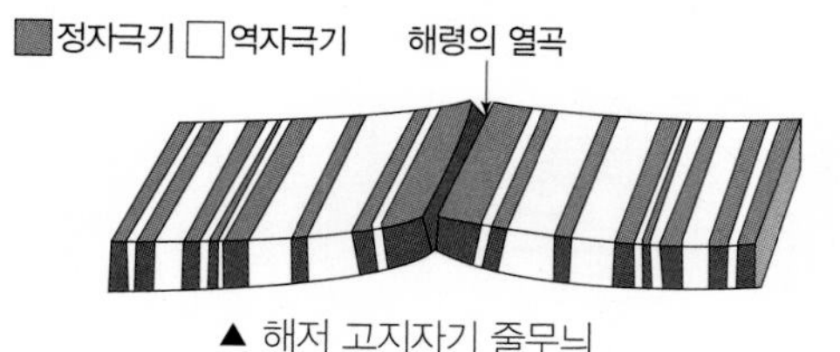

▲ 해저 고지자기 줄무늬

(5) 판 구조론의 정립

① 변환 단층의 발견: 윌슨은 해령의 열곡과 열곡이 어긋난 구간의 단층을 변환 단층이라고 명명하였다.

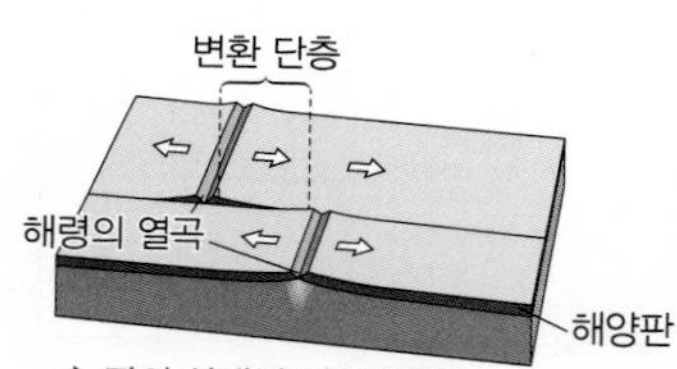

▲ 변환 단층

② 판 구조론: 지구의 표면은 크고 작은 여러 개의 판으로 구성되어 있으며, 이들의 상대적인 운동에 의해 화산 활동, 지진, 마그마의 생성, 습곡 산맥 생성 등의 지질 현상이 일어난다는 이론이다.

더 알기 음향 측심법

표는 태평양의 서로 다른 해역 A와 B에서 일정한 거리 간격의 각 탐사 지점에서 초음파를 발사하여 해저면에 반사되어 되돌아오는 데 걸린 시간을 측정하여 나타낸 것이다. 해역 A와 B에는 각각 해구와 해령 중 하나가 존재한다. 해수에서 초음파의 속력은 약 1500 m/s이다.

탐사 지점		초음파 왕복 시간(초)		수심(m)	
A	B	A	B	A	B
1	1′	6.41	4.81	4808	3608
2	2′	5.07	4.67	3803	3503
3	3′	9.96	4.33	7470	3248
4	4′	6.13	4.45	4598	3338
5	5′	7.62	5.10	5715	3825
6	6′	7.76	5.40	5820	4050

- 각 탐사 지점에서의 수심은 $\frac{1}{2}$×(초음파의 속력)×(초음파의 왕복 시간)이다.
- 초음파의 왕복 시간이 가장 긴 지점(A에서 탐사 지점 3, B에서 탐사 지점 6′)의 수심이 가장 깊고, 초음파의 왕복 시간이 가장 짧은 지점(A에서 탐사 지점 2, B에서 탐사 지점 3′)의 수심이 가장 얕다.
- 해역 A에서 탐사 지점 3 부근의 수심은 7000 m보다 깊은 것으로 보아 탐사 지점 3 부근에 해구가 발달한다.
- 해역 B에는 탐사 지점 3′ 부근에 해령이 발달한다.

2 지질 시대의 대륙 분포 변화

(1) **지구 자기장:** 지구는 내부에 막대자석이 있는 것과 유사한 자기적 성질을 가지며, 지구가 가지고 있는 고유한 자기장을 지구 자기장이라고 한다.

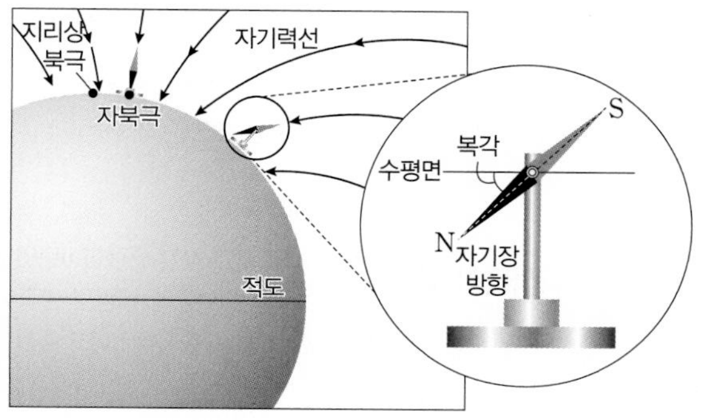

▲ 지구 자기장과 복각

① 복각: 나침반 자침의 N극(지구 자기장의 방향)이 수평면과 이루는 각을 복각이라고 한다. 예 자북극: $+90°$, 자기 적도: $0°$, 자남극: $-90°$

② 지자기 북극: 지구의 자전축과 북반구의 지표면이 만나는 지점을 지리상 북극이라고 한다. 이에 비해 지자기 북극은 지구 자기장을 지구 중심에 놓인 거대한 막대자석이 만드는 자기장이라고 근사했을 때, 막대자석의 S극 방향의 축과 지표면이 만나는 지점이다.

(2) **고지자기와 대륙 이동**

① 잔류 자기

- 마그마가 식어서 굳어질 때 자성 광물이 당시의 지구 자기장 방향으로 자화된다. 그 후 지구 자기장의 방향이 변해도 당시의 자성 광물의 자화 방향은 그대로 보존되는데, 이를 잔류 자기라고 한다.
- 자성 광물이 포함된 암석의 잔류 자기 방향을 측정하면 암석이 생성된 위도와 지자기 북극의 위치를 추정할 수 있다.

② 고지자기극: 지구 자기장의 변화에 의해 지자기 북극은 지리상 북극 주변을 불규칙적으로 움직인다. 오랜 시간 동안 지구 자기장의 변화를 평균하면 지자기 북극은 지리상 북극과 일치하며 이를 고지자기극이라고 한다.

③ 고지자기극의 겉보기 이동 경로를 이용한 대륙 이동 복원: 유럽 대륙의 화성암과 북아메리카 대륙의 화성암에서 측정한 고지자기극의 겉보기 이동 경로가 서로 일치하지 않고 어긋나 있는 것은 대륙 이동의 증거이다.

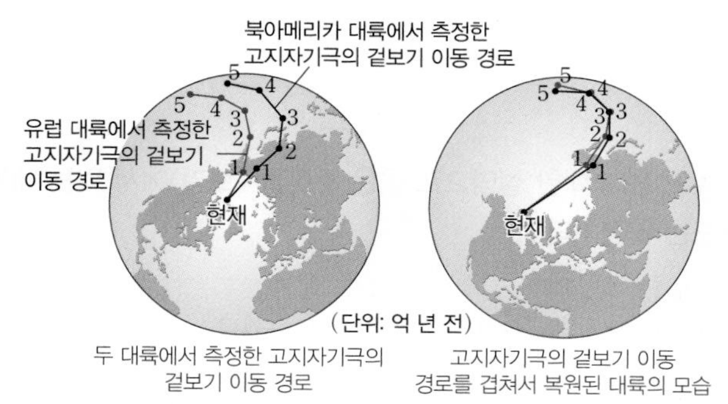

▲ 고지자기극의 겉보기 이동 경로와 대륙 이동

④ 고지자기 복각을 이용한 대륙 이동 복원: 지질 시대 동안 지리상 북극의 위치가 변하지 않았다고 가정하면 고지자기 복각의 크기는 위도가 높을수록 크다. 따라서 고지자기 복각을 측정하면 대륙의 과거 위도를 알 수 있다.

(3) **지질 시대 동안 대륙 분포의 변화:** 지질 시대 동안 판의 운동에 의해 대륙의 분포는 변해왔다.

① 로디니아의 형성과 분리: 약 12억 년 전에 형성된 초대륙 로디니아는 약 8억 년 전부터 분리되기 시작하였다.

② 판게아의 형성과 분리: 고생대 말에 대륙이 다시 합쳐져 초대륙 판게아가 형성되었고 중생대 초에 분리되기 시작하였다.

③ 히말라야산맥의 형성: 남반구에 위치하던 인도 대륙이 북쪽으로 이동하여 신생대에 유라시아 대륙과 충돌해 히말라야산맥이 형성되었다.

(4) **미래의 대륙 분포:** 과학자들은 판이 끊임없이 운동을 하므로, 대륙이 분리되었다가 합쳐져 초대륙을 형성하고 다시 분리되었다가 모이는 과정을 되풀이한다고 생각한다.

더 알기  고지자기와 대륙 이동

다음은 어느 대륙에서 지질 시대 A → B → C에 생성된 화성암에서 측정한 고지자기극 자료를 해석하는 2가지 방법이다. 지질 시대 동안 지리상 북극의 위치는 변하지 않았다고 가정한다.

- (가)는 대륙의 위치를 현재 위치에 고정했을 때 고지자기극의 위치 변화를 나타낸 것이다.
- (나)는 고지자기극을 지리상 북극에 고정했을 때 대륙의 위치 변화를 나타낸 것이다.
- 지리상 북극의 위치가 지질 시대 동안 변하지 않았다고 가정하면 (가)와 같이 고지자기극이 A → B → C를 거쳐 현재 지리상 북극으로 변한 것은 (나)와 같이 대륙이 A → B → C로 북상하여 현재 위치에 도달하였기 때문이다.

(가) 대륙을 현재 위치에 고정했을 때

(나) 고지자기극을 지리상 북극에 고정했을 때

테마 대표 문제

| 2024학년도 수능 |

그림은 남반구 중위도에 위치한 어느 해양 지각의 연령과 고지자기 줄무늬를 나타낸 것이다. ㉠과 ㉡은 각각 정자극기와 역자극기 중 하나이다.

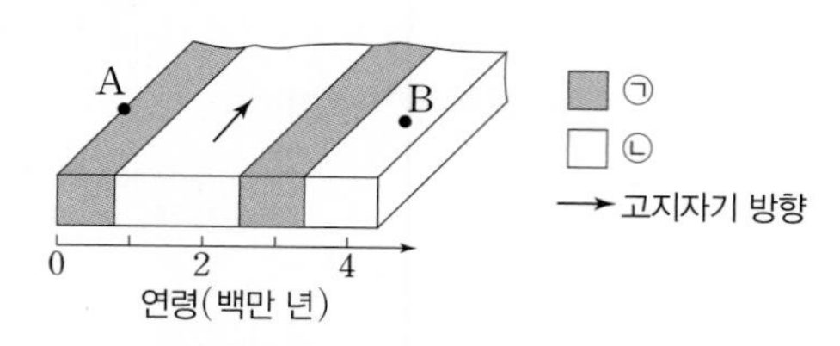

지역 A와 B에 대한 설명으로 옳은 것만을 <보기>에서 있는 대로 고른 것은? (단, 해저 퇴적물이 쌓이는 속도는 일정하다.)

보기

ㄱ. 해저 퇴적물의 두께는 A가 B보다 두껍다.
ㄴ. A의 하부에는 맨틀 대류의 상승류가 존재한다.
ㄷ. B는 A의 동쪽에 위치한다.

① ㄱ ② ㄴ ③ ㄷ ④ ㄱ, ㄷ ⑤ ㄴ, ㄷ

접근 전략

현재는 정자극기이며, 해령의 열곡에서 새로운 해양 지각이 생성되고 확장된다. 고지자기 줄무늬는 해령의 열곡과 나란하며, 해령의 열곡을 축으로 양쪽이 거의 대칭을 이룬다는 것을 알아야 한다.

간략 풀이

A의 해양 지각 연령이 0년인 것으로 보아, A 부근에 해령의 열곡이 분포한다. ㉠은 정자극기이고 ㉡은 역자극기이다.

ㄱ(✕). 해령의 열곡에서 새로운 해양 지각이 생성되고 확장되므로 해령의 열곡에서 멀어질수록 해저 퇴적물의 두께는 증가한다. 따라서 해저 퇴적물의 두께는 A가 B보다 얇다.

ㄴ(○). A 부근에 해령의 열곡이 분포한다. 따라서 A의 하부에는 맨틀 대류의 상승류가 존재한다.

ㄷ(✕). 그림의 해양 지각은 남반구 중위도에 위치하며, 역자극기에 생성된 해양 지각에서 측정한 고지자기 방향은 남쪽을 향한다. 따라서 B는 A의 서쪽에 위치한다.

정답 | ②

닮은 꼴 문제로 유형 익히기

정답과 해설 2쪽

▶24069-0001

그림은 남반구 중위도에 위치한 어느 해양 지각에서의 고지자기 줄무늬를 나타낸 모식도이다. 지점 A, B, C 중 한곳에 해령의 열곡이 위치한다.

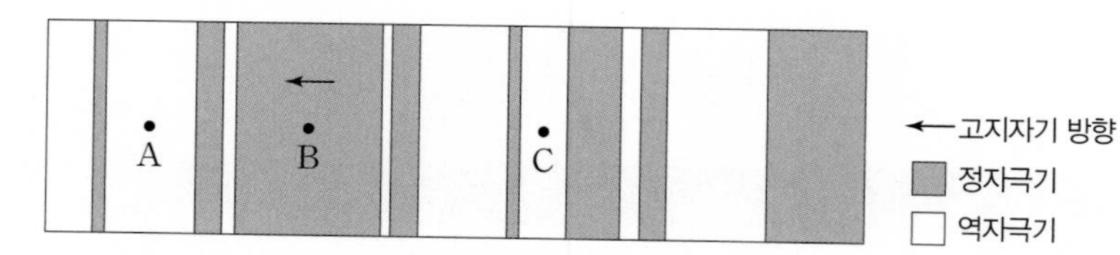

이에 대한 설명으로 옳은 것만을 <보기>에서 있는 대로 고른 것은? (단, 해양판은 남북 방향으로만 확장한다.)

보기

ㄱ. 해령의 열곡이 위치하는 지점은 A이다.
ㄴ. 위도는 A가 B보다 높다.
ㄷ. 해양 지각의 연령은 A가 C보다 적다.

① ㄱ ② ㄴ ③ ㄷ ④ ㄱ, ㄴ ⑤ ㄴ, ㄷ

유사점과 차이점

해양 지각에서의 고지자기 줄무늬를 다룬다는 점에서 대표 문제와 유사하지만, 고지자기 줄무늬를 해석하여 해령의 열곡을 파악해야 한다는 점에서 대표 문제와 다르다.

배경 지식

- 현재는 정자극기이며, 해령의 열곡에서 새로운 해양 지각이 생성되고 확장된다.
- 고지자기 줄무늬는 해령의 열곡과 나란하며 해령의 열곡을 축으로 양쪽이 거의 대칭을 이룬다.
- 정자극기에 생성된 해양 지각에서 측정한 고지자기 방향은 북쪽을 향한다.

01

▸24069-0002

그림은 베게너가 대륙 이동설의 증거로 제시한 습곡 산맥의 분포를 현재 수륙 분포에 나타낸 것이다.

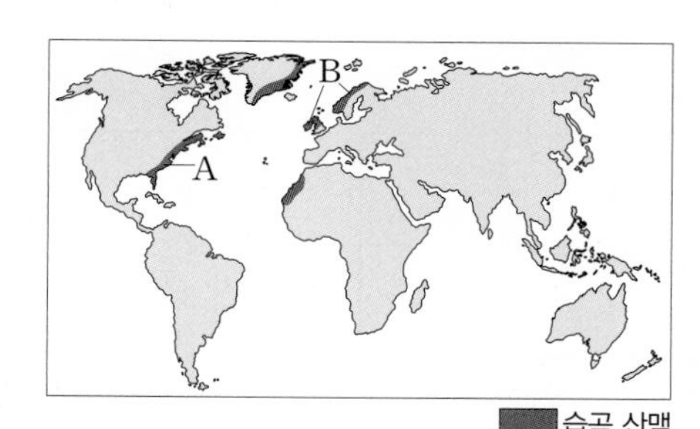

이에 대한 설명으로 옳은 것만을 〈보기〉에서 있는 대로 고른 것은?

보기
ㄱ. A에서 삼엽충 화석이 산출될 수 있다.
ㄴ. B는 판게아가 분리되는 과정에서 만들어졌다.
ㄷ. A와 B에서 암석 분포와 지질 구조가 연속성을 갖는다.

① ㄱ ② ㄴ ③ ㄷ
④ ㄱ, ㄷ ⑤ ㄴ, ㄷ

02

▸24069-0003

그림은 베게너의 대륙 이동설을 근거로 재구성한 판게아의 모습을 나타낸 것이다.

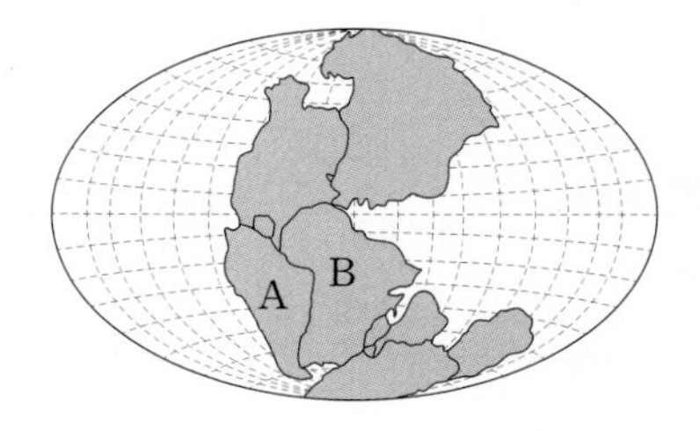

이에 대한 설명으로 옳은 것만을 〈보기〉에서 있는 대로 고른 것은?

보기
ㄱ. 판게아가 존재하던 당시에 A 대륙과 B 대륙에는 메소사우루스가 서식하였다.
ㄴ. 대서양은 판게아가 형성되는 과정에서 만들어졌다.
ㄷ. 판게아가 존재하던 당시에 인도 대륙은 남반구에 위치했다.

① ㄱ ② ㄴ ③ ㄷ
④ ㄱ, ㄷ ⑤ ㄴ, ㄷ

03

▸24069-0004

다음은 홈스의 맨틀 대류설에 대한 설명이다.

홈스는 지각 아래에 있는 ㉠맨틀이 열대류를 하고 있으며, 이 힘으로 대륙이 이동한다는 맨틀 대류설을 주장하였다. 맨틀 대류의 상승부와 하강부의 특징은 다음과 같다.

	특징
맨틀 대류의 ( )부	㉡횡압력이 작용하면서 두꺼운 산맥이 형성된다.
맨틀 대류의 (㉢)부	대륙 지각이 분리되면서 새로운 바다가 형성된다.

이에 대한 설명으로 옳은 것만을 〈보기〉에서 있는 대로 고른 것은?

보기
ㄱ. ㉠에서의 온도는 균일하다.
ㄴ. ㉡에 의해 습곡이 만들어질 수 있다.
ㄷ. '하강'은 ㉢에 해당한다.

① ㄱ ② ㄴ ③ ㄱ, ㄷ
④ ㄴ, ㄷ ⑤ ㄱ, ㄴ, ㄷ

04

▸24069-0005

그림은 어느 해역에 분포하는 판의 경계를 가로지르는 A_1-A_6 구간을, 표는 A_1-A_6 구간에 위치하는 각 지점에서의 수심을 나타낸 것이다.

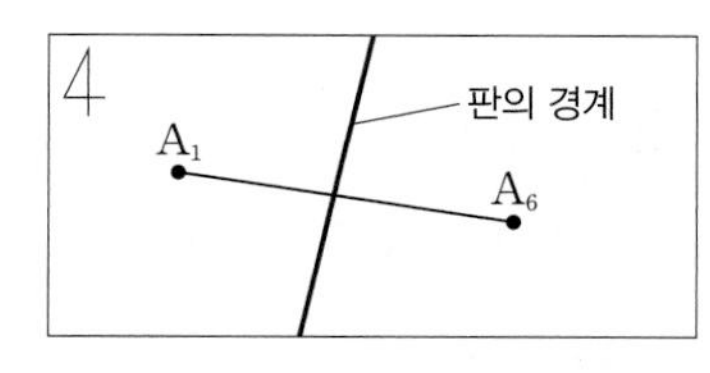

지점	수심(m)	A_1로부터의 거리(km)
A_1	5775	0
A_2	5520	420
A_3	4605	840
A_4	2963	1260
A_5	4913	1680
A_6	5228	2100

이에 대한 설명으로 옳은 것만을 〈보기〉에서 있는 대로 고른 것은?

보기
ㄱ. A_1과 A_5는 서로 멀어지고 있다.
ㄴ. A_2와 A_3은 서로 다른 판에 위치한다.
ㄷ. 해양 지각의 연령은 A_4가 A_6보다 많다.

① ㄱ ② ㄴ ③ ㄷ
④ ㄱ, ㄷ ⑤ ㄴ, ㄷ

05

▸24069-0006

다음은 어느 지진대에 대한 설명이다.

> 이 지진대는 ㉠ 서로 다른 두 판이 수렴할 때, 다른 판 밑으로 섭입하는 판을 따라 생긴 지진대를 말한다. 해구로부터 대륙 쪽으로 갈수록 점차 진원의 깊이가 (㉡)지는 경향을 보인다. 이 지진대에서 진원 깊이 300 km 이상인 지진이 활발하게 발생하는 이유에 대한 이론적인 설명은 1960년대에 판 구조론이 등장하면서 가능해졌다.

이에 대한 설명으로 옳은 것만을 〈보기〉에서 있는 대로 고른 것은?

보기
ㄱ. 이 지진대는 베니오프대이다.
ㄴ. '대륙판과 대륙판'은 ㉠에 해당한다.
ㄷ. '깊어'는 ㉡에 해당한다.

① ㄱ ② ㄴ ③ ㄷ
④ ㄱ, ㄷ ⑤ ㄴ, ㄷ

06

▸24069-0007

그림은 어느 해령 부근의 판 경계를 나타낸 것이다.

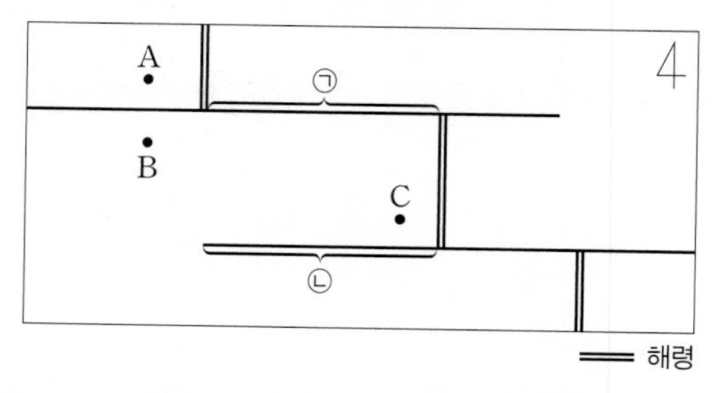

이에 대한 설명으로 옳은 것만을 〈보기〉에서 있는 대로 고른 것은? (단, 같은 해양판에서 판의 확장 속도는 같다.)

보기
ㄱ. 해양 지각의 연령은 A와 B가 같다.
ㄴ. 심해 퇴적물의 두께는 B가 C보다 두껍다.
ㄷ. 지진의 발생 빈도는 ㉠ 구간이 ㉡ 구간보다 낮다.

① ㄱ ② ㄴ ③ ㄷ
④ ㄱ, ㄴ ⑤ ㄴ, ㄷ

07

▸24069-0008

그림은 해양판 A와 B에서 해양 지각의 연령 분포를 나타낸 것이다.

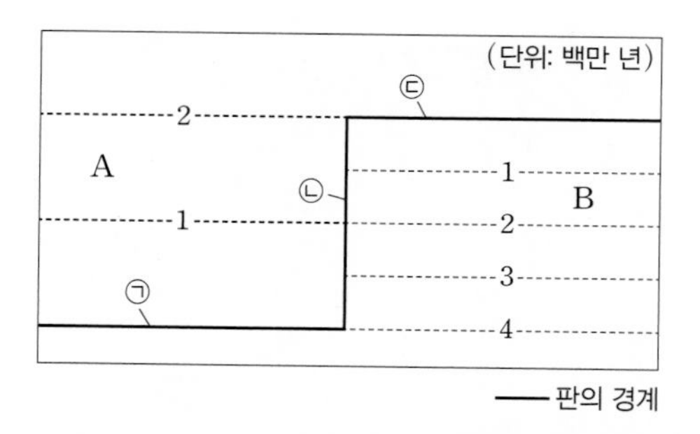

이에 대한 설명으로 옳은 것만을 〈보기〉에서 있는 대로 고른 것은?

보기
ㄱ. ㉠과 ㉡은 같은 종류의 판의 경계이다.
ㄴ. ㉢은 맨틀 대류의 상승부에 위치한다.
ㄷ. 최근 2백만 년 동안 A의 평균 확장 속도는 B의 약 2배이다.

① ㄱ ② ㄷ ③ ㄱ, ㄴ
④ ㄴ, ㄷ ⑤ ㄱ, ㄴ, ㄷ

08

▸24069-0009

그림은 태평양판과 북아메리카판의 경계 부근에서 규모 7.0 이상인 지진의 진앙 분포와 진원 깊이를 나타낸 것이다.

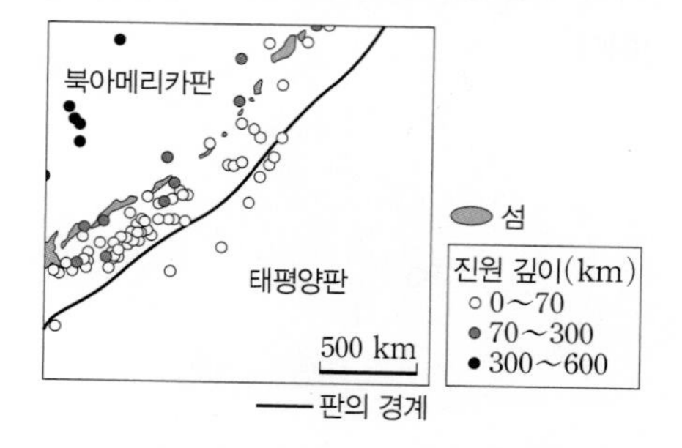

이에 대한 설명으로 옳은 것만을 〈보기〉에서 있는 대로 고른 것은?

보기
ㄱ. 판의 경계에 해구가 발달한다.
ㄴ. 베니오프대는 북아메리카판 하부에 발달한다.
ㄷ. 화산 활동은 태평양판보다 북아메리카판에서 활발하게 일어난다.

① ㄱ ② ㄴ ③ ㄱ, ㄷ
④ ㄴ, ㄷ ⑤ ㄱ, ㄴ, ㄷ

09

▸24069-0010

그림은 최근 360만 년 동안의 고지자기 연대표를 나타낸 것이고, 표는 A, B, C 지역의 현무암에서 측정한 절대 연령 및 고지자기 복각을 나타낸 것이다.

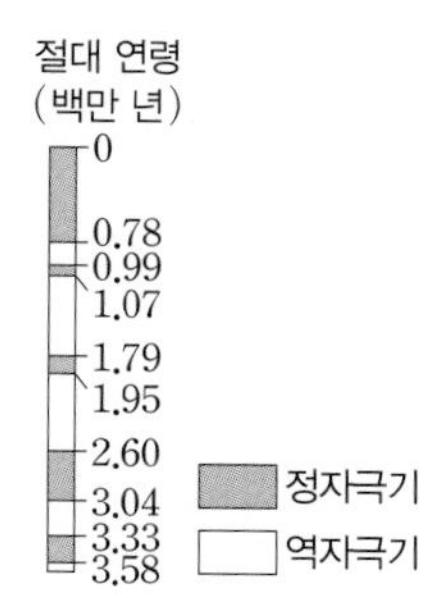

지역	절대 연령 (백만 년)	고지자기 복각(°)
A	0.62	−40
B	2.10	+50
C	2.10	+70

이에 대한 설명으로 옳은 것만을 〈보기〉에서 있는 대로 고른 것은? (단, 지리상 북극의 위치는 변하지 않았다.)

보기

ㄱ. A의 현무암이 생성될 당시와 B의 현무암이 생성될 당시에 지구 자기장의 방향은 같았다.
ㄴ. 각 지역에서 현무암이 생성될 당시에 A와 B 모두는 남반구에 위치했다.
ㄷ. 각 지역에서 현무암이 생성될 당시에 위도는 B가 C보다 높았다.

① ㄱ ② ㄴ ③ ㄷ
④ ㄱ, ㄷ ⑤ ㄴ, ㄷ

10

▸24069-0011

그림은 어느 지역에서 지진의 진원 깊이에 따른 진앙 분포를 나타낸 것이다.

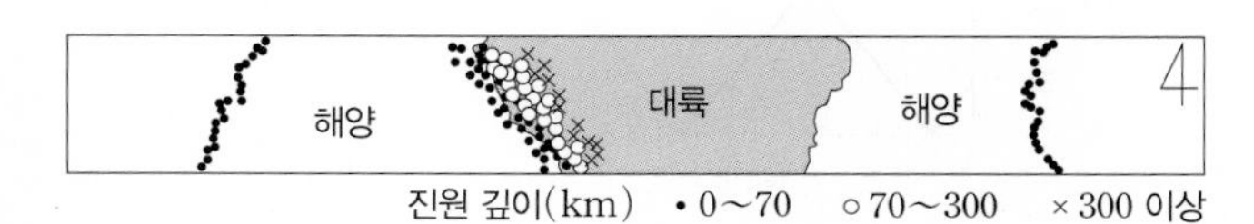

이 지역에는 몇 개의 서로 다른 판이 존재하는가?

① 1개 ② 2개 ③ 3개
④ 4개 ⑤ 5개

11

▸24069-0012

그림은 어느 시기에 지표상의 A, B 지점을 지리상 북극, 지자기 남극과 함께 나타낸 것이다.

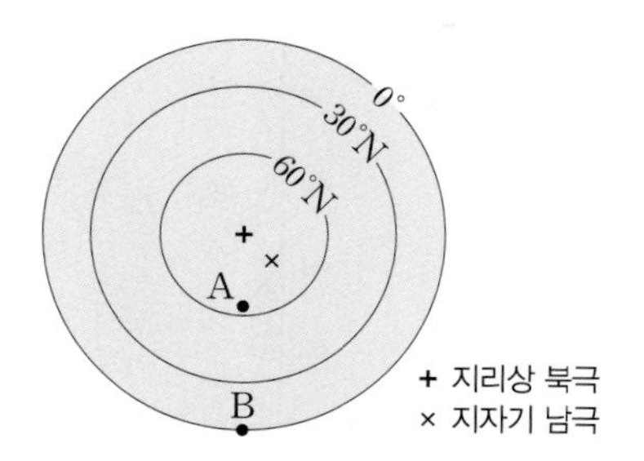

이에 대한 설명으로 옳은 것만을 〈보기〉에서 있는 대로 고른 것은?

보기

ㄱ. A에서 복각은 양(+)의 값이다.
ㄴ. 복각의 크기는 A가 B보다 크다.
ㄷ. 이 시기에 지구 자기장의 방향은 현재와 같다.

① ㄱ ② ㄴ ③ ㄱ, ㄷ
④ ㄴ, ㄷ ⑤ ㄱ, ㄴ, ㄷ

12

▸24069-0013

그림은 퇴적암 A~F가 분포하는 어느 지역의 지층 단면을, 표는 이 지역 각 퇴적암의 퇴적 시기와 고지자기 복각을 나타낸 것이다. 퇴적암 A~F는 모두 정자극기에 생성되었다.

지표면

퇴적암	퇴적 시기	고지자기 복각(°)
A	쥐라기	+35.1
B	백악기	+37.4
C	석탄기	−22.3
D	트라이아스기	−7.2
E	팔레오기	+36.4
F	페름기	−12.2

이에 대한 설명으로 옳은 것만을 〈보기〉에서 있는 대로 고른 것은? (단, 지리상 북극의 위치는 변하지 않았다.)

보기

ㄱ. A~F 중 가장 먼저 생성된 퇴적암은 C이다.
ㄴ. 이 지역은 삼엽충이 멸종하던 시기에 남반구에 위치했다.
ㄷ. 이 지역은 중생대 동안 북쪽으로 이동한 시기가 있었다.

① ㄱ ② ㄷ ③ ㄱ, ㄴ
④ ㄴ, ㄷ ⑤ ㄱ, ㄴ, ㄷ

01

▸24069-0014

그림은 어느 해역에서의 수심 분포를 등수심선으로 나타낸 것이다.

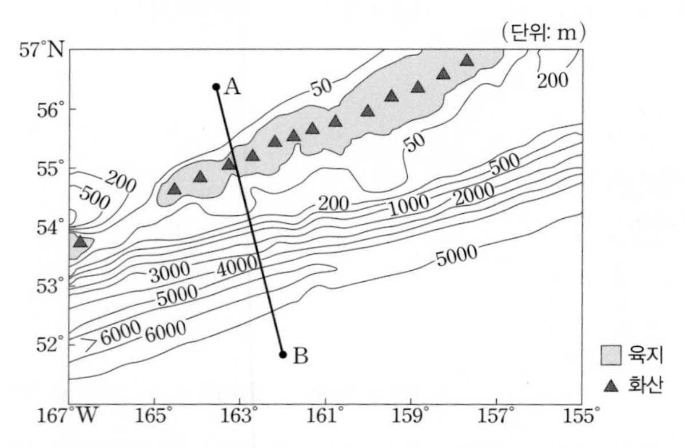

이 해역에 대한 설명으로 옳은 것만을 〈보기〉에서 있는 대로 고른 것은? (단, 해수에서 초음파의 속도는 1500 m/s 이다.)

보기

ㄱ. A 지점이 속한 판이 B 지점이 속한 판 아래로 섭입하고 있다.
ㄴ. A－B 구간에 맨틀 대류의 하강부에 위치하는 지점이 있다.
ㄷ. 음향 측심법을 이용하여 측정한 초음파 왕복 시간의 최댓값은 8초보다 짧다.

① ㄱ ② ㄴ ③ ㄷ ④ ㄱ, ㄷ ⑤ ㄴ, ㄷ

02

▸24069-0015

그림은 어느 해역에서 해양판 P와 Q의 경계를 나타낸 것이다. 해양판의 확장 속도는 P가 Q의 2배이고, 각각의 해양판에서 판의 확장 속도는 일정하다.

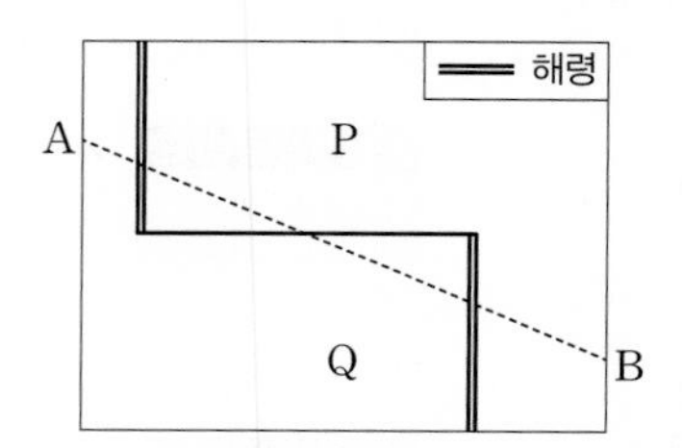

A－B 구간에서 해양 지각의 연령을 나타낸 것으로 가장 적절한 것은?

①
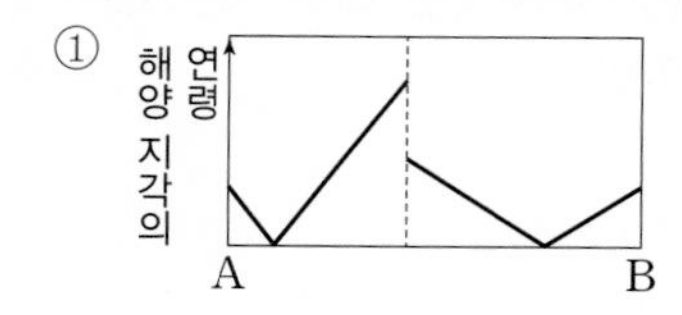

②
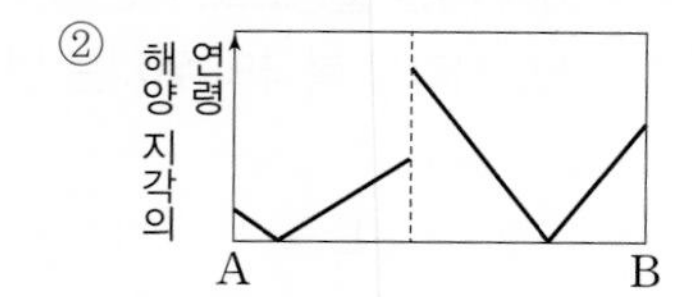

③
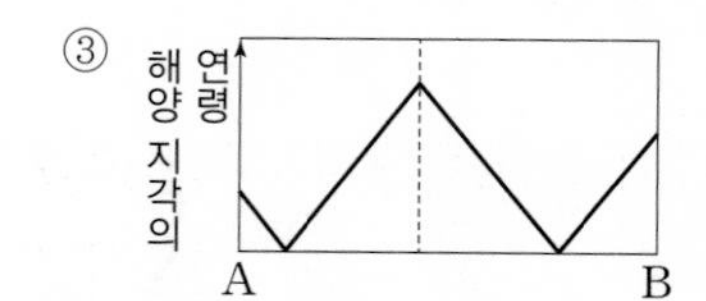

④
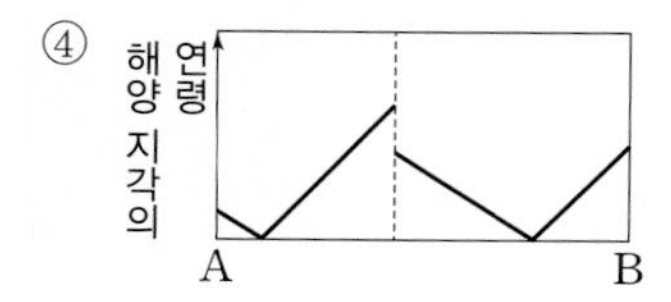

⑤
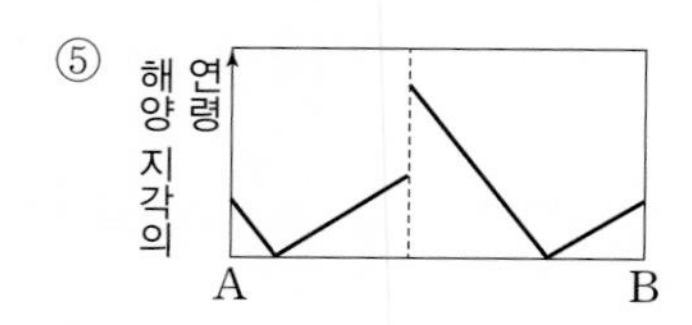

03

▸24069-0016

그림은 어느 해령 주변의 해양 지각에서 측정한 고지자기 복각 및 진앙 분포를 모식적으로 나타낸 것이다. A 지점과 B 지점, C 지점과 D 지점 각각의 위도는 같다.

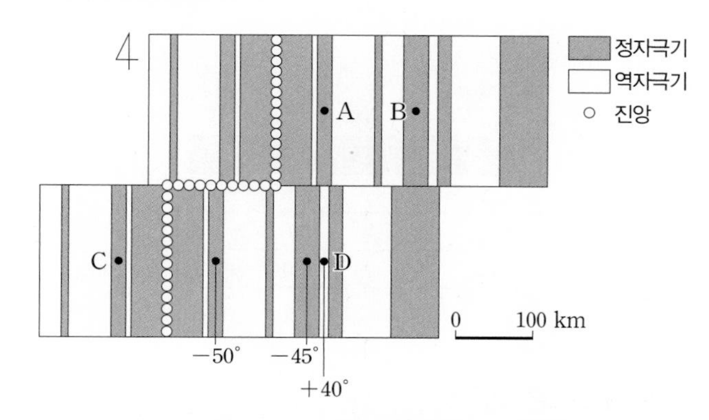

이에 대한 설명으로 옳은 것만을 〈보기〉에서 있는 대로 고른 것은? (단, 지리상 북극의 위치는 변하지 않았다.)

보기

ㄱ. A가 D보다 고위도에 위치한다.
ㄴ. 해양 지각의 연령은 B가 D보다 적다.
ㄷ. 생성될 당시에는 C가 D보다 저위도에 위치했다.

① ㄱ ② ㄴ ③ ㄷ ④ ㄱ, ㄴ ⑤ ㄴ, ㄷ

04

▸24069-0017

그림 (가)는 어느 해양 지각의 A－C 구간에서 측정한 고지자기 줄무늬의 일부를 나타낸 것이고, (나)는 A－C 구간에서 측정한 해양 지각의 연령을 나타낸 것이다.

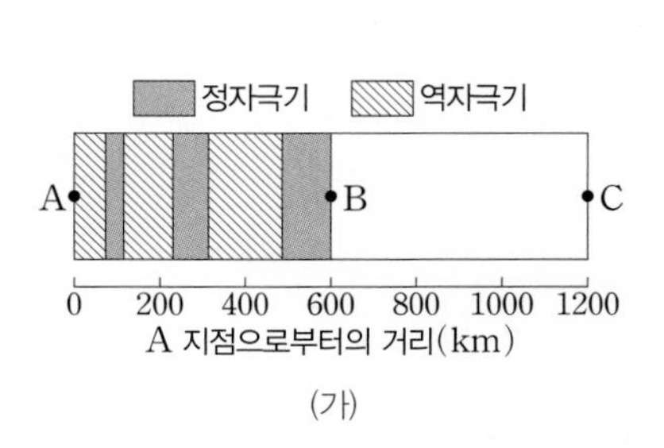

(가)

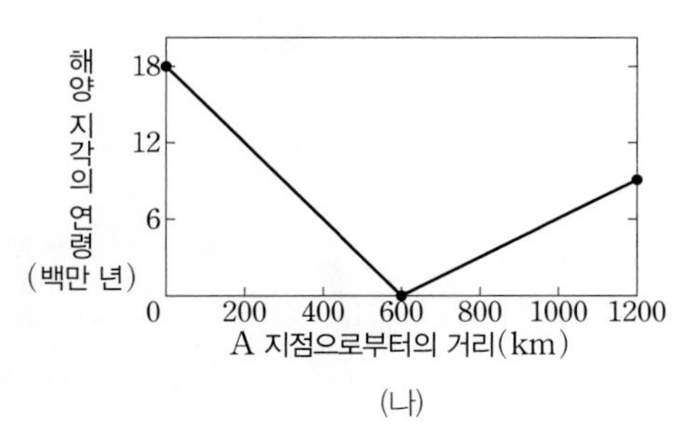

(나)

B－C 구간에서 측정한 고지자기 줄무늬로 가장 적절한 것은?

①
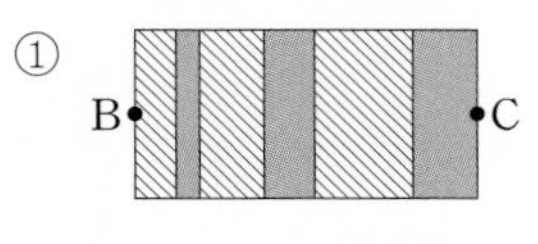

②
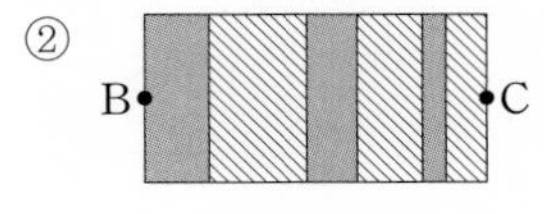

③
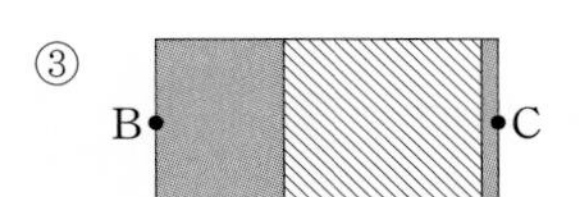

④
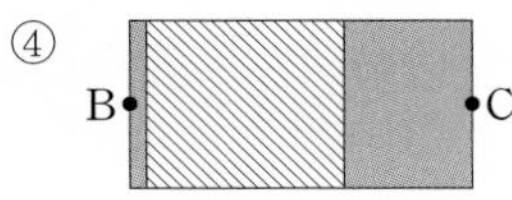

⑤
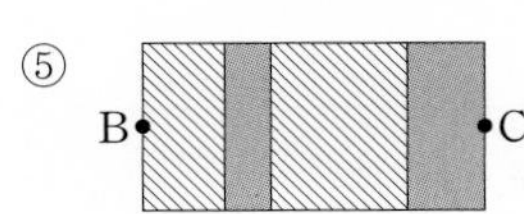

05

▸24069-0018

그림은 어느 해역에서 해양 지각의 연령에 따른 수심을 시추 지점 A, B, C의 자료와 함께 나타낸 것이고, 표는 A, B, C에서의 시추 결과를 나타낸 것이다. ㉠, ㉡, ㉢은 각각 A, B, C 중 하나이고, A, B, C는 동일 위도상에 위치하며, 해양판의 확장 속도는 일정하게 유지된다.

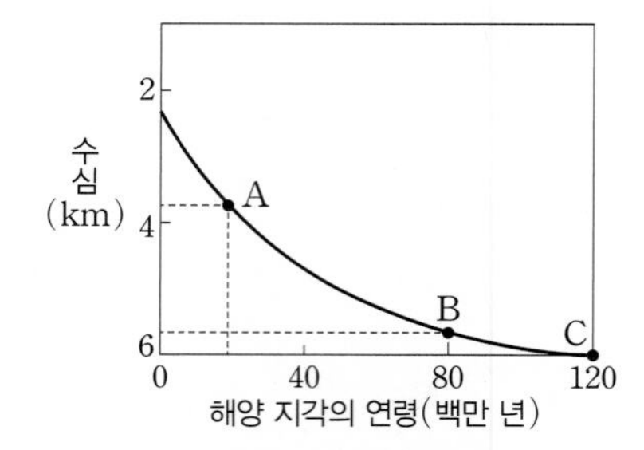

시추 지점	심해 퇴적물의 두께(m)
㉠	700
㉡	160
㉢	1100

이 자료에 대한 설명으로 옳은 것만을 〈보기〉에서 있는 대로 고른 것은?

보기
ㄱ. ㉢에서 해양 지각의 연령은 8천만 년이다.
ㄴ. B에서 심해 퇴적물의 평균 퇴적 속도는 8×10^{-4} cm/년보다 빠르다.
ㄷ. 해저면의 평균 경사는 ㉠−㉡ 구간이 ㉠−㉢ 구간보다 급하다.

① ㄱ　② ㄴ　③ ㄷ　④ ㄱ, ㄴ　⑤ ㄴ, ㄷ

06

▸24069-0019

그림은 해양판 A와 B의 경계 부근에서 지진의 진앙과 진원 깊이를 나타낸 것이다. 해양판 A와 B 모두 이동 방향은 서쪽이다.

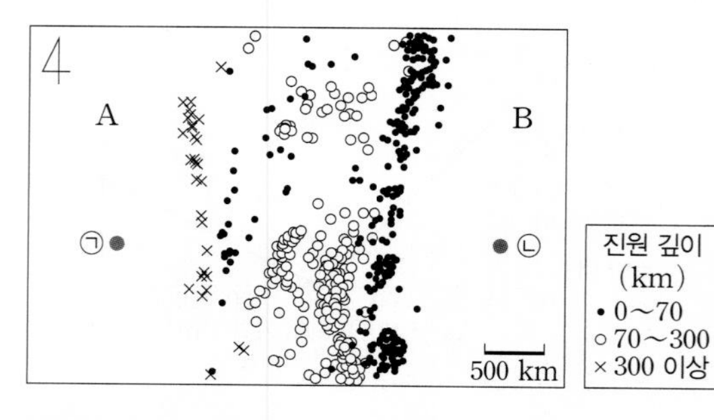

이에 대한 설명으로 옳은 것만을 〈보기〉에서 있는 대로 고른 것은?

보기
ㄱ. 화산 활동은 B보다 A에서 활발하다.
ㄴ. 판의 이동 속력은 B보다 A가 빠르다.
ㄷ. 판의 경계까지의 거리는 ㉡ 지점보다 ㉠ 지점이 가깝다.

① ㄱ　② ㄴ　③ ㄱ, ㄷ　④ ㄴ, ㄷ　⑤ ㄱ, ㄴ, ㄷ

07

▸24069-0020

그림은 어느 지역에서의 지진의 진앙과 진원 깊이, 해양 지각의 연령을 모식적으로 나타낸 것이다.

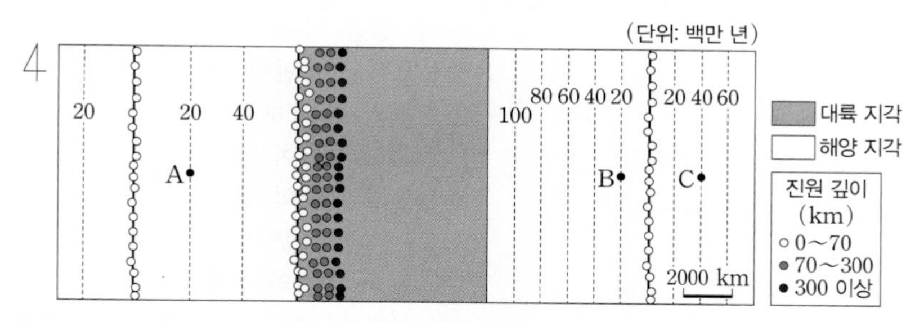

이 지역에 대한 설명으로 옳은 것만을 <보기>에서 있는 대로 고른 것은?

보기
ㄱ. 최근 2천만 년 동안 해양판의 평균 확장 속력은 A 지점이 속한 판이 B 지점이 속한 판보다 빨랐다.
ㄴ. A 지점이 속한 판이 B 지점이 속한 판 아래로 섭입하고 있다.
ㄷ. B 지점과 C 지점 사이의 판의 경계에서 분출되는 마그마의 SiO_2 평균 함량은 60 %보다 많다.

① ㄱ ② ㄴ ③ ㄷ ④ ㄱ, ㄴ ⑤ ㄴ, ㄷ

08

▸24069-0021

그림은 가상의 초대륙을 구성하는 대륙판 A, B, C와 각각의 대륙판에서 판의 이동 속도를 나타낸 것이다. 동일한 대륙판에서 판의 이동 속도는 같다.

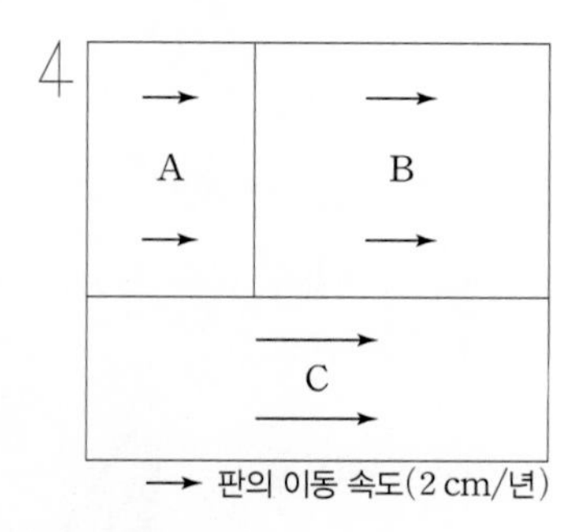

이에 대한 설명으로 옳은 것만을 <보기>에서 있는 대로 고른 것은?

보기
ㄱ. A와 B는 멀어지고 있다.
ㄴ. A와 C의 경계에는 주향 이동 단층이 발달한다.
ㄷ. B와 C 사이에는 습곡 산맥이 형성된다.

① ㄱ ② ㄴ ③ ㄷ ④ ㄱ, ㄴ ⑤ ㄴ, ㄷ

판 이동의 원동력과 마그마 활동

1 판 이동의 원동력

(1) 맨틀 대류와 판의 운동

① 맨틀 대류

- 맨틀은 고체이지만 연약권은 유동성을 띠고 있으며, 깊이에 따른 온도 차이로 인하여 연약권에서 대류가 일어난다. ➡ 연약권 위에 놓인 판은 맨틀 대류에 의해 이동한다.
- 해령은 맨틀 대류가 상승하는 곳으로, 해령에서 멀어지는 방향으로 판을 밀어내는 힘이 작용한다.
- 해구는 오래된 해양 지각이 맨틀 속으로 침강하여 소멸하는 곳으로, 침강하는 판 자체의 무게는 판 전체를 잡아당기는 힘으로 작용한다.

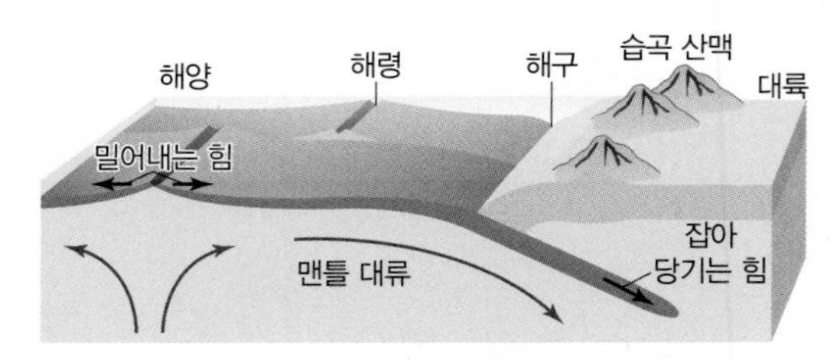

▲ 판을 이동시키는 힘

② 판의 운동: 맨틀 대류의 상승류가 있는 곳에서는 두 판이 멀어지고, 하강류가 있는 곳에서는 판의 충돌이나 섭입이 일어난다.

- 발산형 경계: 새로운 해양 지각이 생성되면서 양쪽으로 확장되는 경계이다. 예 해령
- 수렴형 경계: 판과 판이 가까워지면서 충돌하거나 하나의 판이 다른 판 아래로 섭입하면서 소멸되는 경계이다. 예 해구
- 보존형 경계: 판이 수평으로 미끄러지면서 어긋나는 경계이다. 예 변환 단층

(2) 플룸 구조론과 열점

① 플룸 구조론: 플룸의 상승과 하강으로 지구 내부의 변동을 설명하는 이론이다.

- 차가운 플룸: 수렴형 경계에서 섭입한 판이 상부 맨틀과 하부 맨틀의 경계 부근에 쌓여 있다가 맨틀과 외핵의 경계 쪽으로 가라앉으면서 생성된다. ➡ 주변의 맨틀보다 상대적으로 온도가 낮고 지진파의 속도가 빠르다.

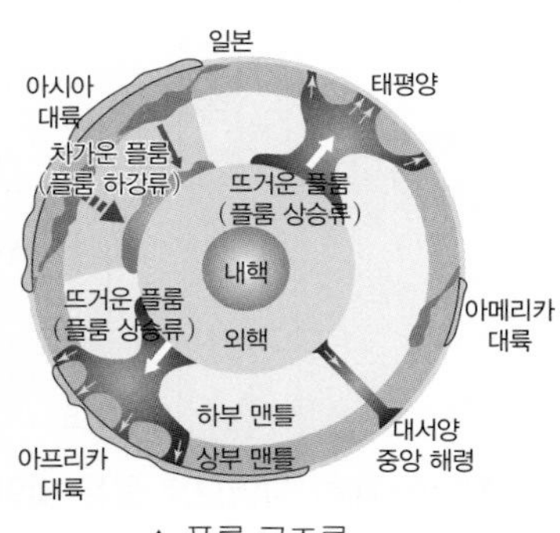

▲ 플룸 구조론

- 뜨거운 플룸: 차가운 플룸이 맨틀과 외핵의 경계에 도달하면 그 영향으로 일부 맨틀 물질이 상승하여 생성된다. ➡ 주변의 맨틀보다 상대적으로 온도가 높고 지진파의 속도가 느리다.

② 열점: 뜨거운 플룸이 상승하면서 생성된 마그마에 의한 화산 활동이 일어난다.

- 뜨거운 플룸은 맨틀과 외핵의 경계 부근에서 상승하므로 판이 이동해도 열점의 위치는 변하지 않는다.
- 고정된 열점에서 오랫동안 마그마가 분출되면 용암 대지, 해산, 화산섬 등이 만들어진다. ➡ 시간이 지남에 따라 판이 이동하면서 새로운 화산섬이 연속해서 만들어져 일정한 배열을 보이기도 한다. 예 하와이 열도

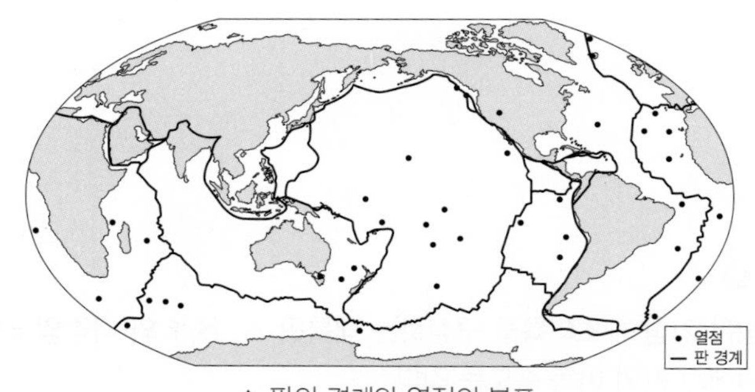

▲ 판의 경계와 열점의 분포

더 알기 하와이 열도의 생성 원리

- 하와이 열도는 태평양판의 내부에 위치하며, 현재 하와이섬에서는 화산 활동이 활발하다. ➡ 이곳에서 일어나는 화산 활동은 상부 맨틀이 대류하면서 일어나는 판의 운동으로 설명하기 어렵다.
- 하와이 열도의 섬들은 암석권(판) 아래의 고정된 열점에서 상승한 마그마가 지표면으로 분출하여 생성되었다.
- 현재 화산 활동이 일어나는 하와이섬에서 북서쪽으로 갈수록 섬들의 나이가 많아지며, 이 섬들에서는 화산 활동이 일어나지 않는다. ➡ 섬들의 배열 방향으로부터 판의 이동 방향을 알 수 있다.

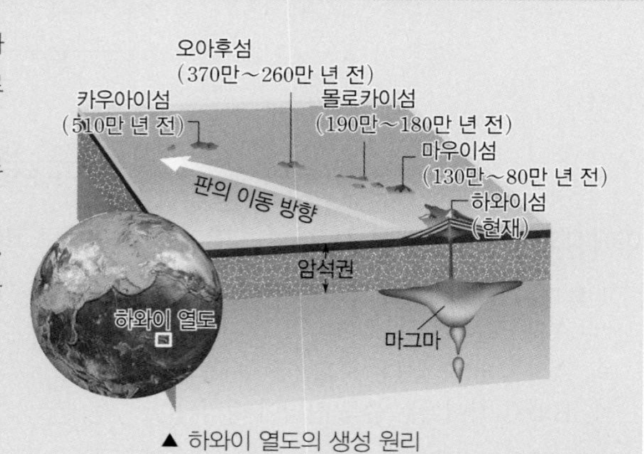

▲ 하와이 열도의 생성 원리

② 판 구조 운동과 마그마 활동

(1) 마그마의 생성

① 마그마 생성 조건: 지구 내부의 온도와 압력이 그곳에 존재하는 물질을 용융시킬 수 있는 조건이어야 한다.

- 온도 상승(A → A′): 지구 내부의 온도가 상승하면 대륙 지각이 용융되어 마그마가 생성될 수 있다.
- 압력 감소(B → B′): 맨틀 물질이 상승하여 압력이 낮아지면 맨틀 물질이 용융되어 마그마가 생성될 수 있다.
- 물의 공급(C → C′): 맨틀에 물이 공급되면 맨틀 물질의 용융 온도(용융점)가 낮아져 마그마가 생성될 수 있다.

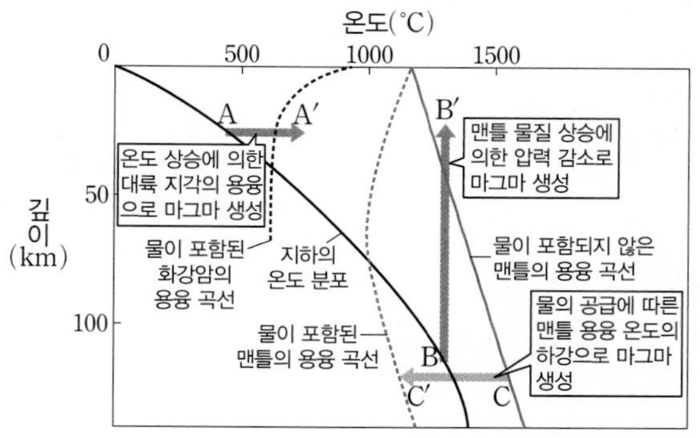

▲ 지하의 온도 분포와 암석의 용융 곡선

② 마그마의 종류: 화학 조성(SiO_2 함량)에 따라 현무암질 마그마, 안산암질 마그마, 유문암질 마그마로 구분한다.

마그마의 종류	현무암질	안산암질	유문암질
SiO_2 함량	52 % 이하	52 %~63 %	63 % 이상
온도	높다 ←—————→ 낮다		
점성	작다 ←—————→ 크다		

(2) 마그마의 생성 장소

① 발산형 경계: 맨틀 물질이 상승함에 따라 압력이 감소하므로 부분 용융되어 현무암질 마그마가 생성된다.

② 열점: 맨틀 물질이 상승함에 따라 압력이 감소하므로 부분 용융되어 현무암질 마그마가 생성된다.

③ 섭입형 경계

- 섭입하는 해양 지각에서 빠져나온 물이 연약권으로 유입되면서 연약권을 구성하는 광물의 용융 온도를 낮추어 현무암질 마그마가 생성된다. 이 마그마가 상승하여 대륙 지각의 하부에 도달하면 지각이 가열되어 유문암질 마그마가 생성된다. 이때 생성된 유문암질 마그마와 하부에서 상승한 현무암질 마그마가 혼합되면 안산암질 마그마가 생성될 수 있다.

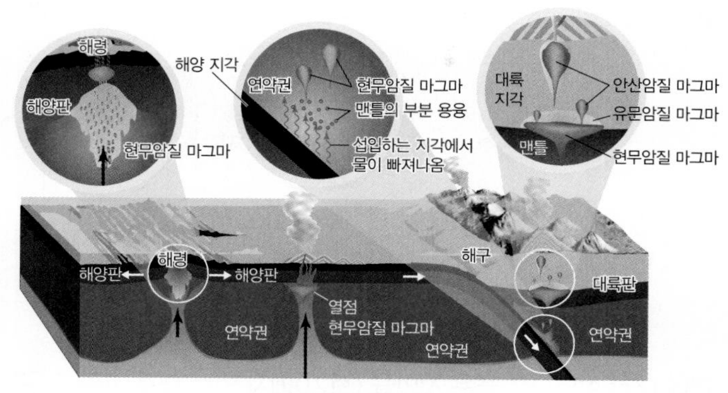

▲ 마그마의 생성 장소

(3) 마그마가 만든 암석

① 화성암: 지구 내부에서 생성된 마그마가 지표나 지하에서 식어서 만들어진 암석이다.

② 화성암의 조직

- 마그마가 지표로 분출하거나 지표 가까운 곳에서 빠르게 냉각되면 결정을 형성하지 못한 유리질이나 결정의 크기가 작은 세립질 조직이 된다.
- 마그마가 지하 깊은 곳에서 서서히 냉각되면 결정이 크게 성장하여 조립질 조직이 된다.

③ 화성암의 분류: 화성암은 화학 조성(SiO_2 함량)과 광물의 조성에 따라 염기성암, 중성암, 산성암으로 분류하고, 암석의 조직에 따라 화산암, 심성암으로 분류한다.

④ 한반도의 화성암 지형

- 화산암 지형: 제주도, 울릉도, 독도 등에는 신생대에 마그마가 지표로 분출하여 생성된 현무암이 많이 분포한다. ➡ 화산암이 생성되는 과정에서 마그마가 지표 부근에서 급속히 냉각되고 부피가 급격히 수축되어 기둥 모양으로 갈라진 주상 절리가 발달하기도 한다.
- 심성암 지형: 북한산, 설악산의 울산바위 등은 중생대에 마그마가 지하 깊은 곳에서 굳어서 생성된 화강암이 융기하여 지표로 드러난 것이다. ➡ 화강암이 지표에 노출되면서 압력 감소로 인해 팽창하여 판 모양으로 갈라진 판상 절리가 발달하기도 한다.

더 알기 화성암의 분류

- 화성암은 SiO_2 함량(%)에 따라 염기성암(고철질암), 중성암, 산성암(규장질암)으로 구분한다. 염기성암은 산성암에 비해 철, 마그네슘 등을 포함한 유색 광물의 비율이 높다.
- 화성암은 조직(마그마가 냉각되어 굳어진 위치)에 따라 화산암과 심성암으로 나눌 수 있다. 화산암은 지표 부근에서 마그마가 비교적 빠르게 식어 굳어진 것으로 세립질 조직이나 유리질 조직이 나타난다. 심성암은 마그마가 지하 깊은 곳에서 냉각된 것으로 광물 결정이 크게 성장하여 조립질 조직이 나타난다.

조직에 따른 분류 \ 화학 조성에 따른 분류	특징		염기성암	중성암	산성암
	SiO_2 함량		적다 ←— 52 % —— 63 % —→ 많다		
	색		어둡다 ←——→ 밝다		
	밀도		크다 ←——→ 작다		
	조직	냉각 속도			
화산암	세립질	빠르다	현무암	안산암	유문암
심성암	조립질	느리다	반려암	섬록암	화강암
조암 광물의 함량 (□무색 광물, ■유색 광물)			감람석, 휘석, 각섬석	사장석, 흑운모	석영, 정장석

테마 대표 문제

| 2024학년도 수능 |

그림 (가)는 판 경계 주변에서 마그마가 생성되는 모습을, (나)는 깊이에 따른 지하 온도 분포와 암석의 용융 곡선을 나타낸 것이다. ㉠과 ㉡은 안산암질 마그마와 현무암질 마그마를 순서 없이 나타낸 것이다.

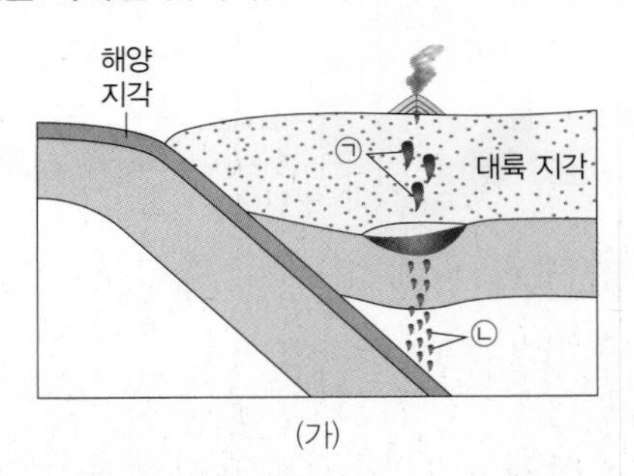

(가)

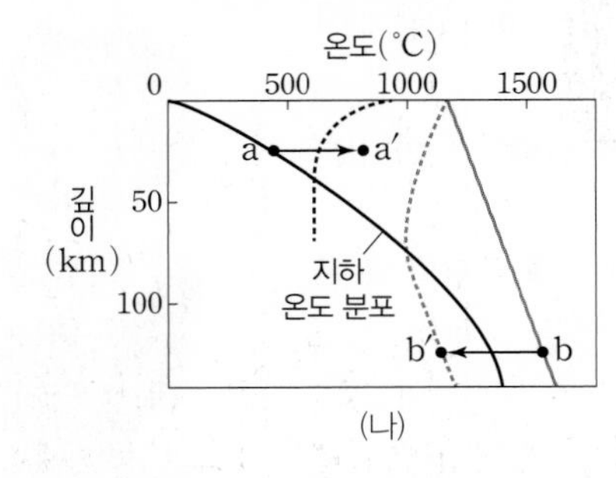

(나)

이에 대한 설명으로 옳은 것만을 〈보기〉에서 있는 대로 고른 것은?

보기

ㄱ. ㉠이 분출하여 굳으면 섬록암이 된다.
ㄴ. ㉡은 a → a′ 과정에 의해 생성된다.
ㄷ. SiO_2 함량(%)은 ㉠이 ㉡보다 높다.

① ㄱ ② ㄴ ③ ㄷ ④ ㄱ, ㄴ ⑤ ㄴ, ㄷ

접근 전략

섭입대 부근에서 생성되는 마그마 ㉠과 ㉡이 어떤 과정을 거쳐 생성되는지 알아야 하며, (나)의 그래프에서 마그마가 생성되는 a → a′ 과정과 b → b′ 과정의 차이점이 무엇인지 파악해야 한다.

간략 풀이

㉠은 안산암질 마그마이고, ㉡은 현무암질 마그마이다.

ㄱ. ㉠은 섭입대에서 상승한 현무암질 마그마와 대륙 지각이 부분 용융되어 생성된 유문암질 마그마가 혼합되어 생성된 안산암질 마그마이다. ㉠이 지표로 분출하면 안산암이 생성된다.

ㄴ. ㉡은 섭입하는 해양판에서 공급된 물에 의해 용융 온도가 낮아져 생성된 현무암질 마그마이다. 따라서 ㉡은 b → b′ 과정에 의해 생성된다.

ㄷ. ㉠은 안산암질 마그마이고, ㉡은 현무암질 마그마이므로 SiO_2 함량(%)은 ㉠이 ㉡보다 높다.

정답 | ③

닮은 꼴 문제로 유형 익히기

정답과 해설 6쪽

▸24069-0022

그림 (가)는 지구 내부에서 생성된 마그마가 지표로 분출하는 모습을, (나)는 암석의 용융 곡선 ㉠, ㉡, ㉢을 나타낸 것이다. ㉠, ㉡, ㉢은 각각 물을 포함한 화강암, 물을 포함한 맨틀 물질, 물을 포함하지 않은 맨틀 물질의 용융 곡선을 순서 없이 나타낸 것이다.

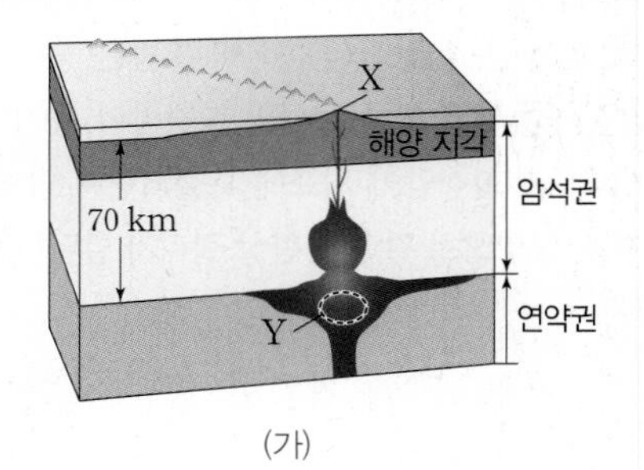

(가)

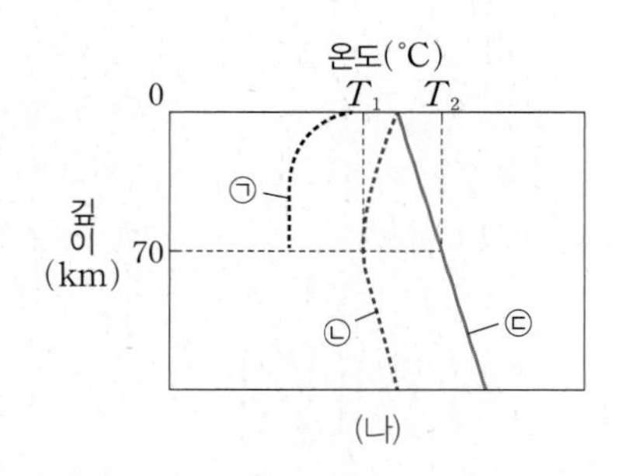

(나)

이에 대한 설명으로 옳은 것만을 〈보기〉에서 있는 대로 고른 것은?

보기

ㄱ. X에서는 주로 안산암질 마그마가 분출한다.
ㄴ. 물을 포함한 맨틀 물질의 용융 곡선은 ㉡이다.
ㄷ. Y 영역의 마그마 온도는 $T_1 \sim T_2$ 사이이다.

① ㄱ ② ㄴ ③ ㄷ ④ ㄱ, ㄴ ⑤ ㄴ, ㄷ

유사점과 차이점

지구 내부에서 마그마가 생성되는 과정을 다룬다는 점에서 대표 문제와 유사하지만, 판의 경계 부근이 아닌 열점에서 마그마가 생성되는 과정을 다룬다는 점에서 대표 문제와 다르다.

배경 지식

- 열점은 맨틀에 고정된 마그마의 생성 장소이다.
- 해령 하부와 열점에서는 맨틀 물질이 상승하는 동안 압력 감소 과정을 거쳐 맨틀 물질의 용융이 일어난다.

01

▸24069-0023

그림은 맨틀 대류와 판의 경계를 모식적으로 나타낸 것이다.

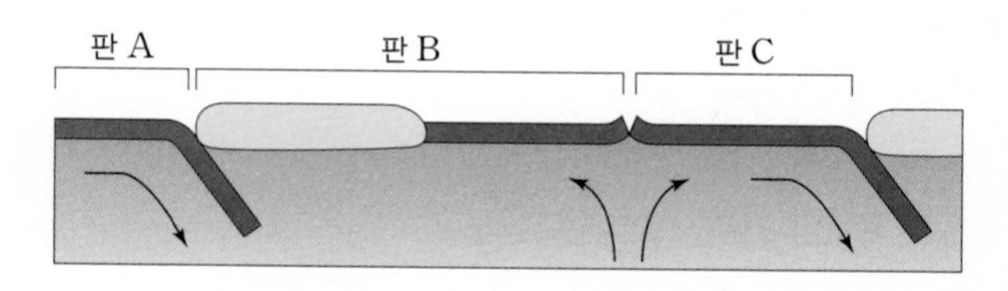

이 자료에 대한 설명으로 옳은 것만을 〈보기〉에서 있는 대로 고른 것은?

보기
ㄱ. A에는 섭입대에서 침강하는 판이 판을 잡아당기는 힘이 작용한다.
ㄴ. B와 C의 경계에서는 판을 밀어내는 힘이 작용한다.
ㄷ. 판의 평균 이동 속력은 B가 C보다 빠를 것이다.

① ㄱ ② ㄷ ③ ㄱ, ㄴ ④ ㄴ, ㄷ ⑤ ㄱ, ㄴ, ㄷ

02

▸24069-0024

그림은 플룸 구조론을 나타낸 모식도이다. A와 B는 각각 뜨거운 플룸과 차가운 플룸 중 하나이다.

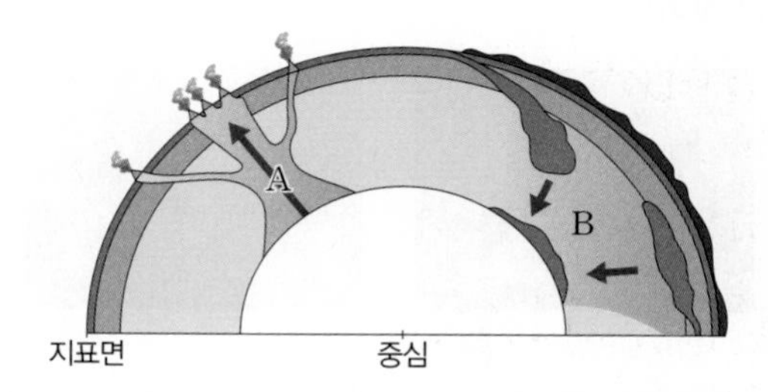

이에 대한 설명으로 옳은 것만을 〈보기〉에서 있는 대로 고른 것은?

보기
ㄱ. A는 뜨거운 플룸이다.
ㄴ. B를 이용하여 판 내부에서 일어나는 화산 활동을 설명할 수 있다.
ㄷ. A와 B의 연직 운동은 판을 움직이는 주요 원동력이다.

① ㄱ ② ㄷ ③ ㄱ, ㄴ ④ ㄴ, ㄷ ⑤ ㄱ, ㄴ, ㄷ

03

▸24069-0025

그림은 전 세계의 주요 열점의 분포와 판의 경계를 나타낸 것이다.

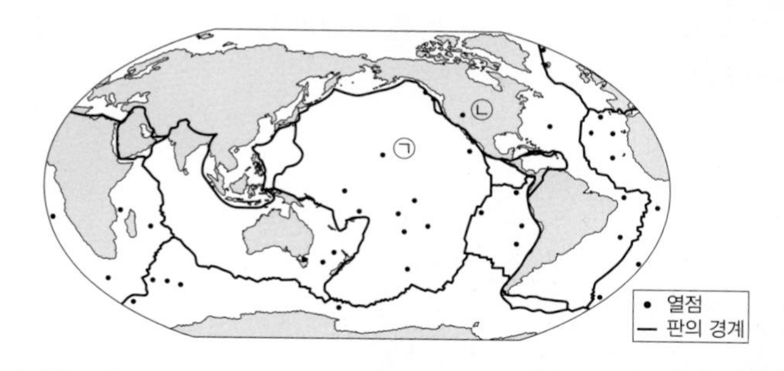

이 자료에 대한 설명으로 옳은 것만을 〈보기〉에서 있는 대로 고른 것은?

보기
ㄱ. 열점은 대부분 판의 경계를 따라 분포한다.
ㄴ. 판이 이동함에 따라 열점 ㉠과 ㉡은 서로 멀어진다.
ㄷ. 열점 ㉠과 ㉡에서는 현무암질 마그마가 분출하는 화산 활동이 일어난다.

① ㄱ ② ㄷ ③ ㄱ, ㄴ ④ ㄱ, ㄷ ⑤ ㄴ, ㄷ

04

▸24069-0026

그림은 태평양판의 내부에 위치한 어느 화산섬들의 분포를 생성 시기와 함께 나타낸 것이다.

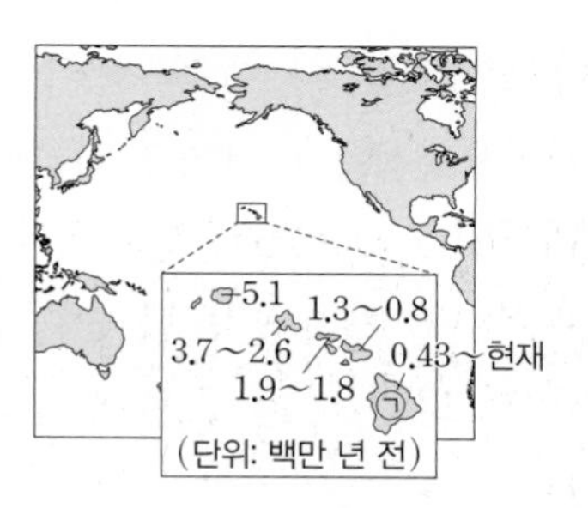

이 자료에 대한 설명으로 옳은 것만을 〈보기〉에서 있는 대로 고른 것은?

보기
ㄱ. 현재 열점은 화산섬 ㉠의 하부에 위치한다.
ㄴ. 현재 태평양판은 남동쪽으로 이동하고 있다.
ㄷ. 태평양판의 평균 이동 속도는 510만 년 전~260만 년 전이 180만 년 전~현재보다 느렸다.

① ㄱ ② ㄴ ③ ㄷ ④ ㄱ, ㄴ ⑤ ㄱ, ㄷ

05
▸24069-0027

그림은 깊이에 따른 지하의 온도 분포와 암석의 용융 곡선 ㉠, ㉡, ㉢을 나타낸 것이다. ㉠, ㉡, ㉢은 화강암 또는 맨틀 물질의 용융 곡선이다.

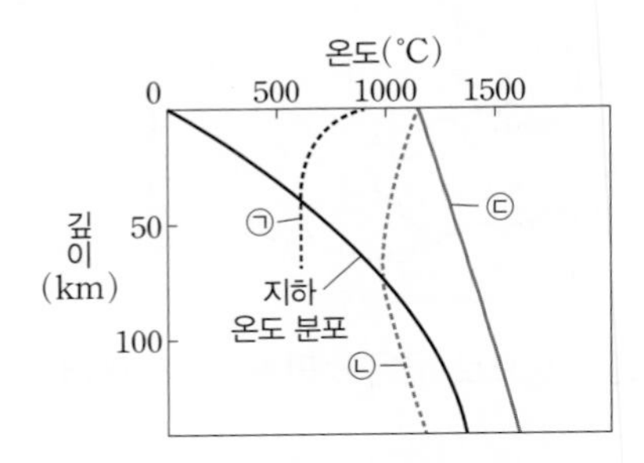

이 자료에 대한 설명으로 옳은 것만을 〈보기〉에서 있는 대로 고른 것은?

보기
ㄱ. 지표에서 화강암의 용융 온도는 1000 ℃보다 높다.
ㄴ. ㉠과 ㉡은 물이 포함된 암석의 용융 곡선이다.
ㄷ. 깊이 100 km에 있는 맨틀 물질이 온도 변화 없이 상승하면 깊이 약 20 km에서 용융된다.

① ㄱ ② ㄴ ③ ㄷ ④ ㄱ, ㄴ ⑤ ㄴ, ㄷ

06
▸24069-0028

표는 서로 다른 종류의 화성암 A～F의 SiO_2 함량(%)과 암석의 특징을 나타낸 것이다.

화산암	A	B	C
심성암	D	E	F
SiO_2 함량	적다 ← 52 %	———	63 % → 많다
(㉠)	많다(크다) ←		→ 적다(작다)

이에 대한 설명으로 옳은 것만을 〈보기〉에서 있는 대로 고른 것은?

보기
ㄱ. '냉각 속도'는 ㉠에 해당한다.
ㄴ. 조립질 조직을 갖는 밝은색 암석은 D보다 F에 가깝다.
ㄷ. 암석이 압력 감소 과정을 거쳐 생성된 마그마가 지표로 분출하면 주로 B가 생성된다.

① ㄱ ② ㄴ ③ ㄱ, ㄷ ④ ㄴ, ㄷ ⑤ ㄱ, ㄴ, ㄷ

07
▸24069-0029

그림은 마그마 분출이 활발한 세 지역 A, B, C와 판의 이동 방향(→)을 나타낸 것이다.

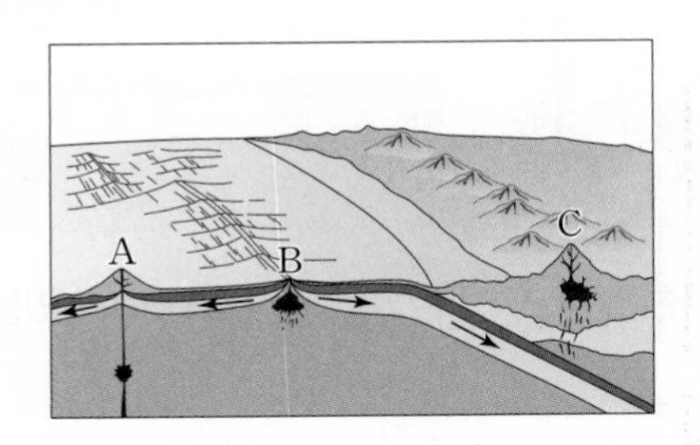

이에 대한 설명으로 옳은 것만을 〈보기〉에서 있는 대로 고른 것은?

보기
ㄱ. 분출하는 마그마의 SiO_2 함량(%)은 대체로 A가 C보다 적다.
ㄴ. A와 B에서는 주로 안산암질 마그마가 분출한다.
ㄷ. C의 마그마는 주로 상승 과정에서 용융 온도가 낮아져서 생성된다.

① ㄱ ② ㄷ ③ ㄱ, ㄴ ④ ㄱ, ㄷ ⑤ ㄴ, ㄷ

08
▸24069-0030

그림 (가)와 (나)는 우리나라의 두 지역에서 관찰한 화성암의 모습을 나타낸 것이다.

(가) 북한산 인수봉

(나) 제주도 용두암

(가)와 (나)에 대한 설명으로 옳은 것만을 〈보기〉에서 있는 대로 고른 것은?

보기
ㄱ. 밝은색 광물의 함량(%)은 (가)가 (나)보다 많다.
ㄴ. (가)의 절리는 마그마가 냉각되는 과정에서 형성되었다.
ㄷ. (가)와 (나)는 모두 화산 활동에 의해 형성되었다.

① ㄱ ② ㄴ ③ ㄷ ④ ㄱ, ㄴ ⑤ ㄱ, ㄷ

01

▸24069-0031

다음은 해구가 존재하는 어느 지역의 지진파 단층 촬영 영상과 학생 A, B, C의 대화 내용을 나타낸 것이다.

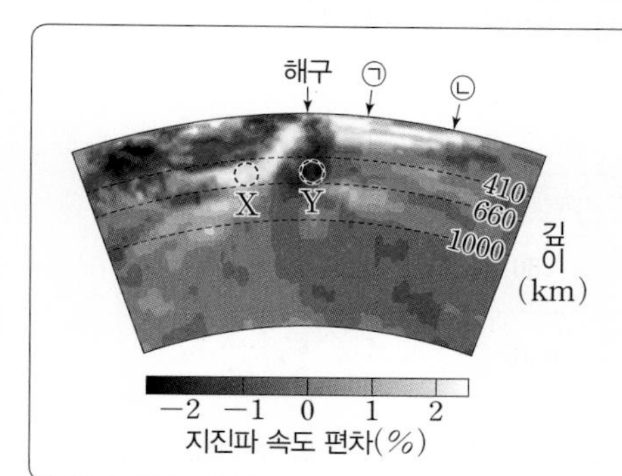

A: 수심은 ㉠에서 ㉡으로 갈수록 대체로 얕아질 거야.

B: X 영역은 Y 영역에 비해 온도가 낮을 거야.

C: X 영역의 맨틀 물질은 외핵과 맨틀의 경계 부근에서부터 상승하기 시작했을 거야.

제시한 내용이 옳은 학생만을 있는 대로 고른 것은?

① A ② B ③ C ④ A, B ⑤ A, C

02

▸24069-0032

그림 (가)와 (나)는 하와이 열도와 알류샨 열도 부근에서 어느 해 한 달 동안 일어난 지진의 진앙 분포를 나타낸 것이다.

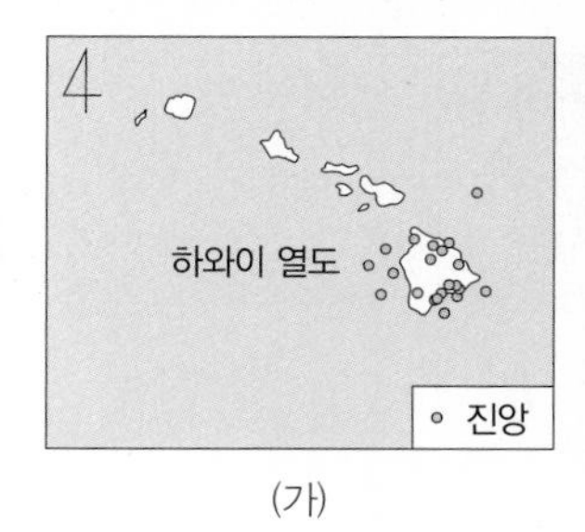

(가)

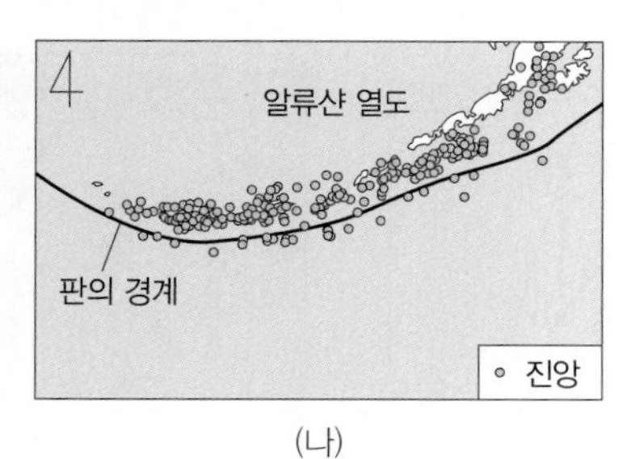

(나)

이에 대한 설명으로 옳은 것만을 〈보기〉에서 있는 대로 고른 것은?

보기

ㄱ. 하와이 열도가 포함된 판은 북서쪽으로 이동하고 있다.
ㄴ. 알류샨 열도가 포함된 판은 지구 내부로 섭입하고 있다.
ㄷ. 진원의 평균 깊이는 (나)가 (가)보다 깊을 것이다.

① ㄱ ② ㄴ ③ ㄱ, ㄷ ④ ㄴ, ㄷ ⑤ ㄱ, ㄴ, ㄷ

03

▸24069-0033

그림은 거의 일정한 속도로 이동하는 어느 해양판에 분포하는 화산섬 ㉠~㉣의 위치를, 표는 ㉠~㉣의 기준점으로부터의 거리와 구성 암석의 평균 연령을 나타낸 것이다. ㉠~㉣ 중 3개의 화산섬은 하나의 열점에서, 나머지 1개의 화산섬은 다른 열점에서 형성되었다.

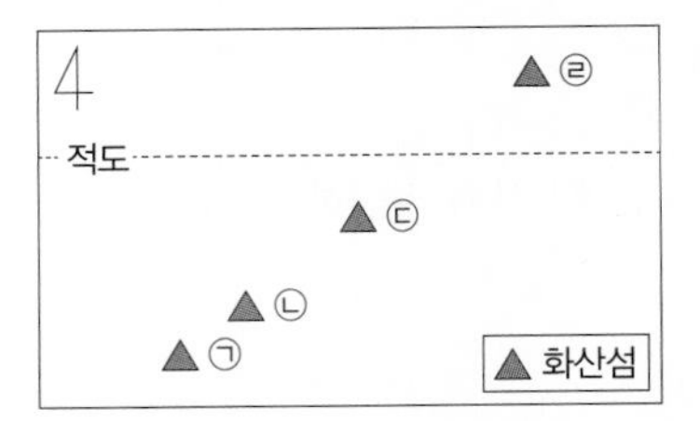

화산섬	㉠	㉡	㉢	㉣
기준점으로부터의 거리(km)	0	50	150	280
평균 연령 (×100만 년)	0.04	1.2	1.8	0.01

이 자료에 대한 설명으로 옳은 것만을 <보기>에서 있는 대로 고른 것은?

보기

ㄱ. 3개의 화산섬을 형성한 열점으로부터의 거리는 ㉣이 가장 가깝다.

ㄴ. 이 판의 평균 이동 속도는 4 cm/년보다 빠르다.

ㄷ. 구성 암석에서 측정한 고지자기 복각의 크기는 ㉢이 ㉣보다 크다.

① ㄱ　② ㄷ　③ ㄱ, ㄴ　④ ㄴ, ㄷ　⑤ ㄱ, ㄴ, ㄷ

04

▸24069-0034

그림 (가)는 지하의 온도 분포와 암석의 용융 곡선 ㉠, ㉡, ㉢ 및 마그마 생성 과정 a → a′, b → b′, c → c′을, (나)는 마그마가 분출되는 지역 A, B, C를 나타낸 것이다. A와 C는 판의 경계 부근에 위치한다.

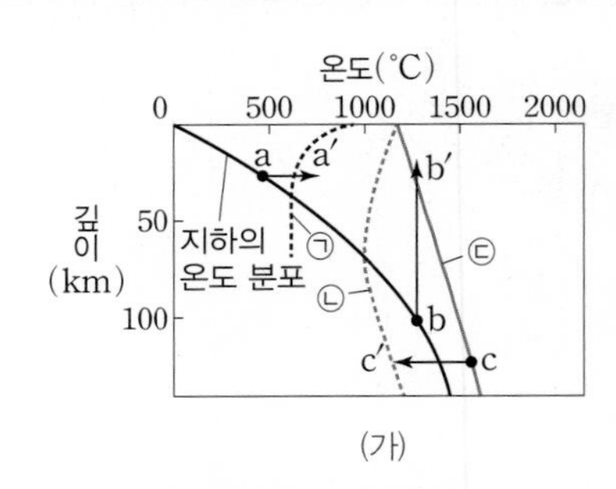

(가)

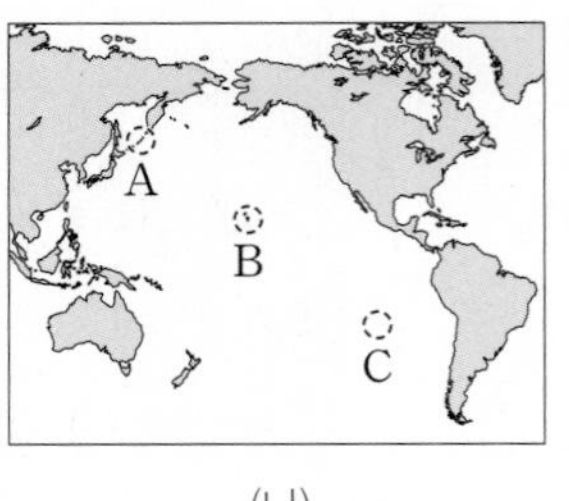

(나)

이에 대한 설명으로 옳은 것만을 <보기>에서 있는 대로 고른 것은?

보기

ㄱ. a → a′ 과정에서 생성된 마그마의 SiO_2 함량은 63 % 미만이다.

ㄴ. A에서 분출되는 마그마는 a → a′ 과정과 c → c′ 과정으로 생성된 두 마그마가 혼합되어 생성될 수 있다.

ㄷ. B와 C의 화산 활동은 모두 상부 맨틀의 운동으로 설명할 수 있다.

① ㄱ　② ㄴ　③ ㄱ, ㄷ　④ ㄴ, ㄷ　⑤ ㄱ, ㄴ, ㄷ

05

▸24069-0035

그림은 태평양 주변에서 안산암이 분포하는 지역과 분포하지 않는 지역의 경계선을 화산 분포와 함께 나타낸 것이다.

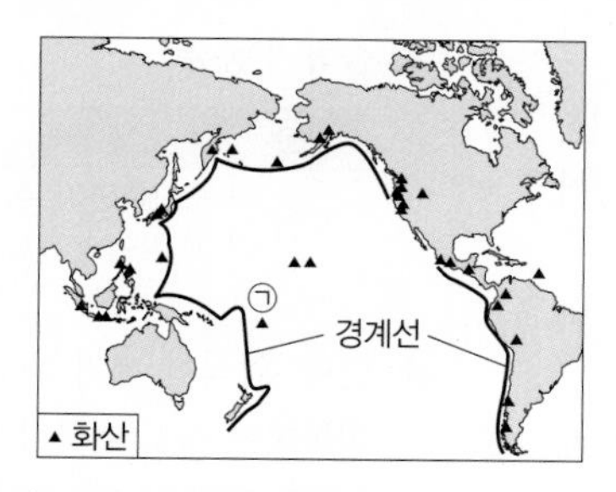

이에 대한 설명으로 옳은 것만을 〈보기〉에서 있는 대로 고른 것은?

보기

ㄱ. 이 경계선을 따라 판의 섭입형 경계가 주로 분포한다.
ㄴ. ㉠에서는 주로 안산암질 마그마가 분출한다.
ㄷ. 남아메리카 대륙의 서쪽 연안에는 SiO_2 함량이 52 % 이하인 화산암만 분포한다.

① ㄱ ② ㄷ ③ ㄱ, ㄴ ④ ㄴ, ㄷ ⑤ ㄱ, ㄴ, ㄷ

06

▸24069-0036

다음은 서로 다른 두 지역의 지질 특징을 나타낸 것이다.

구분	(가) 경상북도 포항시 달전리	(나) 미국 와이오밍주
모습		
특징	• 약 200만 년 전에 분출한 현무암으로, 높이는 약 20 m이다. • 기둥 모양의 절리는 약 80° 경사에서 거의 수평에 가까운 경사로 휘어져 있는데, 이는 용암이 지하로부터 지표로 솟아오른 후 지표 근처에서 수평 방향으로 흘렀기 때문이다.	• 약 6천만 년 전 화산 폭발 시 지표로 분출되지 못하고 지표 근처에 남아 있던 마그마가 퇴적층 내부에서 냉각되었다. • 이후 침식이 일어나면서 주변의 퇴적층은 모두 깎여나가고, 풍화에 강한 화성암만 남아 높이 약 260 m의 화성암체를 이루고 있다.

(가)와 (나)에 대한 설명으로 옳은 것만을 〈보기〉에서 있는 대로 고른 것은?

보기

ㄱ. (가)의 암석의 SiO_2 함량은 52 % 이하이다.
ㄴ. (나)의 암석에는 조립질 조직이 발달한다.
ㄷ. (가)와 (나)의 암석에 발달한 기둥 모양의 절리는 모두 침식 작용을 받아 형성되었다.

① ㄱ ② ㄴ ③ ㄱ, ㄴ ④ ㄱ, ㄷ ⑤ ㄴ, ㄷ

테마 03 퇴적암과 지질 구조

1 퇴적암과 퇴적 환경

(1) **퇴적암**: 지표의 암석이 풍화·침식 작용을 받아 생성된 쇄설물, 물에 녹아 있는 물질, 생물의 유해 등이 퇴적되어 다져지고 굳어지면 퇴적암이 생성된다.

① 속성 작용: 퇴적물이 쌓여 퇴적암이 되기까지의 전 과정으로, 다짐 작용과 교결 작용이 있다.

- 다짐 작용: 퇴적물이 쌓이면서 아랫부분의 퇴적물이 윗부분에 쌓인 퇴적물의 무게에 의해 치밀하게 다져지는 작용이다.
- 교결 작용: 퇴적물 속의 수분이나 지하수에 녹아 있던 석회질 또는 규질 물질 등이 퇴적물 입자 사이에 침전되어 입자들을 단단하게 결합시키는 작용이다.

② 퇴적암의 종류: 퇴적물의 기원에 따라 쇄설성 퇴적암, 화학적 퇴적암, 유기적 퇴적암으로 분류한다.

(2) **퇴적 구조**: 퇴적이 일어나는 장소와 퇴적 당시의 환경에 따라 특징적인 퇴적 구조가 형성된다. ➡ 퇴적 당시의 자연환경을 연구하는 데 중요한 단서를 제공하며, 지각 변동에 의한 지층의 역전 여부를 판단하는 데 도움을 준다.

퇴적 구조	사층리	점이 층리	연흔	건열
퇴적 환경	사막, 삼각주	대륙대, 수심이 깊은 호수	사막, 수심이 얕은 물밑	조간대 등
형성 원인	바람, 흐르는 물	퇴적물의 침강 속도 차이	바람, 흐르는 물, 파도	건조한 환경에 노출

(3) **퇴적 환경**: 퇴적암이 생성되는 퇴적 환경은 크게 육상 환경, 연안 환경, 해양 환경으로 구분할 수 있으며, 육상 환경과 해양 환경 사이에 연안 환경이 있다.

2 지질 구조

(1) **습곡**: 암석이 비교적 온도가 높은 지하 깊은 곳에서 횡압력을 받아 휘어진 지질 구조이다.

① 습곡의 구조: 가장 많이 휘어진 부분을 지나는 축을 습곡축이라 하고, 위로 볼록하게 휘어진 부분을 배사, 아래로 오목하게 휘어진 부분을 향사라고 한다.

② 습곡의 종류

구분	정습곡	경사 습곡	횡와 습곡
특징	습곡축면이 수평면에 거의 수직이다.	습곡축면이 수평면과 기울어져 있다.	습곡축면이 수평면과 거의 나란하다.

(2) **단층**: 암석이 깨져 생긴 면을 경계로 양쪽의 암석이 상대적으로 이동하여 서로 어긋나 있는 지질 구조이다.

구분	정단층	역단층	주향 이동 단층
특징	장력을 받아 상반이 하반에 대해 아래로 이동한 단층이다.	횡압력을 받아 상반이 하반에 대해 위로 이동한 단층이다.	두 암반이 수평 방향으로 이동한 단층이다.

(3) **절리**: 암석에 생긴 틈이나 균열이다.

구분	주상 절리	판상 절리
특징	용암이 급격히 냉각 · 수축되어 기둥 모양의 절리 형성 ➡ 주로 화산암에서 발달	지하 깊은 곳에 있던 암석이 지표로 노출되면서 압력이 감소하여 판 모양의 절리 형성 ➡ 주로 심성암에서 발달

(4) **부정합**: 퇴적이 오랫동안 중단된 후 다시 퇴적이 일어나면 지층 사이에 퇴적 시간의 공백이 생기는데, 이러한 상하 지층 관계를 부정합이라 하고, 그 경계면을 부정합면이라고 한다.

구분	평행 부정합	경사 부정합	난정합
특징	부정합면을 경계로 상하 지층의 층리가 나란하다.	부정합면을 경계로 상하 지층의 층리가 경사져 있다.	부정합면 하부에 심성암이나 변성암이 분포한다.

(5) **관입과 포획**

① 관입: 마그마가 기존 암석의 약한 틈을 뚫고 들어가는 과정을 관입이라 하고, 관입한 마그마가 식어서 굳어진 암석을 관입암이라고 한다.

② 포획: 마그마가 관입할 때 주변 암석의 일부가 떨어져 나와 마그마 속으로 유입되는 것을 포획이라 하고, 포획된 암석을 포획암이라고 한다.

더 알기 퇴적 구조의 층리면과 단면

- 지층의 층리면은 지층의 상부면 또는 하부면을 의미하고, 단면은 지층을 잘랐을 때 잘린 면을 의미한다.
- 퇴적 구조의 경우 층리면과 단면을 관찰할 때 보이는 모습이 다르다. 특히 지층 단면의 경우, 단면을 바라보는 방향에 따라서도 다르게 보일 수 있다.

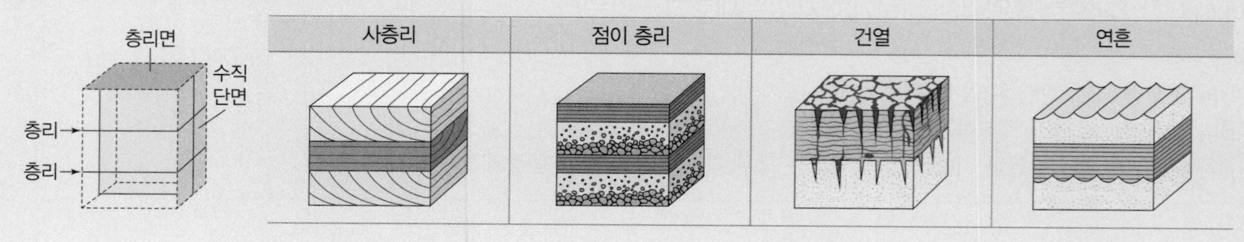

테마 대표 문제

| 2024학년도 수능 |

그림 (가), (나), (다)는 사층리, 연흔, 점이 층리를 순서 없이 나타낸 것이다.

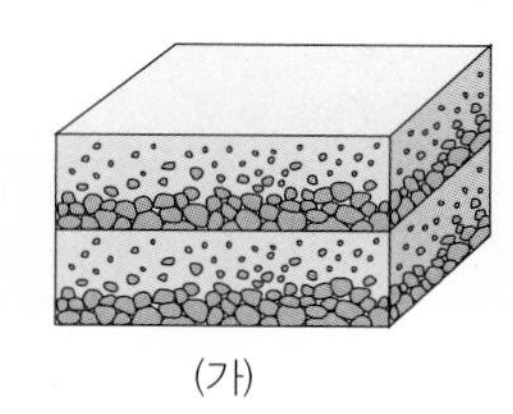
(가)

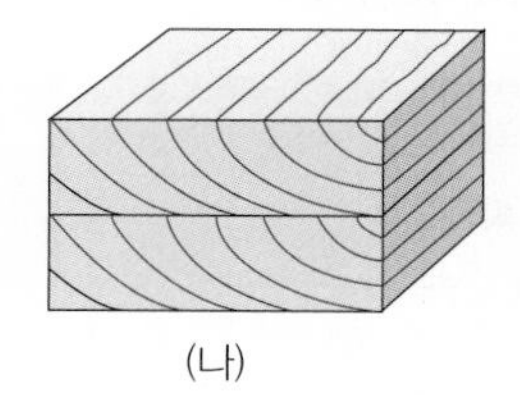
(나)

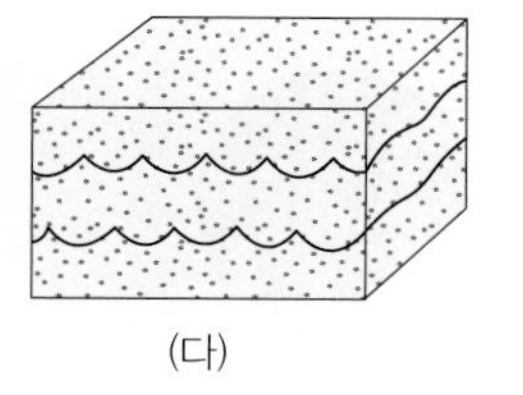
(다)

이에 대한 설명으로 옳은 것만을 〈보기〉에서 있는 대로 고른 것은?

보기
ㄱ. (가)는 점이 층리이다.
ㄴ. (나)는 지층의 역전 여부를 판단할 수 있는 퇴적 구조이다.
ㄷ. (다)는 역암층보다 사암층에서 주로 나타난다.

① ㄱ ② ㄷ ③ ㄱ, ㄴ ④ ㄴ, ㄷ ⑤ ㄱ, ㄴ, ㄷ

접근 전략

(가), (나), (다)의 퇴적 구조가 무엇인지 판단하고, 각 퇴적 구조의 특징을 파악해야 한다.

간략 풀이

(가)는 점이 층리, (나)는 사층리, (다)는 연흔이다.

㉠ (가)는 한 지층 내에서 위로 갈수록 퇴적 입자의 크기가 작아지는 퇴적 구조인 점이 층리이다.

㉡ (나)는 사층리로, 지층 상부에 나타나는 층리의 두께가 지층 하부에 나타나는 층리의 두께보다 두껍다는 것을 통해 지층의 역전 여부를 판단할 수 있다.

㉢ (다)는 연흔으로, 퇴적 입자의 크기가 큰 역암층보다 퇴적 입자의 크기가 작은 사암층에서 주로 나타난다.

정답 | ⑤

닮은 꼴 문제로 유형 익히기

정답과 해설 8쪽

▸24069-0037

그림 (가)는 서로 다른 퇴적 구조가 나타나는 지층 A, B, C를, (나)는 A, B, C 중 어느 지층에서 나타나는 퇴적물의 입자 크기에 따른 질량비를 나타낸 것이다.

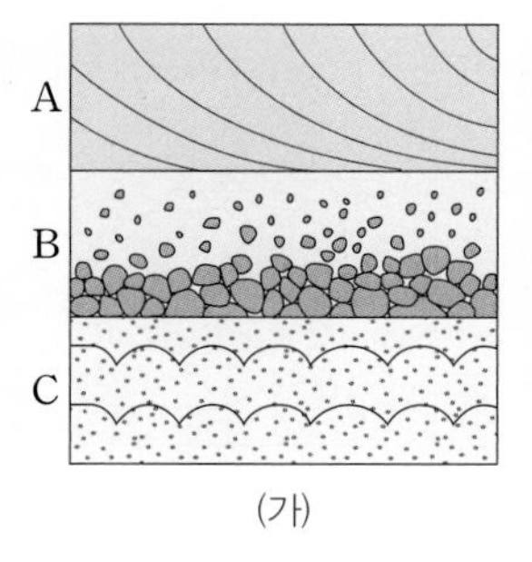

(가)

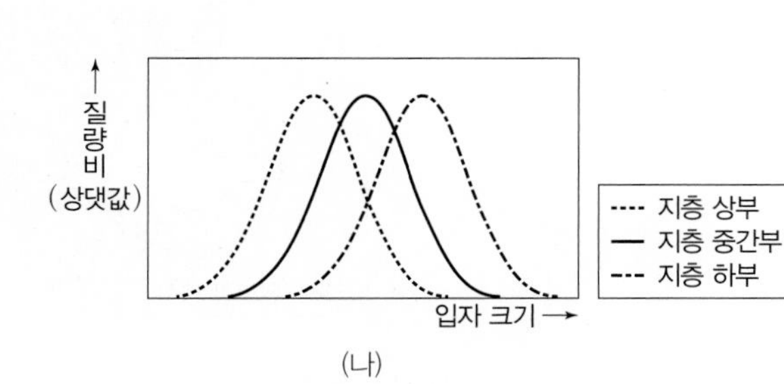

(나)

이에 대한 설명으로 옳은 것만을 〈보기〉에서 있는 대로 고른 것은?

보기
ㄱ. A의 퇴적 구조를 통해 퇴적물이 공급된 방향을 알 수 있다.
ㄴ. (나)는 B에 해당하는 자료이다.
ㄷ. C의 퇴적 구조를 통해 지층의 역전 여부를 판단할 수 있다.

① ㄱ ② ㄷ ③ ㄱ, ㄴ ④ ㄴ, ㄷ ⑤ ㄱ, ㄴ, ㄷ

유사점과 차이점

사층리, 점이 층리, 연흔의 퇴적 구조 특징을 파악해야 한다는 점에서 대표 문제와 유사하지만, 한 지층 내에서 퇴적물의 입자 크기에 따른 질량비를 통해 어떤 퇴적 구조에 대한 설명인지를 파악해야 한다는 점에서 대표 문제와 다르다.

배경 지식

- 사층리는 물이 흘러가거나 바람이 불어가는 방향의 비탈면에 퇴적물이 쌓여 형성된다.
- 점이 층리는 한 지층 내에서 위로 갈수록 퇴적 입자의 크기가 작아지는 퇴적 구조이다.
- 연흔은 주로 수심이 얕은 물밑에서 형성되며, 보통 뾰족한 부분이 위를 향하는데, 이를 통해 지층의 역전 여부를 판단할 수 있다.

01

▸24069-0038

그림은 퇴적물이 쌓여 퇴적암으로 되어가는 속성 작용의 모습을 나타낸 것이다. 관찰한 원 내부의 면적은 모두 같다.

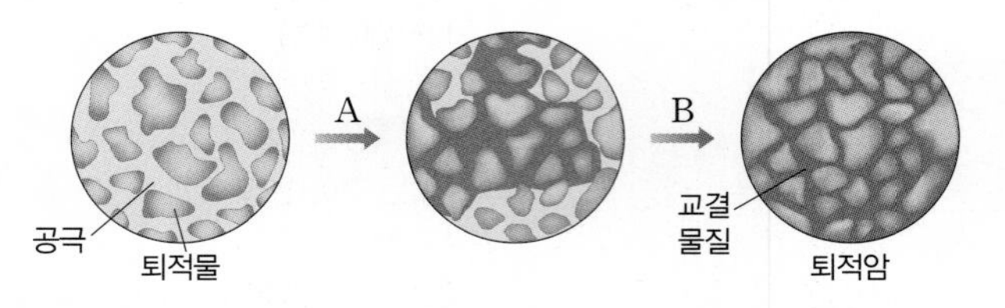

이에 대한 설명으로 옳은 것만을 <보기>에서 있는 대로 고른 것은?

보기

ㄱ. A 과정에서 퇴적물 사이의 지하수가 빠져나간다.
ㄴ. A, B 과정을 거치며 공극의 총 부피는 감소한다.
ㄷ. A, B 과정을 거치며 원 내부를 구성하는 물질의 평균 밀도는 감소한다.

① ㄱ ② ㄷ ③ ㄱ, ㄴ
④ ㄴ, ㄷ ⑤ ㄱ, ㄴ, ㄷ

02

▸24069-0039

그림은 사암, 석탄, 셰일, 암염을 특징에 따라 구분하는 과정을 나타낸 것이다.

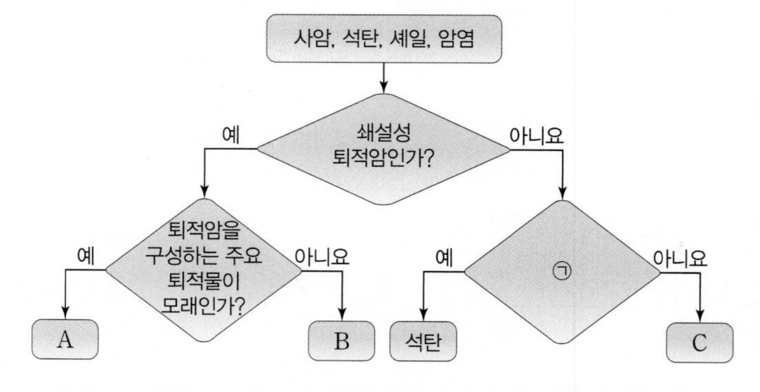

이에 대한 설명으로 옳은 것만을 <보기>에서 있는 대로 고른 것은?

보기

ㄱ. 퇴적된 입자의 평균 크기는 A가 B보다 작다.
ㄴ. '유기적 퇴적암인가?'는 ㉠으로 적절하다.
ㄷ. C는 화학적 침전 작용에 의해 생성된다.

① ㄱ ② ㄷ ③ ㄱ, ㄴ
④ ㄴ, ㄷ ⑤ ㄱ, ㄴ, ㄷ

03

▸24069-0040

그림 (가), (나), (다)는 어느 퇴적 구조의 형성 과정을 순서 없이 나타낸 것이다.

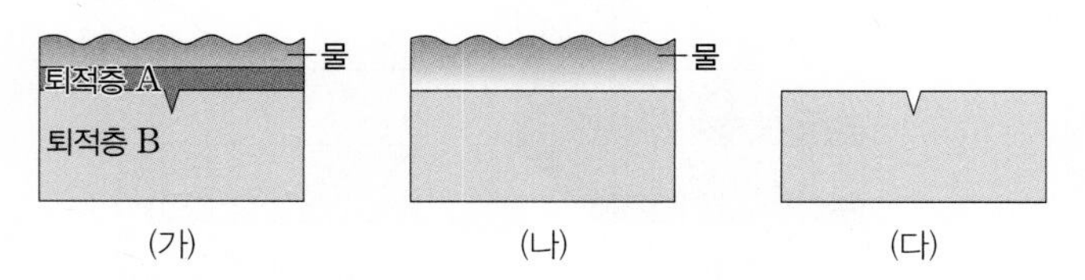

이에 대한 설명으로 옳은 것만을 <보기>에서 있는 대로 고른 것은?

보기

ㄱ. 건열의 형성 과정이다.
ㄴ. 이 퇴적 구조는 (나) → (다) → (가) 순으로 형성되었다.
ㄷ. 이 퇴적 구조를 통해 과거에 지층이 수면 위로 노출되었다는 것을 알 수 있다.

① ㄱ ② ㄷ ③ ㄱ, ㄴ
④ ㄴ, ㄷ ⑤ ㄱ, ㄴ, ㄷ

04

▸24069-0041

그림 (가)와 (나)는 어느 지역의 서로 다른 퇴적 환경을 나타낸 것이다. A와 B는 각각 삼각주와 선상지 중 하나이다.

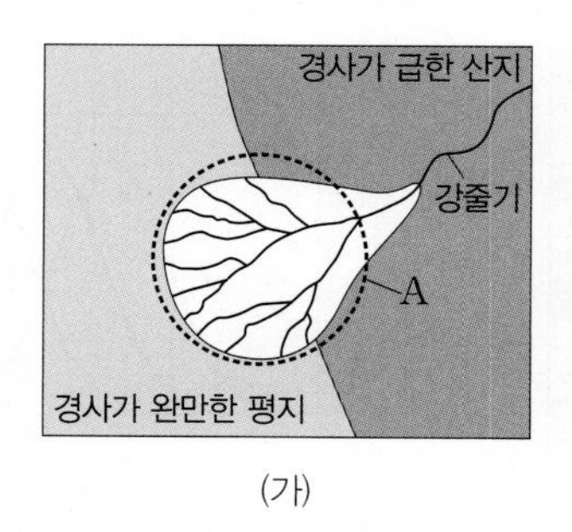

(가)

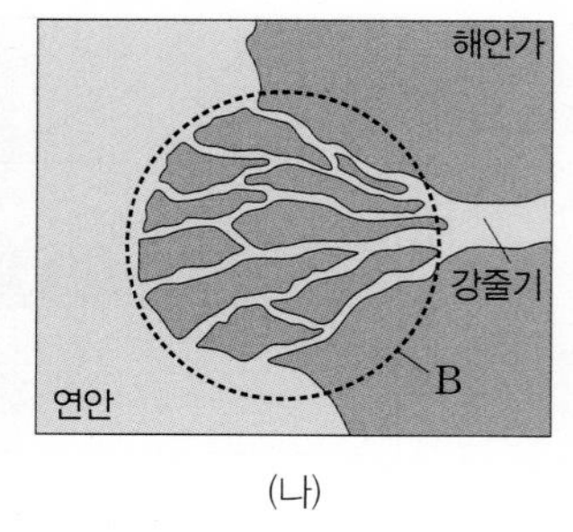

(나)

이에 대한 설명으로 옳은 것만을 <보기>에서 있는 대로 고른 것은?

보기

ㄱ. A는 육상 환경에 해당한다.
ㄴ. 퇴적된 입자의 평균 크기는 A보다 B가 크다.
ㄷ. A, B 모두 평균 유속이 느려지는 곳이다.

① ㄱ ② ㄴ ③ ㄱ, ㄷ
④ ㄴ, ㄷ ⑤ ㄱ, ㄴ, ㄷ

05

▸24069-0042

그림 (가)는 어느 지역의 지층 단면을, (나)는 어느 지역을 상공에서 관측하였을 때의 단층을 나타낸 것이다. (가), (나)는 각각 역단층과 주향 이동 단층 중 하나이다.

(가)

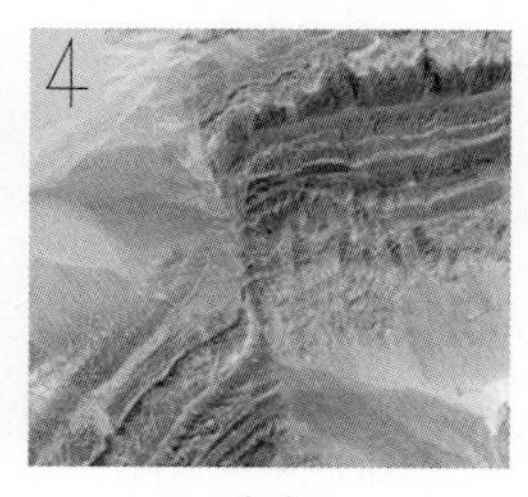
(나)

이에 대한 설명으로 옳은 것만을 〈보기〉에서 있는 대로 고른 것은?

보기
ㄱ. (가)는 상반이 하반에 대해 아래로 이동하였다.
ㄴ. (나)는 주향 이동 단층이다.
ㄷ. (가), (나) 모두 양쪽에서 잡아당기는 힘을 받았다.

① ㄱ ② ㄴ ③ ㄱ, ㄷ
④ ㄴ, ㄷ ⑤ ㄱ, ㄴ, ㄷ

06

▸24069-0043

그림 (가)와 (나)는 서로 다른 두 지역의 지질 구조를 나타낸 것이다. 두 지역의 부정합면이 형성된 시기는 동일하다.

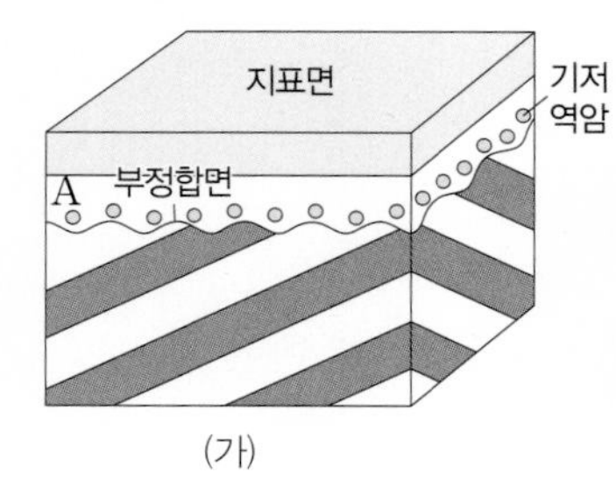

(가)

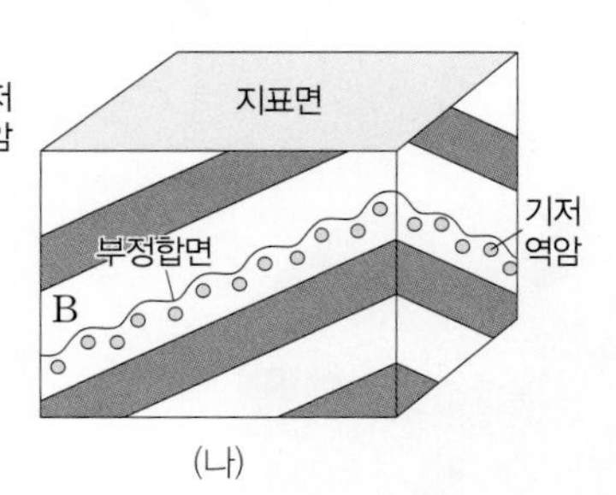

(나)

이에 대한 설명으로 옳은 것만을 〈보기〉에서 있는 대로 고른 것은?

보기
ㄱ. (나)에는 역전된 지층이 존재한다.
ㄴ. 지층 A보다 지층 B가 먼저 생성되었다.
ㄷ. (가), (나) 모두에서 경사 부정합을 관찰할 수 있다.

① ㄱ ② ㄷ ③ ㄱ, ㄴ
④ ㄴ, ㄷ ⑤ ㄱ, ㄴ, ㄷ

07

▸24069-0044

그림은 지층의 역전이 일어나지 않은 어느 지역의 지질 단면을 나타낸 것이다.

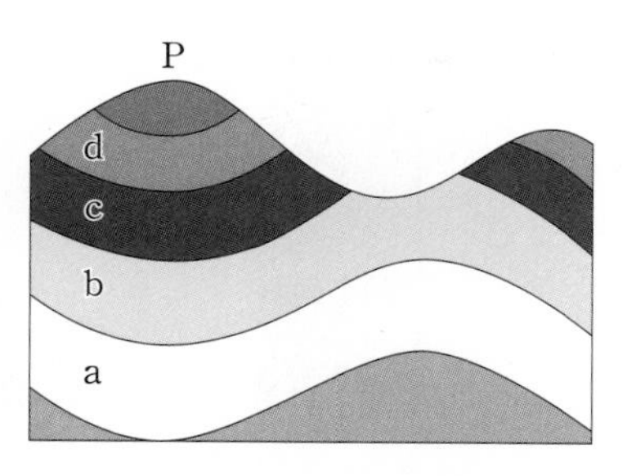

이에 대한 설명으로 옳은 것만을 〈보기〉에서 있는 대로 고른 것은?

보기
ㄱ. P의 지층에는 배사 구조가 나타난다.
ㄴ. 이 지역의 지층은 장력을 받았다.
ㄷ. 지층 a~d 중 a가 가장 먼저 생성되었다.

① ㄴ ② ㄷ ③ ㄱ, ㄴ
④ ㄱ, ㄷ ⑤ ㄱ, ㄴ, ㄷ

08

▸24069-0045

그림은 수직 방향과 수평 방향의 지층 경계면이 나타나는 어느 지역의 지질 구조와 관찰되는 퇴적 구조를 나타낸 것이다.

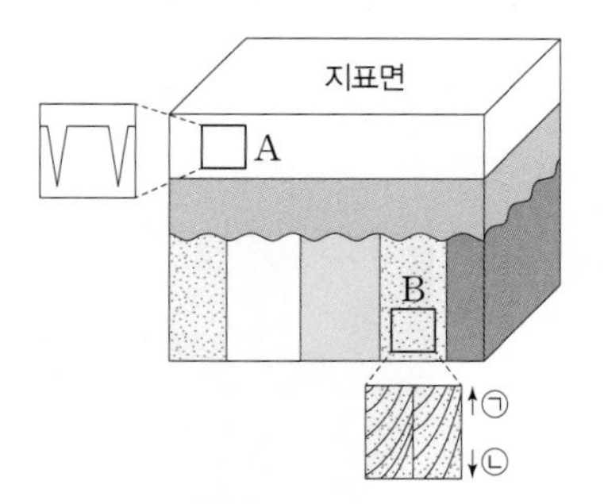

이에 대한 설명으로 옳은 것만을 〈보기〉에서 있는 대로 고른 것은?

보기
ㄱ. A층이 퇴적되는 동안 수면 밖으로 노출된 시기가 있었다.
ㄴ. B층이 생성될 당시 퇴적물이 이동한 방향은 ㉡이다.
ㄷ. 이 지역에는 경사 부정합이 나타난다.

① ㄴ ② ㄷ ③ ㄱ, ㄴ
④ ㄱ, ㄷ ⑤ ㄱ, ㄴ, ㄷ

01

▸24069-0046

그림 (가)는 어느 해역에서 퇴적암 A, B, C가 만들어지는 과정을 나타낸 것이고, (나)는 (가)의 퇴적암 B가 만들어지는 동안 시간에 따른 물리량 ㉠의 변화를 나타낸 것이다.

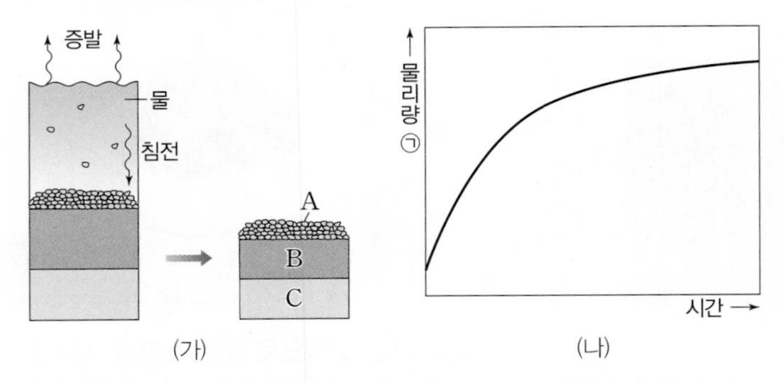

(가) (나)

이에 대한 설명으로 옳은 것만을 <보기>에서 있는 대로 고른 것은?

보기
ㄱ. (가) 과정을 통해 생성된 A는 화학적 퇴적암이다.
ㄴ. '단위 부피당 퇴적물 입자의 개수'는 ㉠에 해당한다.
ㄷ. (가) 과정 동안 C의 평균 공극 크기는 증가한다.

① ㄴ ② ㄷ ③ ㄱ, ㄴ ④ ㄱ, ㄷ ⑤ ㄱ, ㄴ, ㄷ

02

▸24069-0047

그림은 판의 경계와 주변 지형을 모식적으로 나타낸 것이다.

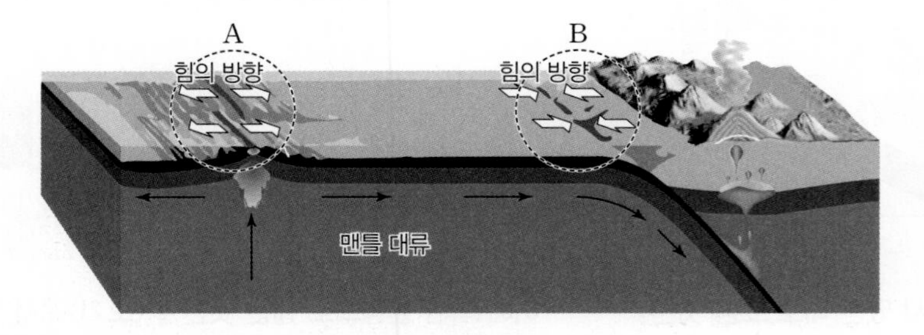

이에 대한 설명으로 옳은 것만을 <보기>에서 있는 대로 고른 것은?

보기
ㄱ. A에서는 주로 정단층이 발달한다.
ㄴ. B에서는 습곡과 역단층이 함께 발달할 수 있다.
ㄷ. 주향 이동 단층은 A보다 B에서 주로 발달한다.

① ㄱ ② ㄷ ③ ㄱ, ㄴ ④ ㄴ, ㄷ ⑤ ㄱ, ㄴ, ㄷ

03

▸24069-0048

그림 (가)는 현재 어느 대륙붕에서 서로 다른 퇴적물 A, B, C가 주로 퇴적된 위치를, (나)는 P 지점의 지층 연직 분포를 나타낸 것이다. 이 지역에는 해수면 상승 또는 하강이 있었으며 A, B, C는 각각 주로 점토, 자갈, 모래 중 하나이다.

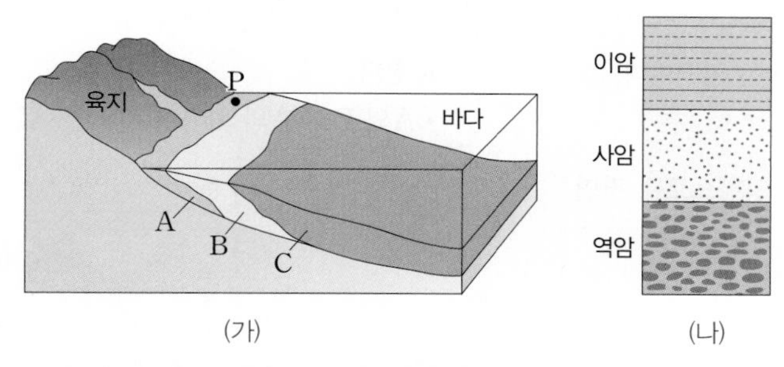

(가) (나)

이에 대한 설명으로 옳은 것만을 〈보기〉에서 있는 대로 고른 것은?

보기
ㄱ. A는 주로 지름 2 mm 이상의 입자로 구성되어 있다.
ㄴ. (나)를 통해 해수면이 하강한 것을 알 수 있다.
ㄷ. 평균 공극 크기는 C가 B보다 크다.

① ㄱ ② ㄷ ③ ㄱ, ㄴ ④ ㄴ, ㄷ ⑤ ㄱ, ㄴ, ㄷ

04

▸24069-0049

그림 (가)는 어느 지역의 지층 구조를 나타낸 것이고, (나)와 (다)는 (가)의 ㉠, ㉡, ㉢ 방향 중 서로 다른 두 방향에서 관찰한 모습을 나타낸 모식도이다. 지층 B에는 사층리가 분포하고 있으며, 사층리가 형성될 당시 퇴적물은 북쪽에서 공급되었다.

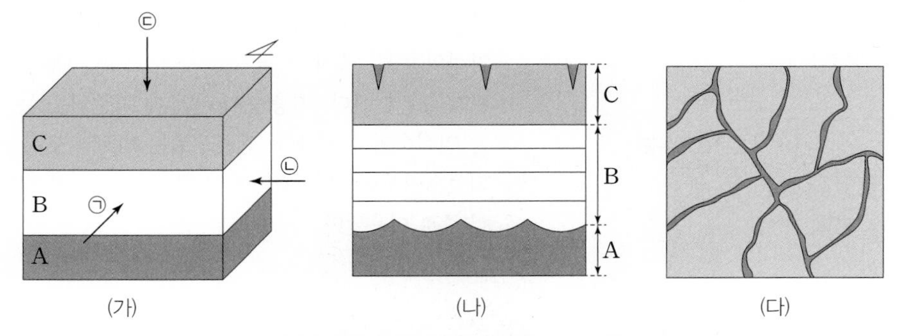

(가) (나) (다)

이에 대한 설명으로 옳은 것만을 〈보기〉에서 있는 대로 고른 것은? (단, 이 지역은 지층 역전이 없었고 지각 변동을 받지 않았다.)

보기
ㄱ. 지층 A에 나타나는 퇴적 구조는 주로 심해저에서 형성된다.
ㄴ. (나)는 ㉠ 방향에서 관찰한 것이다.
ㄷ. (다)를 통해 이 지역은 과거에 수면 위로 노출된 적이 있었다는 것을 알 수 있다.

① ㄱ ② ㄷ ③ ㄱ, ㄴ ④ ㄴ, ㄷ ⑤ ㄱ, ㄴ, ㄷ

테마

04 지층의 생성 순서와 지질 연대 측정

1 지층의 생성 순서

(1) **동일 과정의 원리**: 조건이 같다면 자연은 현재나 과거나 동일한 자연 법칙과 속도로 변해간다. ➡ '현재는 과거를 아는 열쇠이다.'

(2) **지사학의 법칙**

① 수평 퇴적의 법칙: 일반적으로 퇴적물은 중력의 영향으로 수평면과 나란하게 퇴적된다.

② 지층 누중의 법칙

- 퇴적물이 쌓일 때 새로운 퇴적물은 이전에 쌓인 퇴적물 위에 쌓이므로, 지층이 역전되지 않았다면 아래 지층은 위의 지층보다 먼저 퇴적된 것이다.
- 지층의 역전 여부는 사층리, 점이 층리, 연흔, 건열 등의 퇴적 구조와 지층 속에 보존되어 있는 화석을 이용하여 판단할 수 있다.

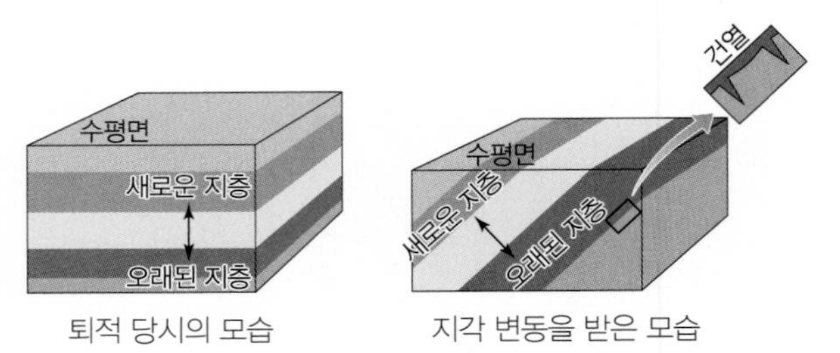

▲ 수평 퇴적의 법칙과 지층 누중의 법칙

③ 관입의 법칙

- 마그마가 주변의 암석을 뚫고 들어가 화성암이 생성되었다면, 관입한 암석은 관입 당한 암석보다 나중에 생성된 것이다.
- 관입한 경우 화성암 주변의 암석이 변성될 수 있으며 화성암에 포획암이 존재할 수 있다.

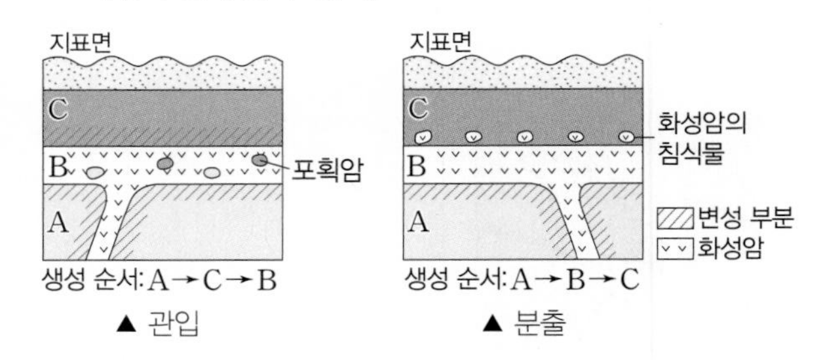

▲ 관입　　▲ 분출

④ 부정합의 법칙: 지층이 연속적으로 퇴적되지 않아 인접한 지층의 퇴적 시기 사이에 긴 시간적 간격이 있는 지층 관계를 부정합이라고 한다.

- A와 B 지층의 퇴적 시기 사이에는 긴 시간 간격이 있다.

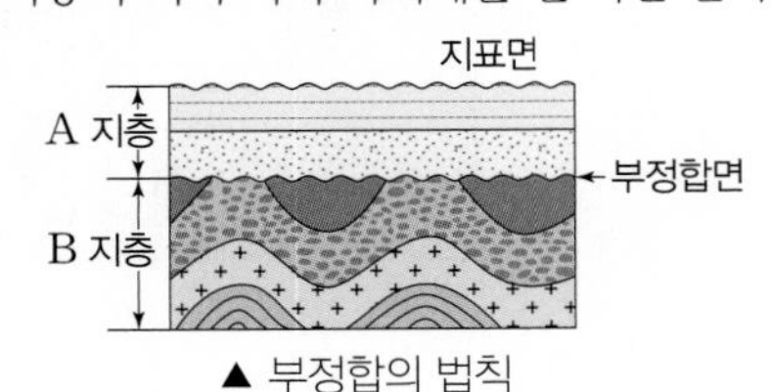

▲ 부정합의 법칙

- 부정합은 퇴적이 중단되거나 먼저 퇴적된 지층이 없어진 상태에서 다시 퇴적이 일어날 때 만들어진다.
- 부정합면을 경계로 상하 지층을 이루는 암석의 조성이나 지질 구조, 발견되는 화석의 종류 등이 다른 경우가 많고, 부정합면 위에는 기존의 암석 파편 중 큰 것이 남아 기저 역암으로 나타나기도 한다.

⑤ 동물군 천이의 법칙: 오래된 지층에서 새로운 지층으로 갈수록 더욱 진화된 생물의 화석이 산출된다. ➡ 같은 표준 화석이 나타나는 지층은 같은 지질 시대에 생성된 것이다.

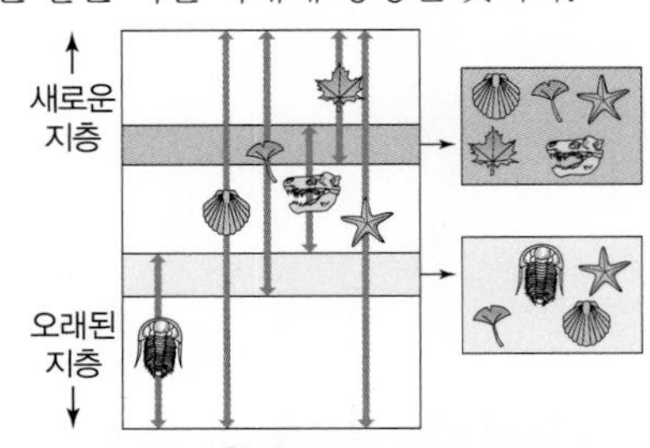

▲ 동물군 천이의 법칙

(3) **지층 대비**: 여러 지역에 분포하는 지층들을 서로 비교하여 생성 시대나 퇴적 시기의 선후 관계를 밝히는 것을 지층 대비라고 한다.

① 암상에 의한 지층 대비: 비교적 가까운 지역의 지층을 구성하는 암석의 종류, 조직, 지질 구조 등의 특징을 대비하여 지층의 선후 관계를 판단한다. 지층을 대비할 때 기준이 되는 지층을 건층 또는 열쇠층이라고 한다. 건층으로는 비교적 짧은 시기 동안 퇴적되었으면서도 넓은 지역에 걸쳐 분포하는 응회암층이나 석탄층이 주로 이용된다.

더 알기 두 개의 단층 선후 관계 파악하기

- 이미 형성된 단층도 새로운 단층에 의해 절단될 수 있는데, 이를 통해서도 암석이나 지질 구조의 선후 관계를 결정할 수 있다.
- 그림의 X－X′ 단층과 Y－Y′ 단층의 선후 관계를 판단해 보면 Y－Y′ 단층이 X－X′ 단층을 절단하고 있기 때문에 X－X′ 단층이 먼저 형성된 이후 Y－Y′ 단층이 형성되었다는 것을 알 수 있다.

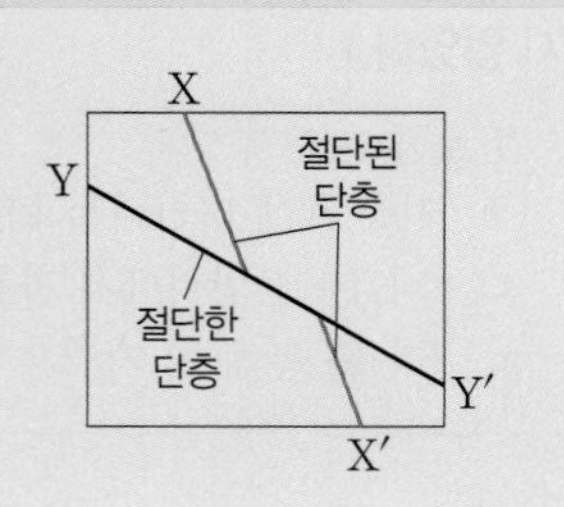

② 화석에 의한 지층 대비: 같은 종류의 표준 화석이 산출되는 지층은 같은 시기에 생성된 지층이라고 할 수 있으므로, 같은 종류의 표준 화석이 산출되는 지층을 대비하여 지층의 선후 관계를 판단한다.

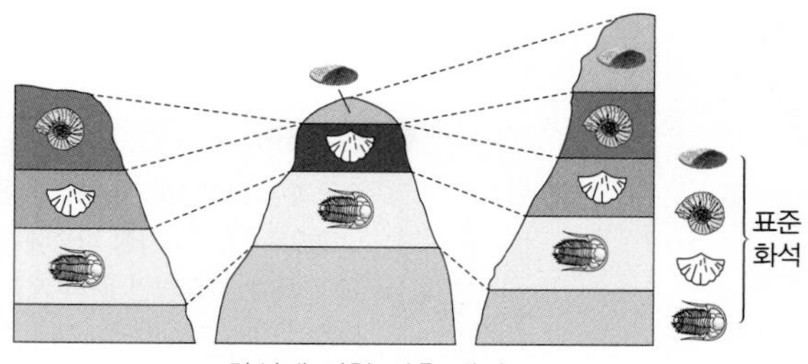

▲ 화석에 의한 지층 대비

② 상대 연령과 절대 연령

(1) **상대 연령**: 지층과 암석의 선후 관계나 지질학적 사건의 발생 순서를 밝히는 것을 상대 연령이라고 한다.

(2) **절대 연령**: 방사성 동위 원소의 반감기를 이용해 암석의 생성 시기나 지질학적 사건의 발생 시기를 수치로 나타내는 것을 절대 연령이라고 한다.

① 방사성 동위 원소: 방사성 동위 원소는 시간이 지남에 따라 방사선을 방출하면서 붕괴하여 다른 원소로 변한다. 이때 방사성 동위 원소를 모원소, 새로 생성된 원소를 자원소라고 한다.

② 방사성 동위 원소의 반감기: 방사성 동위 원소의 함량이 처음 함량의 절반으로 줄어드는 데 걸리는 시간을 반감기라고 한다. 방사성 동위 원소의 반감기는 온도나 압력 등의 외부 환경에 관계없이 일정하다.

③ 반감기와 절대 연령의 관계: 암석이나 광물에 포함된 모원소와 자원소의 비율, 반감기를 알면 그 암석이나 광물이 생성된 시기를 알 수 있다.

- 절대 연령을 t, 반감기 경과 횟수를 n, 반감기를 T라고 할 때 $t=n\times T$이다.

방사성 동위 원소	자원소	반감기(년)	절대 연령 측정에 이용되는 물질
^{238}U	^{206}Pb	약 45억	지르콘, 우라니나이트
^{235}U	^{207}Pb	약 7억	지르콘, 우라니나이트
^{232}Th	^{208}Pb	약 141억	지르콘, 우라니나이트
^{87}Rb	^{87}Sr	약 492억	흑운모, 백운모, 정장석, 각섬석
^{40}K	^{40}Ar	약 13억	흑운모, 백운모, 정장석
^{14}C	^{14}N	약 5730	뼈, 나무 등 탄소를 포함하는 생물의 유해

▲ 여러 방사성 동위 원소의 반감기

④ 방사성 동위 원소의 붕괴 곡선: 시간이 경과할수록 방사성 동위 원소의 함량은 감소하고 자원소의 함량은 증가한다. 1 반감기 후에 모원소와 생성된 자원소의 함량비는 1 : 1, 2 반감기 후에 모원소와 생성된 자원소의 함량비는 1 : 3, 3 반감기 후에 모원소와 생성된 자원소의 함량비는 1 : 7이다.

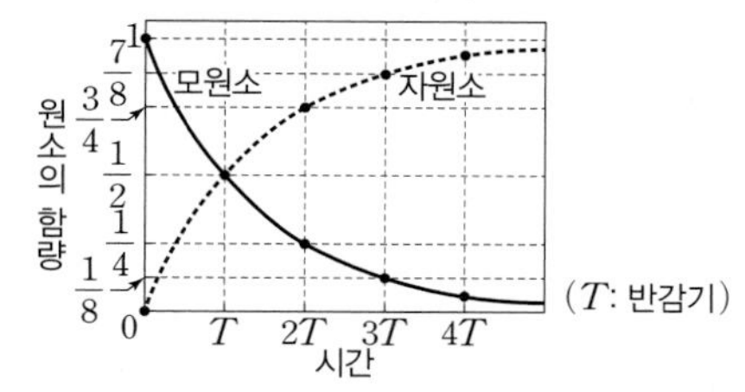

시간(T: 반감기)	모원소의 함량	자원소의 함량
암석 생성 당시(0)	1	0
1 반감기 후(T)	$\frac{1}{2}$	$\frac{1}{2}$
2 반감기 후($2T$)	$\frac{1}{4}$	$\frac{3}{4}$
3 반감기 후($3T$)	$\frac{1}{8}$	$\frac{7}{8}$
4 반감기 후($4T$)	$\frac{1}{16}$	$\frac{15}{16}$

⑤ 방사성 탄소(^{14}C)를 이용한 절대 연령 측정: 방사성 탄소(^{14}C)는 반감기가 약 5730년으로 짧기 때문에 주로 고고학에 이용되며, 동물의 뼈, 조개껍데기, 나무 등의 과거 생명체의 유해가 포함된 고고학적 유적의 절대 연령 측정에 유용하다.

더 알기 반감기와 방사성 동위 원소의 붕괴 곡선

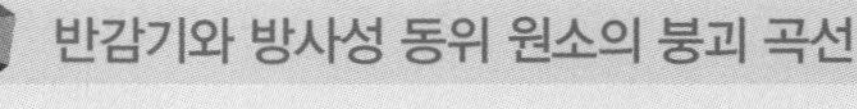

- 반감기는 방사성 동위 원소의 함량이 처음 함량의 절반으로 줄어드는 데 걸리는 시간인데 여기서 중요한 점은 방사성 동위 원소의 양은 '동일 시간' 동안 '동일 비율'로 감소한다는 것이다.
- 어느 방사성 동위 원소 X의 양이 100 %에서 80 %로 줄어드는 데 걸리는 시간이 1억 년인 상황을 가정해보면 처음 양(100 %)의 $\frac{4}{5}$가 될 때까지 걸리는 시간이 1억 년이라는 의미이다. 즉, 처음 양(100 %)의 80 %의 방사성 동위 원소 X의 양이 80 %의 $\frac{4}{5}$인 64 %가 될 때까지 걸리는 시간도 1억 년이라는 것이다.
- 이러한 이유로 방사성 동위 원소의 붕괴 곡선은 직선 형태가 아닌 곡선 형태를 띠게 되는 것이다.

테마 대표 문제

| 2024학년도 6월 모의평가 |

그림은 어느 지역의 지질 단면을 나타낸 것이다.

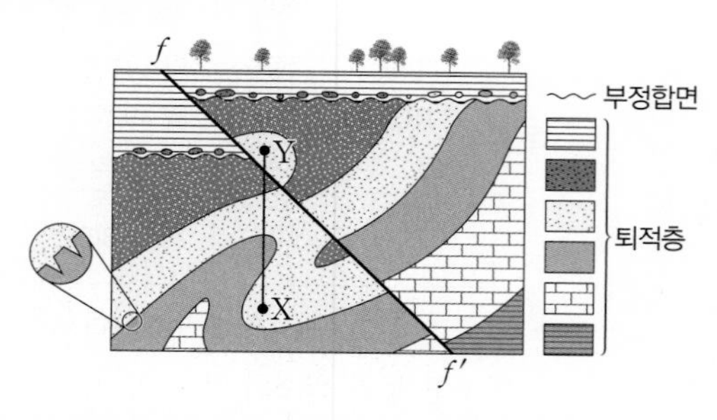

이 자료에 대한 설명으로 옳은 것만을 〈보기〉에서 있는 대로 고른 것은?

보기
ㄱ. 단층 $f-f'$은 장력에 의해 형성되었다.
ㄴ. 습곡과 단층의 형성 시기 사이에 부정합면이 형성되었다.
ㄷ. X → Y를 따라 각 지층 경계를 통과할 때의 지층 연령의 증감은 '증가 → 감소 → 감소 → 증가'이다.

① ㄱ ② ㄴ ③ ㄷ ④ ㄱ, ㄴ ⑤ ㄴ, ㄷ

접근 전략

지층과 지질 구조의 생성 순서를 판단하고, 습곡의 배사와 향사에서 지층의 연령이 어떻게 변하는지 파악해야 한다.

간략 풀이

습곡과 부정합면이 단층에 의해 잘려 있으므로 단층이 가장 나중에 형성되었다. 또한 부정합면 위의 지층에 부정합면 아래 지층의 침식물이 나타나므로, 습곡이 형성된 이후에 부정합면이 형성되었다.

ㄱ. 단층에서 상반이 하반에 대해 위로 이동하였으므로 이 지역에 발달한 단층은 역단층이다. 역단층은 주로 횡압력에 의해 형성된다.

ㄴ. 이 지역에서는 습곡 → 부정합면 → 단층 순으로 형성되었다.

ㄷ. X → Y를 따라 첫 번째 지층 경계를 통과할 때는 습곡에 의해 지층의 연령이 증가한다. 두 번째와 세 번째 지층 경계를 통과할 때는 건열의 모양과 수평 퇴적의 법칙에 의해 지층의 연령이 감소한다고 판단할 수 있다. 네 번째 지층 경계를 통과할 때는 역단층에 의해 지층의 연령이 증가한다.

정답 | ⑤

닮은 꼴 문제로 유형 익히기

정답과 해설 10쪽

▸24069-0050

그림은 어느 지역의 지질 단면을, 표는 X → Y를 따라 각 지층 경계를 통과할 때의 지층 연령의 증감을 나타낸 것이다.

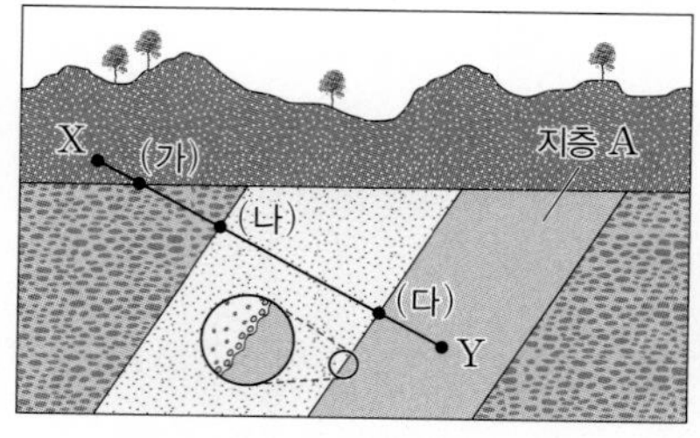

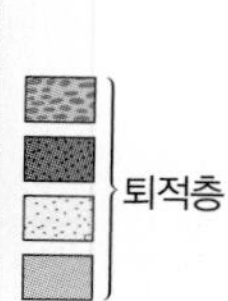

지층 경계	지층 연령의 증감
(가)	증가
(나)	증가
(다)	(㉠)

이 자료에 대한 설명으로 옳은 것만을 〈보기〉에서 있는 대로 고른 것은?

보기
ㄱ. 이 지역의 지층에는 횡압력이 작용한 적이 있다.
ㄴ. '증가'는 ㉠에 해당한다.
ㄷ. 지층 A는 최소 2회 육상에 노출되었다.

① ㄱ ② ㄴ ③ ㄱ, ㄷ ④ ㄴ, ㄷ ⑤ ㄱ, ㄴ, ㄷ

유사점과 차이점

X → Y를 따라 각 지층 경계를 통과할 때의 지층 연령의 증감을 파악해야 한다는 점에서 대표 문제와 유사하지만, 지질 구조를 토대로 지층에 대한 정보를 파악해야 한다는 점에서 대표 문제와 다르다.

배경 지식

- 부정합은 지층이 연속적으로 퇴적되지 않아 인접한 지층의 퇴적 시기 사이에 긴 시간적 간격이 있는 지층 관계이다.
- 지층 누중의 법칙에 따르면 지층이 역전되지 않았을 때 아래 지층은 위의 지층보다 먼저 퇴적된 것이다.

01

▸24069-0051

다음은 지사학의 법칙 중 일부 법칙에 대한 설명이다.

(가) 일반적으로 퇴적물은 중력의 영향으로 수평면과 나란하게 퇴적된다.
(나) 퇴적물이 쌓일 때 새로운 퇴적물은 이전에 쌓인 퇴적물 위에 쌓이므로, 아래에 있는 지층이 위에 있는 지층보다 먼저 쌓인 것이다.

이에 대한 설명으로 옳은 것만을 〈보기〉에서 있는 대로 고른 것은?

보기
ㄱ. (가)는 '수평 퇴적의 법칙'에 대한 설명이다.
ㄴ. 어느 지역의 지층이 기울어져 있다면 (가)를 적용하여 퇴적물이 쌓인 후 지각 변동을 받았다고 판단할 수 있다.
ㄷ. (나)의 법칙을 적용하려면 지각 변동으로 지층이 역전되지 않아야 한다.

① ㄱ ② ㄴ ③ ㄱ, ㄷ
④ ㄴ, ㄷ ⑤ ㄱ, ㄴ, ㄷ

02

▸24069-0052

다음은 어느 지질학자가 자신이 연구 중인 지역에서 과거에 발생한 지질학적 사건을 시간 순서대로 추론하여 기록한 내용이다.

(가) 해저에서 두 개의 퇴적층이 수평하게 연속적으로 만들어진 후, 양쪽에서 미는 힘을 받아 휘어졌다.
(나) 퇴적층이 해수면 위로 융기한 후 침식을 받아 지표면이 수평면과 나란해졌다.
(다) 침식된 퇴적층이 해수면 아래로 침강하고 그 위에 새로운 퇴적층이 형성되었다.
(라) 마그마가 새로운 퇴적층 아래에 관입하였으며, 이후 이 지역은 다시 융기하였다.
(마) 이후 양쪽에서 미는 힘을 받아 ㉠ 단층이 형성되었다.

이에 대한 설명으로 옳은 것만을 〈보기〉에서 있는 대로 고른 것은?

보기
ㄱ. 이 지역에는 경사 부정합이 나타난다.
ㄴ. (라)를 통해 이 지역에 난정합이 나타난다는 것을 알 수 있다.
ㄷ. ㉠은 역단층이다.

① ㄴ ② ㄷ ③ ㄱ, ㄴ
④ ㄱ, ㄷ ⑤ ㄱ, ㄴ, ㄷ

03

▸24069-0053

그림은 어느 지역의 지질 단면을 나타낸 것이다.

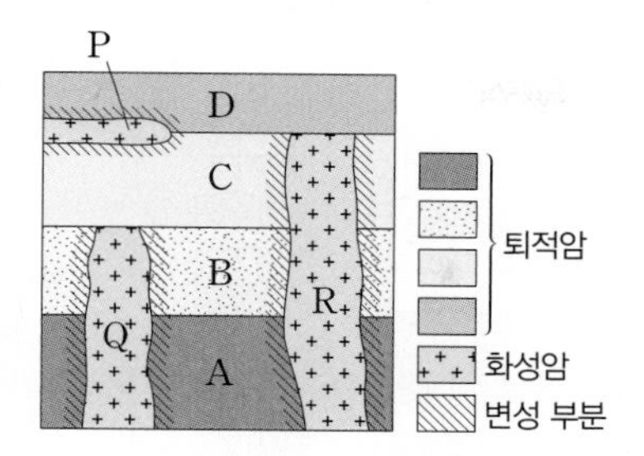

이에 대한 설명으로 옳은 것만을 〈보기〉에서 있는 대로 고른 것은?

보기
ㄱ. B와 C는 평행 부정합 관계이다.
ㄴ. 화성암의 생성 순서는 Q → R → P 순이다.
ㄷ. R에서는 A～D의 조각들이 모두 포획암으로 발견될 수 있다.

① ㄱ ② ㄷ ③ ㄱ, ㄴ
④ ㄴ, ㄷ ⑤ ㄱ, ㄴ, ㄷ

04

▸24069-0054

그림은 인접한 세 지역 (가), (나), (다)의 지질 단면과 산출되는 화석을 나타낸 것이다.

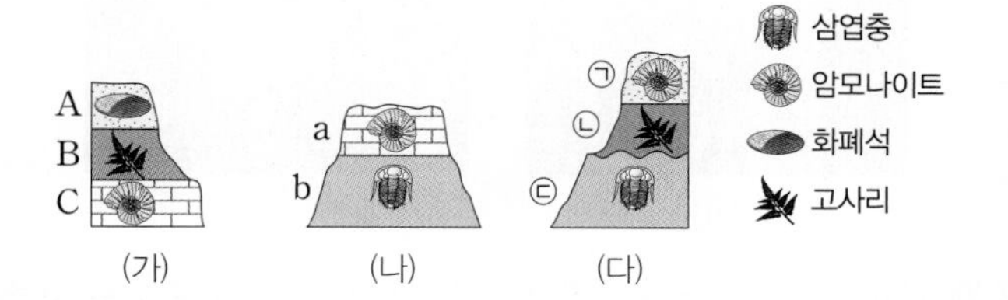

이에 대한 설명으로 옳은 것만을 〈보기〉에서 있는 대로 고른 것은?

보기
ㄱ. 가장 최근에 생성된 지층은 (가)에 위치한다.
ㄴ. (가)의 C 지층과 대비되는 (나)와 (다)의 지층은 a와 ㉠이다.
ㄷ. 세 지역의 모든 지층은 바다에서 생성되었다.

① ㄱ ② ㄷ ③ ㄱ, ㄴ
④ ㄴ, ㄷ ⑤ ㄱ, ㄴ, ㄷ

05

▸24069-0055

그림은 인접한 세 지역의 지층 단면을 나타낸 것이다. 이 지역에는 서로 다른 두 시기에 분출된 화산재가 쌓여 만들어진 공통된 지층들이 존재한다.

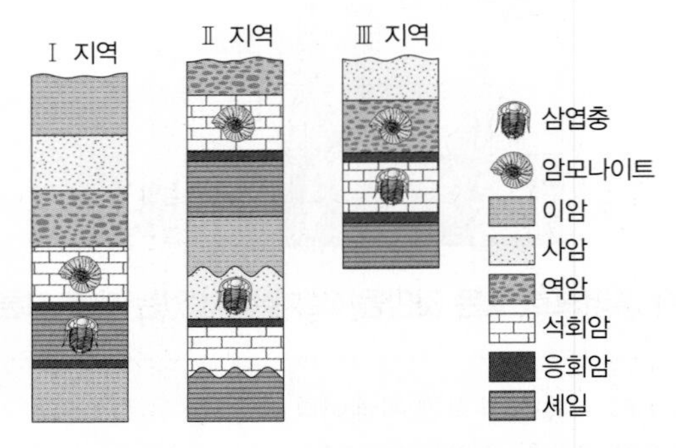

이 자료에 대한 설명으로 옳은 것만을 〈보기〉에서 있는 대로 고른 것은?

보기

ㄱ. 건층으로 사용하기에 가장 적절한 층은 응회암층이다.
ㄴ. 가장 오래된 석회암층이 있는 지역은 Ⅰ이다.
ㄷ. Ⅲ 지역의 사암층은 Ⅱ 지역의 사암층보다 오래되었다.

① ㄱ ② ㄷ ③ ㄱ, ㄴ
④ ㄴ, ㄷ ⑤ ㄱ, ㄴ, ㄷ

06

▸24069-0056

그림 (가)와 (나)는 각각 관입암과 포획암이 존재하는 어느 암석의 모습을 나타낸 것이다. 암석 B와 D의 절대 연령은 같다.

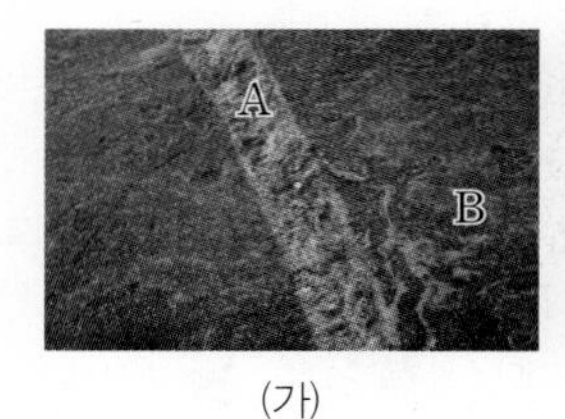

(가)

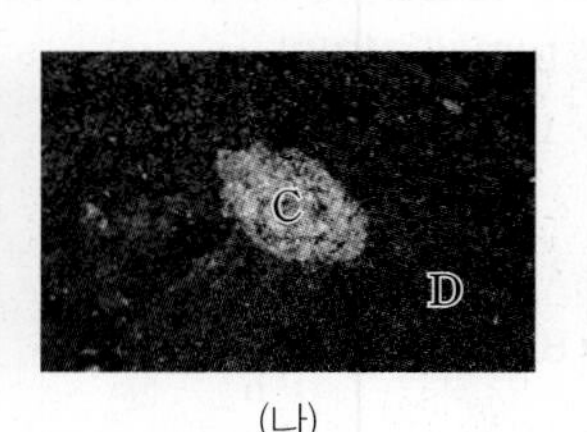

(나)

이에 대한 설명으로 옳은 것만을 〈보기〉에서 있는 대로 고른 것은?

보기

ㄱ. A와 B의 경계부에는 높은 열에 의한 변성 흔적이 나타날 수 있다.
ㄴ. 포획암은 C이다.
ㄷ. 암석의 나이는 A~D 중 C가 가장 많다.

① ㄱ ② ㄴ ③ ㄱ, ㄷ
④ ㄴ, ㄷ ⑤ ㄱ, ㄴ, ㄷ

07

▸24069-0057

그림은 어느 지역의 지질 단면을 나타낸 것이다.

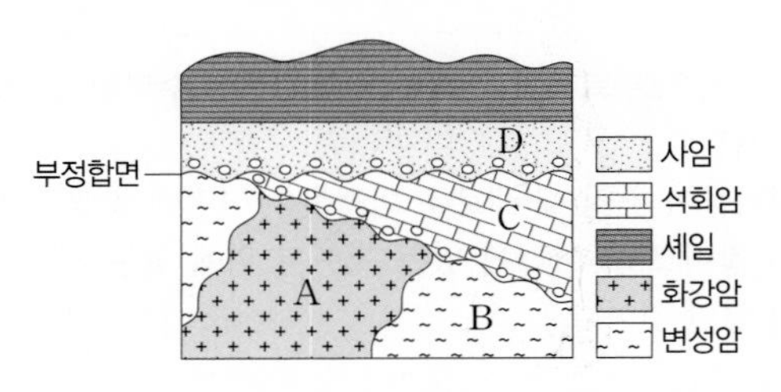

이에 대한 설명으로 옳은 것만을 〈보기〉에서 있는 대로 고른 것은?

보기

ㄱ. B는 최소 1회 육상에 노출되었다.
ㄴ. A와 C는 경사 부정합 관계이다.
ㄷ. 지층의 생성 순서는 B → A → C → D 순이다.

① ㄱ ② ㄷ ③ ㄱ, ㄴ
④ ㄴ, ㄷ ⑤ ㄱ, ㄴ, ㄷ

08

▸24069-0058

그림은 어느 지역의 지질 단면과 산출되는 화석을 나타낸 것이다. P, Q, R는 화성암이고 A~E는 퇴적암이다.

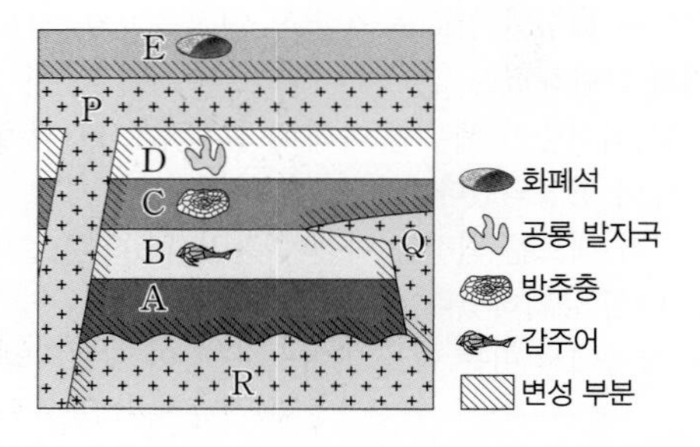

이에 대한 설명으로 옳은 것만을 〈보기〉에서 있는 대로 고른 것은?

보기

ㄱ. 화석이 산출되는 지층은 모두 바다에서 퇴적되었다.
ㄴ. Q는 생성 당시 지표 밖으로 분출하였다.
ㄷ. 화성암의 생성 순서는 Q → R → P 순이다.

① ㄴ ② ㄷ ③ ㄱ, ㄴ
④ ㄱ, ㄷ ⑤ ㄱ, ㄴ, ㄷ

09

▸24069-0059

그림 (가)는 단층이 발달한 어느 지역의 지층 단면을, (나)는 (가)의 B 지점에서의 깊이에 따른 지층의 연령을 나타낸 것이다.

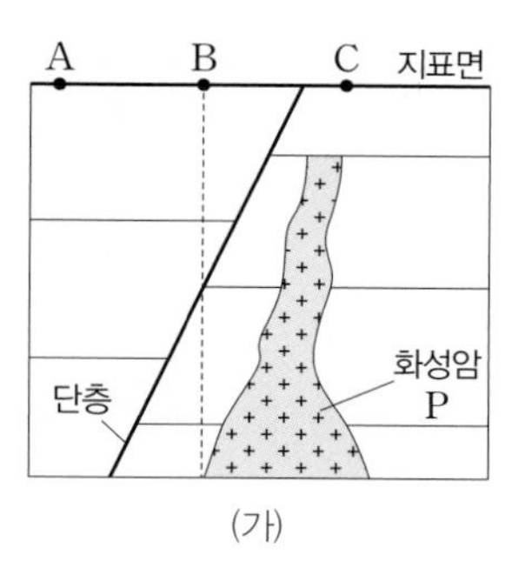

(가)

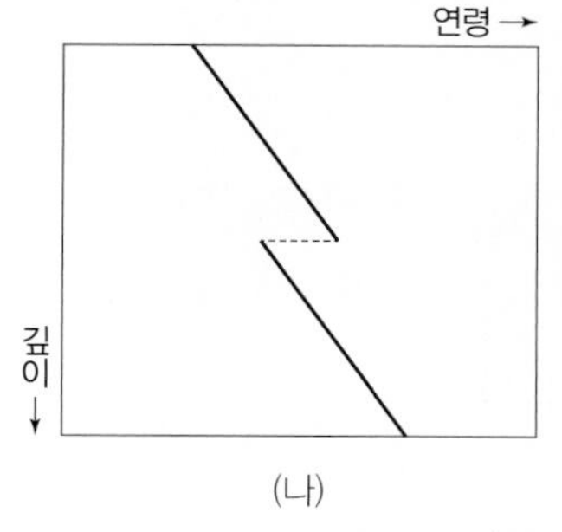

(나)

이에 대한 설명으로 옳은 것만을 〈보기〉에서 있는 대로 고른 것은?

보기

ㄱ. 이 지역에 발달한 단층은 역단층이다.
ㄴ. 지표면에서의 지층 연령은 C가 A보다 많다.
ㄷ. 단층은 P가 생성된 후에 만들어졌다.

① ㄱ ② ㄴ ③ ㄱ, ㄷ
④ ㄴ, ㄷ ⑤ ㄱ, ㄴ, ㄷ

10

▸24069-0060

그림은 방사성 동위 원소와 방사성 동위 원소가 붕괴하여 만들어진 자원소의 함량을 시간에 따라 나타낸 것이다. A와 B는 각각 방사성 동위 원소와 자원소 중 하나이다.

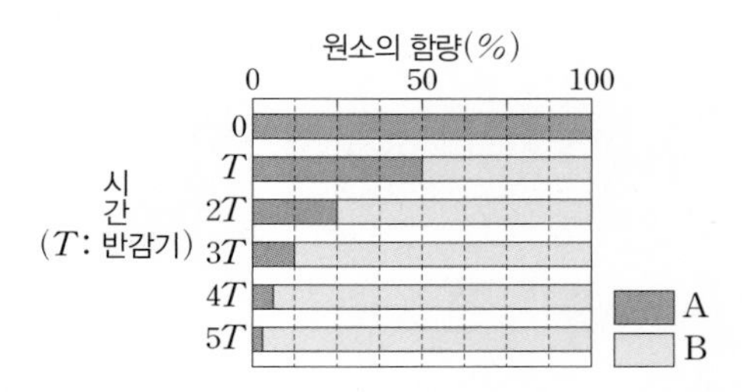

이에 대한 설명으로 옳은 것만을 〈보기〉에서 있는 대로 고른 것은?

보기

ㄱ. B는 A가 붕괴하여 만들어진 자원소이다.
ㄴ. A의 함량이 감소한 만큼 B의 함량이 증가한다.
ㄷ. 시간이 지날수록 B 함량의 증가율은 감소한다.

① ㄱ ② ㄴ ③ ㄱ, ㄷ
④ ㄴ, ㄷ ⑤ ㄱ, ㄴ, ㄷ

11

▸24069-0061

그림 (가)와 (나)는 t년 전과 현재 어느 화성암에 포함된 방사성 동위 원소와 방사성 동위 원소가 붕괴하여 만들어진 자원소의 함량을 모식도로 나타낸 것이다. A～D 중 2개는 방사성 동위 원소이며, 다른 2개는 자원소이다.

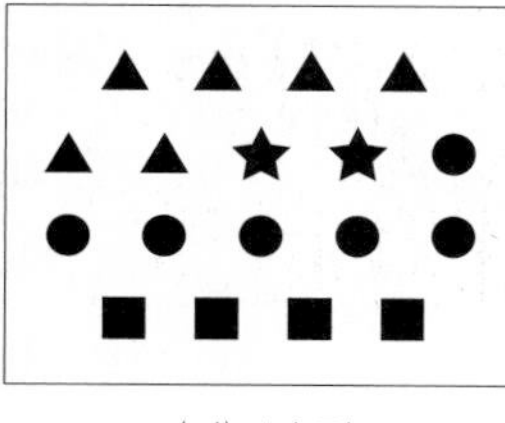

(가) t년 전

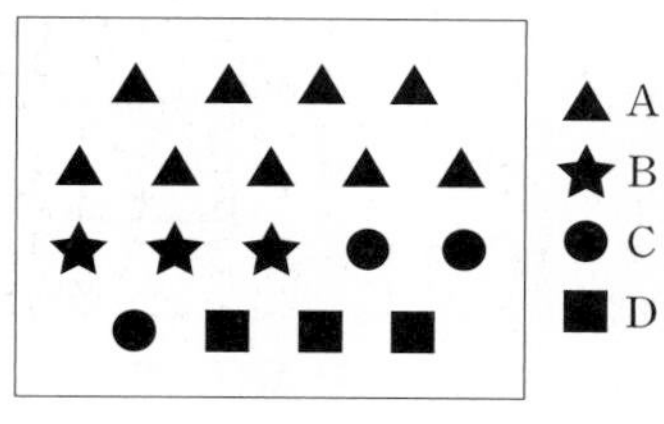

(나) 현재

이에 대한 설명으로 옳은 것만을 〈보기〉에서 있는 대로 고른 것은? (단, 이 암석이 생성될 당시, 두 방사성 동위 원소의 자원소는 포함되지 않았다.)

보기

ㄱ. C는 자원소이다.
ㄴ. B는 D의 자원소이다.
ㄷ. A～D 중에는 반감기가 t년인 방사성 동위 원소가 존재한다.

① ㄱ ② ㄴ ③ ㄱ, ㄷ
④ ㄴ, ㄷ ⑤ ㄱ, ㄴ, ㄷ

12

▸24069-0062

그림 (가)는 어느 지역의 지질 단면을, (나)는 방사성 동위 원소 X의 붕괴 곡선을 나타낸 것이다. (가)의 화성암 P, Q, R에 포함된 방사성 동위 원소 X의 양은 각각 암석이 생성될 당시의 $\frac{1}{2}$, $\frac{3}{8}$, $\frac{1}{4}$이다.

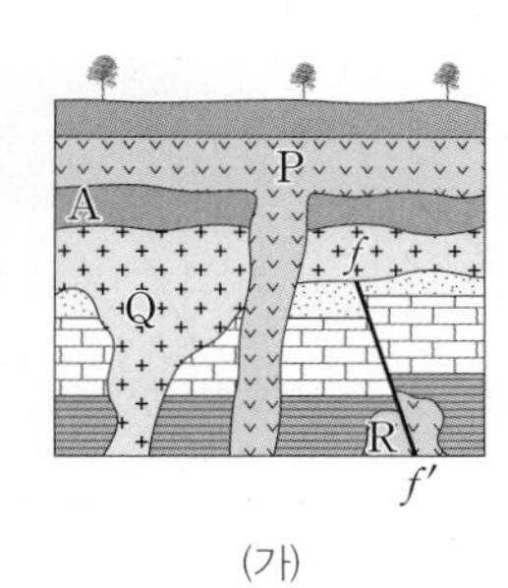

(가)

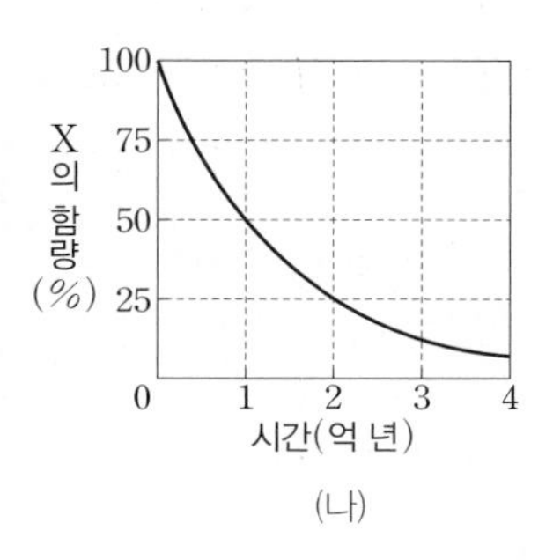

(나)

이에 대한 설명으로 옳은 것만을 〈보기〉에서 있는 대로 고른 것은?

보기

ㄱ. $f-f'$은 정단층이다.
ㄴ. 화성암의 관입 순서는 Q → P → R 순이다.
ㄷ. 지층 A는 중생대에 생성되었다.

① ㄴ ② ㄷ ③ ㄱ, ㄴ
④ ㄱ, ㄷ ⑤ ㄱ, ㄴ, ㄷ

01

▸24069-0063

그림 (가)는 어느 지역의 지층 분포를, (나)는 (가)의 X–X′, Y–Y′ 중 어느 한곳에서의 지질 단면을 나타낸 것이다.

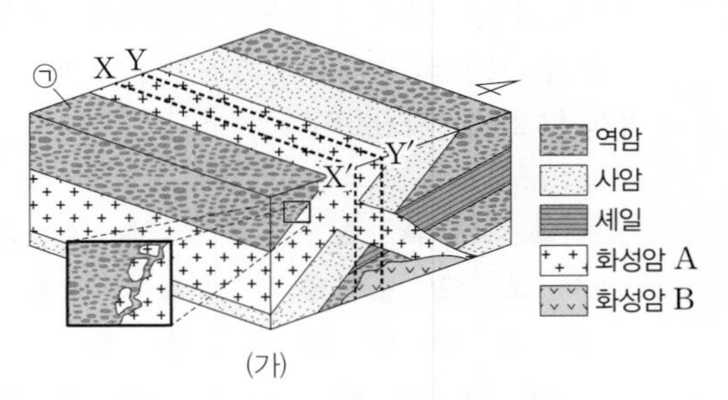

(가)

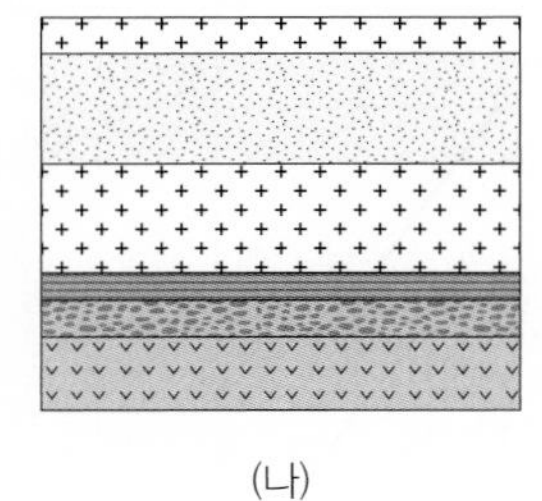

(나)

이에 대한 설명으로 옳은 것만을 〈보기〉에서 있는 대로 고른 것은?

보기

ㄱ. 화성암 A는 지층 ㉠보다 나중에 생성되었다.
ㄴ. 화성암 B는 셰일층보다 나중에 생성되었다.
ㄷ. (나)는 Y–Y′에서의 지질 단면이다.

① ㄱ ② ㄷ ③ ㄱ, ㄴ ④ ㄴ, ㄷ ⑤ ㄱ, ㄴ, ㄷ

02

▸24069-0064

그림은 어느 지역의 지질 단면에 나타난 퇴적 구조와 지질 구조이다. A와 B의 경계에서는 건열이 발견되었다.

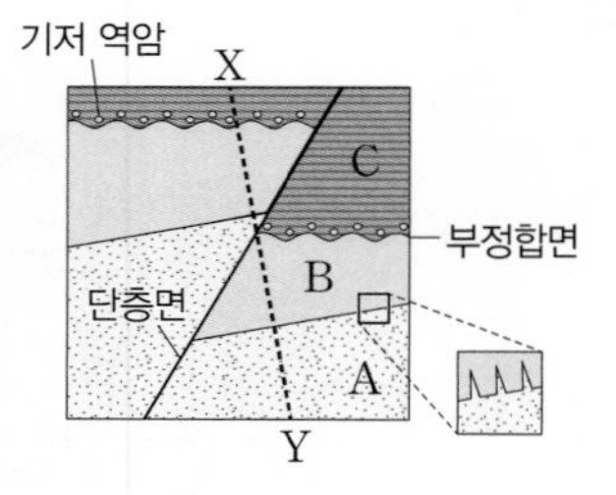

X–Y 구간에 해당하는 지층의 연령 분포로 가장 적절한 것은?

①
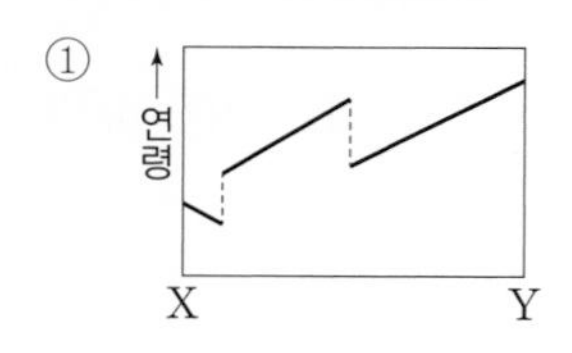

②
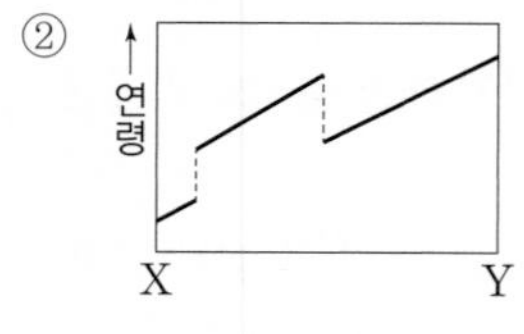

③
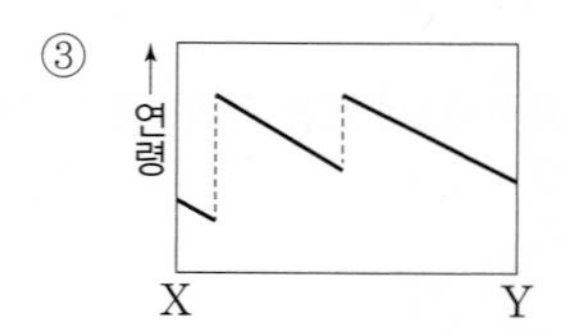

④
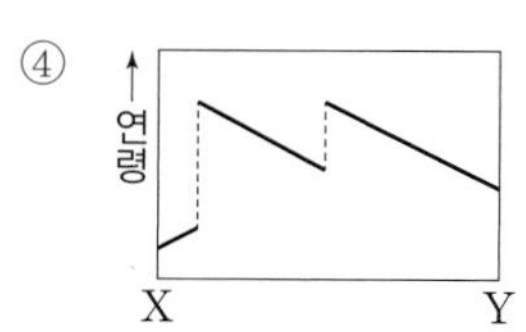

⑤
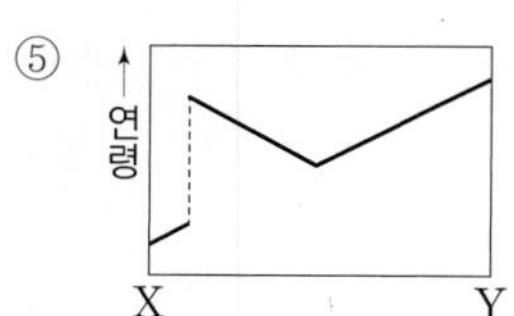

03

▸24069-0065

그림 (가)는 고도가 일정한 어느 지역 지표면의 모습을, (나)는 (가)의 X−Y에서의 지층 단면을 나타낸 것이다.

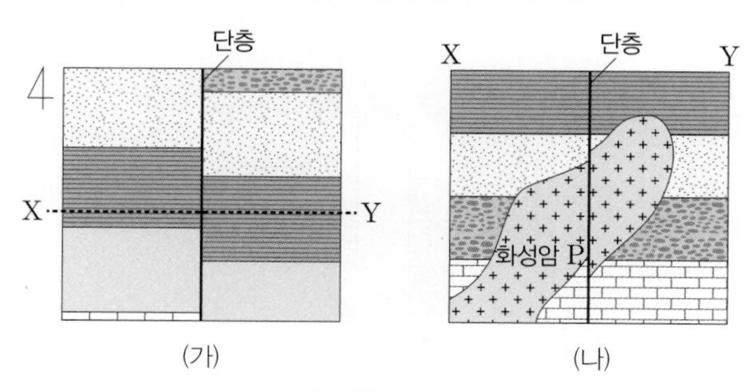

(가) (나)

이에 대한 설명으로 옳은 것만을 <보기>에서 있는 대로 고른 것은?

보기

ㄱ. 이 지역의 지층들은 남북 방향으로 기울어져 있다.
ㄴ. 이 지역에 발달한 단층은 주향 이동 단층이다.
ㄷ. P는 단층이 만들어진 후에 생성되었다.

① ㄱ ② ㄷ ③ ㄱ, ㄴ ④ ㄴ, ㄷ ⑤ ㄱ, ㄴ, ㄷ

04

▸24069-0066

그림 (가)는 고도가 일정한 어느 지역 지표면의 지층 분포를, (나)는 (가)의 X−Y 구간에서 지표면에 분포하는 지층의 연령을 나타낸 것이다. 이 지역에는 배사와 향사 중 한 형태의 습곡 구조가 존재한다.

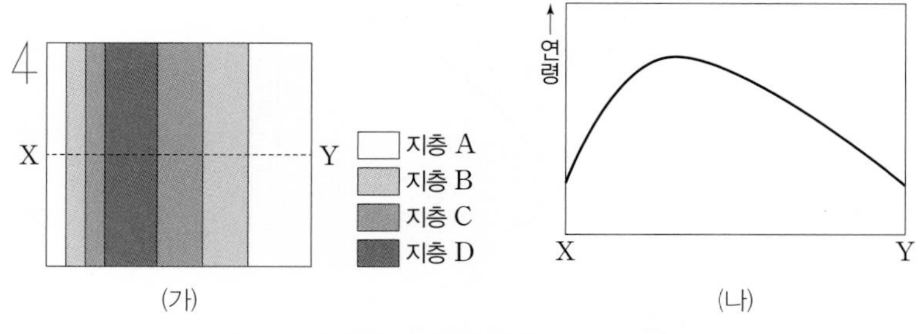

(가) (나)

이에 대한 설명으로 옳은 것만을 <보기>에서 있는 대로 고른 것은?

보기

ㄱ. 이 지역에는 배사 구조가 나타난다.
ㄴ. 습곡축면을 기준으로 양쪽의 지질 구조가 비대칭이다.
ㄷ. (가)의 습곡 작용이 일어날 때 지층들은 현재보다 깊은 곳에 위치하였다.

① ㄱ ② ㄴ ③ ㄱ, ㄷ ④ ㄴ, ㄷ ⑤ ㄱ, ㄴ, ㄷ

05

▸24069-0067

그림 (가)는 단층이 발달한 어느 지역의 지질 단면을, (나)는 (가)의 A, B, C 세 지점 하부의 지층 분포를 ㉠, ㉡, ㉢으로 순서 없이 나타낸 것이다.

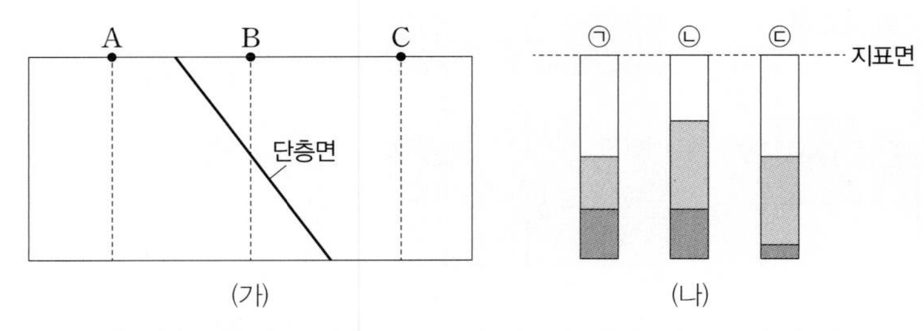

(가) (나)

이에 대한 설명으로 옳은 것만을 〈보기〉에서 있는 대로 고른 것은? (단, 이 지역의 지층은 모두 수평층이며, 지층은 역전되지 않았다.)

보기

ㄱ. ㉡은 A 하부의 지층 분포이다.
ㄴ. 이 지역에 발달한 단층은 역단층이다.
ㄷ. 동일한 깊이에서 지층의 연령은 A 하부가 C 하부보다 많다.

① ㄴ ② ㄷ ③ ㄱ, ㄴ ④ ㄱ, ㄷ ⑤ ㄱ, ㄴ, ㄷ

06

▸24069-0068

그림 (가)는 어느 지역의 지질 단면과 산출되는 화석을, (나)는 방사성 동위 원소 X가 붕괴하여 생성된 자원소 Y의 함량을 시간에 따라 나타낸 것이다. 화성암 A, C에는 X와 Y가 포함되어 있으며, Y는 모두 X가 붕괴하여 생성되었다. 현재 A에 포함된 방사성 동위 원소 X의 함량은 암석이 생성될 당시의 $\frac{2}{5}$이다.

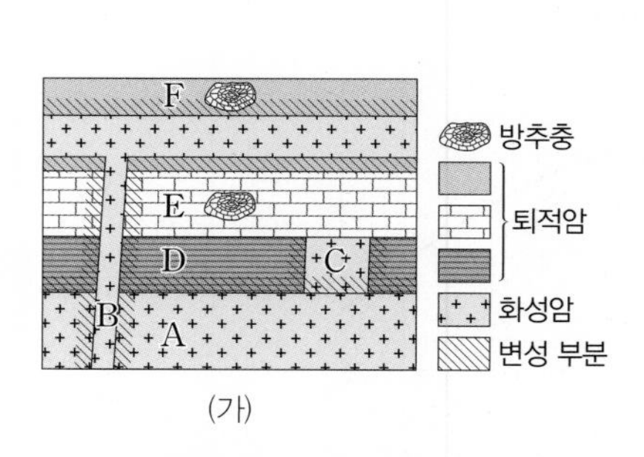

(가)

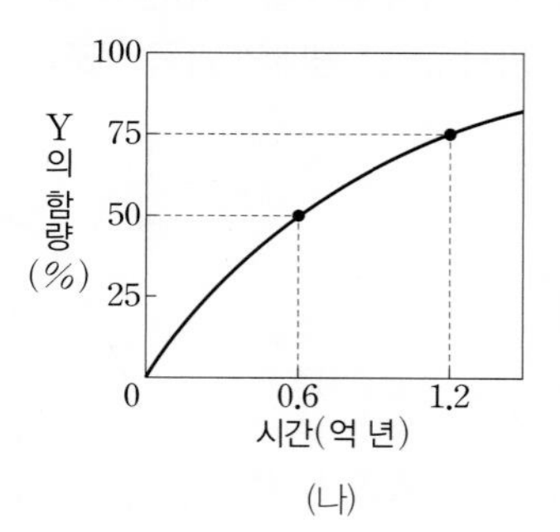

(나)

이에 대한 설명으로 옳은 것만을 〈보기〉에서 있는 대로 고른 것은?

보기

ㄱ. B는 고생대에 생성되었다.
ㄴ. $\frac{\text{Y의 함량(\%)}}{\text{X의 함량(\%)}}$은 A가 C보다 크다.
ㄷ. 암석의 생성 순서는 D → C → E → F → A → B 순이다.

① ㄱ ② ㄷ ③ ㄱ, ㄴ ④ ㄴ, ㄷ ⑤ ㄱ, ㄴ, ㄷ

07

▸24069-0069

그림은 어느 지역의 지질 단면을, 표는 화성암 E에 포함되어 있는 방사성 동위 원소와 자원소의 비율을 나타낸 것이다. 방사성 동위 원소 X는 반감기가 7억 년이고, 화성암 E에는 방사성 동위 원소 X와 Y가 함께 포함되어 있다.

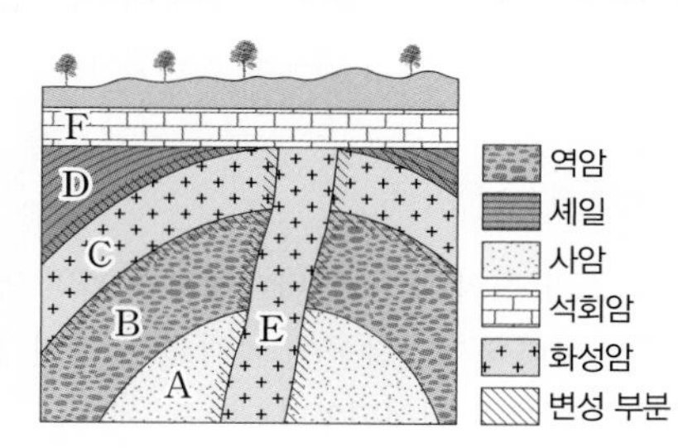

화성암	방사성 동위 원소 X : 자원소 X′	방사성 동위 원소 Y : 자원소 Y′
E	1 : 1	1 : 3

이에 대한 설명으로 옳은 것만을 〈보기〉에서 있는 대로 고른 것은? (단, 이 지역은 지층 역전이 없었고, 화성암 E는 생성될 당시에 X′과 Y′을 포함하지 않았다.)

보기

ㄱ. 암석의 생성 순서는 A → B → D → C → E → F 순이다.

ㄴ. 방사성 동위 원소 Y의 반감기는 3억 5천만 년이다.

ㄷ. 현재로부터 7억 년 후, 화성암 E에 남아 있는 $\frac{\text{X의 함량(\%)}}{\text{Y의 함량(\%)}}=4$이다.

① ㄱ ② ㄴ ③ ㄱ, ㄷ ④ ㄴ, ㄷ ⑤ ㄱ, ㄴ, ㄷ

08

▸24069-0070

표는 화성암 A와 B에 각각 포함되어 있는 방사성 동위 원소 X와 Y의 경과 시간에 따른 자원소와의 비율을, 그림은 현재 화성암 A와 B가 분포하는 어느 지역의 지질 단면을 나타낸 것이다. X′과 Y′은 각각 방사성 동위 원소 X와 Y의 자원소이며, 현재 방사성 동위 원소와 자원소의 비율은 화성암 A와 B가 같다.

화성암 B의 생성 시점 t에 대한 경과 시간	화성암 A	화성암 B
	X : X′	Y : Y′
$t-0.25$억 년	1 : 1	−
$t+0.25$억 년	1 : 3	1 : 1

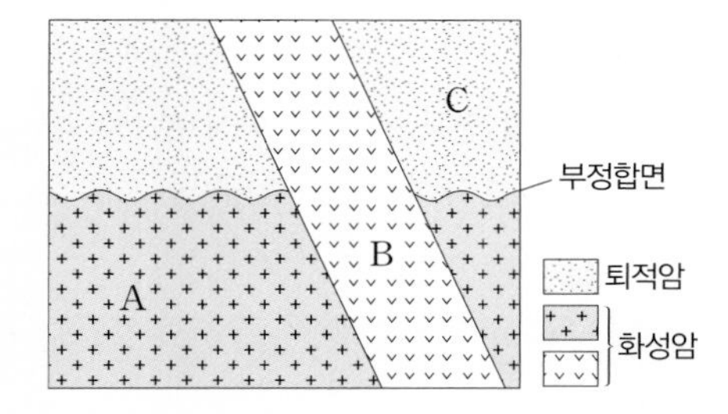

이에 대한 설명으로 옳은 것만을 〈보기〉에서 있는 대로 고른 것은? (단, 화성암 A, B는 생성될 당시에 X′과 Y′을 포함하지 않았다.)

보기

ㄱ. A는 B보다 0.75억 년 전에 생성되었다.

ㄴ. t 시점으로부터 화성암 B에 포함되어 있는 $\frac{\text{Y의 함량(\%)}}{\text{Y′의 함량(\%)}}=\frac{1}{15}$이 되는 데 걸리는 시간은 1억 년이다.

ㄷ. C에서 삼엽충 화석이 발견될 수 있다.

① ㄱ ② ㄷ ③ ㄱ, ㄴ ④ ㄴ, ㄷ ⑤ ㄱ, ㄴ, ㄷ

테마 05 지질 시대의 환경과 생물

1 화석과 지질 시대의 구분

(1) **화석**: 화석은 고생물의 유해나 흔적으로, 대부분 퇴적암에서 산출된다.

(2) **표준 화석과 시상 화석**: 특정한 지질 시대를 대표하는 화석을 표준 화석, 고생물이 살았던 당시의 자연환경을 밝히는 데 이용되는 화석을 시상 화석이라고 한다.

구분	표준 화석	시상 화석
조건	생존 기간이 짧고, 분포 면적이 넓다.	생존 기간이 길고, 분포 면적이 좁으며, 환경 변화에 민감하다.
예	삼엽충－고생대, 공룡－중생대, 화폐석－신생대	고사리－따뜻하고 습한 육지, 산호－따뜻하고 얕은 바다

(3) **지질 시대의 구분**: 지구가 탄생한 약 46억 년 전부터 현재까지를 지질 시대라고 한다.

① 지질 시대의 구분 기준: 생물계에서 일어난 급격한 변화나 지각 변동, 기후 변화 등을 기준으로 구분한다.

② 지질 시대의 구분 단위: 누대, 대, 기 등으로 구분한다.

누대		대	절대 연대(백만 년 전)
현생 누대		신생대	66.0
		중생대	252.2
		고생대	541.0
선캄브리아 시대	원생 누대	신원생대	1000
		중원생대	1600
		고원생대	2500
	시생 누대	신시생대	2800
		중시생대	3200
		고시생대	3600
		초시생대	4000

대	기	절대 연대(백만 년 전)
신생대	제4기	2.58
	네오기	23.03
	팔레오기	66.0
중생대	백악기	145.0
	쥐라기	201.3
	트라이아스기	252.2
고생대	페름기	298.9
	석탄기	358.9
	데본기	419.2
	실루리아기	443.8
	오르도비스기	485.4
	캄브리아기	541.0

▲ 지질 시대의 구분과 절대 연대

2 지질 시대의 기후와 생물

(1) **지질 시대의 기후**

① 고기후 연구 방법: 지층의 퇴적물과 화석 연구, 꽃가루 화석 분석, 나무의 나이테 연구, 빙하 코어 연구, 종유석과 석순 연구 등

② 지질 시대의 기후: 선캄브리아 시대와 고생대 및 신생대에는 빙하기가 있었으며, 중생대에는 빙하기 없이 대체로 온난했다.

(2) **지질 시대의 생물**

① 선캄브리아 시대

- 시생 누대: 대기 중에 산소가 거의 없었고, 바다에서 최초의 생명체가 출현하였다. 얕은 바다에서 남세균에 의해 생물 기원의 층상 구조인 스트로마톨라이트가 형성되었다.
- 원생 누대: 말기에는 최초의 다세포 동물이 출현하였으며, 그 일부가 에디아카라 동물군 화석으로 남아 있다.

② 고생대: 고생대가 시작되면서 다양한 생물들이 폭발적으로 증가하였으며, 바다에서 삼엽충이 번성하였고, 어류, 양서류, 겉씨식물이 출현하였다.

▲ 삼엽충

▲ 필석

▲ 방추충

③ 중생대: 바다에서는 암모나이트가 번성하였고, 육지에서는 공룡과 같은 파충류와 겉씨식물이 번성하였으며, 포유류와 속씨식물이 출현하였다.

▲ 암모나이트

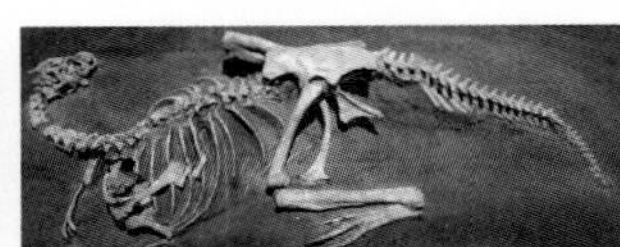
▲ 공룡

▲ 시조새

④ 신생대: 포유류와 속씨식물이 번성하였으며, 인류의 조상이 출현하였다.

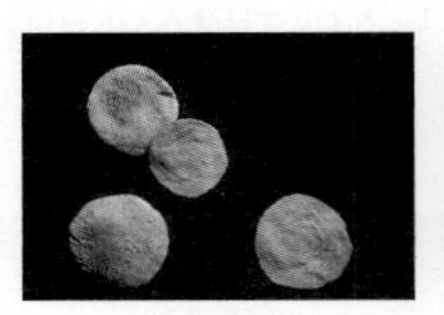
▲ 화폐석

▲ 매머드

더 알기 다양한 고기후 연구 방법

연구에 사용된 시료 종류	연구 내용
석회 동굴의 종유석과 석순	• 종유석과 석순 속의 산소 동위 원소비를 이용하여 당시 기온을 추정할 수 있다.
유공충 화석	• 해양에 서식하는 유공충 껍데기에 존재하는 산소 동위 원소비를 이용하여 당시 기온을 추정할 수 있다.
빙하 시추 코어	• 빙하가 형성되는 과정에서 얼음 속에 남게 된 작은 공기 방울을 분석하여 과거 대기 조성을 추정할 수 있다. • 빙하를 구성하는 물 분자의 산소 동위 원소비를 이용하여 당시 기온을 추정할 수 있다.
꽃가루 화석	• 꽃가루는 강한 세포벽으로 인해 외부 환경에 훼손이 잘 되지 않는다. • 꽃가루 화석을 통해 그 지역의 식생 변화를 파악하고 당시의 기후를 추정할 수 있다.
나무 나이테	• 나이테의 폭은 기온, 강수량, 일조량 등의 요인에 따라 달라진다. • 나이테의 폭을 통해 과거 기온과 강수량의 변화를 추정할 수 있다.

테마 대표 문제

| 2024학년도 수능 |

그림은 현생 누대 동안 해양 생물 과의 수와 대멸종 시기 A, B, C를 나타낸 것이다.

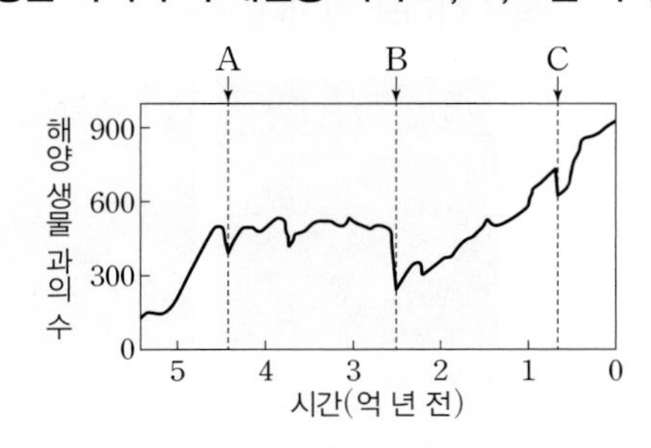

이에 대한 설명으로 옳은 것만을 〈보기〉에서 있는 대로 고른 것은?

보기

ㄱ. 해양 생물 과의 수는 A가 B보다 많다.
ㄴ. B와 C 사이에 생성된 지층에서 양치식물 화석이 발견된다.
ㄷ. C는 쥐라기와 백악기의 지질 시대 경계이다.

① ㄱ ② ㄷ ③ ㄱ, ㄴ ④ ㄴ, ㄷ ⑤ ㄱ, ㄴ, ㄷ

접근 전략

A, B, C가 각각 어느 지질 시대에 속하거나 어느 지질 시대의 경계인지 판단하고, 지질 시대의 특징을 파악해야 한다.

간략 풀이

A는 고생대 오르도비스기 말, B는 고생대 페름기 말, C는 중생대 백악기 말의 대멸종 시기이다.

㉠. 주어진 자료를 통해 해양 생물 과의 수는 A가 B보다 많다는 것을 확인할 수 있다.

㉡. B와 C 사이는 고생대 말~중생대 말까지의 기간이다. 양치식물은 고생대에 출현하여 현재까지 생존하고 있으므로, B와 C 사이에 생성된 지층에서 양치식물 화석이 발견될 수 있다.

~~ㄷ~~. C는 중생대 백악기와 신생대 팔레오기의 지질 시대 경계이다.

정답 | ③

닮은 꼴 문제로 유형 익히기

정답과 해설 14쪽

▸24069-0071

그림은 현생 누대 동안 ㉠과 ㉡ 생물 과의 수와 대멸종 시기 A, B를 나타낸 것이다.

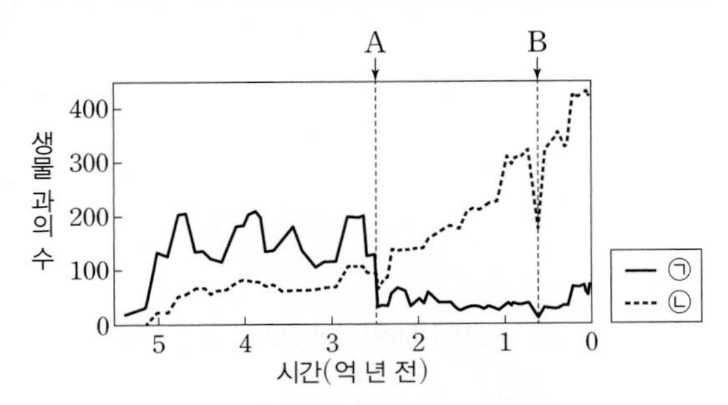

이 자료에 대한 설명으로 옳은 것만을 〈보기〉에서 있는 대로 고른 것은?

보기

ㄱ. ㉠ 생물 과의 수는 공룡이 멸종한 시기에 가장 많이 감소하였다.
ㄴ. A와 B 시기 사이에 히말라야산맥이 형성되었다.
ㄷ. B 시기에 줄어든 생물 과의 수는 ㉡이 ㉠보다 많다.

① ㄱ ② ㄷ ③ ㄱ, ㄴ ④ ㄴ, ㄷ ⑤ ㄱ, ㄴ, ㄷ

유사점과 차이점

현생 누대에 발생한 대멸종이 어느 지질 시대에 일어났는지를 다룬다는 점에서 대표 문제와 유사하지만, 두 생물 과의 수 변화를 묻고 있다는 점에서 대표 문제와 다르다.

배경 지식

- 생물 대멸종이 일어나면 보통 생물 과의 수는 줄어든다.
- 중생대는 약 2억 5천 2백만 년 전~약 6천 6백만 년 전까지로, 공룡은 중생대 말에 멸종하였다.
- 히말라야산맥은 신생대에 형성되었다.

01

▸24069-0072

다음은 지질 시대에 일어난 주요 사건에 대하여 학생 A, B, C가 나눈 대화를 나타낸 것이다.

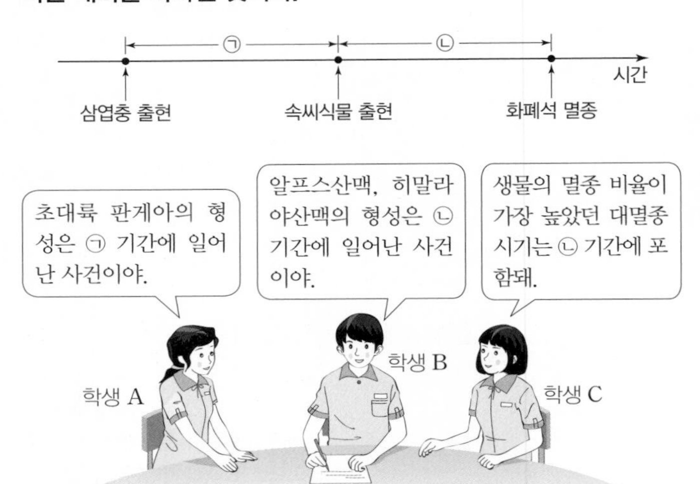

제시한 내용이 옳은 학생만을 있는 대로 고른 것은?

① A ② C ③ A, B
④ B, C ⑤ A, B, C

02

▸24069-0073

그림은 현생 누대 동안 번성한 주요 생물계를 나타낸 것이다.

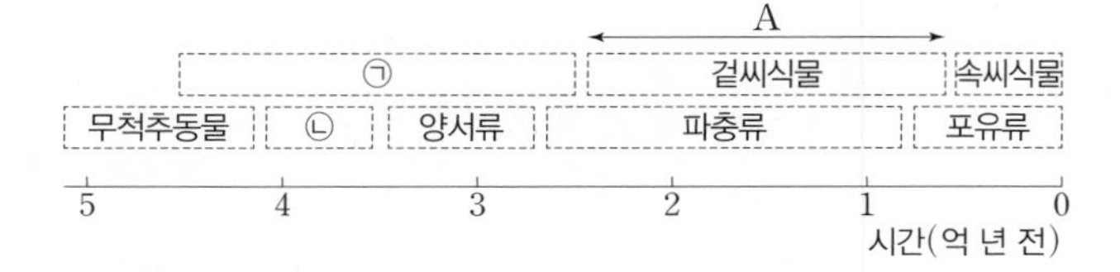

이에 대한 설명으로 옳은 것만을 〈보기〉에서 있는 대로 고른 것은?

보기

ㄱ. '양치식물'은 ㉠에 해당한다.
ㄴ. ㉡의 대표적인 생물로는 갑주어가 있다.
ㄷ. A 기간 동안 해양에서는 암모나이트가 번성하였다.

① ㄱ ② ㄷ ③ ㄱ, ㄴ
④ ㄴ, ㄷ ⑤ ㄱ, ㄴ, ㄷ

03

▸24069-0074

그림 (가), (나), (다)는 서로 다른 지질 시대에 생존한 생물들의 화석을 나타낸 것이다.

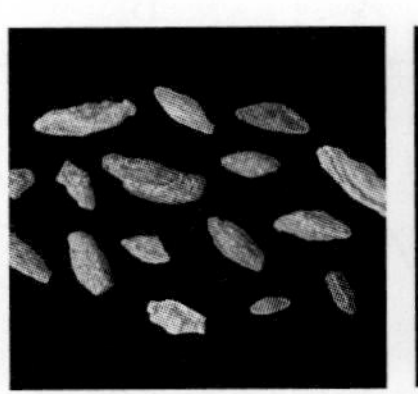
(가) 방추충

(나) 화폐석

(다) 암모나이트

이에 대한 설명으로 옳은 것만을 〈보기〉에서 있는 대로 고른 것은?

보기

ㄱ. (가)가 번성한 시기에 속씨식물이 출현하였다.
ㄴ. 생물들이 생존한 시기는 (가) → (나) → (다) 순이다.
ㄷ. 세 화석 모두 바다에서 생성되었다.

① ㄱ ② ㄷ ③ ㄱ, ㄴ
④ ㄴ, ㄷ ⑤ ㄱ, ㄴ, ㄷ

04

▸24069-0075

그림은 지층의 생성 시기에 따라 동물 A, B, C, D의 화석이 산출되는 상대적 빈도를 나타낸 것이다.

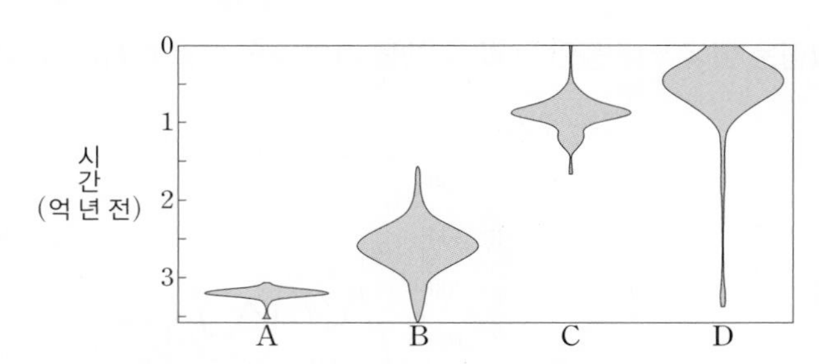

A～D에 대한 설명으로 옳은 것만을 〈보기〉에서 있는 대로 고른 것은?

보기

ㄱ. 생존 기간이 가장 긴 동물은 D이다.
ㄴ. C가 생존한 기간 중에 겉씨식물이 출현했다.
ㄷ. 생존 기간만을 고려했을 때 표준 화석으로 가장 적절한 것은 A의 화석이다.

① ㄱ ② ㄴ ③ ㄱ, ㄷ
④ ㄴ, ㄷ ⑤ ㄱ, ㄴ, ㄷ

05

▸24069-0076

그림은 40억 년 전부터 현재까지의 지질 시대를 구성하는 A, B, C의 지속 기간을 비율로 나타낸 것이다. A, B, C는 각각 시생 누대, 원생 누대, 현생 누대 중 하나이다.

A (49 %)	B (37.5 %)	C (13.5 %)

이에 대한 설명으로 옳은 것만을 〈보기〉에서 있는 대로 고른 것은?

보기

ㄱ. A 시기 말기에 에디아카라 동물군이 출현했다.
ㄴ. B 시기에 최초의 생명체가 탄생하였다.
ㄷ. C 시기에 오존층이 형성되었다.

① ㄱ　② ㄷ　③ ㄱ, ㄴ
④ ㄴ, ㄷ　⑤ ㄱ, ㄴ, ㄷ

06

▸24069-0077

그림은 현생 누대 동안 생물 과의 멸종 비율(%)과 생물 과의 수를 ㉠, ㉡으로 순서 없이 나타낸 것이다. A, B는 서로 다른 대멸종 시기이다.

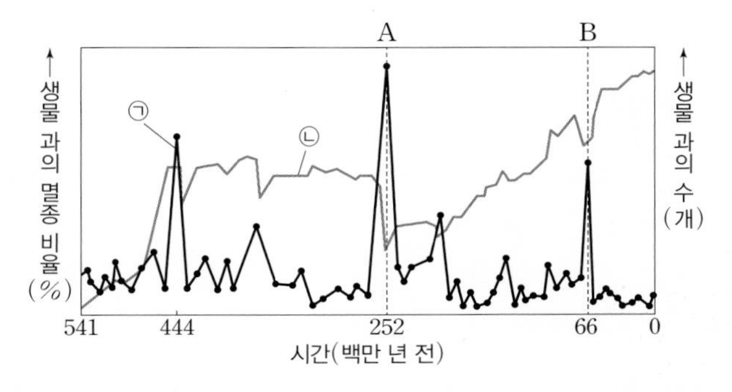

이에 대한 설명으로 옳은 것만을 〈보기〉에서 있는 대로 고른 것은?

보기

ㄱ. ㉠은 생물 과의 멸종 비율(%)이다.
ㄴ. B 시기에 화폐석이 멸종했다.
ㄷ. 생물 과의 수 감소 폭은 B 시기가 A 시기보다 크다.

① ㄱ　② ㄴ　③ ㄷ
④ ㄱ, ㄴ　⑤ ㄱ, ㄷ

07

▸24069-0078

그림은 약 4억 년 전부터 현재까지의 지구 평균 기온 변화를 나타낸 것이다.

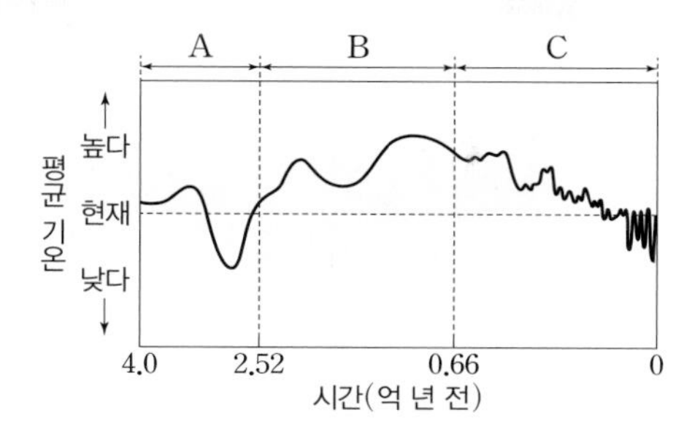

이 자료에 대한 설명으로 옳은 것만을 〈보기〉에서 있는 대로 고른 것은?

보기

ㄱ. 겉씨식물은 A 시기에 출현했다.
ㄴ. 전 세계 평균 해수면의 높이는 B 시기가 C 시기보다 높았다.
ㄷ. 평균 기온의 변화는 B 시기가 C 시기보다 크다.

① ㄱ　② ㄴ　③ ㄷ
④ ㄱ, ㄴ　⑤ ㄱ, ㄷ

08

▸24069-0079

다음은 우리나라의 어느 지역을 답사하고 작성한 지질 답사 보고서의 일부이다.

[지질 답사 보고서]

- 답사 지역: 전라남도 해남군 우항리
- 산출 화석: 공룡 발자국, 익룡 발자국, 물갈퀴 달린 새 발자국 화석 등
- 같은 ㉠ 지층에서 공룡, 익룡, ㉡ 새 발자국 화석이 함께 발견된 것으로 보아 세 동물이 서식지를 공유했다는 것을 알 수 있다.
- 퇴적 당시 환경은 (㉢)(으)로 추정된다.

이에 대한 설명으로 옳은 것만을 〈보기〉에서 있는 대로 고른 것은?

보기

ㄱ. ㉠이 퇴적될 당시 겉씨식물이 번성했다.
ㄴ. ㉡은 표준 화석으로 이용하기에 적절하다.
ㄷ. '얕은 호수'는 ㉢에 해당한다.

① ㄴ　② ㄷ　③ ㄱ, ㄴ
④ ㄱ, ㄷ　⑤ ㄱ, ㄴ, ㄷ

01

▸24069-0080

그림 (가)와 (나)는 어느 두 지역의 지층과 같은 시기에 마그마가 관입하여 생성된 화성암 X를 나타낸 것이고, 표는 각 지층에서 산출되는 화석을 나타낸 것이다.

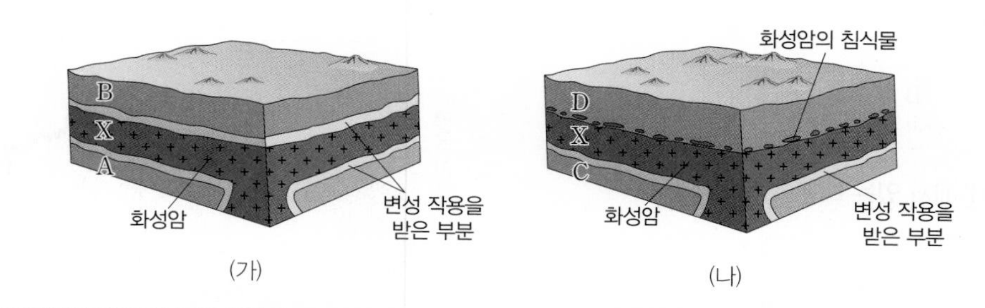

지층	A	B	C	D
산출 화석	필석	화폐석	암모나이트	화폐석

이에 대한 설명으로 옳은 것만을 〈보기〉에서 있는 대로 고른 것은?

보기
ㄱ. 지층의 나이는 C가 A보다 많다.
ㄴ. (가)의 X에서는 B의 조각이 포획암으로 발견될 수 있다.
ㄷ. (가)와 (나) 지역에 분포하는 지층과 암석의 생성 순서는 A → C → B → X → D 순이다.

① ㄱ ② ㄷ ③ ㄱ, ㄴ ④ ㄴ, ㄷ ⑤ ㄱ, ㄴ, ㄷ

02

▸24069-0081

그림 (가)와 (나)는 서로 인접한 두 지역의 지층 단면과 산출되는 화석을 나타낸 것이다. (가)와 (나)에는 동일한 시기에 분출된 화산재가 쌓여서 만들어진 지층이 존재한다.

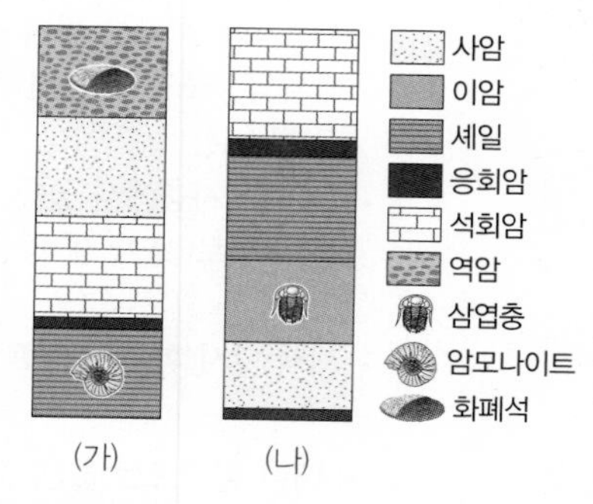

이에 대한 설명으로 옳은 것만을 〈보기〉에서 있는 대로 고른 것은? (단, 이 지역은 지층의 역전이 없었다.)

보기
ㄱ. (가)의 역암층은 신생대 제4기에 퇴적되었다.
ㄴ. (가)의 사암층은 (나)의 사암층보다 오래되었다.
ㄷ. 화석이 산출된 지층은 모두 바다에서 생성되었다.

① ㄱ ② ㄷ ③ ㄱ, ㄴ ④ ㄴ, ㄷ ⑤ ㄱ, ㄴ, ㄷ

03

▸24069-0082

그림 (가)와 (나)는 과거부터 현재까지의 해수면 높이 변화와 남극 대륙의 빙하 연구를 통해 알아낸 산소 동위 원소 비$\left(\frac{^{18}O}{^{16}O}\right)$를 나타낸 것이다.

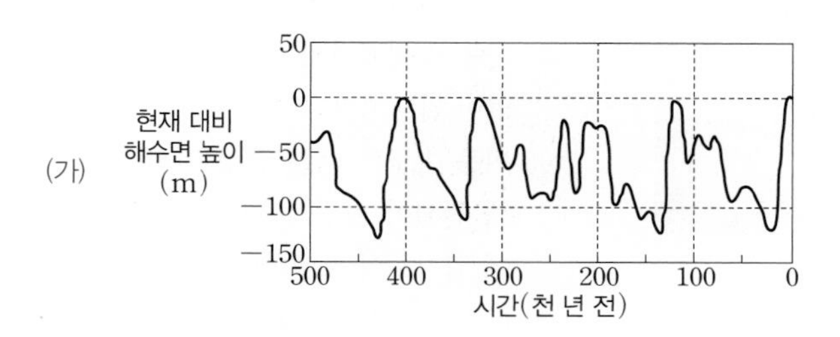

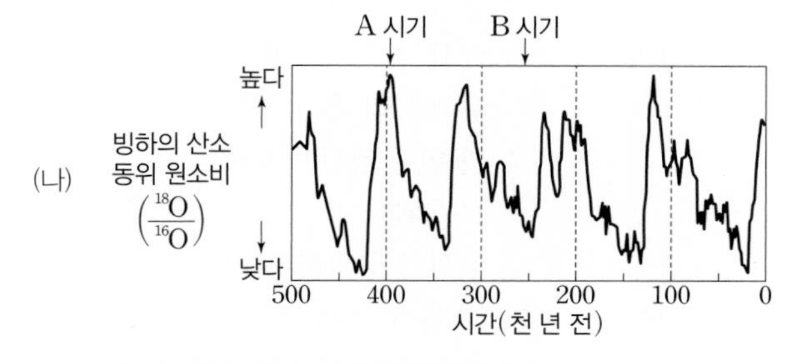

이에 대한 설명으로 옳은 것만을 〈보기〉에서 있는 대로 고른 것은?

보기

ㄱ. 대체로 빙하의 산소 동위 원소비$\left(\frac{^{18}O}{^{16}O}\right)$가 낮을수록 해수면 높이가 낮다.
ㄴ. 대륙 빙하의 면적은 A 시기가 B 시기보다 좁았을 것이다.
ㄷ. B 시기는 현재에 비해 대체로 한랭했을 것이다.

① ㄱ　② ㄴ　③ ㄱ, ㄷ　④ ㄴ, ㄷ　⑤ ㄱ, ㄴ, ㄷ

04

▸24069-0083

그림 (가)와 (나)는 현생 누대의 서로 다른 두 대(代)에 각각 포함되는 두 시기의 대륙 분포를 나타낸 것이고, (다)는 (가)와 (나) 중 어느 한 시대에 생존했던 생물의 화석을 나타낸 것이다.

(가)

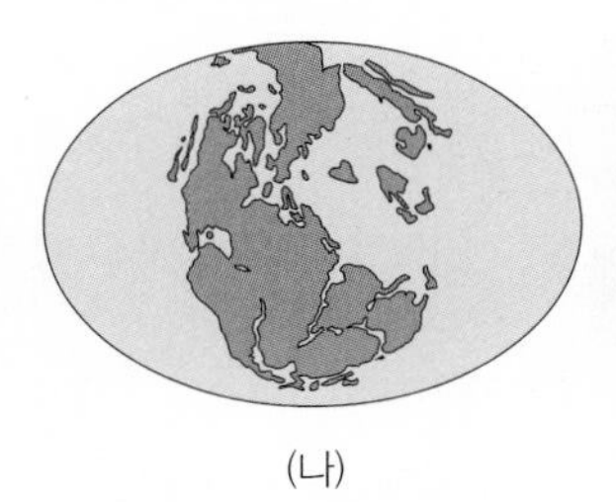
(나)

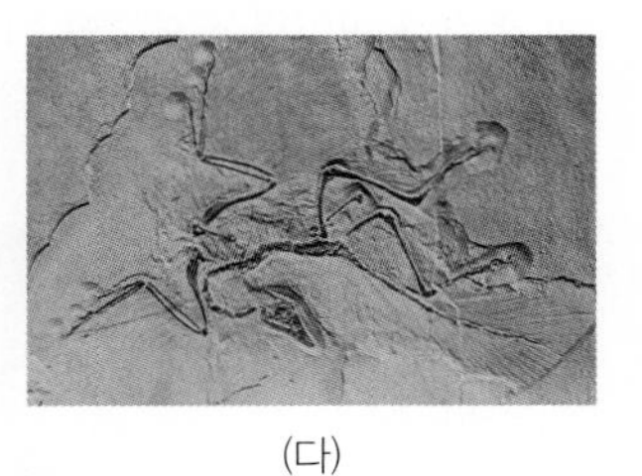
(다)

이에 대한 설명으로 옳은 것만을 〈보기〉에서 있는 대로 고른 것은?

보기

ㄱ. (다)는 (가) 시기에 생존했던 생물이다.
ㄴ. (가) 시기에 속씨식물이 출현하였다.
ㄷ. (나) 시기에 퇴적된 지층에서 글로소프테리스 화석이 발견될 수 있다.

① ㄱ　② ㄴ　③ ㄱ, ㄷ　④ ㄴ, ㄷ　⑤ ㄱ, ㄴ, ㄷ

기압과 날씨의 변화

1 기압과 날씨

(1) 고기압: 주위보다 기압이 높은 곳으로, 북반구의 지상에서는 바람이 시계 방향으로 불어 나간다. 중심부에 하강 기류가 발달하여 날씨가 맑다.

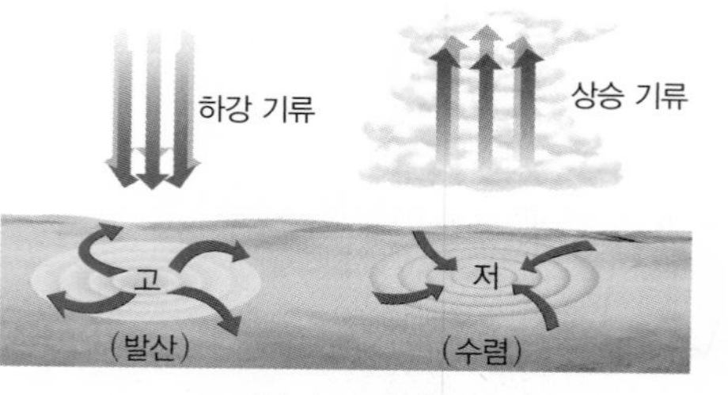

▲ 고기압과 저기압(북반구)

(2) 저기압: 주위보다 기압이 낮은 곳으로, 북반구의 지상에서는 바람이 시계 반대 방향으로 불어 들어간다. 중심부에 상승 기류가 발달하여 날씨가 흐리거나 비가 내린다.

2 고기압과 날씨

(1) 정체성 고기압: 고기압의 중심부가 거의 이동하지 않고 한곳에 오래 머무르는 기압계이다. 예 북태평양 고기압, 시베리아 고기압

(2) 이동성 고기압: 정체성 고기압에서 일부가 떨어져 나와 이동하는 비교적 규모가 작은 고기압으로, 우리나라의 봄과 가을에 잘 나타난다.

(3) 고기압의 발달과 우리나라의 계절별 날씨

겨울철	시베리아 고기압의 영향을 받아 춥고 건조한 날씨가 나타난다.
여름철	북태평양 고기압의 영향을 받아 덥고 습한 날씨가 나타난다.
봄철, 가을철	이동성 고기압과 저기압이 교대로 지나가면서 잦은 날씨 변화가 나타난다.

3 온대 저기압

(1) 발생: 한대 전선대(위도 60° 부근)에서 주로 발생한다.

(2) 특징

① 북반구에서는 대체로 저기압 중심의 남서쪽에 한랭 전선을, 남동쪽에 온난 전선을 동반한다.

② 편서풍의 영향으로 서쪽에서 동쪽으로 이동한다.

③ 주요 에너지원은 찬 공기와 따뜻한 공기가 섞이면서 감소한 위치 에너지이다.

(3) 온대 저기압의 발생과 소멸

① 찬 공기와 따뜻한 공기가 만나 정체 전선이 형성된다.

② 파동이 생기면서 온난 전선과 한랭 전선으로 분리되어 온대 저기압이 발달한다.

③ 이동 속도가 빠른 한랭 전선이 온난 전선을 따라가 겹쳐져서 폐색 전선이 형성되면서 따뜻한 공기는 위쪽에, 찬 공기는 아래쪽에 위치하여 소멸한다.

(4) 온대 저기압 주변의 날씨

① 온대 저기압이 서쪽에서 동쪽으로 이동함에 따라 온난 전선과 한랭 전선이 차례로 통과한다.

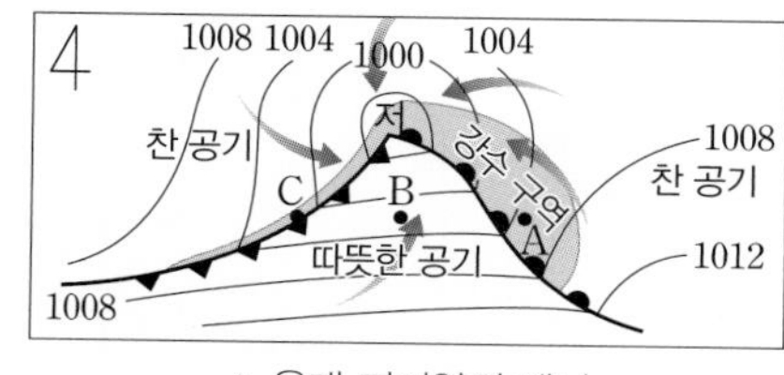

▲ 온대 저기압의 예시

② 전선이 통과하게 되면 날씨, 기온, 기압, 풍향 등이 급변한다.

- A 지역: 층운형 구름이 발달해 넓은 지역에 걸쳐 흐리거나 지속적으로 비가 내리며, 기온이 낮고 남동풍 계열의 바람이 분다.
- B 지역: 온난 전선과 한랭 전선 사이에서는 대체로 날씨가 맑으며, 기온이 높고 남서풍 계열의 바람이 분다.
- C 지역: 좁은 지역에 적운형 구름이 발달해서 소나기가 내리며, 기온은 B 지역보다 낮고 북서풍 계열의 바람이 분다.

4 일기도 해석

(1) 우리나라의 날씨 변화: 편서풍의 영향으로 기상 현상이 서쪽에서 동쪽으로 이동하므로 날씨는 서쪽의 기상 요소를 통해 예측한다.

(2) 풍속: 등압선 간격이 좁을수록 바람이 강하게 분다.

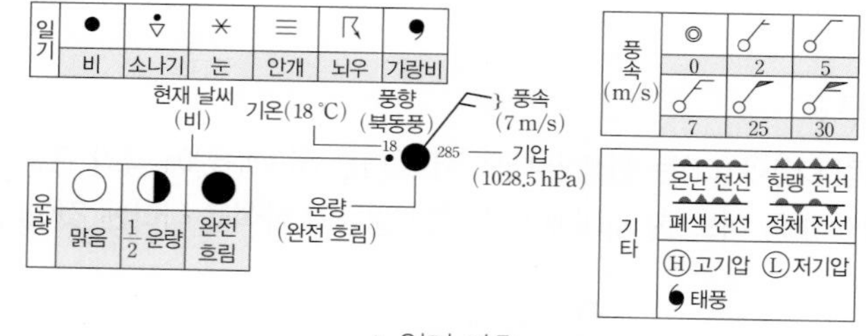

▲ 일기 기호

더 알기 기상 위성 영상

가시 영상	적외 영상
구름과 지표면에서 반사된 태양 빛의 반사 강도를 나타내는 것으로, 반사율이 큰 부분은 밝게 나타나고 반사율이 작은 부분은 어둡게 나타난다. 적운형 구름은 층운형 구름보다 더 밝게 보이며, 태양 빛이 없는 야간에는 관측할 수 없다. 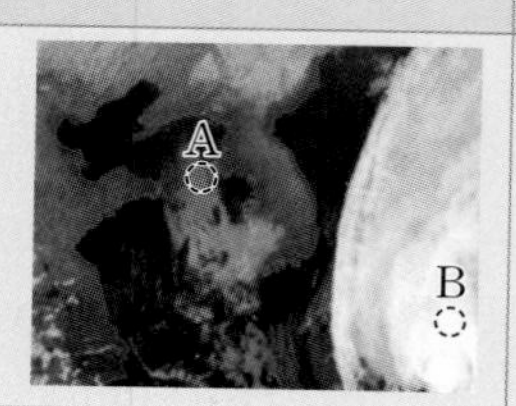	물체의 온도에 따라 방출하는 적외선 에너지양의 차이를 이용하는 것으로, 온도가 높을수록 어둡게 나타나고 온도가 낮을수록 밝게 나타난다. 구름의 최상부 높이가 높은 구름은 주로 밝게, 낮은 구름은 주로 어둡게 나타난다. 태양 빛이 없는 야간에도 관측이 가능하다. 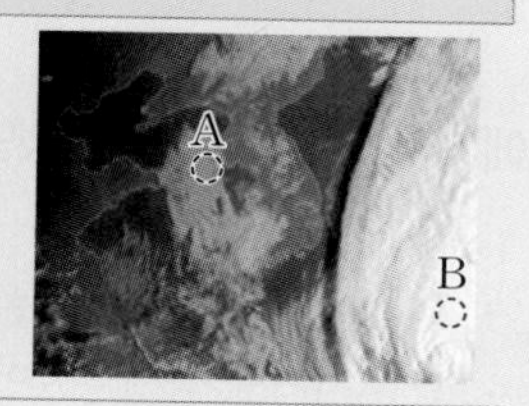

가시 영상과 적외 영상 모두 회색인 A 지역 상공에 발달한 구름은 층운형 구름으로 판단할 수 있으며, 가시 영상과 적외 영상 모두 밝은 B 지역 상공에 발달한 구름은 적운형 구름으로 판단할 수 있다.

테마 대표 문제

| 2024학년도 수능 |

그림 (가)는 어느 날 t_1 시각의 지상 일기도에 온대 저기압 중심의 이동 경로를 나타낸 것이고, (나)는 이날 관측소 A와 B에서 t_1부터 15시간 동안 측정한 기압, 기온, 풍향을 순서 없이 나타낸 것이다. A와 B의 위치는 각각 ㉠과 ㉡ 중 하나이다.

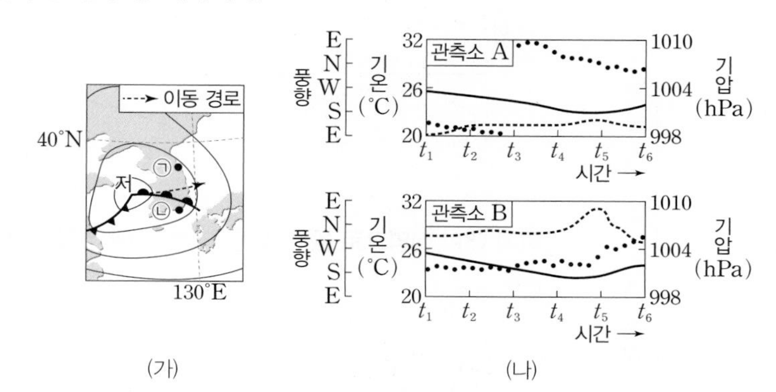

(가) (나)

이 자료에 대한 설명으로 옳은 것만을 〈보기〉에서 있는 대로 고른 것은?

보기

ㄱ. A의 위치는 ㉠이다.
ㄴ. t_2에 기온은 A가 B보다 낮다.
ㄷ. t_3에 ㉡의 상공에는 전선면이 있다.

① ㄱ ② ㄴ ③ ㄷ ④ ㄱ, ㄴ ⑤ ㄱ, ㄷ

접근 전략

온대 저기압 중심 이동 경로의 북쪽에 위치할 때는 풍향이 시계 반대 방향으로 변하고, 남쪽에 위치할 때는 풍향이 시계 방향으로 변하는 것을 이용하여 관측소의 위치를 파악해야 한다.

간략 풀이

점선은 기온, 실선은 기압, 굵은 점은 풍향을 나타낸다.

㉠. A의 위치는 ㉠, B의 위치는 ㉡이다.

㉡. t_2에 기온은 A가 약 22 ℃이고 B가 약 28 ℃이다.

✕. t_3일 때 ㉡은 온난 전선과 한랭 전선 사이에 위치한다.

정답 | ④

닮은 꼴 문제로 유형 익히기

정답과 해설 16쪽

▸24069-0084

그림 (가)는 어느 날 어느 지역을 통과한 온대 저기압의 이동 경로를, (나)는 이날 관측소 A, B 중 한곳에서 관측한 풍향의 변화를 나타낸 것이다. ㉠과 ㉡은 각각 온난 전선과 한랭 전선 중 하나이다.

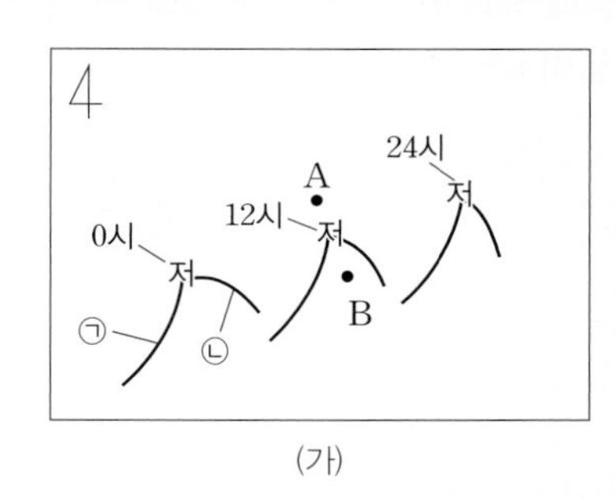

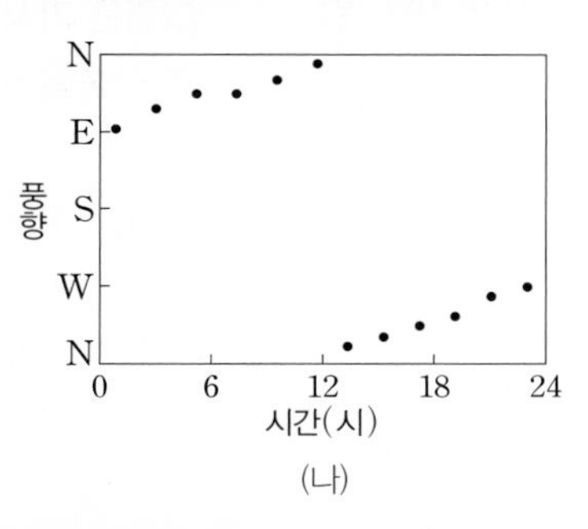

(가) (나)

이 자료에 대한 설명으로 옳은 것만을 〈보기〉에서 있는 대로 고른 것은?

보기

ㄱ. 이 지역은 북반구에 위치한다.
ㄴ. ㉠은 한랭 전선이다.
ㄷ. (나)는 B에서 관측한 것이다.

① ㄱ ② ㄴ ③ ㄷ ④ ㄱ, ㄴ ⑤ ㄴ, ㄷ

유사점과 차이점

온대 저기압 중심 이동 경로를 기준으로 북쪽과 남쪽에 위치할 때의 풍향 변화를 통해 관측소의 위치를 파악하도록 한다는 점에서 대표 문제와 유사하지만, 온대 저기압 중심에서 온난 전선과 한랭 전선이 발달한 방향을 통해 북반구에서 발달한 온대 저기압과 남반구에서 발달한 온대 저기압을 구분한다는 점에서 대표 문제와 다르다.

배경 지식

- 북반구에서는 온대 저기압 중심의 남서쪽으로 한랭 전선이, 남동쪽으로 온난 전선이 발달하고, 남반구에서는 온대 저기압 중심의 북서쪽으로 한랭 전선이, 북동쪽으로 온난 전선이 발달한다.
- 북반구에서 온대 저기압 중심 이동 경로의 북쪽에 위치할 때는 풍향이 시계 반대 방향으로, 남쪽에 위치할 때는 풍향이 시계 방향으로 바뀐다.

01

▸24069-0085

그림은 우리나라 주변의 등압선 분포를 나타낸 것이다. (가)와 (나)는 봄철과 겨울철의 일기도 중 하나이며, A와 B는 각각 이동성 고기압과 정체성 고기압 중 하나이다.

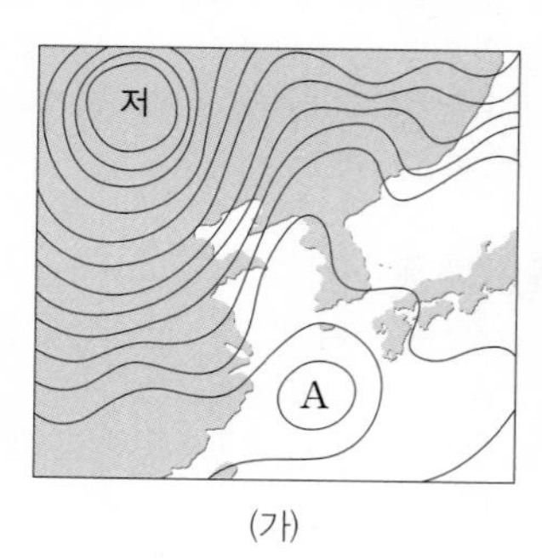

(가)

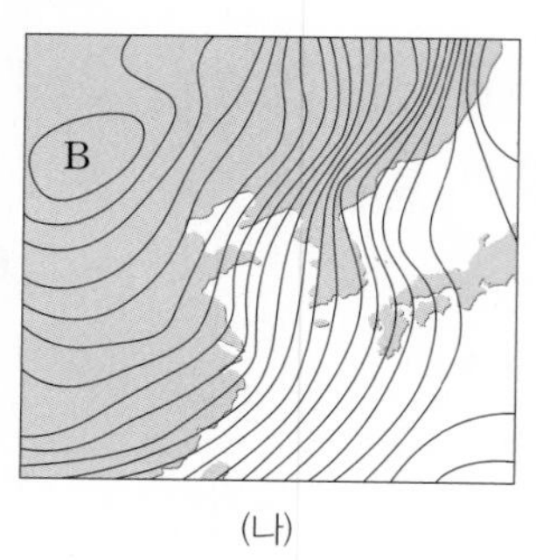

(나)

이에 대한 설명으로 옳은 것만을 〈보기〉에서 있는 대로 고른 것은?

보기

ㄱ. (가)는 봄철 일기도이다.
ㄴ. (나)에서 우리나라는 주로 북풍 계열의 바람이 분다.
ㄷ. A는 이동성 고기압, B는 정체성 고기압이다.

① ㄱ ② ㄷ ③ ㄱ, ㄴ ④ ㄴ, ㄷ ⑤ ㄱ, ㄴ, ㄷ

02

▸24069-0086

표는 우리나라의 날씨에 영향을 미치는 기단 A~D의 특징을 나타낸 것이다. A~D는 각각 오호츠크해 기단, 북태평양 기단, 양쯔강 기단, 시베리아 기단 중 하나이다.

기단	특징
A	• 우리나라 초여름에 영향을 미친다. • D 기단과 함께 장마 전선을 형성한다.
B	• 기온이 낮고 건조한 성질을 가진다. • 우리나라 겨울철에 영향을 미친다.
C	• 우리나라 봄철, 가을철에 영향을 미친다. • 봄철의 황사와 관련이 있다.
D	• 기온이 높고 습한 성질을 가진다. • A 기단과 함께 장마 전선을 형성한다.

이에 대한 설명으로 옳은 것만을 〈보기〉에서 있는 대로 고른 것은?

보기

ㄱ. A는 오호츠크해 기단이다.
ㄴ. 북서 계절풍과 가장 관계가 깊은 기단은 D이다.
ㄷ. 기단이 형성되는 위도는 B가 C보다 낮다.

① ㄱ ② ㄷ ③ ㄱ, ㄴ ④ ㄴ, ㄷ ⑤ ㄱ, ㄴ, ㄷ

03

▸24069-0087

그림 (가)와 (나)는 시베리아 고기압과 북태평양 고기압의 높이에 따른 기압 분포를 나타낸 것이다.

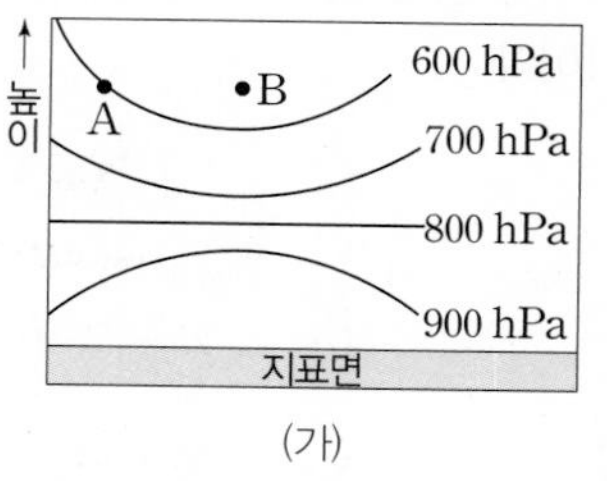

(가)

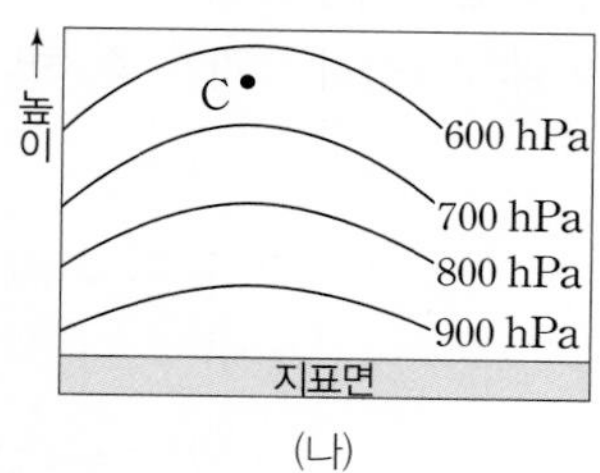

(나)

이에 대한 설명으로 옳은 것만을 〈보기〉에서 있는 대로 고른 것은?

보기

ㄱ. (가)는 지표면의 가열에 의해 형성된다.
ㄴ. A~C 중 기압이 가장 높은 곳은 C이다.
ㄷ. (나)는 적도 부근에서 형성되었다.

① ㄱ ② ㄴ ③ ㄷ ④ ㄱ, ㄴ ⑤ ㄱ, ㄷ

04

▸24069-0088

그림은 가시 영상과 적외 영상의 밝기에 따라 적운형 구름과 층운형 구름을 순서 없이 나타낸 것이다.

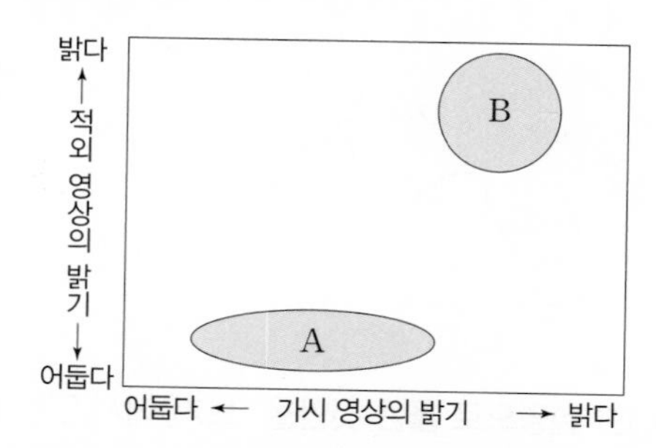

이에 대한 설명으로 옳은 것만을 〈보기〉에서 있는 대로 고른 것은?

보기

ㄱ. 적란운은 A에 해당한다.
ㄴ. 구름의 평균 $\frac{\text{연직 규모}}{\text{수평 규모}}$는 B가 A보다 크다.
ㄷ. 뇌우는 A보다 B에서 발생할 가능성이 높다.

① ㄱ ② ㄷ ③ ㄱ, ㄴ ④ ㄴ, ㄷ ⑤ ㄱ, ㄴ, ㄷ

05

▸24069-0089

그림 (가), (나), (다)는 북반구에서 온대 저기압의 발생과 소멸 과정 중 일부 모습을 순서 없이 나타낸 것이다.

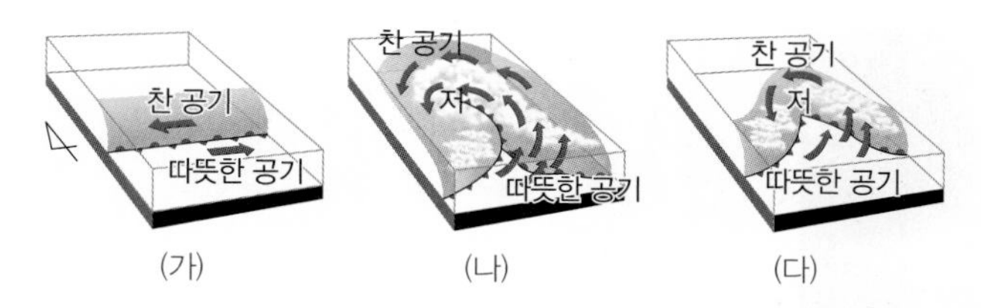

이에 대한 설명으로 옳은 것만을 〈보기〉에서 있는 대로 고른 것은?

보기

ㄱ. (가), (나), (다)를 시간 순서대로 나열하면 (가) → (다) → (나)이다.

ㄴ. 온대 저기압은 주로 위도 5°~25°의 열대 해상에서 발생한다.

ㄷ. (나) 이후 온대 저기압은 열대 저기압으로 발달한다.

① ㄱ ② ㄷ ③ ㄱ, ㄴ
④ ㄴ, ㄷ ⑤ ㄱ, ㄴ, ㄷ

06

▸24069-0090

그림은 관측소 A, B, C가 위치한 어느 지역에 온대 저기압이 통과하는 어느 날의 일기도를 나타낸 것이다. ㉠과 ㉡은 각각 서로 다른 전선의 위치를 나타낸 것이다.

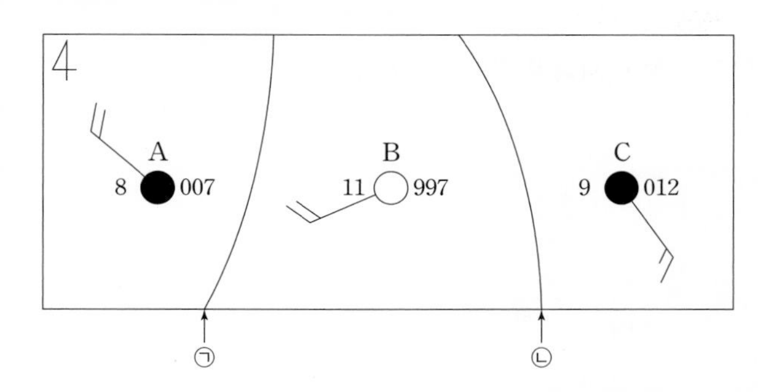

이에 대한 설명으로 옳은 것만을 〈보기〉에서 있는 대로 고른 것은?

보기

ㄱ. A~C 중 기압이 가장 높은 곳은 B이다.

ㄴ. B에 ㉠이 통과한 후 기온을 측정하면 11 ℃보다 낮을 것이다.

ㄷ. C에 ㉡이 통과할 때 풍향은 시계 방향으로 변한다.

① ㄱ ② ㄴ ③ ㄱ, ㄴ
④ ㄱ, ㄷ ⑤ ㄴ, ㄷ

07

▸24069-0091

그림은 어느 해 여름철 우리나라 주변의 지상 일기도를 나타낸 것이다.

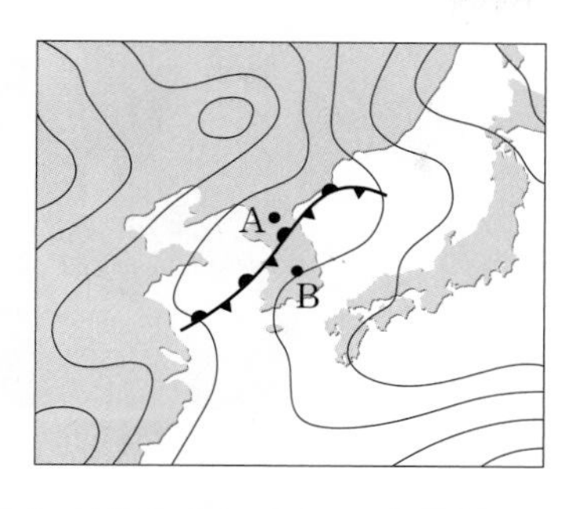

이날 A 지역에서 관측한 평균값이 B 지역에서 관측한 평균값보다 작을 것으로 예상되는 것만을 〈보기〉에서 있는 대로 고른 것은?

보기

ㄱ. 운량

ㄴ. 강수량

ㄷ. 지표 부근의 기온

① ㄱ ② ㄴ ③ ㄷ
④ ㄱ, ㄴ ⑤ ㄱ, ㄷ

08

▸24069-0092

표는 어느 날 온대 저기압이 통과하는 북반구 어느 지역의 서로 다른 두 관측소 A, B에서 관측한 시각에 따른 기온, 풍향을 나타낸 것이다. 아래 기간 동안 온난 전선과 한랭 전선 중 하나의 전선이 두 관측소를 통과하였다.

시각	관측소 A		관측소 B	
	기온(℃)	풍향	기온(℃)	풍향
06시	14.6	남서풍	12.3	남풍
08시	13.5	남서풍	9.7	서풍
10시	10.3	서풍	4.2	북서풍
12시	9.6	서풍	3.4	북서풍

이에 대한 설명으로 옳은 것만을 〈보기〉에서 있는 대로 고른 것은?

보기

ㄱ. 이 기간 동안 A와 B에 한랭 전선이 통과하였다.

ㄴ. 이날 06시에 관측소 A의 상공에는 전선면이 나타난다.

ㄷ. 온대 저기압의 중심은 A와 B의 남쪽으로 통과하였다.

① ㄱ ② ㄴ ③ ㄱ, ㄴ
④ ㄱ, ㄷ ⑤ ㄴ, ㄷ

정답과 해설 17쪽

01

▸24069-0093

그림은 어느 해 5월 우리나라 주변의 기상 위성 영상을 나타낸 것이다. (가)와 (나)는 각각 5월 11일 13시와 5월 12일 13시의 기상 위성 영상 중 하나이다.

(가)

(나)

이에 대한 설명으로 옳은 것만을 〈보기〉에서 있는 대로 고른 것은?

보기

ㄱ. (가)는 (나)보다 앞선 시기의 위성 영상이다.
ㄴ. (가) 시기의 A 지역에서는 동풍 계열의 바람이 우세하다.
ㄷ. 이 기간 동안 A 지역에서는 풍향이 시계 방향으로 변한다.

① ㄱ ② ㄴ ③ ㄷ ④ ㄱ, ㄴ ⑤ ㄱ, ㄷ

02

▸24069-0094

그림 (가)와 (나)는 어느 온대 저기압이 우리나라를 지나갈 때 12시간 간격으로 작성한 지상 일기도를 순서 없이 나타낸 것이다. 일기 기호는 A 지점에서 관측한 기상 요소를 표시한 것이다.

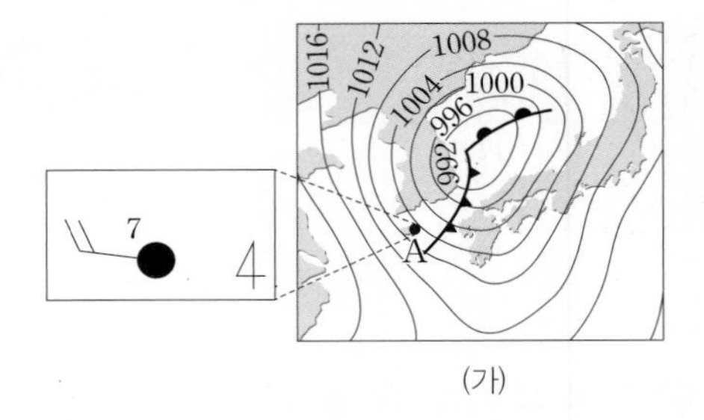

(가)

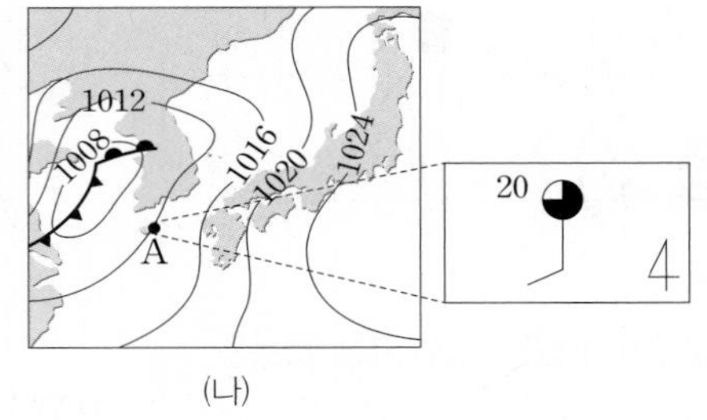

(나)

이에 대한 설명으로 옳은 것만을 〈보기〉에서 있는 대로 고른 것은?

보기

ㄱ. (가)는 (나)보다 12시간 전의 일기도이다.
ㄴ. 한랭 전선이 통과한 후에 A 지점에서의 기온은 20 ℃보다 낮을 것이다.
ㄷ. A 지점 상공에는 (가)와 (나)에서 모두 전선면이 나타난다.

① ㄱ ② ㄴ ③ ㄷ ④ ㄱ, ㄴ ⑤ ㄱ, ㄷ

03

▸24069-0095

그림 (가)와 (나)는 정체 전선의 영향으로 호우가 발생했던 어느 날 09시에 관측한 우리나라 부근의 기상 위성 영상과 지상 일기도를 나타낸 것이다. 정체 전선의 위치는 ㉠과 ㉡ 중 하나이다.

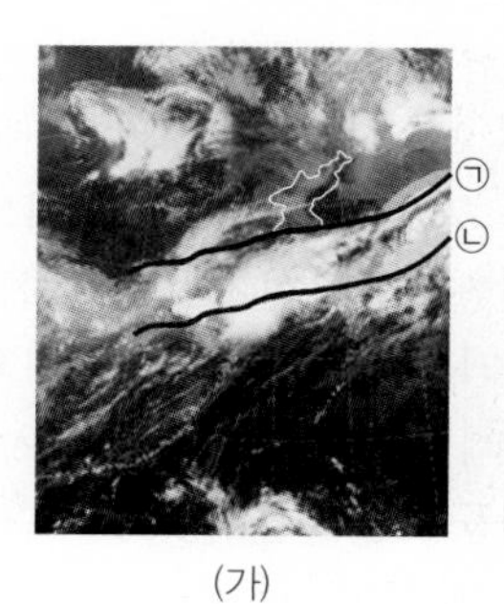

(가)

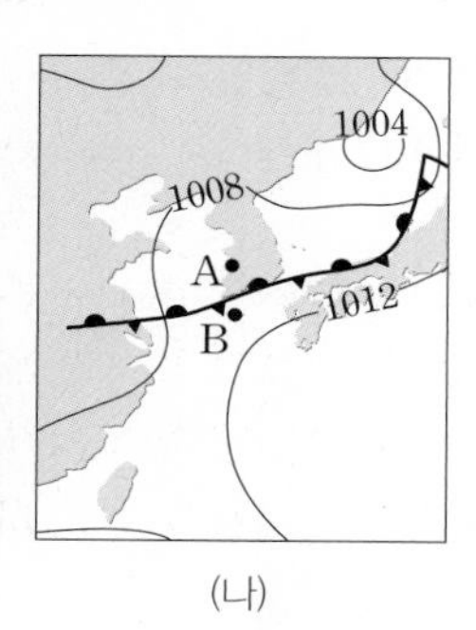

(나)

이에 대한 설명으로 옳은 것만을 〈보기〉에서 있는 대로 고른 것은?

보기

ㄱ. 정체 전선의 위치는 ㉡이다.
ㄴ. A 지역의 구름을 형성하는 수증기는 주로 전선의 북쪽에 위치한 기단에서 공급된다.
ㄷ. 북태평양 기단의 세력이 강해지면 B 지역에서 강수 현상이 발생할 가능성은 낮아진다.

① ㄱ ② ㄴ ③ ㄱ, ㄴ ④ ㄱ, ㄷ ⑤ ㄴ, ㄷ

04

▸24069-0096

그림 (가)는 어느 기단이 변질되어 폭설이 내린 날로부터 하루 뒤 우리나라 부근의 가시 영상을 나타낸 것이고, (나)는 이 기단의 높이에 따른 온도를 나타낸 것이다. 이 기단이 확장하면서 황해상을 지나감에 따라 기단의 높이에 따른 온도는 ㉠ 또는 ㉡으로 변하였고, (가)의 가시 영상을 촬영할 당시에 A와 B 지역은 구름이 없는 맑은 날씨였다.

(가)

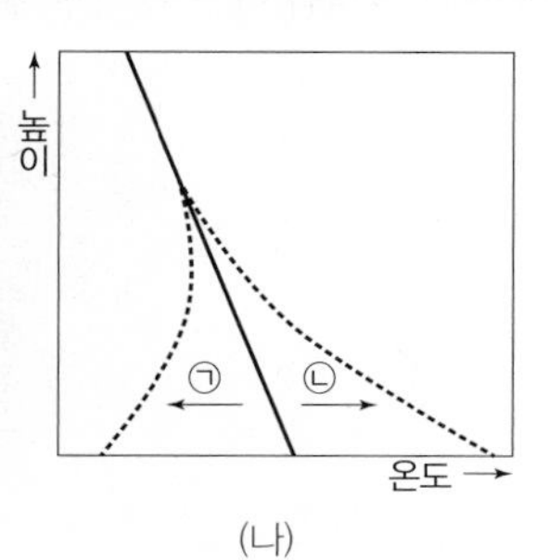

(나)

이에 대한 설명으로 옳은 것만을 〈보기〉에서 있는 대로 고른 것은?

보기

ㄱ. 기단이 확장하면서 황해상을 지나감에 따라 기단의 하층부는 불안정해진다.
ㄴ. 기단의 높이에 따른 온도는 ㉠으로 변했다.
ㄷ. 폭설이 내린 날의 적설량은 A가 B보다 많다.

① ㄱ ② ㄴ ③ ㄷ ④ ㄱ, ㄴ ⑤ ㄱ, ㄷ

07 태풍과 우리나라의 주요 악기상

1 태풍

(1) **태풍**: 강한 바람과 비를 동반하는 기상 현상으로, 수온이 약 27 ℃ 이상인 열대 해상에서 발생하여 중심 부근의 최대 풍속이 17 m/s 이상으로 성장한 열대 저기압을 말한다.

(2) **열대 저기압(태풍)의 발생과 소멸**

① 발생 지역: 열대 저기압은 위도 5°∼25°의 열대 해상에서 주로 발생한다.

② 태풍의 에너지원: 태풍은 상승하는 공기 중의 수증기가 응결하면서 잠열(숨은열, 응결열)을 방출하여 공기를 계속 가열하므로 가열된 공기는 대류권 계면 부근까지 상승하게 된다. 따라서 수증기가 지속적으로 공급되면 태풍의 세력이 강해진다.

③ 태풍의 발생 과정

저위도의 열대 해상에서 열과 수증기를 공급받은 공기가 상승하여 구름이 형성된다.

중심부에 저기압이 형성되고 주변 공기가 회전하면서 중심 방향으로 수렴하여 상승 기류가 강해진다.

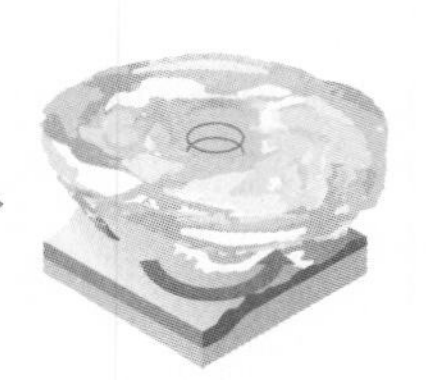
적란운이 발달하고, 주변에서 더 많은 양의 공기가 모여들어 태풍이 형성된다.

④ 태풍의 소멸: 태풍의 세력이 유지되거나 더 강하게 발달하려면 지속적인 에너지원(수증기)의 공급이 필요하다. 따라서 태풍이 차가운 바다 위를 지나거나 육지에 상륙하면 열과 수증기의 공급이 감소하므로 세력이 급격히 약해진다. 또한 태풍이 육지에 상륙하면 지표면과의 마찰이 증가하여 세력이 더욱 약해진다.

(3) **태풍의 구조와 날씨**

① 태풍의 반지름은 보통 약 250 km에 이르고, 전체적으로 상승 기류가 발달하여 중심부로 갈수록 두꺼운 적운형 구름이 생성되므로 많은 비가 내리고 강풍이 분다.

② 태풍의 눈: 태풍 중심으로부터 반지름이 약 15∼30 km에 이르는 지역으로, 약한 하강 기류가 나타나 날씨가 맑고 바람이 약하다.

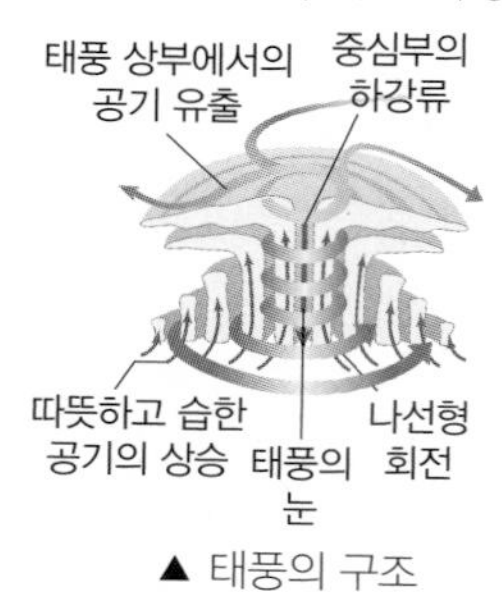

▲ 태풍의 구조

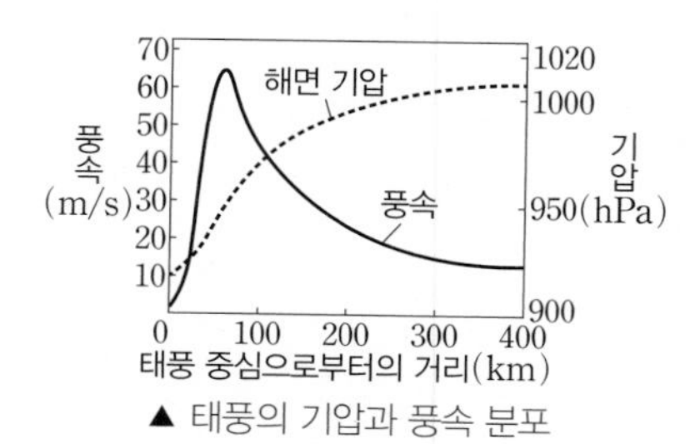

▲ 태풍의 기압과 풍속 분포

(4) **태풍의 이동과 피해**

① 태풍의 진로: 발생 초기에는 무역풍과 북태평양 고기압의 영향으로 대체로 북서쪽으로 진행하다가 25°N∼30°N 부근에서는 편서풍의 영향으로 진로를 바꾸어 북동쪽으로 진행하는 포물선 궤도를 그린다.

② 태풍의 피해

- 위험 반원과 안전 반원(가항 반원): 북반구에서 태풍 진행 방향의 오른쪽 지역은 태풍의 이동 방향이 태풍 내 바람 방향과 같아 풍속이 상대적으로 강하므로 위험 반원이라고 하며, 태풍 진행 방향의 왼쪽 지역은 태풍의 이동 방향이 태풍 내 바람 방향과 반대여서 풍속이 상대적으로 약하므로 안전 반원이라고 한다.
- 태풍이 통과하면 강풍, 호우, 홍수, 침수 등의 피해가 발생할 수 있으며, 태풍에 의해 발생한 해일이 조석의 만조와 겹치면 해안 지역의 침수 피해가 커질 수 있다.

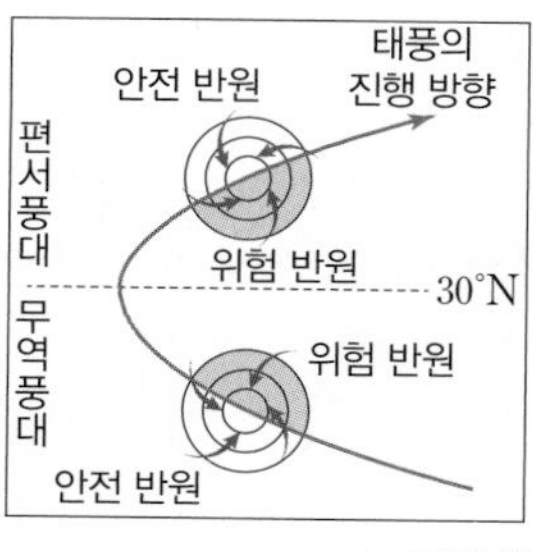

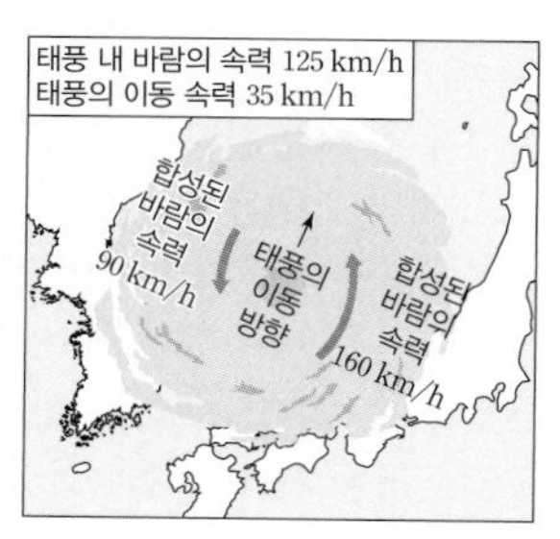

▲ 위험 반원과 안전 반원

③ 태풍의 진행 경로에 따른 풍향 변화: 태풍 주변에서는 공기가 저기압성 회전을 하면서 기압이 낮은 중심부를 향해 시계 반대 방향(북반구)으로 바람이 불어 들어간다. 따라서 태풍이 A → B → C로 이동할 때, 풍향은 a → b → c로 변한다. 즉, 태풍 진행 방향의 오른쪽 지역(위험 반원)은 풍향이 시계 방향으로, 태풍 진행 방향의 왼쪽 지역(안전 반원)은 풍향이 시계 반대 방향으로 변한다.

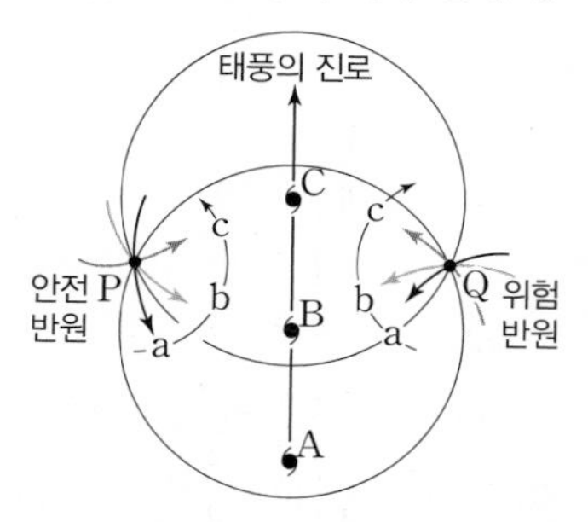

원은 태풍이 B와 C에 위치할 때의 등압선을 나타낸다.

(5) **온대 저기압과 열대 저기압의 비교**

구분	온대 저기압	열대 저기압
발생 장소	한대 전선대	위도 5°∼25°의 열대 해상
전선 유무	동반한다.	동반하지 않는다.
등압선	등압선 간격이 열대 저기압보다 넓으며 원형이 아니다.	등압선 간격이 온대 저기압보다 좁고 원형에 가깝다.
이동 경로	주로 편서풍의 영향을 받아 서쪽에서 동쪽으로 이동한다.	북반구에서 무역풍의 영향을 받아 북서쪽으로 이동하다가 편서풍의 영향을 받으면서 전향하여 북동쪽으로 이동한다.
주요 에너지원	찬 공기와 따뜻한 공기가 섞이는 과정에서 감소하는 기단의 위치 에너지	따뜻한 해양에서 공급된 수증기가 응결하면서 방출하는 잠열(숨은열)

2 우리나라의 주요 악기상

(1) **뇌우**: 강한 상승 기류에 의해 적란운이 발달하면서 천둥, 번개와 함께 소나기가 내리는 현상이다.

① 발생: 여름철 강한 일사에 의해 국지적으로 가열된 공기가 활발하게 상승할 때, 한랭 전선에서 찬 공기 위로 따뜻한 공기가 빠르게 상승할 때, 태풍 등에 동반되어 강한 상승 기류가 발달할 때 발생한다.

② 발달 단계: 적운 단계에서는 강한 상승 기류에 의해 적운이 발달하고, 성숙 단계에서는 상승 기류와 하강 기류가 함께 나타나며, 천둥, 번개, 소나기, 우박 등이 나타난다. 소멸 단계에서는 전체적으로 하강 기류가 우세하고 비가 약해진다.

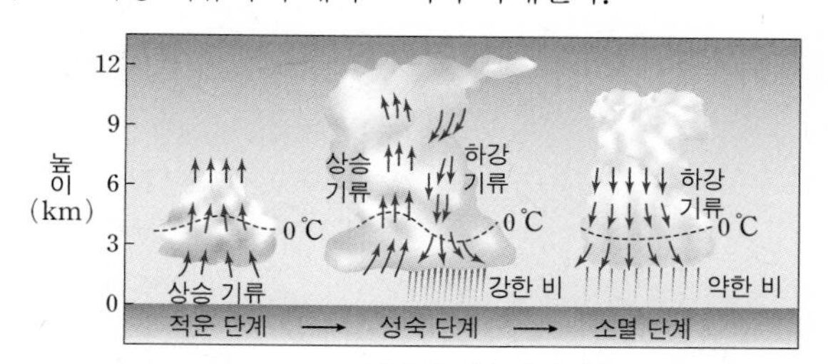

▲ 뇌우의 생성과 소멸

③ 피해: 집중 호우, 우박, 돌풍, 낙뢰 등을 동반하여 인명 피해나 농작물 파손, 가옥 파괴 등의 재산 피해가 발생한다.

(2) **우박**: 얼음의 결정 주위에 0 ℃ 이하의 차가운 물방울이 얼어붙어 땅 위로 떨어지는 얼음덩어리이다.

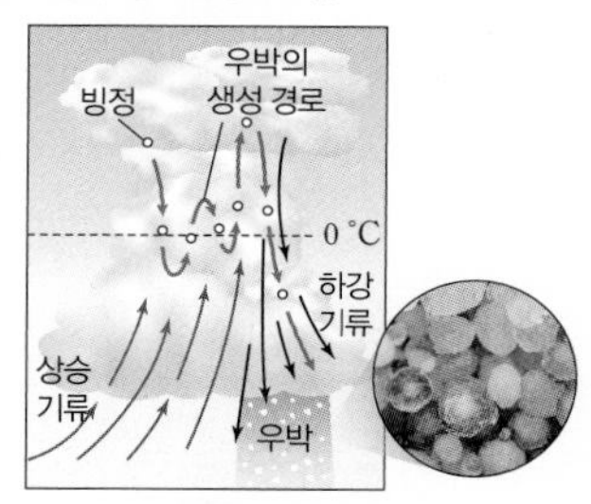

▲ 우박의 생성 과정

① 발생: 주로 적란운에서 강한 상승 기류를 타고 발생한다. 우박의 생성에는 강한 상승 기류가 가장 중요한 역할을 하는데, 한겨울에는 우박이 생성될 수 있을 만큼의 강한 상승 기류를 동반하는 적란운이 잘 발생하지 않으며, 한여름에는 우박이 떨어지는 동안에 녹아서 없어지기 때문에 잘 발생하지 않는다.

② 피해: 우박이 떨어지면 농작물이 상하거나 시설물 파괴 등의 피해가 발생한다.

(3) **강풍**: 10분 동안의 평균 풍속이 14 m/s 이상인 바람이다.

① 발생: 겨울철에 발달한 시베리아 기단의 영향을 받을 때, 여름철에 태풍의 영향을 받을 때 주로 발생한다.

② 피해: 나무나 여러 가지 시설물을 파손시키고, 바다에서는 높은 파도를 일으켜 선박 사고나 해안 양식장에 피해를 입힐 수 있다.

(4) **호우**: 시간과 공간 규모에 관계없이 많은 비가 연속적으로 내리는 현상이다.

① 집중 호우: 짧은 시간 동안 좁은 지역에 일정량 이상의 비가 집중적으로 내리는 현상으로, 한 시간에 30 mm 이상이나 하루에 80 mm 이상 또는 연 강수량의 10 %에 상당하는 비가 하루에 내리는 것을 말한다.

② 발생: 주로 장마 전선이나 태풍, 발달한 저기압에서 대기가 불안정할 때 발생하며, 천둥과 번개를 동반하기도 한다.

③ 피해: 홍수, 산사태 등을 일으켜 많은 인명과 재산 피해가 발생한다.

(5) **폭설**: 짧은 시간에 많은 양의 눈이 오는 현상이다.

① 발생: 겨울철에 발달한 저기압이 통과할 때 또는 시베리아 기단의 찬 공기가 남하하면서 해수면으로부터 열과 수증기를 공급받아 상승 기류가 발달할 때 잘 발생한다.

② 피해: 폭설이 내리면 교통의 마비, 교통사고, 시설물 붕괴 등 인명과 재산 피해가 발생한다.

(6) **한파**: 찬 기단이 위도가 낮은 곳으로 유입되어 급격한 기온 하강을 일으키는 현상이다.

① 발생: 시베리아 고기압이 중국 남부까지 확장될 때 발생한다.

② 피해: 저체온증, 동상, 수도 계량기나 보일러 배관 파손 등의 피해가 발생한다.

(7) **황사**: 강한 바람에 의해 상공으로 올라간 모래 먼지가 상층의 편서풍을 타고 멀리까지 날아가 서서히 내려오는 현상이다.

① 발원지: 우리나라에 영향을 미치는 황사의 주요 발원지는 중국 북부나 몽골의 사막 또는 건조한 황토 지대이다.

② 발생 조건: 강한 바람과 함께 상승 기류가 나타나고, 토양은 건조해야 하며, 토양의 구성 입자는 미세해야 한다. 또한 지표면에 식물 군락이 형성되어 있지 않아야 한다.

③ 발생 시기: 주로 봄철에 발생하며, 편서풍을 타고 우리나라에 영향을 미친다.

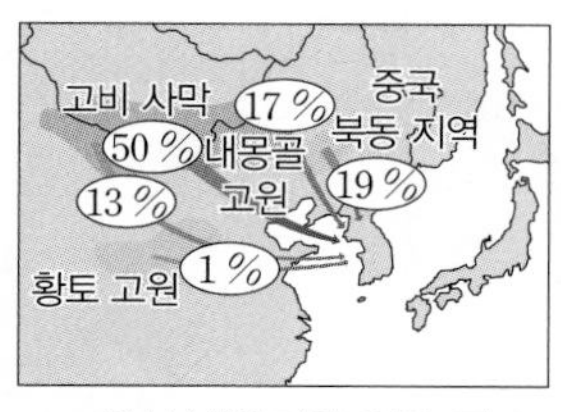

▲ 황사 발원지와 이동 경로

▲ 황사가 한반도에 유입되는 예

더 알기 기단의 변질

한랭 기단의 변질

겨울철에 한랭 건조한 시베리아 기단이 확장하면서 황해상을 지나는 동안 열과 수증기를 공급받아 기온과 습도가 높아지고, 기층이 불안정해져 우리나라의 서해안에는 폭설이 내리기도 한다.

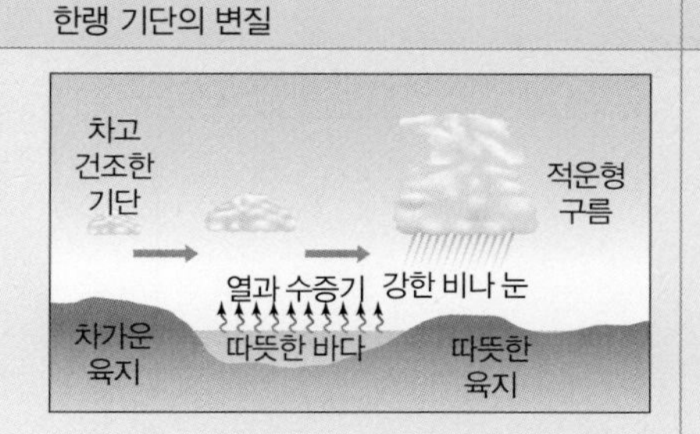

온난 기단의 변질

따뜻한 해양에서 형성된 온난한 기단이 확장하면서 차가운 바다를 지나 차가운 육지 쪽으로 이동하는 동안 기단의 하부가 냉각되어 안정해지므로 층운형 구름이나 안개가 형성된다.

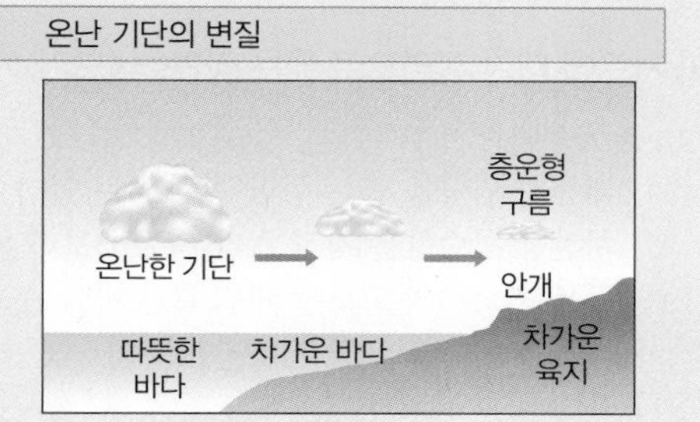

테마 대표 문제

| 2024학년도 수능 |

그림 (가)는 어느 날 어느 태풍의 이동 경로에 6시간 간격으로 태풍 중심의 위치와 중심 기압을, (나)는 이날 09시의 가시 영상을 나타낸 것이다.

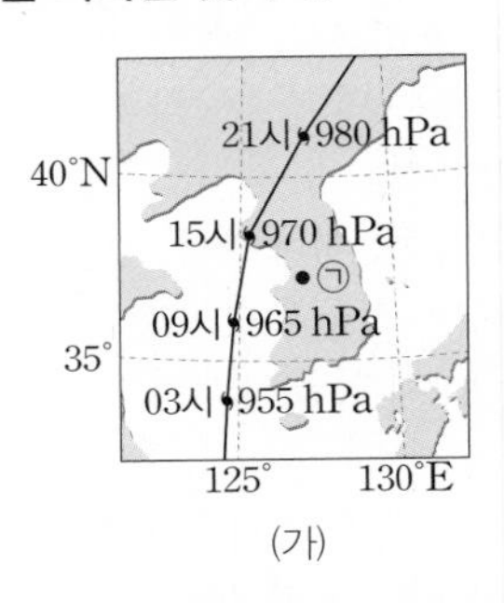

(가)

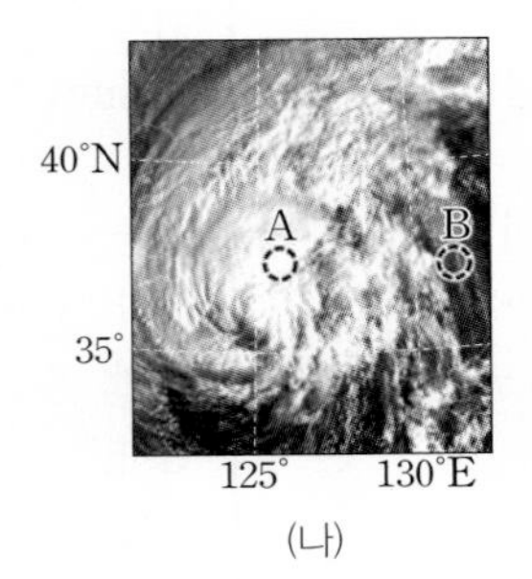

(나)

이 자료에 대한 설명으로 옳은 것만을 〈보기〉에서 있는 대로 고른 것은?

보기

ㄱ. 태풍의 영향을 받는 동안 지점 ㉠은 위험 반원에 위치한다.
ㄴ. 태풍의 세력은 03시가 21시보다 약하다.
ㄷ. (나)에서 구름이 반사하는 태양 복사 에너지의 세기는 영역 A가 영역 B보다 약하다.

① ㄱ ② ㄴ ③ ㄷ ④ ㄱ, ㄴ ⑤ ㄱ, ㄷ

접근 전략

가시 영상의 특징을 이용하여 구름이 반사하는 태양 복사 에너지의 세기를 파악해야 한다.

간략 풀이

태풍의 세력은 중심 기압이 낮을수록 강하다.

㉠. ㉠은 태풍 이동 경로의 오른쪽에 위치하므로 위험 반원에 위치한다.

ㄴ (X). 태풍의 세력은 중심 기압이 낮을수록 강하므로 03시가 21시보다 강하다.

ㄷ (X). 가시 영상에서 밝게 나타날수록 구름이 반사하는 태양 복사 에너지의 세기가 강한 영역이다. 따라서 (나)에서 구름이 반사하는 태양 복사 에너지의 세기는 영역 A가 영역 B보다 강하다.

정답 | ①

닮은 꼴 문제로 유형 익히기

정답과 해설 18쪽

▸24069-0097

그림 (가)는 어느 날 우리나라 부근의 적외 영상을, (나)는 P 지역의 시간당 강수량 분포를 레이더 영상으로 나타낸 것이다. 지점 A는 태풍의 중심이다.

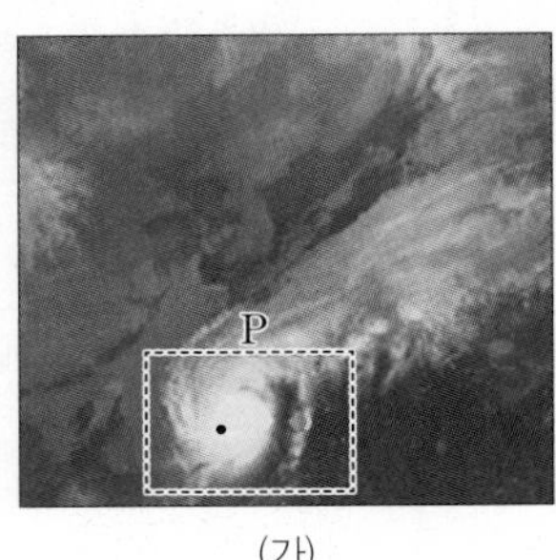

(가)

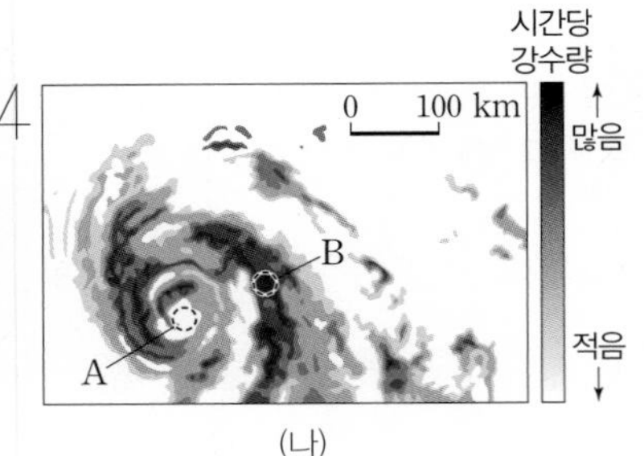

(나)

이 자료에 대한 설명으로 옳은 것만을 〈보기〉에서 있는 대로 고른 것은?

보기

ㄱ. 태풍의 영향을 받는 동안 지점 B는 안전 반원에 위치한다.
ㄴ. 시간당 강수량은 지점 A가 지점 B보다 많다.
ㄷ. 구름 최상부의 고도는 지점 B가 지점 A보다 높다.

① ㄱ ② ㄴ ③ ㄷ ④ ㄱ, ㄴ ⑤ ㄴ, ㄷ

유사점과 차이점

위험 반원과 안전 반원의 위치를 파악한다는 점에서 대표 문제와 유사하지만, 적외 영상과 레이더 영상의 특징을 묻는다는 점에서 대표 문제와 다르다.

배경 지식

- 북반구에서 태풍이 진행하는 경로의 오른쪽은 위험 반원이고, 왼쪽은 안전 반원이다.
- 구름 최상부의 고도가 높을수록 적외 영상에서 밝게 보인다.

01

▸24069-0098

그림은 어느 해 발생한 태풍의 수명(지속 기간), 1분 평균 최대 풍속을 월별로 나타낸 것이다.

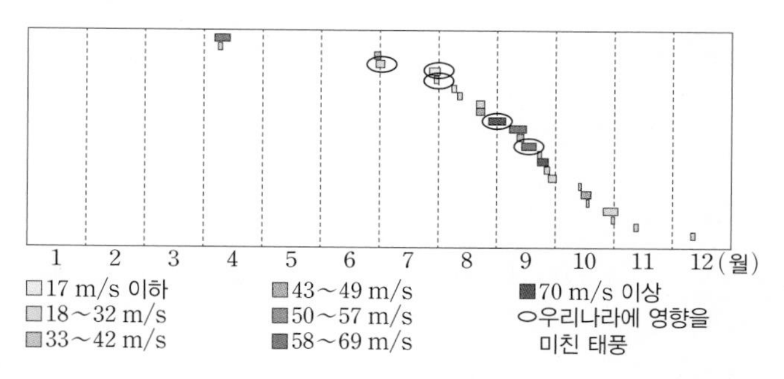

이에 대한 설명으로 옳은 것만을 〈보기〉에서 있는 대로 고른 것은?

보기

ㄱ. 우리나라에 영향을 미친 태풍은 주로 봄철에 발생한다.

ㄴ. 1분 평균 최대 풍속은 6월에 발생한 태풍보다 9월에 발생한 태풍이 대체로 빠르다.

ㄷ. 태풍의 수명이 짧을수록 1분 평균 최대 풍속은 증가하는 경향이 있다.

① ㄱ ② ㄴ ③ ㄷ ④ ㄱ, ㄴ ⑤ ㄱ, ㄷ

02

▸24069-0099

그림은 어느 날 우리나라 주변의 기상 위성 영상이다. 우리나라의 남동쪽에 위치한 태풍의 이후 이동 경로는 ㉠과 ㉡ 중 하나이고, 이날 우리나라는 **A** 기단의 영향을 받았으며, 태풍이 이동하는 동안 **A** 기단의 세력은 일정하게 유지되었다.

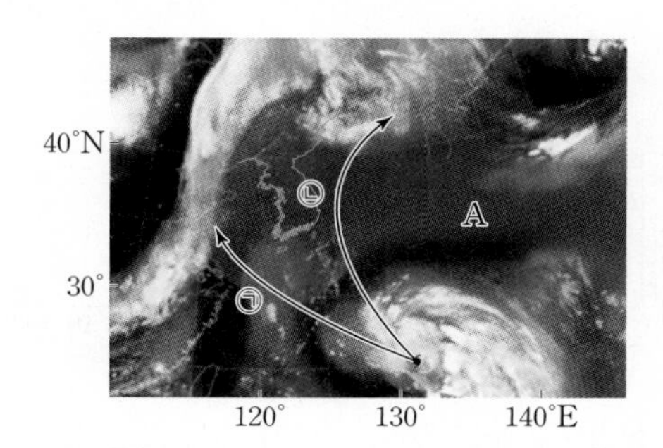

이에 대한 설명으로 옳은 것만을 〈보기〉에서 있는 대로 고른 것은?

보기

ㄱ. A는 북태평양 기단이다.

ㄴ. 태풍의 실제 이동 경로는 ㉠이다.

ㄷ. 제주도 지역은 위험 반원에 위치한다.

① ㄱ ② ㄷ ③ ㄱ, ㄴ ④ ㄴ, ㄷ ⑤ ㄱ, ㄴ, ㄷ

03

▸24069-0100

그림은 북반구에서 어느 태풍이 정북 방향으로 이동할 때, 이동 방향의 수직 단면에서 고도에 따라 수평 방향의 풍속을 나타낸 것이다. **A**와 **B**는 각각 동쪽 방향과 서쪽 방향 중 하나이다.

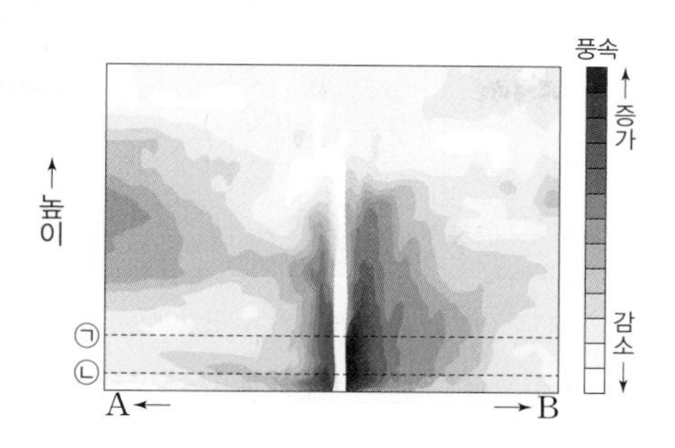

이에 대한 설명으로 옳은 것만을 〈보기〉에서 있는 대로 고른 것은?

보기

ㄱ. ㉠ 높이에서는 태풍의 중심부에서 수평 방향으로 멀어질수록 수평 방향의 풍속은 점차 느려지는 경향이 있다.

ㄴ. ㉡ 높이에서 태풍의 중심으로부터 수평 방향의 평균 풍속은 A 방향보다 B 방향이 대체로 빠르다.

ㄷ. A 방향은 동쪽이고 B 방향은 서쪽이다.

① ㄱ ② ㄴ ③ ㄷ ④ ㄱ, ㄴ ⑤ ㄱ, ㄷ

04

▸24069-0101

그림 (가)는 어느 해 **9**월 **6**일 **15**시부터 **9**월 **7**일 **21**시까지 태풍이 이동한 경로를, (나)는 이 기간 중 **9**월 **6**일 **21**시, **9**월 **7**일 **15**시에 발효된 특보 상황을 순서 없이 나타낸 것이다.

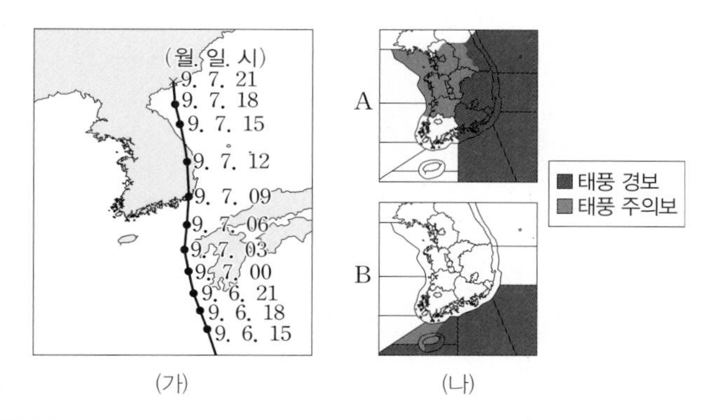

(가) (나)

이에 대한 설명으로 옳은 것만을 〈보기〉에서 있는 대로 고른 것은?

보기

ㄱ. 이 기간 동안 태풍의 평균 이동 속력은 점차 느려졌다.

ㄴ. 태풍이 우리나라를 통과하는 동안 서울에서의 풍향은 시계 방향으로 바뀌었다.

ㄷ. 9월 6일 21시에 발효된 특보 상황은 B이다.

① ㄱ ② ㄷ ③ ㄱ, ㄴ ④ ㄴ, ㄷ ⑤ ㄱ, ㄴ, ㄷ

05

▸24069-0102

그림 (가), (나), (다)는 뇌우의 발달과 소멸 과정을 순서 없이 나타낸 것이다.

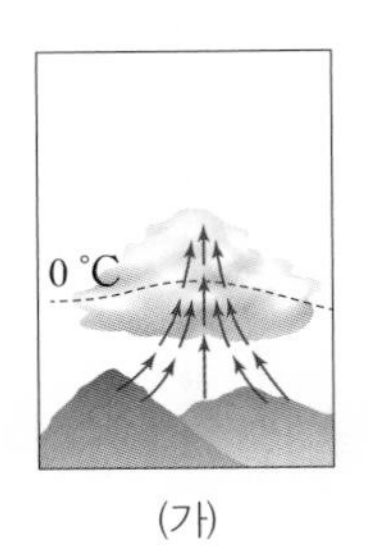

(가)

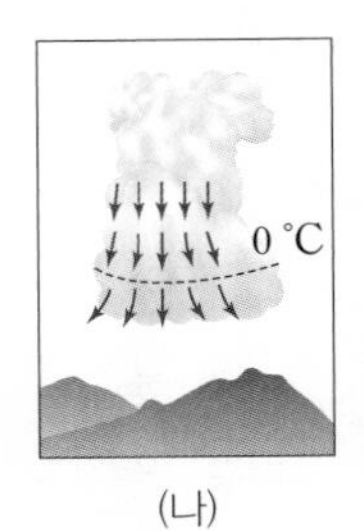

(나)

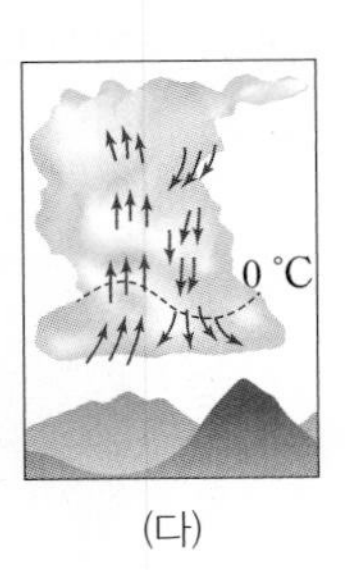

(다)

이에 대한 설명으로 옳은 것만을 〈보기〉에서 있는 대로 고른 것은?

보기

ㄱ. 뇌우의 발달과 소멸 과정을 순서대로 나열하면 (가)→(다)→(나)이다.

ㄴ. 뇌우는 주로 겨울철에 발생한다.

ㄷ. 천둥, 번개, 소나기, 우박 등의 현상은 (다)보다 (나)에서 발생할 가능성이 높다.

① ㄱ ② ㄷ ③ ㄱ, ㄴ ④ ㄴ, ㄷ ⑤ ㄱ, ㄴ, ㄷ

06

▸24069-0103

그림 (가)와 (나)는 어느 해 5월과 8월의 우리나라 우박 일수 분포도를 순서 없이 나타낸 것이다.

(가)

(나)

이에 대한 설명으로 옳은 것만을 〈보기〉에서 있는 대로 고른 것은?

보기

ㄱ. 한랭 전선의 후면보다 온난 전선의 전면에서 우박이 발생할 확률이 높다.

ㄴ. 우박은 주로 적운형 구름에서 발생한다.

ㄷ. 5월의 우리나라 우박 일수 분포도는 (나)이다.

① ㄱ ② ㄷ ③ ㄱ, ㄴ ④ ㄴ, ㄷ ⑤ ㄱ, ㄴ, ㄷ

07

▸24069-0104

표는 우리나라의 주요 악기상 중 폭설, 호우, 황사의 특징을 나타낸 것이다.

기상 현상	특징
폭설	겨울철에 발달한 저기압이 통과할 때 또는 ㉠기단의 찬 공기가 남하하면서 해수면으로부터 열과 수증기를 공급받을 때 잘 발생한다.
호우	발달한 저기압에서 대기가 (㉡)할 때 발생하며, 천둥과 번개를 동반하기도 한다.
황사	강한 바람에 의해 상공으로 올라간 모래 먼지가 ㉢대기 대순환에 의해 발생하는 바람을 타고 멀리까지 날아가 서서히 내려오는 현상이다.

이에 대한 설명으로 옳은 것만을 〈보기〉에서 있는 대로 고른 것은?

보기

ㄱ. ㉠ 기단은 시베리아 기단이다.

ㄴ. '불안정'은 ㉡으로 적절하다.

ㄷ. ㉢은 무역풍이다.

① ㄱ ② ㄷ ③ ㄱ, ㄴ ④ ㄴ, ㄷ ⑤ ㄱ, ㄴ, ㄷ

08

▸24069-0105

그림 (가)는 2010년부터 2022년까지 서울 지역의 연도별 한파 일수를, (나)는 2018년 서울 지역의 월별 한파 일수를 나타낸 것이다.

(가)

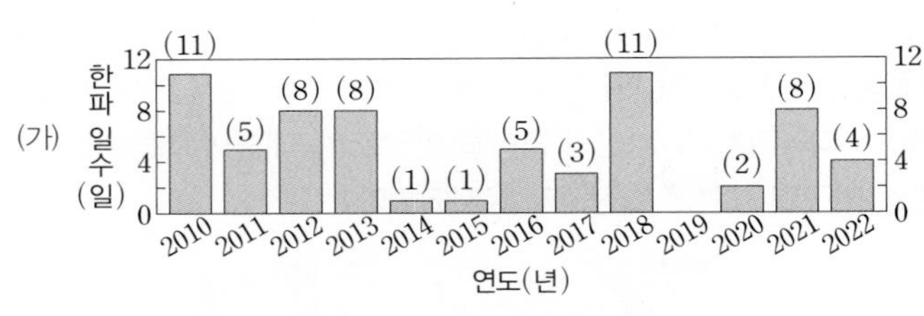

(나)

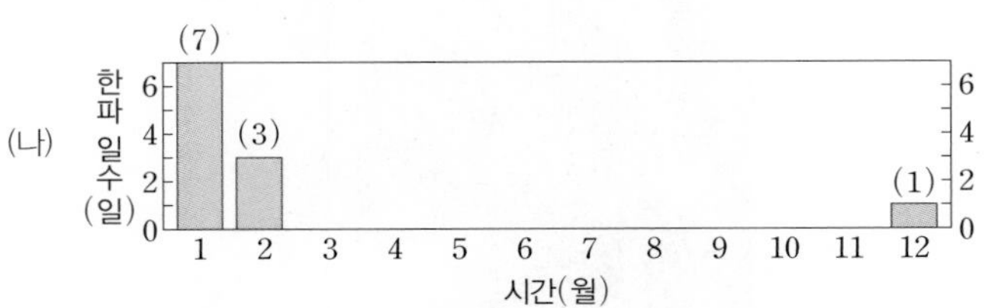

이에 대한 설명으로 옳은 것만을 〈보기〉에서 있는 대로 고른 것은?

보기

ㄱ. 2019년에는 서울 지역에 한파가 발생하지 않았다.

ㄴ. 2010년부터 2022년까지 서울 지역의 연평균 한파 일수는 6일 이상이다.

ㄷ. 한파는 시베리아 기단의 영향이 우세한 계절에 잘 발생한다.

① ㄱ ② ㄴ ③ ㄱ, ㄴ ④ ㄱ, ㄷ ⑤ ㄴ, ㄷ

01

▸24069-0106

그림 (가)는 우리나라에 영향을 준 서로 다른 두 태풍의 이동 경로를, (나)는 (가)의 두 태풍 중 어느 하나의 태풍의 영향을 받을 때 관측소 P에서 관측한 풍속, 풍향, 표층 수온 변화를 나타낸 것이다.

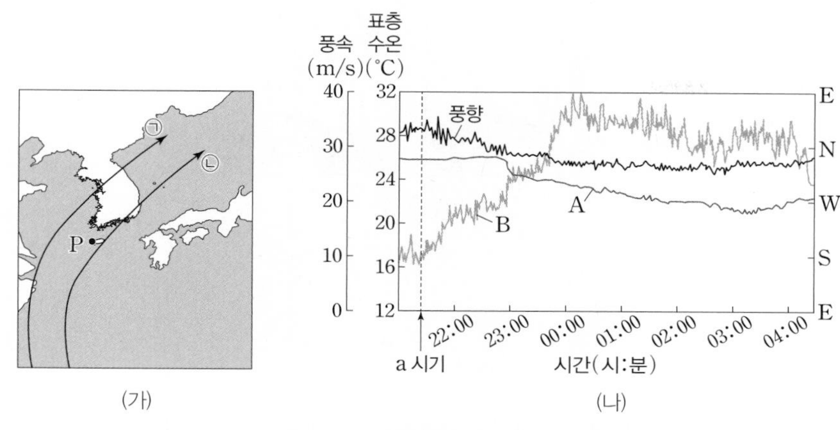

(가) (나)

이에 대한 설명으로 옳은 것만을 ⟨보기⟩에서 있는 대로 고른 것은?

보기

ㄱ. A는 풍속이다.
ㄴ. (나)를 관측한 시기에 영향을 준 태풍의 이동 경로는 ㉠이다.
ㄷ. a 시기에 태풍의 중심은 관측소 P보다 남쪽에 있었다.

① ㄱ ② ㄴ ③ ㄷ ④ ㄱ, ㄴ ⑤ ㄱ, ㄷ

02

▸24069-0107

그림 (가)와 (나)는 어느 태풍이 우리나라 부근을 통과할 때 12시간 간격으로 관측한 풍속 분포를 순서 없이 나타낸 것이다.

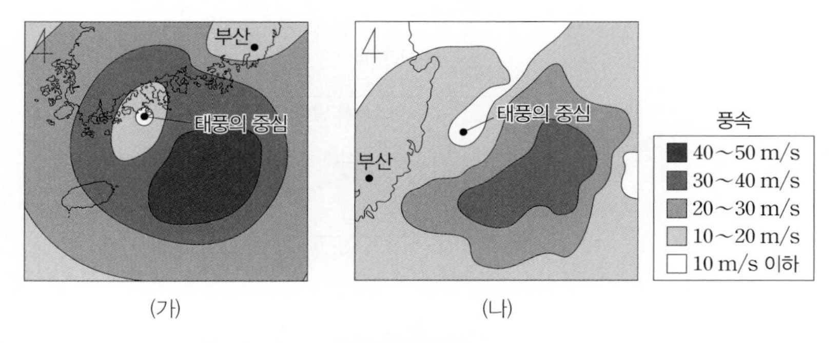

(가) (나)

이에 대한 설명으로 옳은 것만을 ⟨보기⟩에서 있는 대로 고른 것은?

보기

ㄱ. (가)는 (나)보다 12시간 전의 풍속 분포이다.
ㄴ. 태풍의 중심 기압은 (가)보다 (나)가 높다.
ㄷ. (가)와 (나) 시기 모두 태풍은 북동쪽으로 이동하고 있다.

① ㄱ ② ㄷ ③ ㄱ, ㄴ ④ ㄴ, ㄷ ⑤ ㄱ, ㄴ, ㄷ

03

▸24069-0108

그림 (가)는 어느 해 우리나라에 영향을 준 태풍 ㉠과 ㉡의 이동 경로를, (나)는 두 태풍 중 어느 하나의 태풍으로 인해 발효된 특보 상황을 6시간 간격으로 순서 없이 나타낸 것이다.

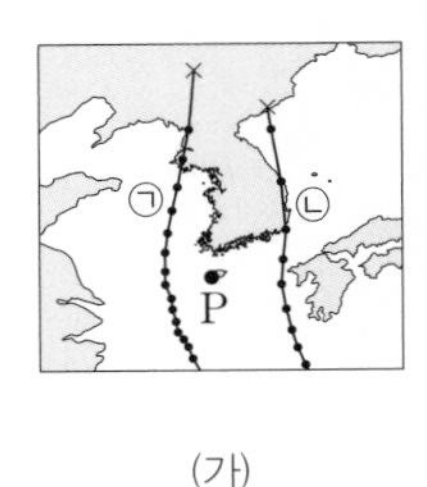

(가)

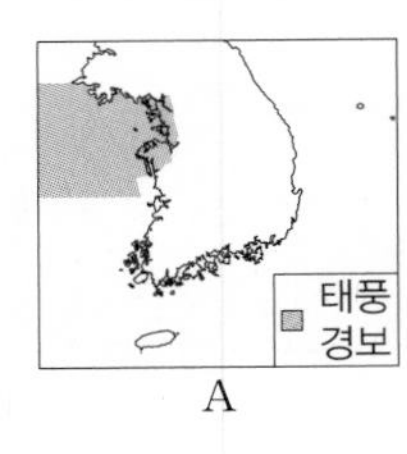

A

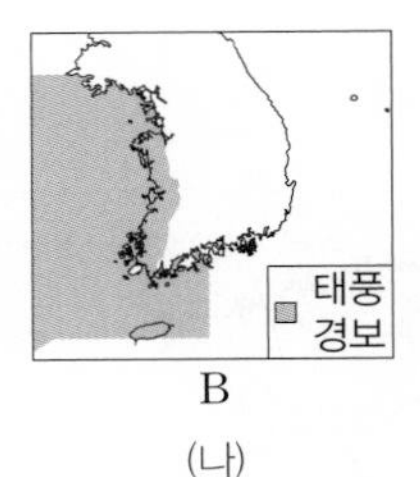

B

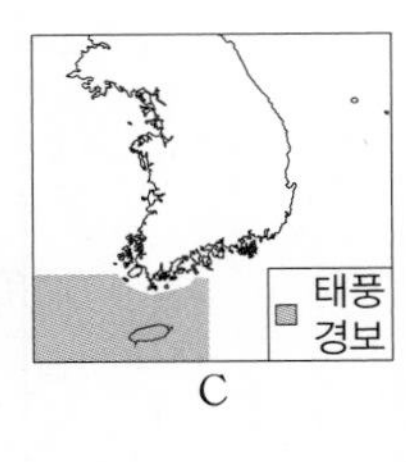

C

(나)

이에 대한 설명으로 옳은 것만을 〈보기〉에서 있는 대로 고른 것은?

보기

ㄱ. (나)의 태풍의 이동 경로는 ㉠이다.
ㄴ. (나)의 태풍이 통과할 때 P 지역은 위험 반원에 위치한다.
ㄷ. 태풍으로 인해 발효된 특보 상황을 시간 순서대로 나열하면 A → B → C이다.

① ㄱ ② ㄴ ③ ㄱ, ㄴ ④ ㄱ, ㄷ ⑤ ㄴ, ㄷ

04

▸24069-0109

그림 (가)는 우리나라에 영향을 주는 황사 발원지 A와 B를, (나)는 1973년부터 2010년까지 A와 B의 월평균 상대 습도와 우리나라에 황사를 발생시킨 월평균 일수를 나타낸 것이다.

(가)

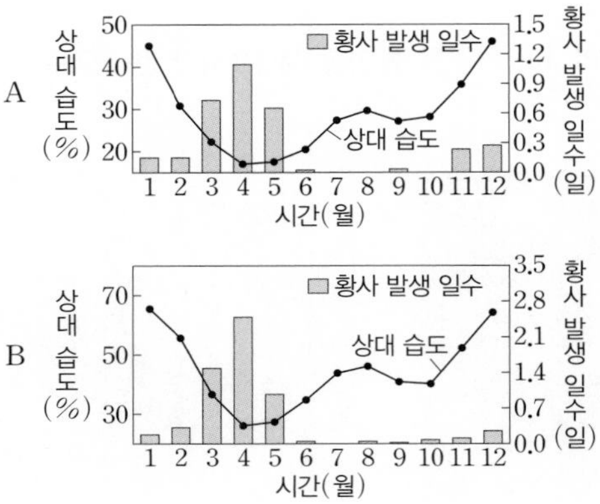

A
상대 습도(%)
50
40
30
20
황사 발생 일수
상대 습도
1.5
1.2
0.9
0.6
0.3
0.0
황사 발생 일수(일)
1 2 3 4 5 6 7 8 9 10 11 12
시간(월)

B
상대 습도(%)
70
50
30
황사 발생 일수
상대 습도
3.5
2.8
2.1
1.4
0.7
0.0
황사 발생 일수(일)
1 2 3 4 5 6 7 8 9 10 11 12
시간(월)

(나)

이에 대한 설명으로 옳은 것만을 〈보기〉에서 있는 대로 고른 것은?

보기

ㄱ. 황사의 이동은 편서풍의 영향을 받았다.
ㄴ. 1973년부터 2010년까지 우리나라에 황사를 발생시킨 총 일수는 발원지 A보다 B가 많다.
ㄷ. 발원지 A와 B 모두 월평균 상대 습도가 가장 높은 시기에 우리나라에 황사를 발생시킨 일수가 가장 많다.

① ㄱ ② ㄴ ③ ㄷ ④ ㄱ, ㄴ ⑤ ㄱ, ㄷ

05

▸24069-0110

그림은 우리나라에 집중 호우가 발생한 어느 날 관측한 적외 영상과 가시 영상을, 표는 이날 A 지역과 B 지역의 날씨를 ㉠과 ㉡으로 순서 없이 나타낸 것이다.

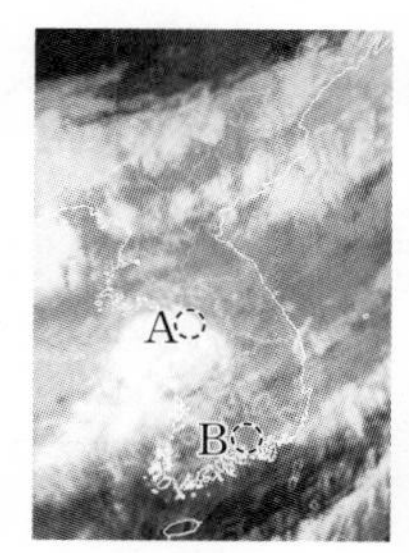

적외 영상

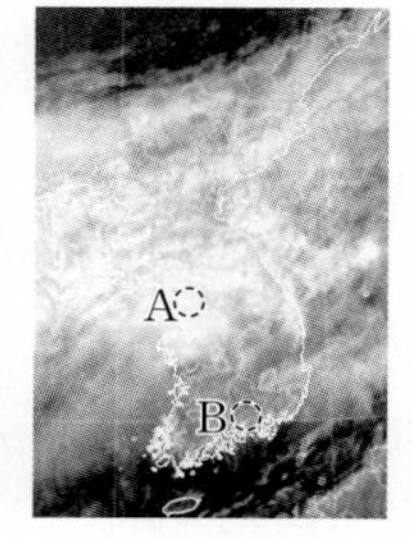

가시 영상

	평균 기온(℃)	일 강수량(mm)
㉠	28.9	0
㉡	26.8	129.6

이에 대한 설명으로 옳은 것만을 〈보기〉에서 있는 대로 고른 것은?

보기

ㄱ. 구름 최상부의 높이는 A 지역 상공에 발달한 구름보다 B 지역 상공에 발달한 구름이 낮다.
ㄴ. 구름의 두께는 A 지역 상공에 발달한 구름보다 B 지역 상공에 발달한 구름이 두껍다.
ㄷ. B 지역에서 관측한 날씨는 ㉠이다.

① ㄱ ② ㄴ ③ ㄱ, ㄴ ④ ㄱ, ㄷ ⑤ ㄴ, ㄷ

06

▸24069-0111

그림 (가)는 어느 날 우리나라 A와 B 지역 중 어느 한 지역에서 우박이 발생한 시간의 한랭 전선 위치를, (나)는 우박이 발생한 시간의 시간당 강수량 분포도를 나타낸 것이다. 우박이 발생한 시간의 한랭 전선의 위치는 ㉠과 ㉡ 중 하나이다.

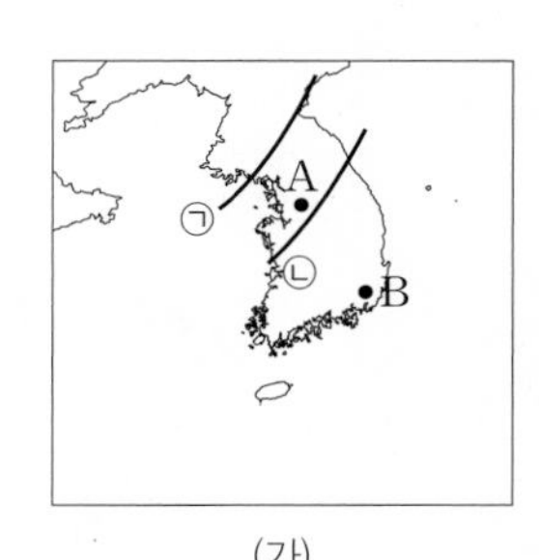

(가)

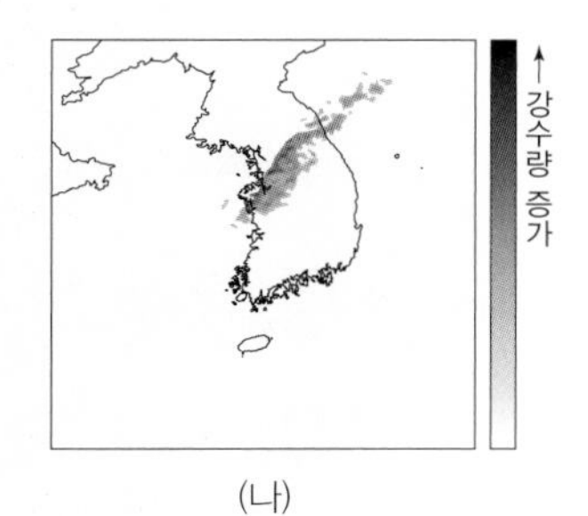

(나)

이에 대한 설명으로 옳은 것만을 〈보기〉에서 있는 대로 고른 것은?

보기

ㄱ. A 지역에서 우박이 발생하였다.
ㄴ. 한랭 전선의 위치는 ㉡이다.
ㄷ. 이날 우박은 한랭 전선 후면의 적란운에서 강한 상승 기류를 타고 발생하였다.

① ㄱ ② ㄷ ③ ㄱ, ㄴ ④ ㄴ, ㄷ ⑤ ㄱ, ㄴ, ㄷ

테마 08 해수의 성질

1 해수의 염분

(1) **염분**: 해수 1 kg 속에 녹아 있는 염류의 총량을 g 수로 나타낸 값으로, 단위는 psu(실용염분단위)를 쓴다. 전 세계 해수의 평균 염분은 약 35 psu이다.

(2) **표층 염분의 변화**: 표층 염분에 가장 큰 영향을 주는 요인은 증발량과 강수량이다. 표층 염분은 대체로 (증발량−강수량) 값이 클수록 높다.

(3) **표층 염분의 분포**: 증발량이 강수량보다 많은 중위도 고압대의 해양에서는 표층 염분이 높게 나타난다.

2 해수의 온도

(1) **표층 해수의 온도**: 표층 수온은 태양 복사 에너지의 영향을 가장 많이 받으며, 위도와 계절에 따라 달라진다.

(2) **해수의 연직 수온 분포**

① 혼합층: 태양 복사 에너지에 의한 가열로 수온이 높고, 바람에 의한 혼합 작용으로 깊이에 관계없이 수온이 거의 일정한 층이다.

② 수온 약층: 혼합층 아래에서 깊이에 따라 수온이 급격히 낮아지는 층이다. 매우 안정하여 혼합층과 심해층의 물질 및 에너지 교환을 차단한다.

③ 심해층: 수온이 낮고 계절이나 깊이에 따른 수온 변화가 거의 없는 층이다.

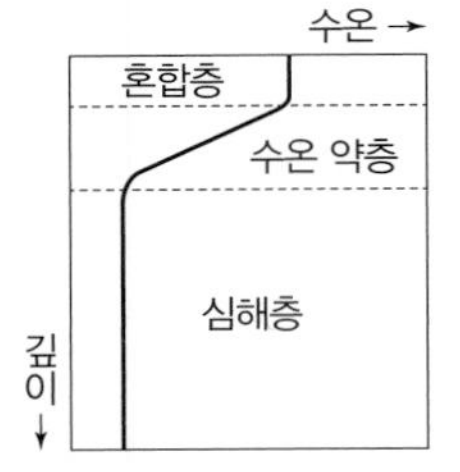

▲ 해수의 연직 수온 분포

(3) **위도별 해양의 층상 구조**

① 혼합층의 두께는 저위도 지역보다 중위도 지역에서 두껍다.

② 고위도 지역의 표층수는 흡수하는 태양 복사 에너지가 매우 적어 심해층과 수온 차이가 거의 없기 때문에 수온 약층이 발달하지 않는다.

3 해수의 밀도

(1) **해수의 밀도에 영향을 주는 요인**: 해수의 밀도는 수온이 낮을수록, 염분이 높을수록 크다. ➡ 북반구에서 표층 해수의 밀도는 약 50°N～60°N에서 최댓값을 갖고, 적도 부근에서 최솟값을 갖는다.

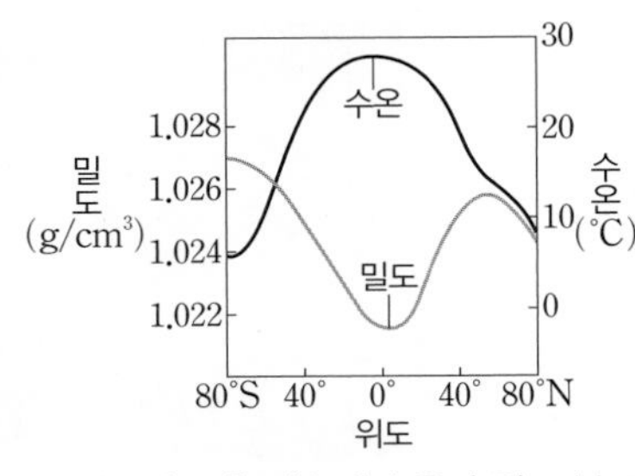

▲ 위도별 표층 해수의 수온과 밀도 분포

(2) **해수의 연직 밀도 분포**: 북반구의 경우 저위도와 중위도 해역에서 해수의 밀도는 수심이 깊어질수록 커지다가 심해에서는 거의 일정하다.

(3) **수온 염분도(T-S도)**: 해수의 특성을 나타내는 그래프로, T-S도를 이용하면 해수의 밀도를 알아낼 수 있으며, 해수의 특성과 이동을 추정할 수 있다.

4 해수의 용존 기체

해수의 용존 기체량은 수온이 낮을수록, 수압이 높을수록 증가한다.

(1) **용존 산소량**: 식물성 플랑크톤 및 조류 등의 광합성과 대기로부터의 산소 공급으로 인해 해수 표층에서 가장 높게 나타나고, 심해에서는 극지방의 표층에서 침강한 찬 해수로 인해 약간 높게 나타난다.

(2) **용존 이산화 탄소량**: 표층에서는 광합성 때문에 낮지만 수심이 깊어질수록 증가한다.

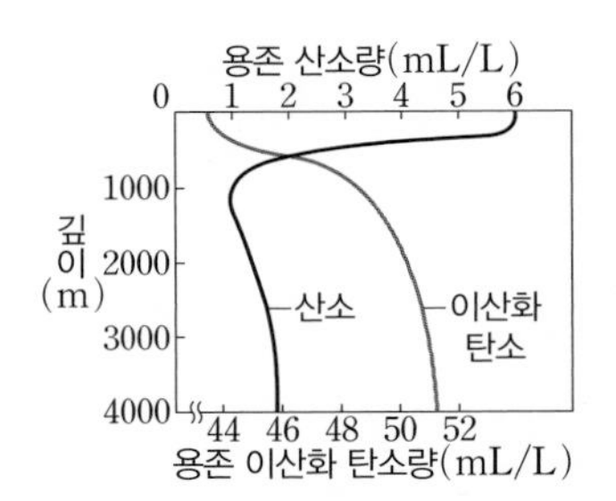

▲ 수심에 따른 용존 기체량의 변화

더 알기 전 세계 표층 해수의 수온, 염분, 밀도 분포

수온	염분	밀도
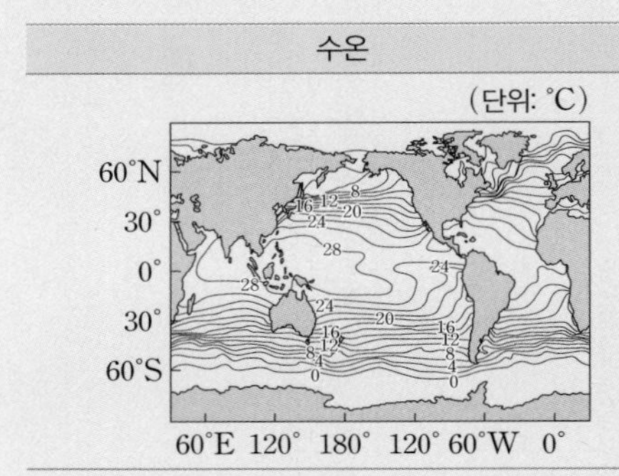	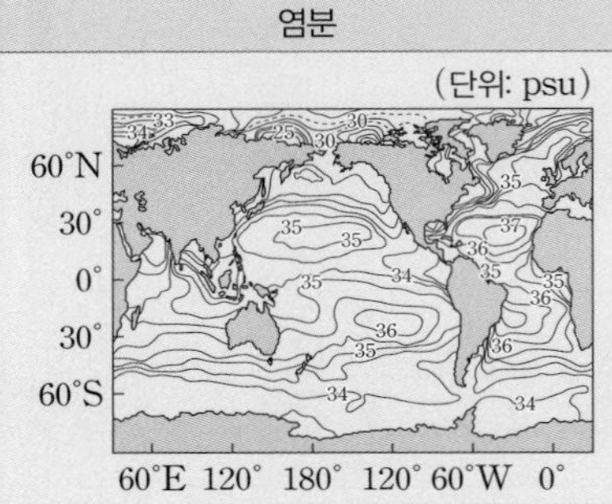	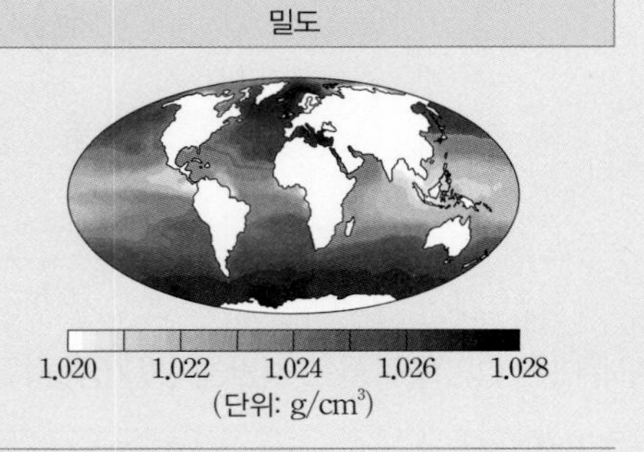
표층 수온은 저위도에서 고위도로 갈수록 대체로 낮아진다. 계절에 따른 표층 수온의 변화는 연안보다 대양의 중심부에서 작다.	적도 지방은 저압대가 위치하므로 증발량보다 강수량이 많아 표층 염분이 중위도 지방보다 낮다. 극지방은 증발량이 적고 빙하가 융해되어 표층 염분이 낮지만, 얼음이 어는 해역에서는 표층 염분이 높게 나타난다.	표층 해수의 밀도는 주로 수온과 염분에 의해 결정되며, 수온이 낮을수록, 염분이 높을수록 커진다. 남반구의 경우 80°S 부근에서, 북반구의 경우 약 50°N～60°N에서 최댓값을 가지며, 적도 부근에서 최솟값을 갖는다.

테마 대표 문제

| 2024학년도 수능 |

다음은 담수의 유입과 해수의 결빙이 해수의 염분에 미치는 영향을 알아보기 위한 실험이다.

[실험 과정]
(가) 수온이 15 ℃, 염분이 35 psu인 소금물 600 g을 만든다.
(나) (가)의 소금물을 비커 A와 B에 각각 300 g씩 나눠 담는다.
(다) A의 소금물에 수온이 15 ℃인 증류수 50 g을 섞는다.
(라) B의 소금물을 표층이 얼 때까지 천천히 냉각시킨다.
(마) A와 B에 있는 소금물의 염분을 측정하여 기록한다.

[실험 결과]

비커	A	B
염분(psu)	(㉠)	(㉡)

[결과 해석]
• 담수의 유입이 있는 해역에서는 해수의 염분이 감소한다.
• 해수의 결빙이 있는 해역에서는 해수의 염분이 (㉢).

이에 대한 설명으로 옳은 것만을 〈보기〉에서 있는 대로 고른 것은?

보기
ㄱ. (다)는 담수의 유입에 의한 해수의 염분 변화를 알아보기 위한 과정에 해당한다.
ㄴ. ㉠은 ㉡보다 크다.
ㄷ. '감소한다'는 ㉢에 해당한다.

① ㄱ ② ㄴ ③ ㄷ ④ ㄱ, ㄴ ⑤ ㄱ, ㄷ

접근 전략

담수의 유입과 해수의 결빙이 염분 변화에 미치는 영향을 파악해야 한다.

간략 풀이

담수가 유입되면 염분이 낮아지고, 해수가 결빙되면 그 주변 해수의 염분은 높아진다.
㉠. (다)의 증류수는 담수 역할을 한다.
~~ㄴ~~. ㉠은 담수가 유입된 해수의 염분에 해당하고, ㉡은 결빙이 일어난 해수의 염분에 해당하므로, ㉠은 ㉡보다 작다.
~~ㄷ~~. 해수의 결빙이 일어나는 해역에서는 염분이 높아진다.
정답 | ①

닮은 꼴 문제로 유형 익히기

정답과 해설 20쪽

▸24069-0112

다음은 해수의 밀도에 영향을 주는 요인을 알아보기 위한 탐구이다.

[탐구 과정]
(가) 수조에 20 ℃의 증류수를 넣는다.
(나) ㉠ 비커 A에는 15 ℃의 증류수 500 g과 소금 10 g을, ㉡ 비커 B에는 10 ℃의 증류수 500 g과 소금 10 g을 넣는다.
(다) ㉢ 비커 A에는 15 ℃의 증류수 100 g을 추가로 넣고, ㉣ 비커 B에는 소금 10 g을 추가로 넣는다.
(라) A와 B에 각각 서로 다른 색의 잉크를 몇 방울 떨어뜨린다.
(마) 그림과 같이 A와 B의 소금물을 수조의 양쪽 끝에서 동시에 천천히 부으면서 수조 안을 관찰한다.

비커 A
비커 B
20 ℃ 증류수

[탐구 결과]
• A와 B의 소금물이 수조 바닥으로 가라앉아 이동하다가 만나서 A의 소금물이 B의 소금물 (ⓐ) 로 이동한다.

이 자료에 대한 설명으로 옳은 것만을 〈보기〉에서 있는 대로 고른 것은?

보기
ㄱ. ㉠~㉣ 중 비커 속 소금물의 염분이 가장 높은 것은 ㉣이다.
ㄴ. '위'는 ⓐ에 해당한다.
ㄷ. 비커 속 소금물의 밀도는 ㉣>㉡>㉠>㉢이다.

① ㄱ ② ㄴ ③ ㄱ, ㄷ ④ ㄴ, ㄷ ⑤ ㄱ, ㄴ, ㄷ

유사점과 차이점

담수의 유입이 해수의 염분 변화에 미치는 영향을 묻는다는 점에서 대표 문제와 유사하지만, 해수의 온도와 염분 관계를 파악하여 해수의 밀도를 비교해야 한다는 점에서 대표 문제와 다르다.

배경 지식

• 다른 요인의 변화가 없을 때 해수의 수온이 낮을수록 해수의 밀도는 커진다.
• 다른 요인의 변화가 없을 때 해수의 염분이 높을수록 해수의 밀도는 커진다.

01

▸24069-0113

그림은 위도에 따른 (증발량－강수량)과 표층 염분 분포를 A와 B로 순서 없이 나타낸 것이다. ㉠과 ㉡은 각각 북반구와 남반구 중 하나이다.

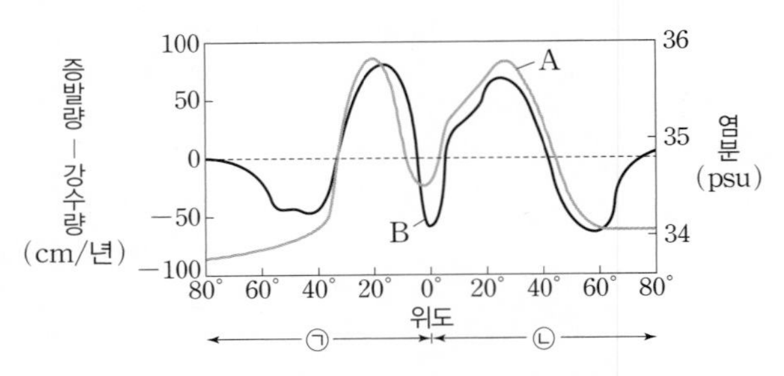

이에 대한 설명으로 옳은 것만을 〈보기〉에서 있는 대로 고른 것은?

보기
ㄱ. A는 (증발량－강수량)이다.
ㄴ. ㉠은 북반구이다.
ㄷ. 위도 60°보다 고위도 지역에서는 (증발량－강수량) 값이 커지면 표층 염분도 높아진다.

① ㄱ ② ㄴ ③ ㄷ
④ ㄱ, ㄴ ⑤ ㄱ, ㄷ

02

▸24069-0114

그림은 해수의 온도에 대해 학생 A, B, C가 대화하는 모습이다.

제시한 내용이 옳은 학생만을 있는 대로 고른 것은?

① A ② B ③ A, C
④ B, C ⑤ A, B, C

03

▸24069-0115

그림 (가)와 (나)는 어느 해 A와 B 시기에 우리나라 독도 부근 해역에서 측정한 깊이에 따른 수온과 염분 분포를 각각 나타낸 것이다.

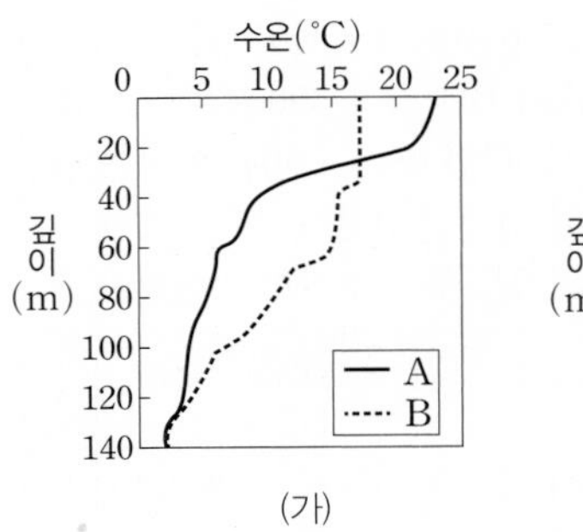

(가)

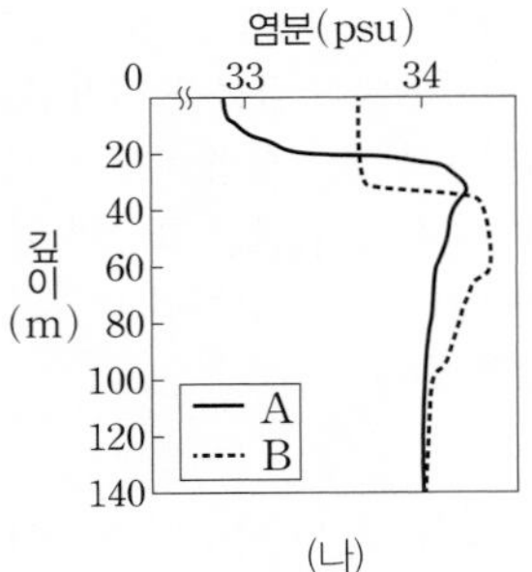

(나)

이에 대한 설명으로 옳은 것만을 〈보기〉에서 있는 대로 고른 것은?

보기
ㄱ. 혼합층의 두께는 B 시기가 A 시기보다 두껍다.
ㄴ. 깊이 20 m 해수의 밀도는 A 시기가 B 시기보다 크다.
ㄷ. 표층 해수와 깊이 120 m 해수의 밀도 차는 A 시기가 B 시기보다 크다.

① ㄱ ② ㄴ ③ ㄷ
④ ㄱ, ㄴ ⑤ ㄱ, ㄷ

04

▸24069-0116

그림은 어느 해역에서 깊이에 따른 해수의 용존 이산화 탄소량과 용존 산소량을 A와 B로 순서 없이 나타낸 것이다.

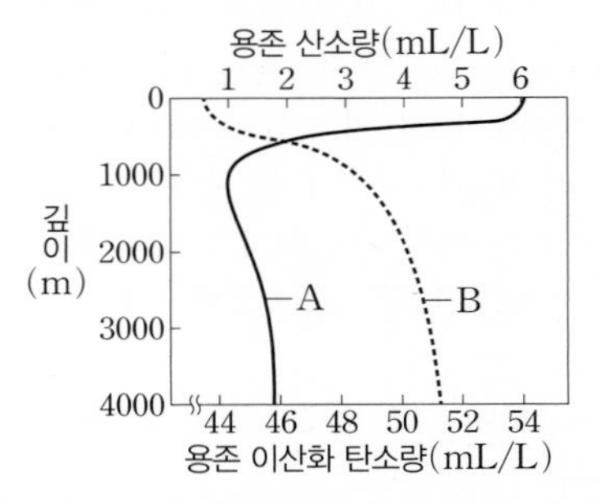

이에 대한 설명으로 옳은 것만을 〈보기〉에서 있는 대로 고른 것은?

보기
ㄱ. A는 용존 산소량이다.
ㄴ. 깊이 0～100 m 사이에는 A가 B보다 많다.
ㄷ. 깊이 3000 m보다 깊은 곳에서 A와 B가 증가하는 데 영향을 미치는 공통 요인은 압력 증가이다.

① ㄱ ② ㄴ ③ ㄷ
④ ㄱ, ㄴ ⑤ ㄱ, ㄷ

05

▸24069-0117

표는 동일 경도상에 위치하는 서로 다른 해역 A, B, C에서 측정한 표층 해수의 물리량을 나타낸 것이다.

해역	수온(℃)	염분(psu)	밀도(g/cm³)
A	0	34.2	㉠
B	10	34.1	㉡
C	20	33.8	㉢

이에 대한 설명으로 옳은 것만을 〈보기〉에서 있는 대로 고른 것은?

보기

ㄱ. 단위 면적당 입사되는 태양 복사 에너지양은 A가 가장 적다.
ㄴ. 밀도는 ㉠<㉡<㉢이다.
ㄷ. ㉠은 ㉡보다 2배 이상 크다.

① ㄱ ② ㄷ ③ ㄱ, ㄴ
④ ㄴ, ㄷ ⑤ ㄱ, ㄴ, ㄷ

06

▸24069-0118

표는 어느 해역의 깊이에 따른 해수의 물리량을 나타낸 것이다. X와 Y는 각각 수온(℃)과 염분(psu) 중 하나이다.

깊이(m)	X	Y
0	27	33.2
50	27	33.2
100	27	33.4
200	23	34.3
300	12	34.0
400	10	33.8

이에 대한 설명으로 옳은 것만을 〈보기〉에서 있는 대로 고른 것은?

보기

ㄱ. X는 수온이다.
ㄴ. 혼합층의 두께는 200 m보다 얇다.
ㄷ. 해수의 밀도는 깊이 50 m보다 깊이 300 m에서 작다.

① ㄱ ② ㄴ ③ ㄱ, ㄴ
④ ㄱ, ㄷ ⑤ ㄴ, ㄷ

07

▸24069-0119

그림은 남반구 어느 해역에서 측정한 깊이에 따른 수온 및 염분 분포를 나타낸 것이다.

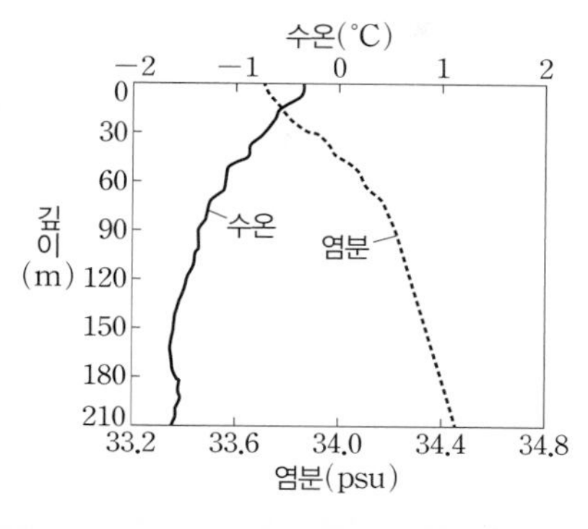

이에 대한 설명으로 옳은 것만을 〈보기〉에서 있는 대로 고른 것은?

보기

ㄱ. 깊이에 따른 수온 감소율의 평균값은 깊이 0∼60 m 구간보다 깊이 60∼120 m 구간이 크다.
ㄴ. 이 해역은 혼합층, 수온 약층, 심해층이 뚜렷하게 구분된다.
ㄷ. 수심이 깊어질수록 해수의 밀도는 대체로 커진다.

① ㄱ ② ㄷ ③ ㄱ, ㄴ
④ ㄴ, ㄷ ⑤ ㄱ, ㄴ, ㄷ

08

▸24069-0120

그림 (가)와 (나)는 전 세계 해수면의 평균 수온(℃) 분포와 평균 표층 염분(psu) 분포를 순서 없이 나타낸 것이다.

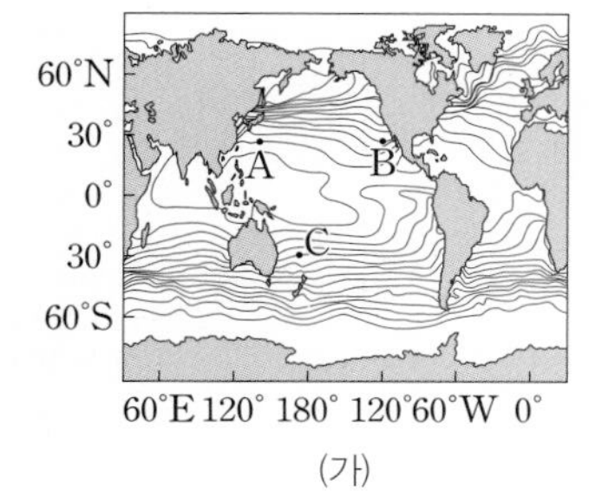

(가)

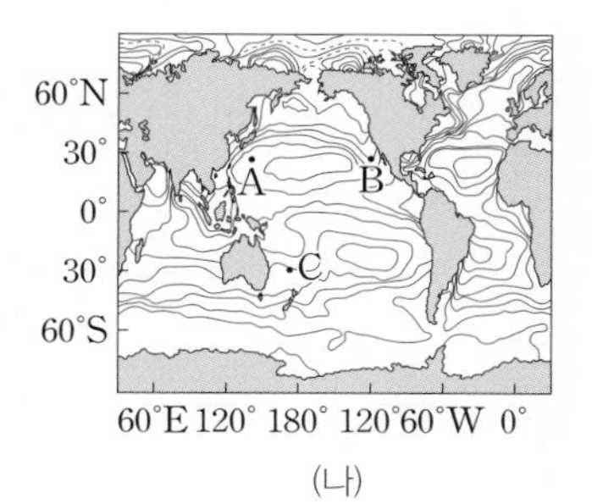

(나)

이에 대한 설명으로 옳은 것만을 〈보기〉에서 있는 대로 고른 것은?

보기

ㄱ. (가)는 전 세계 해수면의 평균 수온 분포이다.
ㄴ. 해수면의 평균 수온은 A가 B보다 낮다.
ㄷ. 평균 표층 염분은 C가 B보다 높다.

① ㄱ ② ㄴ ③ ㄱ, ㄴ
④ ㄱ, ㄷ ⑤ ㄴ, ㄷ

01

▸24069-0121

그림 (가)는 우리나라 동해의 해역 A와 B의 위치를, (나)와 (다)는 A와 B에서 같은 시기에 측정한 깊이에 따른 수온 또는 염분을 순서 없이 나타낸 것이다.

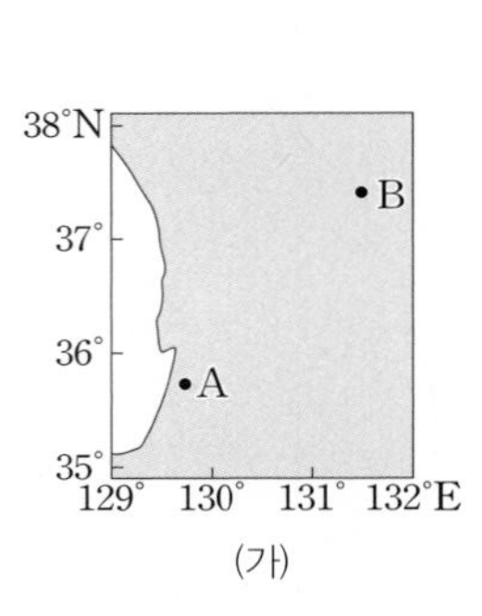

(가)

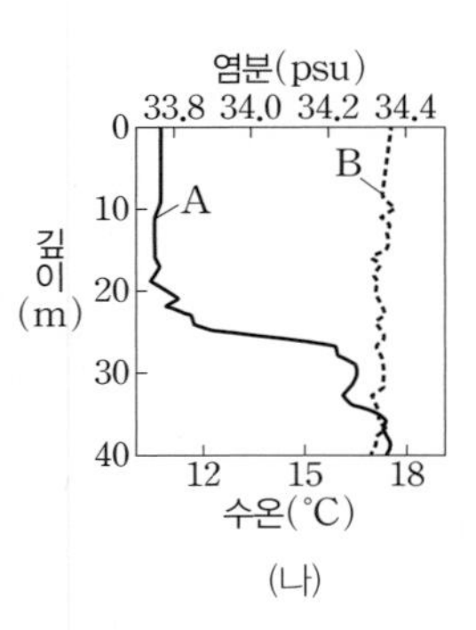

(나)

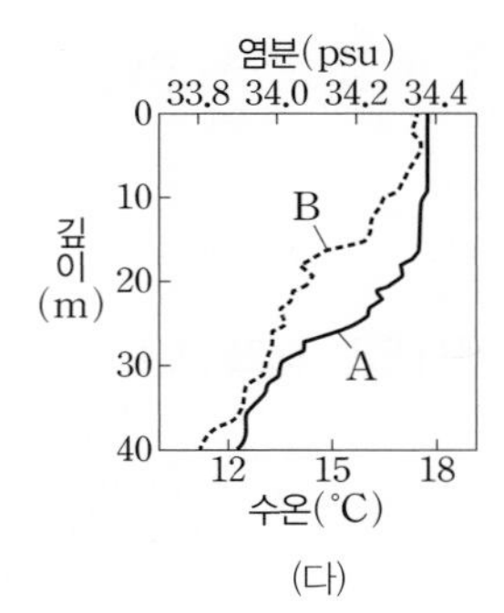

(다)

이에 대한 설명으로 옳은 것만을 〈보기〉에서 있는 대로 고른 것은?

보기

ㄱ. (나)는 염분 자료이다.
ㄴ. 혼합층의 두께는 B가 A보다 두껍다.
ㄷ. 표층 해수와 깊이 35 m 해수의 밀도 차는 A가 B보다 크다.

① ㄱ　② ㄴ　③ ㄷ　④ ㄱ, ㄴ　⑤ ㄱ, ㄷ

02

▸24069-0122

그림 (가)는 북태평양의 해역 A와 B의 위치를, (나)와 (다)는 A와 B에서 같은 시기에 측정한 월별 깊이에 따른 수온 분포를 순서 없이 나타낸 것이다.

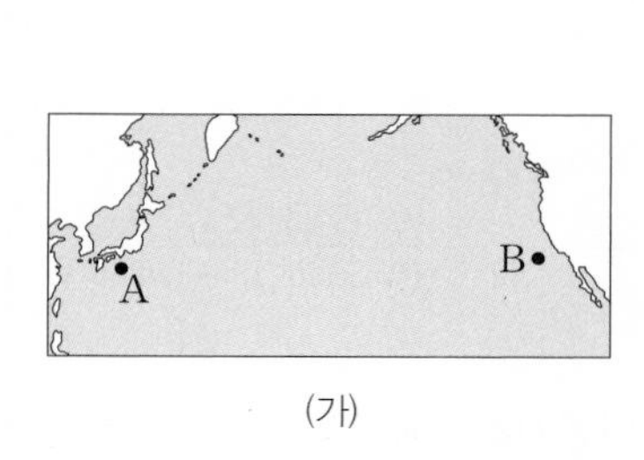

(가)

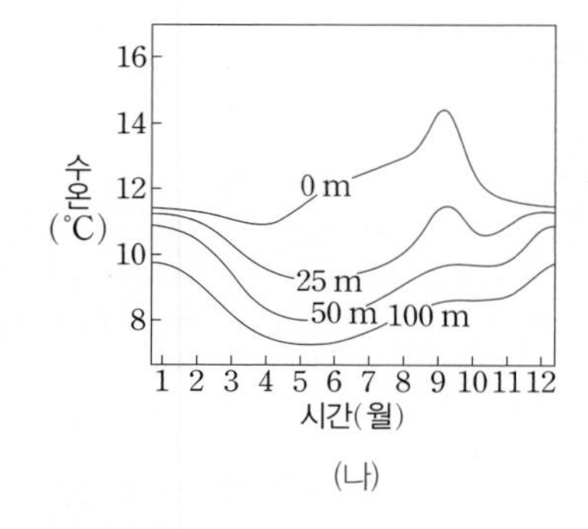

(나)

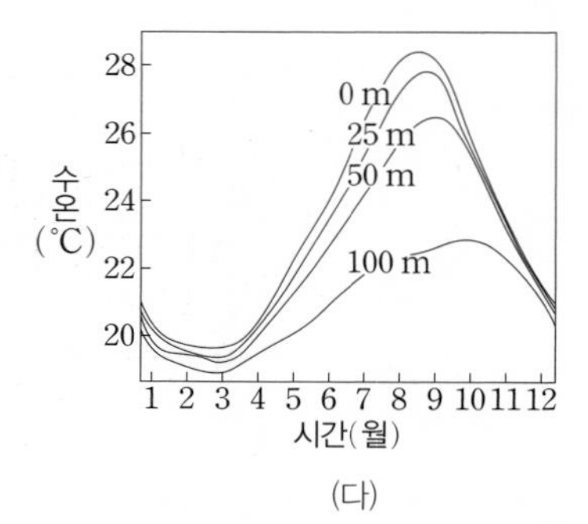

(다)

이에 대한 설명으로 옳은 것만을 〈보기〉에서 있는 대로 고른 것은?

보기

ㄱ. 표층 해수의 수온 연교차는 A가 B보다 작다.
ㄴ. A와 B 모두 8월보다 12월에 혼합층의 두께가 두껍다.
ㄷ. 수온만을 고려할 때, 깊이 100 m에서 산소의 용해도가 가장 큰 시기는 A에서는 5월, B에서는 3월이다.

① ㄱ　② ㄴ　③ ㄱ, ㄴ　④ ㄱ, ㄷ　⑤ ㄴ, ㄷ

03

▶24069-0123

그림 (가)는 우리나라 영산강 하구 부근 연안 해역 A와 B의 위치를, (나)와 (다)는 A와 B에서 측정한 수심에 따른 수온과 염분을 순서 없이 나타낸 것이다. T_1은 소규모 강물 방류 시점을, T_2는 대규모 강물 방류 시점을 나타낸다.

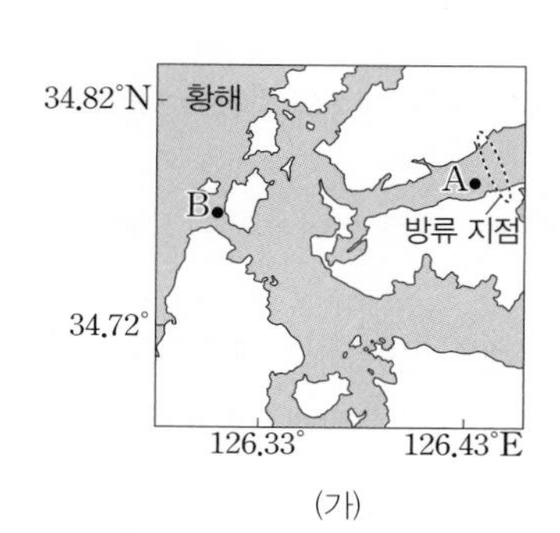

(가)

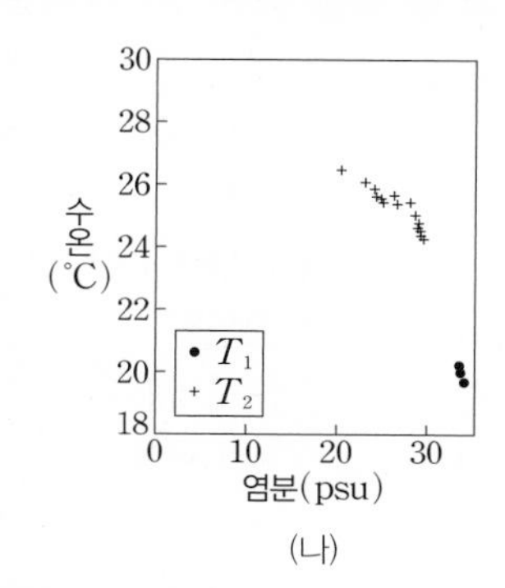

(나)

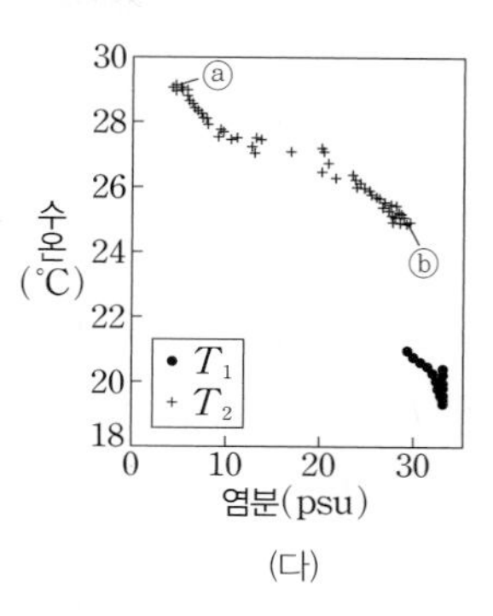

(다)

이에 대한 설명으로 옳은 것만을 〈보기〉에서 있는 대로 고른 것은?

보기

ㄱ. (다)는 해역 A의 자료이다.
ㄴ. T_2 시점은 겨울철에 해당한다.
ㄷ. 수심은 ⓑ가 ⓐ보다 깊다.

① ㄱ ② ㄴ ③ ㄱ, ㄴ ④ ㄱ, ㄷ ⑤ ㄴ, ㄷ

04

▶24069-0124

그림은 어느 해 대서양 해역에서 측정한 깊이에 따른 산소 농도를 나타낸 것이다. A 해역과 B 해역에서 흐르는 해류는 각각 난류와 한류 중 하나이다.

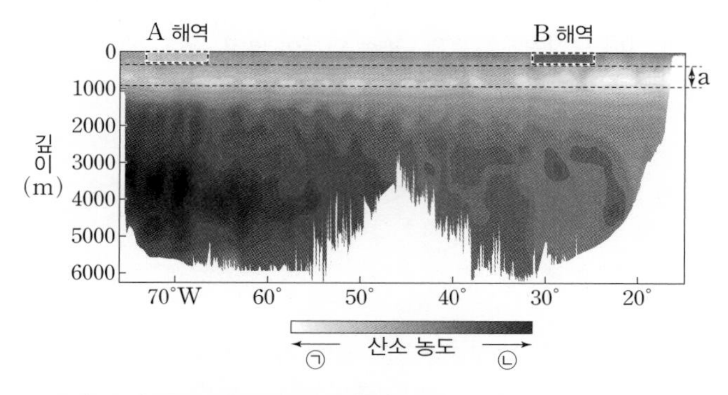

이에 대한 설명으로 옳은 것만을 〈보기〉에서 있는 대로 고른 것은?

보기

ㄱ. '증가'는 ㉡에 적절하다.
ㄴ. B 해역에는 한류가 흐른다.
ㄷ. 표층과 a 구간의 산소 농도가 다른 주요 원인은 압력 증가이다.

① ㄱ ② ㄴ ③ ㄱ, ㄴ ④ ㄱ, ㄷ ⑤ ㄴ, ㄷ

09 해수의 순환

1 해수의 표층 순환

(1) **대기 대순환**: 전 지구에 걸쳐 일어나는 대기의 순환이다.

① 대기 대순환의 원인: 위도에 따른 태양 복사 에너지의 양과 지구 복사 에너지의 양 차이에서 비롯된 에너지 불균형이 원인이다.

② 대기 대순환 모형

- 지구가 자전하지 않는 경우: 적도 지방에는 상승 기류가 발달하고, 극지방에는 하강 기류가 발달하여 북반구 지표 부근에는 북풍 계열의 바람만, 남반구 지표 부근에는 남풍 계열의 바람만 분다.
- 지구가 자전하는 경우: 지구 자전에 의한 전향력의 영향으로 북반구와 남반구에 각각 3개의 순환 세포가 형성된다.

해들리 순환	적도 지방에서 가열된 공기가 상승하면서 적도 저압대를 형성하고, 상승한 공기는 상공에서 고위도로 이동해 위도 30° 부근에서 하강하여 아열대 고압대(중위도 고압대)를 형성한 다음, 다시 적도 지방으로 되돌아오면서 무역풍을 형성한다.
페렐 순환	위도 30° 부근에서 하강한 공기가 고위도로 이동하면서 편서풍을 형성하고, 위도 60° 부근에서 상승한다.
극순환	극지방에서 냉각되어 하강한 공기가 극 고압대를 형성하고, 저위도로 이동하면서 극동풍을 형성한 다음, 위도 60° 부근에서 편서풍과 만나 한대 전선대를 형성한다.

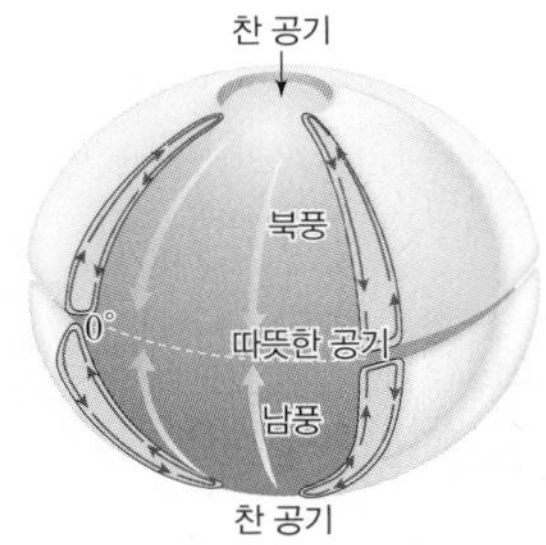

▲ 지구가 자전하지 않는 경우

▲ 지구가 자전하는 경우

(2) **표층 순환**: 대기 대순환에 의한 지표 부근의 바람에 의해 형성된 표층 해류는 동서 방향으로 흐르다가 대륙과 부딪히면 남북 방향으로 갈라져 흐르면서 순환을 형성한다. ➡ 적도를 경계로 북반구와 남반구가 대체로 대칭적인 분포를 보인다.

① 열대 순환: 무역풍대의 적도 해류와 적도 반류로 이루어진 순환이다.

② 아열대 순환: 무역풍대의 해류와 편서풍대의 해류로 이루어진 순환이다.

- 북태평양: 북적도 해류, 쿠로시오 해류, 북태평양 해류, 캘리포니아 해류로 이루어져 있으며, 시계 방향으로 순환한다.
- 남태평양: 남적도 해류, 동오스트레일리아 해류, 남극 순환 해류(남극 순환류), 페루 해류로 이루어져 있으며, 시계 반대 방향으로 순환한다.
- 북대서양: 북적도 해류, 멕시코 만류, 북대서양 해류, 카나리아 해류로 이루어져 있으며, 시계 방향으로 순환한다.

③ 아한대 순환: 편서풍대의 해류와 극동풍에 의한 해류가 이루는 순환으로, 대양이 육지로 막혀 있는 북반구에서만 나타난다.

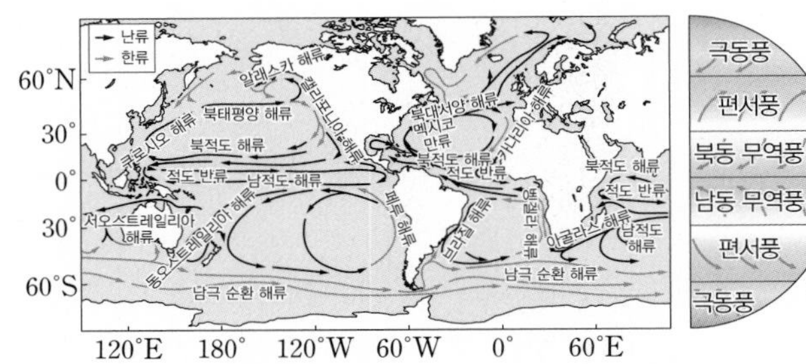

▲ 전 세계 표층 해류의 분포와 대기 대순환에 의한 바람

(3) **난류와 한류**

① 난류: 저위도에서 고위도 쪽으로 흐르는 해류이다. 표층 수온과 표층 염분이 높고, 용존 산소량과 영양염이 적다. 예 쿠로시오 해류, 동오스트레일리아 해류

② 한류: 고위도에서 저위도 쪽으로 흐르는 해류이다. 표층 수온과 표층 염분이 낮고, 용존 산소량과 영양염이 많다. 예 캘리포니아 해류, 페루 해류

더 알기 위도에 따른 에너지 수지

지구는 흡수한 태양 복사 에너지와 같은 양의 에너지를 우주 공간으로 방출하므로 평균 기온이 거의 일정하게 유지된다.

- 저위도 지방(적도~위도 약 38°): 태양 복사 에너지의 흡수량>지구 복사 에너지의 방출량
  ➡ 에너지 과잉
- 고위도 지방(위도 약 38°~극): 태양 복사 에너지의 흡수량<지구 복사 에너지의 방출량
  ➡ 에너지 부족
- 복사 평형 상태에서 저위도 지방의 에너지 과잉량과 고위도 지방의 에너지 부족량은 같다.
- 위도별 에너지 불균형의 해소: 대기와 해수의 순환에 의해 저위도 지방의 과잉 에너지가 고위도 지방으로 이동하여 지구는 위도별로 거의 일정한 온도를 유지한다.

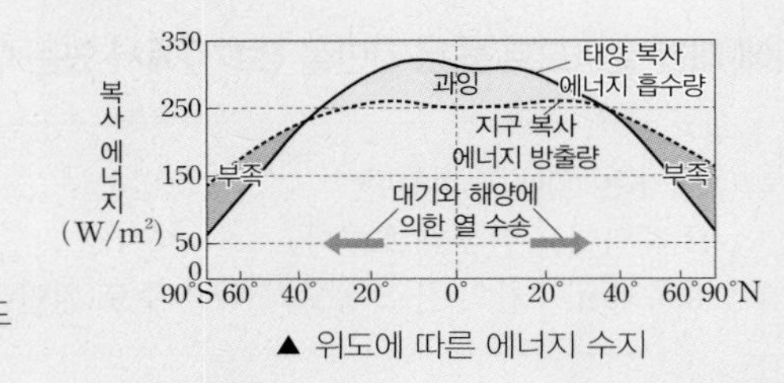

▲ 위도에 따른 에너지 수지

(4) **해류의 역할**

① 저위도의 열에너지를 고위도로 수송하여 지구 전체적으로 열을 분배하는 역할을 한다.

② 난류는 열에너지를 방출하고, 한류는 열에너지를 흡수하여 주변 지역의 기후에 영향을 준다.

(5) **우리나라 주변의 해류**

① 난류: 우리나라 주변 난류의 근원은 쿠로시오 해류이다. 쿠로시오 해류의 지류가 동중국해에서 분리된 후 북상하여 황해 난류, 대마 난류(쓰시마 난류), 동한 난류를 형성한다.

▲ 우리나라 주변의 표층 해류

- 황해 난류는 쿠로시오 해류의 지류가 북상하다가 제주도 부근 해역에서 갈라져 황해의 중앙부 쪽으로 북상한다.
- 대마 난류는 제주도 남동쪽에서 남해를 거쳐 대한 해협을 통과한 후 동해로 흘러 들어간다.
- 동한 난류는 대한 해협에서 대마 난류로부터 갈라져 나와 동해안을 따라 북상한다.

② 한류: 우리나라 주변 한류의 근원은 오호츠크해에서 연해주를 따라 남하하는 연해주 한류이다.

- 북한 한류는 동해안을 따라 남하한다.

③ 조경 수역: 동해에서는 동한 난류와 북한 한류가 만나 조경 수역을 이룬다. ➡ 조경 수역의 위치는 여름철에는 북상하고, 겨울철에는 남하한다.

2 해수의 심층 순환

(1) **심층 순환**: 표층에서 수온이 낮아지거나 염분이 높아지면 밀도가 커진 해수가 심해로 가라앉아 해수의 심층 순환이 일어난다.
➡ 수온과 염분 변화에 따른 밀도 차로 발생하기 때문에 열염 순환이라고도 한다.

(2) **대서양에서의 심층 순환**

① 남극 저층수: 대서양에서 밀도가 가장 큰 수괴로 남극 대륙 주변의 웨델해에서 형성되며, 해저를 따라 북쪽으로 이동하여 30°N 부근까지 흐른다.

② 북대서양 심층수: 북대서양의 그린란드 해역에서 표층수가 가라앉아 형성되며, 남극 저층수와 남극 중층수 사이에서 60°S 부근까지 흐른다.

③ 남극 중층수: 60°S 부근에서 만들어지며 수심 1000 m 부근에서 20°N 부근까지 흐른다.

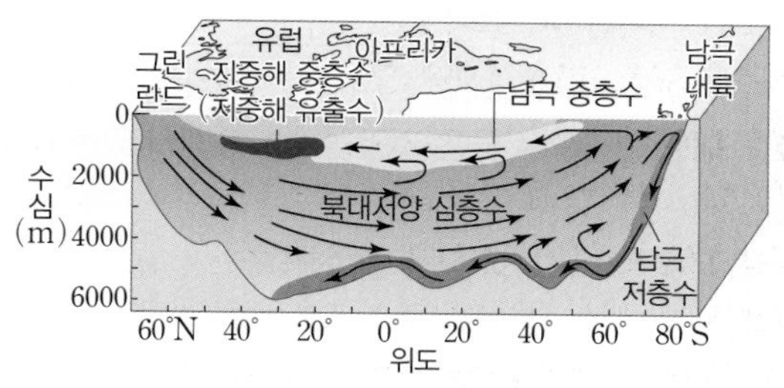

▲ 대서양에서의 심층 순환

(3) **심층 순환의 역할**

① 심층 순환은 매우 느리지만 거의 전 수심에 걸쳐 일어나면서 전체 해수를 순환시키는 역할을 하며, 용존 산소가 풍부한 표층 해수를 심해로 운반하여 심층 해수에 산소를 공급한다.

② 표층 순환과 연결되어 열에너지를 수송하여 남북 간의 열에너지 불균형을 해소시킨다.

③ 극 지역의 표층에서 심층으로 침강하는 해수의 양이 감소하면 고위도로 이동하는 표층 해류의 흐름이 약해질 수 있다. ➡ 저위도에서 고위도로 운반되는 열 수송량에 변화가 생겨 전 지구적으로 기후 변화가 나타날 수 있다.

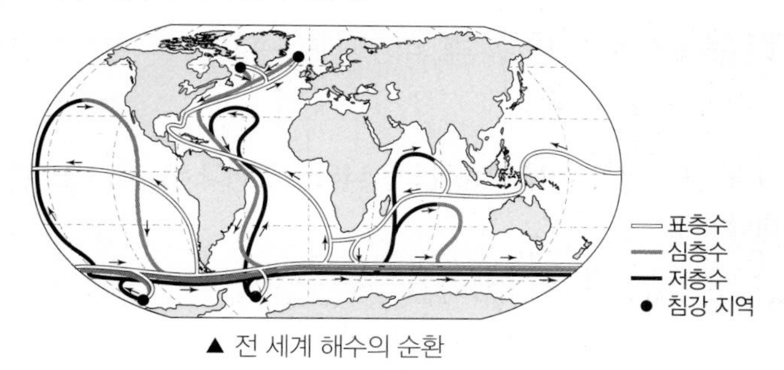

▲ 전 세계 해수의 순환

더 알기 **수온 염분도를 통한 수괴의 밀도 비교**

그림과 표는 대서양 해역의 심층 순환을 이루는 수괴들의 수온, 염분, 밀도, 깊이를 나타낸 것이다.

- 수괴는 수온, 염분, 밀도 등의 성질이 비슷한 해수 덩어리이다.
- 성질이 다른 수괴는 서로 잘 섞이지 않기 때문에 대서양에서 밀도 차에 의한 층상 구조를 이룬다.
- 적도 부근에서 수괴가 분포하는 평균 깊이는 남극 저층수 > 북대서양 심층수 > 남극 중층수이다.
- 지중해 중층수가 대서양으로 들어가면 밀도 차에 의해 남극 중층수와 북대서양 심층수 사이에서 이동한다.

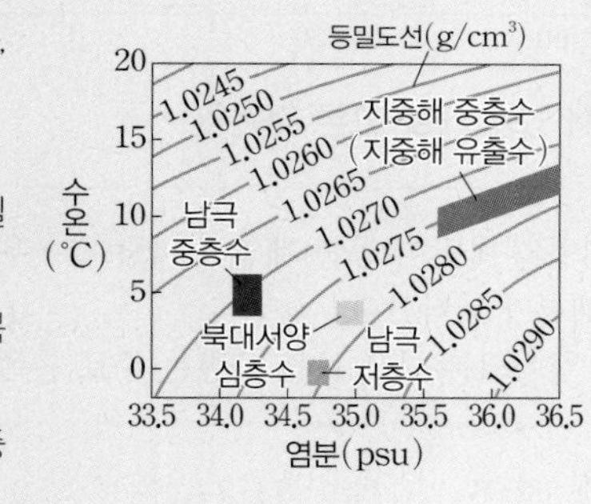

구분	수온 (℃)	염분 (psu)	깊이 (m)
남극 중층수	약 3~7	약 34.1 ~34.3	약 700 ~1200
북대서양 심층수	약 2.5~4	약 34.8 ~35.0	약 1500 ~4000
남극 저층수	약 −1~1	약 34.6 ~34.7	약 4000 이상

테마 대표 문제

| 2024학년도 수능 |

그림은 태평양 표층 해수의 동서 방향 연평균 유속을 위도에 따라 나타낸 것이다. (+)와 (−)는 각각 동쪽으로 향하는 방향과 서쪽으로 향하는 방향 중 하나이다.

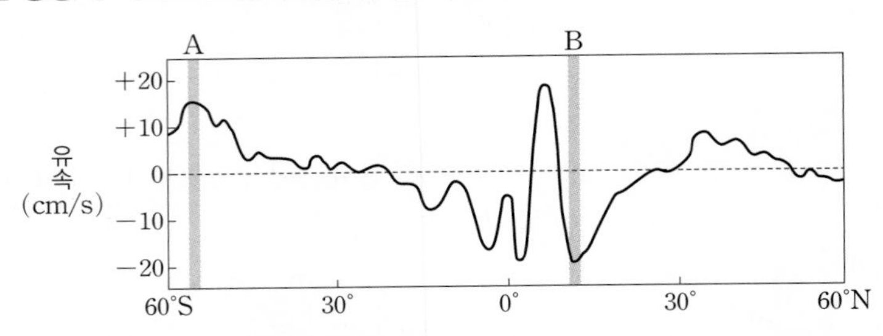

이 자료에 대한 설명으로 옳은 것만을 〈보기〉에서 있는 대로 고른 것은?

보기
ㄱ. (+)는 동쪽으로 향하는 방향이다.
ㄴ. A의 해역에서 나타나는 주요 표층 해류는 극동풍에 의해 형성된다.
ㄷ. 북적도 해류는 B의 해역에서 나타난다.

① ㄱ ② ㄴ ③ ㄷ ④ ㄱ, ㄴ ⑤ ㄱ, ㄷ

접근 전략

A와 B의 해역에서 나타나는 주요 표층 해류의 방향을 이용하여 (+)와 (−)의 방향을 파악해야 한다.

간략 풀이

A의 해역에서 나타나는 주요 표층 해류인 남극 순환 해류는 주로 동쪽으로 흐르고, B의 해역에서 나타나는 주요 표층 해류인 북적도 해류는 주로 서쪽으로 흐른다.

㉠. A의 해역에서 표층 해수의 동서 방향 연평균 유속이 양(+)의 값이고 B의 해역에서 표층 해수의 동서 방향 연평균 유속이 음(−)의 값인 것으로 보아, (+)는 동쪽으로 향하는 방향이고 (−)는 서쪽으로 향하는 방향이다.

ㄴ (X). A의 해역에서 나타나는 주요 표층 해류인 남극 순환 해류는 편서풍에 의해 형성된다.

㉢. B 해역의 위도는 약 10°N이고 B의 해역에서 표층 해수의 동서 방향 연평균 유속이 음(−)의 값인 것으로 보아, 북적도 해류는 B의 해역에서 나타난다.

정답 | ⑤

닮은 꼴 문제로 유형 익히기

정답과 해설 22쪽

▸24069-0125

그림은 대기 대순환을 모식적으로 나타낸 것이다. A, B, C는 각각 페렐 순환, 해들리 순환, 극순환 중 하나이다.

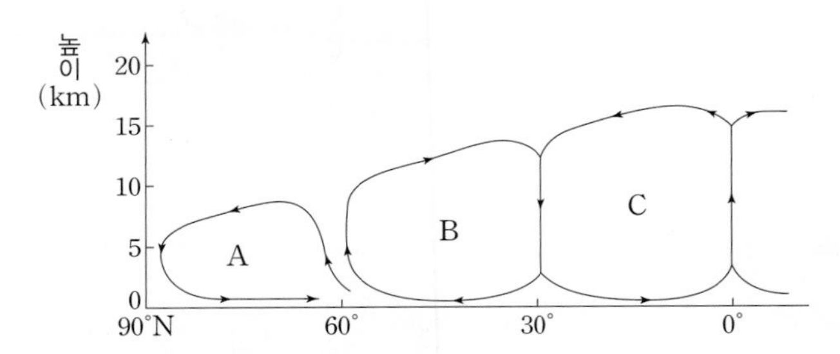

이에 대한 설명으로 옳은 것만을 〈보기〉에서 있는 대로 고른 것은?

보기
ㄱ. A와 B 모두의 지표 부근에는 서풍 계열의 바람이 동풍 계열의 바람보다 우세하게 분다.
ㄴ. B가 분포하는 위도대에는 북태평양 해류가 나타난다.
ㄷ. C의 지표 부근에서 부는 바람에 의해 형성되는 주요 표층 해류는 주로 동쪽으로 흐른다.

① ㄱ ② ㄴ ③ ㄱ, ㄷ ④ ㄴ, ㄷ ⑤ ㄱ, ㄴ, ㄷ

유사점과 차이점

대기 대순환과 표층 해류의 상호 작용을 다룬다는 점에서 대표 문제와 유사하지만, 대기 대순환의 순환 세포를 파악하고 각 순환 세포의 지표 부근에서 부는 바람을 파악해야 한다는 점에서 대표 문제와 다르다.

배경 지식

- A는 극순환, B는 페렐 순환, C는 해들리 순환이다.
- A의 지표 부근에는 극동풍이, B의 지표 부근에는 편서풍이, C의 지표 부근에는 북동 무역풍이 분다.
- 편서풍에 의해 형성되는 주요 표층 해류는 주로 동쪽으로 흐른다.
- 북동 무역풍에 의해 형성되는 주요 표층 해류는 주로 서쪽으로 흐른다.

01

▸24069-0126

그림은 대기 대순환 모형에서 대기 대순환에 의한 지표 부근의 바람의 일부를 나타낸 것이다.

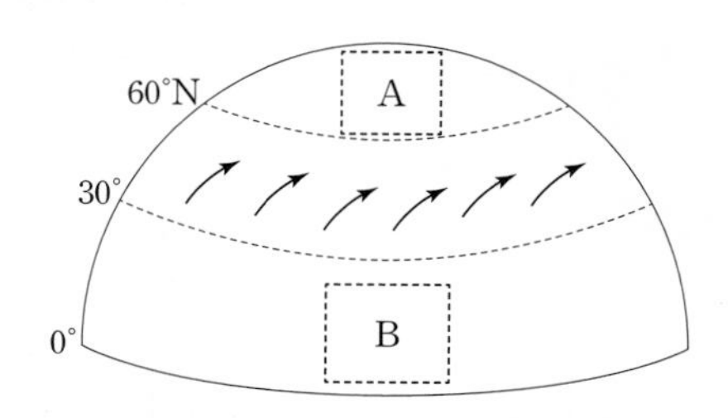

A 지역과 B 지역에서 대기 대순환에 의한 지표 부근의 바람으로 적절한 것을 〈보기〉에서 골라 옳게 짝지은 것은?

보기

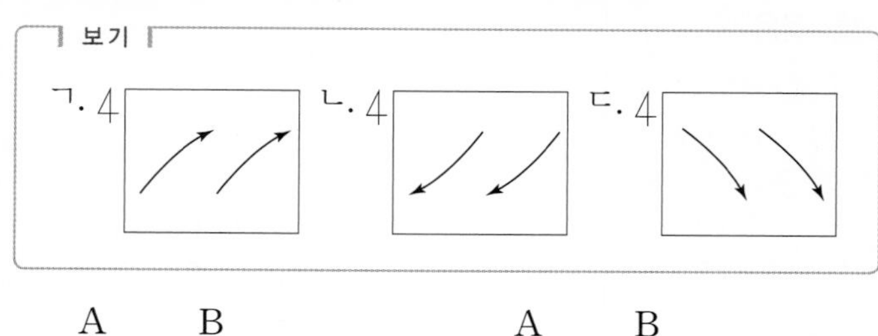

	A	B
①	ㄱ	ㄴ
②	ㄴ	ㄱ
③	ㄴ	ㄴ
④	ㄷ	ㄱ
⑤	ㄷ	ㄷ

02

▸24069-0127

그림은 대기 대순환의 연직 단면을 모식적으로 나타낸 것이다. A, B, C는 각각 대기 대순환의 순환 세포이다.

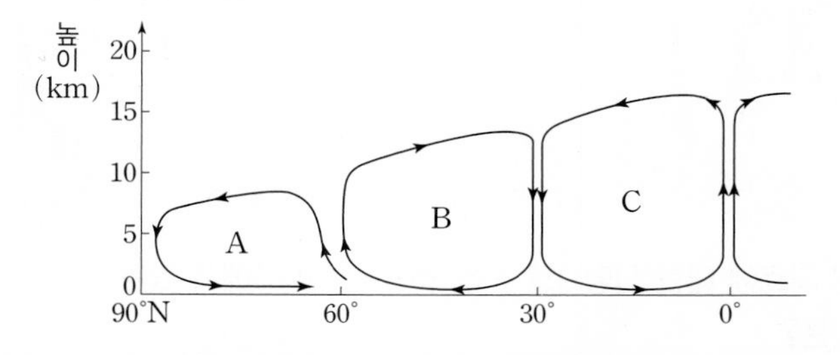

이에 대한 설명으로 옳은 것만을 〈보기〉에서 있는 대로 고른 것은?

보기

ㄱ. A와 C는 직접 순환이다.
ㄴ. 지구가 자전하지 않는다면 B는 만들어지지 않는다.
ㄷ. B와 C 사이의 지표 부근에는 수렴대가 발달한다.

① ㄱ ② ㄴ ③ ㄷ ④ ㄱ, ㄴ ⑤ ㄱ, ㄷ

03

▸24069-0128

그림 (가)는 남태평양에서 주요 표층 해류가 흐르는 해역 A, B, C를, (나)는 해역 A, B, C에서 흐르는 표층 해류를 구분하는 과정을 나타낸 것이다.

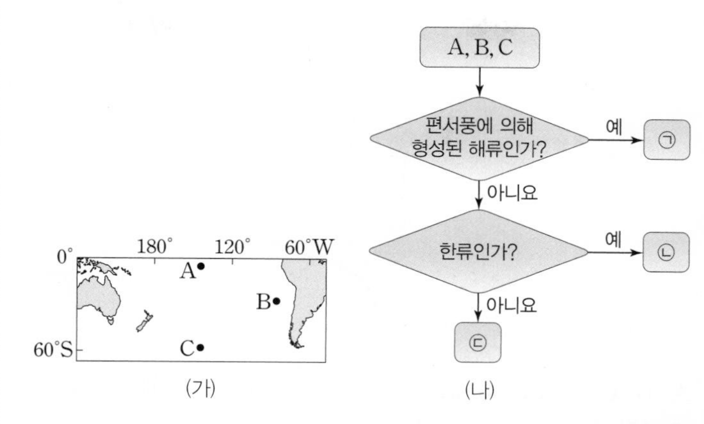

(가) (나)

㉠, ㉡, ㉢과 A, B, C에서 흐르는 표층 해류를 옳게 짝지은 것은?

	㉠	㉡	㉢
①	A	B	C
②	A	C	B
③	B	A	C
④	C	A	B
⑤	C	B	A

04

▸24069-0129

그림은 북아메리카 대륙 서쪽 해역에서 흐르는 주요 표층 해류를 나타낸 것이다. A와 B는 각각 캘리포니아 해류와 북태평양 해류 중 하나이다.

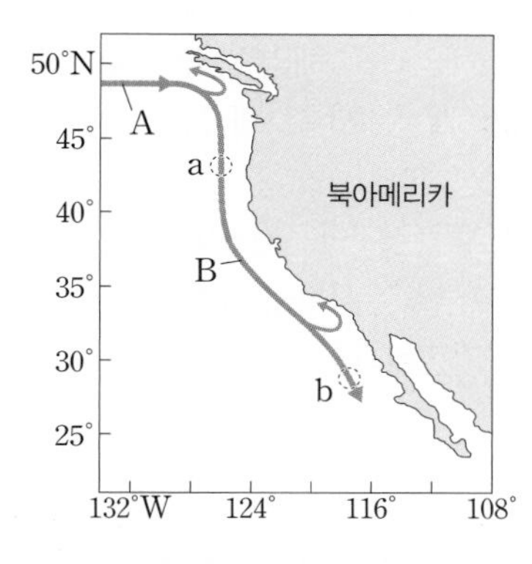

이에 대한 설명으로 옳은 것만을 〈보기〉에서 있는 대로 고른 것은?

보기

ㄱ. A는 편서풍의 영향을 받는다.
ㄴ. B는 한류이다.
ㄷ. 수온만을 고려할 때, 산소 기체의 용해도는 a 해역이 b 해역보다 작다.

① ㄱ ② ㄷ ③ ㄱ, ㄴ ④ ㄴ, ㄷ ⑤ ㄱ, ㄴ, ㄷ

05
▸24069-0130

그림은 우리나라 주변 해역에서의 표층 해류 분포를 나타낸 것이다.

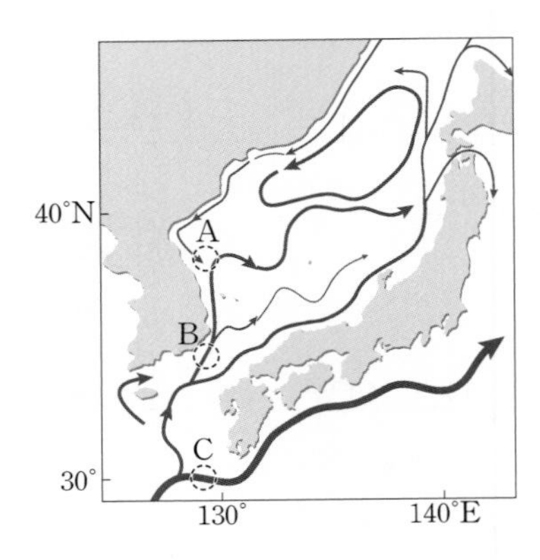

A, B, C 해역에 대한 설명으로 옳은 것만을 〈보기〉에서 있는 대로 고른 것은?

보기
ㄱ. 남북 방향의 해수면 수온 변화는 A가 C보다 크다.
ㄴ. B의 해류가 북쪽으로 이동하여 북한 한류가 된다.
ㄷ. B에서 흐르는 해류는 한류이고 C에서 흐르는 해류는 난류이다.

① ㄱ ② ㄴ ③ ㄱ, ㄷ
④ ㄴ, ㄷ ⑤ ㄱ, ㄴ, ㄷ

06
▸24069-0131

그림은 대서양의 A 해역과 B 해역을 나타낸 것이다. A 해역과 B 해역 각각에서 침강한 표층 해수는 저층수와 심층수 중 하나를 형성한다.
이에 대한 설명으로 옳은 것만을 〈보기〉에서 있는 대로 고른 것은? (단, 해수의 비열은 같다고 가정한다.)

보기
ㄱ. A에서 침강한 표층 해수는 저층수를 형성한다.
ㄴ. A와 B 각각에서 침강하여 형성된 수괴가 심해에서 만나면, A의 수괴가 B의 수괴 아래로 이동한다.
ㄷ. A의 표층 해수 1kg과 B의 표층 해수 1kg을 혼합하면, 혼합된 해수의 평균 수온은 A의 표층 해수보다 낮다.

① ㄱ ② ㄷ ③ ㄱ, ㄴ
④ ㄴ, ㄷ ⑤ ㄱ, ㄴ, ㄷ

07
▸24069-0132

그림은 어느 해 8월 어느 해역(22°N, 120°E)에 던져진 코르크 병이 표층 해류를 타고 이동한 경로를 나타낸 것이다.

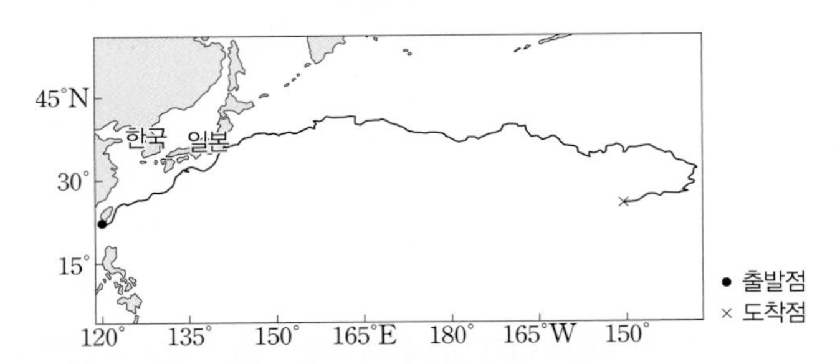

이 코르크 병이 타고 이동한 표층 해류만을 〈보기〉에서 있는 대로 고른 것은?

보기
ㄱ. 동한 난류
ㄴ. 쿠로시오 해류
ㄷ. 북태평양 해류

① ㄱ ② ㄷ ③ ㄱ, ㄴ
④ ㄴ, ㄷ ⑤ ㄱ, ㄴ, ㄷ

08
▸24069-0133

그림은 대서양에서 위도에 따른 염분의 연직 분포를 등염분선으로 나타낸 것이다. A, B, C 각각에는 남극 저층수, 남극 중층수, 북대서양 심층수 중 하나가 분포한다.

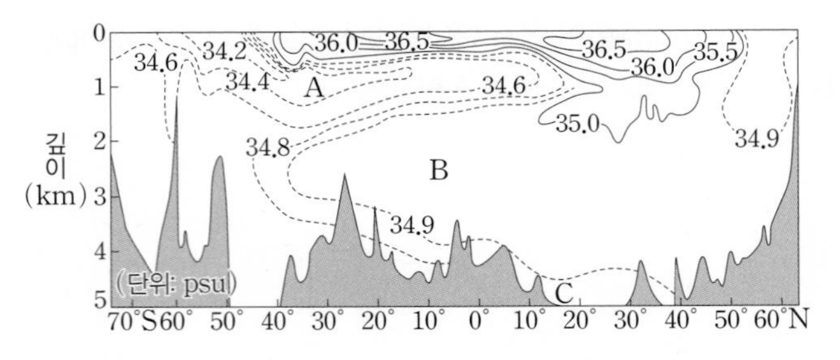

이 자료에 대한 설명으로 옳은 것만을 〈보기〉에서 있는 대로 고른 것은?

보기
ㄱ. A가 분포하는 수괴는 침강한 곳에서 멀어질수록 염분이 대체로 낮아지는 경향을 보인다.
ㄴ. B의 해수는 주로 북쪽으로 이동한다.
ㄷ. 밀도는 C의 해수가 B의 해수보다 크다.

① ㄱ ② ㄷ ③ ㄱ, ㄴ
④ ㄴ, ㄷ ⑤ ㄱ, ㄴ, ㄷ

01

▸24069-0134

그림은 북태평양과 북대서양에서 주요 표층 해류가 흐르는 해역 A~D를 나타낸 것이다.

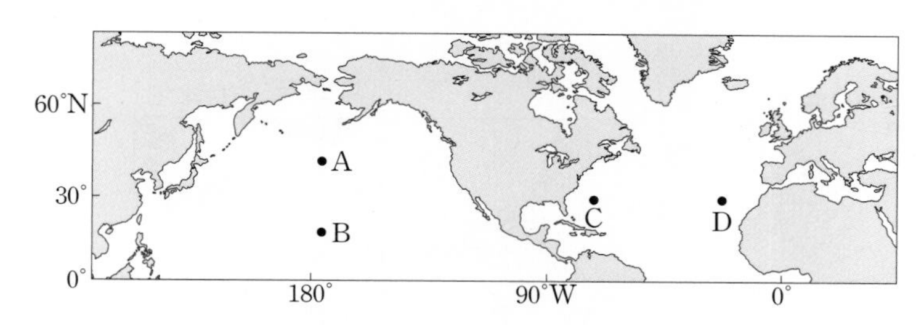

이에 대한 설명으로 옳은 것만을 〈보기〉에서 있는 대로 고른 것은?

보기

ㄱ. A와 B에서 주요 표층 해류가 흐르는 방향은 같다.
ㄴ. C에서 표층 해류는 주로 남하하고, D에서 표층 해류는 주로 북상한다.
ㄷ. 북태평양 아열대 순환과 북대서양 아열대 순환 모두는 시계 방향으로 순환한다.

① ㄱ ② ㄷ ③ ㄱ, ㄴ ④ ㄴ, ㄷ ⑤ ㄱ, ㄴ, ㄷ

02

▸24069-0135

그림은 태평양에서 지표 부근에 부는 바람의 연평균 풍속 분포를 나타낸 것이다.

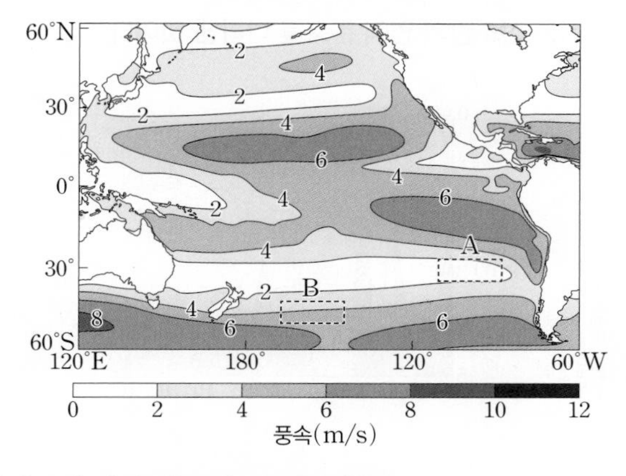

이에 대한 설명으로 옳은 것만을 〈보기〉에서 있는 대로 고른 것은?

보기

ㄱ. A 해역에는 해들리 순환의 하강 기류에 의해 정체성 고기압이 발달한다.
ㄴ. B 해역에는 동풍 계열의 바람이 서풍 계열의 바람보다 우세하게 분다.
ㄷ. 연평균 풍속은 북적도 해류가 흐르는 해역이 북태평양 해류가 흐르는 해역보다 느리다.

① ㄱ ② ㄴ ③ ㄷ ④ ㄱ, ㄷ ⑤ ㄴ, ㄷ

03

▸24069-0136

그림 (가)와 (나)는 어느 해 여름철과 겨울철 한반도 남부 주변 해역과 동중국해에서의 해수면 수온을 순서 없이 나타낸 것이다.

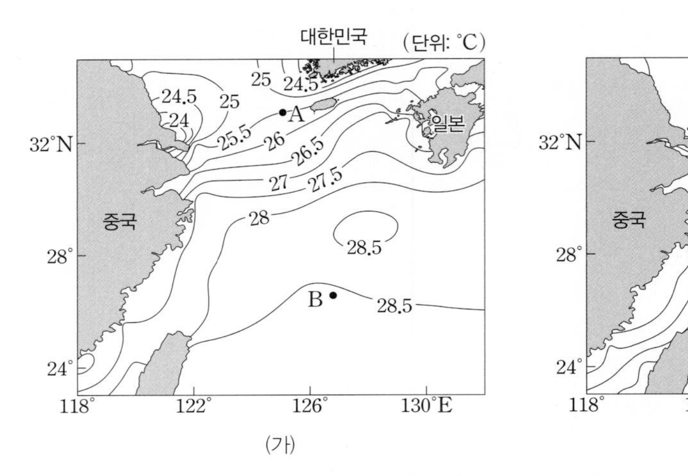

(가)

(나)

이 자료에 대한 설명으로 옳은 것만을 〈보기〉에서 있는 대로 고른 것은?

보기
ㄱ. (가)는 겨울철이다.
ㄴ. A 해역에서 황해로 유입되는 난류는 여름철이 겨울철보다 강하다.
ㄷ. (가)와 (나) 모두 B 해역에서는 쿠로시오 해류가 흐른다.

① ㄱ ② ㄴ ③ ㄷ ④ ㄱ, ㄷ ⑤ ㄴ, ㄷ

04

▸24069-0137

그림 (가)와 (나)는 각각 대서양에서 위도에 따른 수온과 용존 산소량의 연직 분포를 나타낸 것이다.

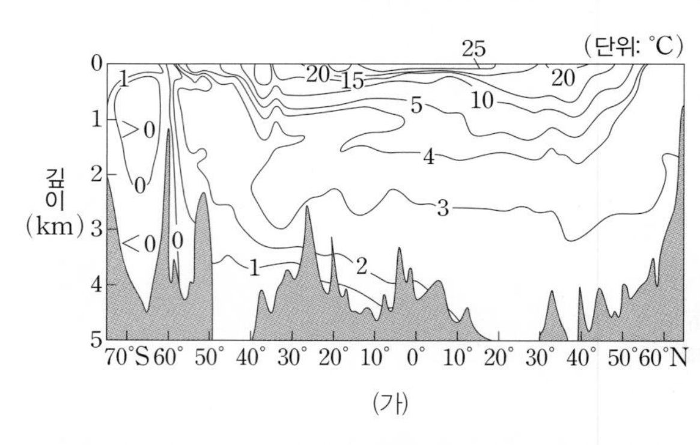

(가)

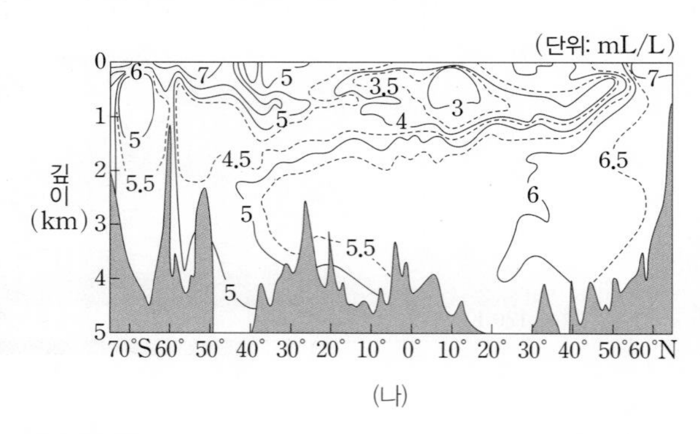

(나)

이 자료에 대한 설명으로 옳은 것만을 〈보기〉에서 있는 대로 고른 것은?

보기
ㄱ. 남극 저층수의 평균 수온은 북대서양 심층수보다 낮다.
ㄴ. 수온 약층은 60°N 부근이 적도 부근보다 뚜렷하게 나타난다.
ㄷ. 15°S 부근에서 남극 중층수의 평균 용존 산소량은 북대서양 심층수보다 많다.

① ㄱ ② ㄷ ③ ㄱ, ㄴ ④ ㄴ, ㄷ ⑤ ㄱ, ㄴ, ㄷ

05

▸24069-0138

그림은 깊이 3000 m 해수의 연령 분포를 나타낸 것이다. 해수의 연령은 해수가 표층에서 침강한 이후부터 현재까지 경과한 시간을 의미한다.

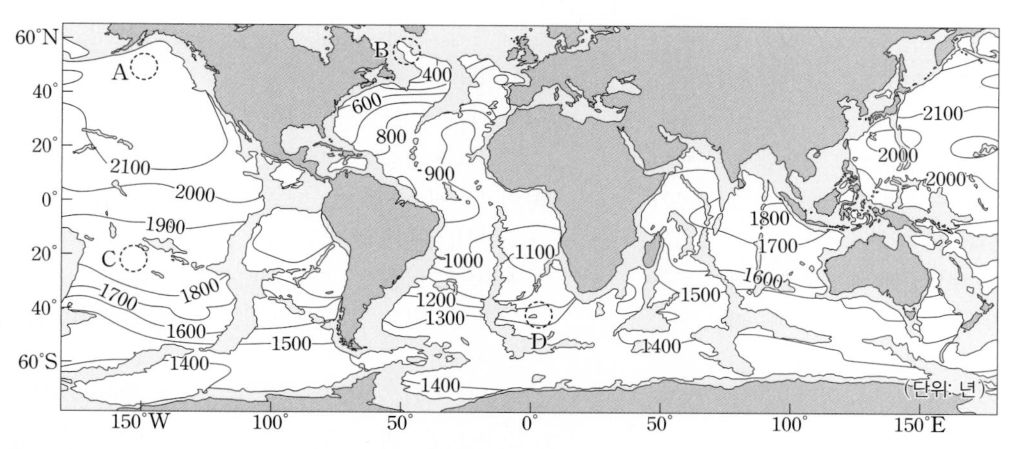

이에 대한 설명으로 옳은 것만을 〈보기〉에서 있는 대로 고른 것은?

보기

ㄱ. 깊이 3000 m에서 해수의 평균 연령은 대서양이 인도양보다 많다.
ㄴ. 표층 해수의 침강은 B 해역이 A 해역보다 활발하다.
ㄷ. 깊이 3000 m에서 남북 방향의 평균 유속은 D 해역이 C 해역보다 빠르다.

① ㄱ ② ㄴ ③ ㄱ, ㄷ ④ ㄴ, ㄷ ⑤ ㄱ, ㄴ, ㄷ

06

▸24069-0139

그림 (가)와 (나)는 각각 남대서양에서 동서 방향의 연직 수온 분포와 연직 염분 분포를 동서 방향을 표시하지 않고 나타낸 것이다. A 해역과 B 해역에서는 남대서양 아열대 순환을 이루는 난류와 한류 중 하나가 흐른다.

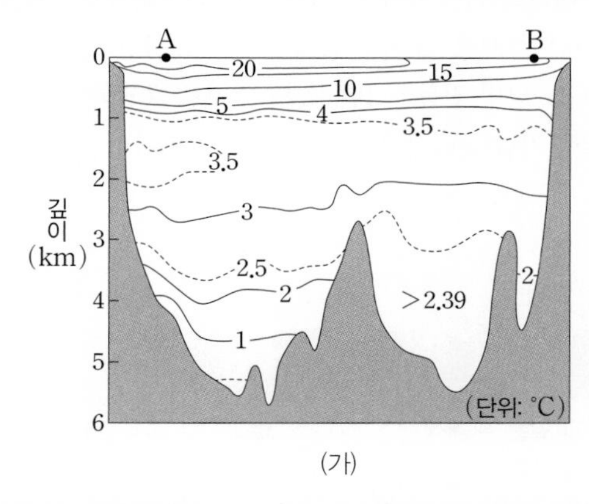

(가)

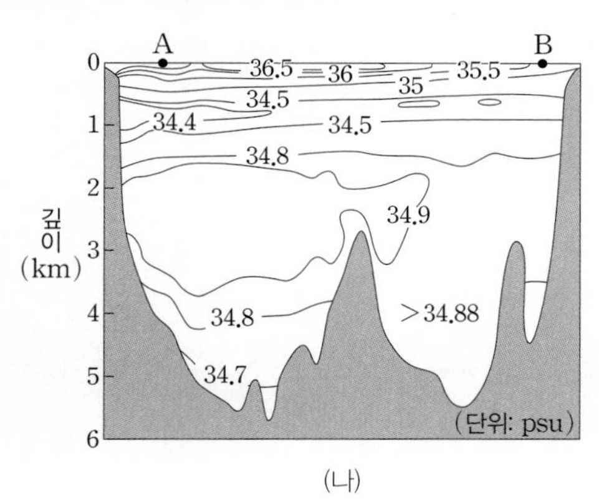

(나)

이에 대한 설명으로 옳은 것만을 〈보기〉에서 있는 대로 고른 것은?

보기

ㄱ. A 해역에는 난류가 흐른다.
ㄴ. B 해역에서 해류는 주로 북쪽으로 흐른다.
ㄷ. A 해역은 B 해역보다 동쪽에 위치한다.

① ㄱ ② ㄴ ③ ㄷ ④ ㄱ, ㄴ ⑤ ㄱ, ㄷ

테마 10 대기와 해양의 상호 작용

1 해양 변화와 기후 변화

(1) **용승과 침강**: 심층의 차가운 해수가 표층으로 올라오는 현상을 용승이라 하고, 표층의 해수가 심층으로 가라앉는 현상을 침강이라고 한다.

① 연안 용승: 대륙의 연안에서 일정한 방향으로 계속해서 부는 바람에 의해 표층의 해수가 먼 바다 쪽으로 이동하면, 이를 채우기 위해 심층의 차가운 해수가 올라온다.

② 적도 용승: 적도 부근에서 북동 무역풍에 의해 표층의 해수가 북서쪽으로 이동하고, 남동 무역풍에 의해 표층의 해수가 남서쪽으로 이동하면, 이를 채우기 위해 심층의 차가운 해수가 올라온다.

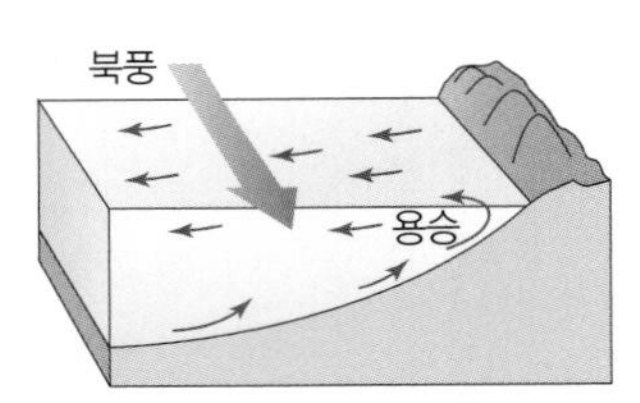

▲ 연안 용승(북반구)

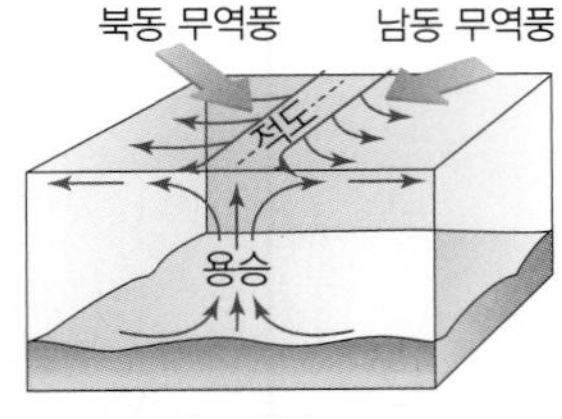

▲ 적도 용승

(2) **엘니뇨와 라니냐**: 태평양의 적도 부근 해역에서 나타나는 표층 해수의 수온 변화 현상이다.

① 엘니뇨
- 적도 부근의 남아메리카 대륙 서쪽 연안으로부터 태평양 중앙부에 걸친 해역의 표층 수온이 평상시보다 0.5 ℃ 이상 높은 상태로 수개월 이상 지속되는 현상이다.
- 무역풍이 평상시보다 약할 때 발생한다.

② 라니냐
- 적도 부근의 남아메리카 대륙 서쪽 연안으로부터 태평양 중앙부에 걸친 해역의 표층 수온이 평상시보다 0.5 ℃ 이상 낮은 상태로 수개월 이상 지속되는 현상이다.
- 무역풍이 평상시보다 강할 때 발생한다.

(3) **남방 진동과 기후 변화**

① 워커 순환: 열대 태평양에서 형성되는 동서 방향의 거대한 대기 순환이다.

② 남방 진동: 열대 태평양 동쪽과 서쪽의 해면 기압 분포가 한쪽이 평상시보다 상승하면 다른 한쪽이 평상시보다 하강하는 양상을 보이면서 시소처럼 진동하는 형태의 해면 기압 변화이다.
- 평상시: 무역풍의 영향으로 열대 태평양 동쪽의 따뜻한 해수가 서쪽으로 이동함에 따라 서태평양에서는 대기가 상승하며 저기압이 형성되고, 동태평양에서는 대기가 하강하며 고기압이 형성된다.
- 엘니뇨 시기: 무역풍과 동태평양의 용승이 평상시보다 약해지고 서태평양의 따뜻한 해수가 동태평양으로 이동하므로, 워커 순환에서 상승 기류가 형성되는 영역도 평상시보다 동쪽으로 이동한다.
- 라니냐 시기: 무역풍과 동태평양의 용승이 평상시보다 강해지고 따뜻한 해수가 서태평양 쪽으로 더욱 집중되므로 서태평양에서 대기의 상승도 더욱 강해진다.

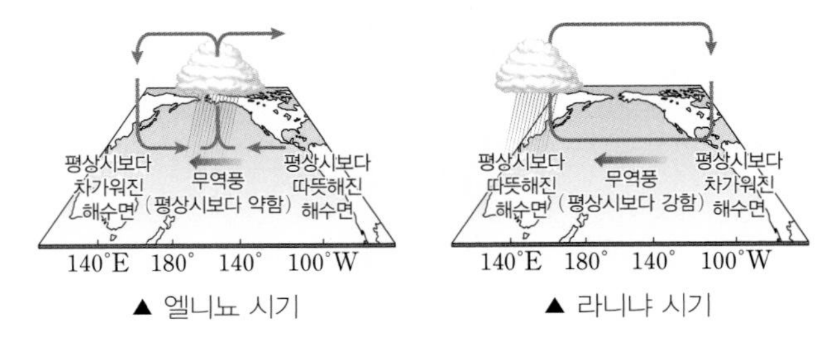

▲ 엘니뇨 시기 ▲ 라니냐 시기

③ 엘니뇨 남방 진동(엔소, ENSO)
- 엘니뇨와 라니냐는 해양의 수온이 변하는 현상이고 남방 진동은 대기의 기압 분포가 변하는 현상인데, 서로 밀접하게 관련되어 있으므로 이 둘을 합쳐서 엘니뇨 남방 진동이라고 한다.
- 엘니뇨 남방 진동은 2년~7년 주기로 발생하는데, 바람, 해류, 수온, 기압 등에서 평년과 다른 현상이 나타난다.

더 알기 엘니뇨와 남방 진동 지수

그림은 1950년~2020년까지의 남방 진동 지수를 나타낸 것이다. 남방 진동 지수는 다음과 같은 관계식에 의해 계산된다.

$$\text{남방 진동 지수} = \frac{\text{(남태평양 타히티의 해면 기압 편차} - \text{호주 북부 다윈의 해면 기압 편차)}}{\text{표준 편차}}$$

- 남방 진동 지수는 라니냐 시기에는 큰 양(+)의 값을 나타내고, 엘니뇨 시기에는 큰 음(−)의 값을 나타낸다.
- 남방 진동 지수가 큰 시기에는 열대 동태평양의 연안 용승이 활발하다.
- 1982년~1983년 사이에는 남방 진동 지수가 큰 음(−)의 값을 나타낸 엘니뇨 시기가 있었고, 2010년~2011년 사이에는 남방 진동 지수가 큰 양(+)의 값을 나타낸 라니냐 시기가 있었다.

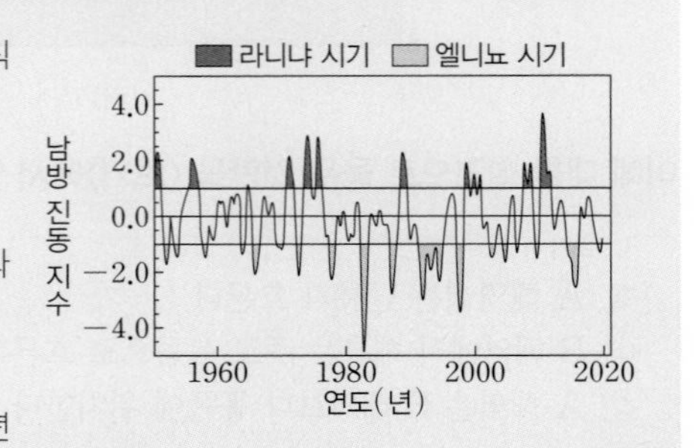

② 지구의 기후 변화

(1) 기후 변화의 요인

① 자연적 요인 중 지구 외적 요인

- 세차 운동(지구 자전축의 경사 방향 변화): 지구의 자전축이 약 26000년을 주기로 회전하여 경사 방향이 변한다. ➡ 현재 북반구는 원일점에서 여름이고 근일점에서 겨울이다. 세차 운동에 의해 약 13000년 후에는 북반구는 원일점에서 겨울이고 근일점에서 여름이므로 현재보다 기온의 연교차가 커진다.
- 지구 자전축의 기울기 변화: 지구 자전축의 기울기는 약 41000년을 주기로 약 21.5°~24.5° 사이에서 변한다. ➡ 지구 자전축의 기울기가 현재보다 커지면 중위도와 고위도 지방의 여름은 더 더워지고 겨울은 더 추워져 기온의 연교차가 커진다.
- 지구 공전 궤도 이심률의 변화: 지구 공전 궤도의 모양은 약 10만 년을 주기로 원에 가까워졌다가 좀 더 납작한 타원 모양으로 변한다. ➡ 지구의 공전 궤도 이심률이 커지면 북반구에서 여름에 지구는 태양에서 멀어지고 겨울에 지구는 태양에 가까워지므로 기온의 연교차가 작아진다.

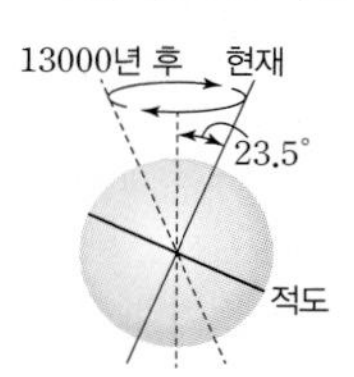

▲ 지구 자전축의 경사 방향 변화

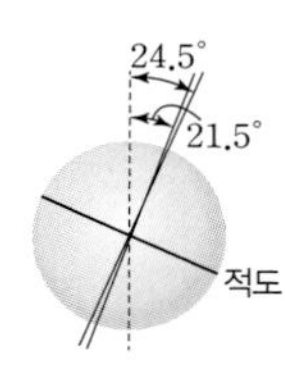

▲ 지구 자전축의 기울기 변화

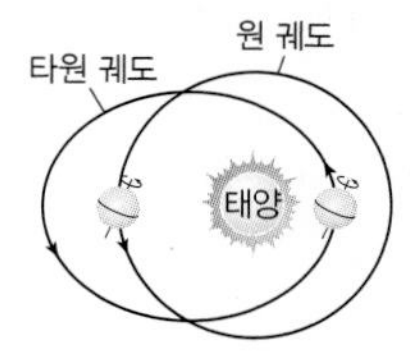

▲ 지구 공전 궤도 이심률의 변화

② 자연적 요인 중 지구 내적 요인

- 화산 활동: 많은 양의 화산재가 대기 중으로 분출되면 지구의 반사율이 증가하여 기온이 낮아진다.
- 수륙 분포의 변화: 대륙과 해양은 비열과 반사율이 다르며 판의 운동에 의해 수륙 분포가 달라지면 기후가 변한다.
- 지표면의 상태 변화: 빙하의 분포나 식생 분포의 변화 등 지표면의 상태가 변하면 지구가 흡수하는 태양 복사 에너지의 양이 달라져 기후가 변한다.

③ 인위적 요인: 화석 연료 사용량 증가로 인한 온실 기체 증가, 과도한 삼림 벌채나 도시화 등으로 지표의 반사율이 변하면 기후 변화가 일어난다.

(2) 인간의 활동에 의한 기후 변화

① 온실 효과: 지구 대기는 파장이 짧은 태양 복사 에너지는 잘 통과시키지만, 파장이 긴 지구 복사 에너지는 대부분 흡수하였다가 지표로 재복사하여 지구의 온도를 높인다. ➡ 주요 온실 기체에는 수증기, 이산화 탄소, 메테인, 오존, 질소 산화물 등이 있다.

② 지구 온난화: 최근 들어 주로 인간 활동에 의해 대기 중의 온실 기체가 증가함에 따라 온실 효과가 증대되어 지구의 평균 기온이 상승하는 현상이다.

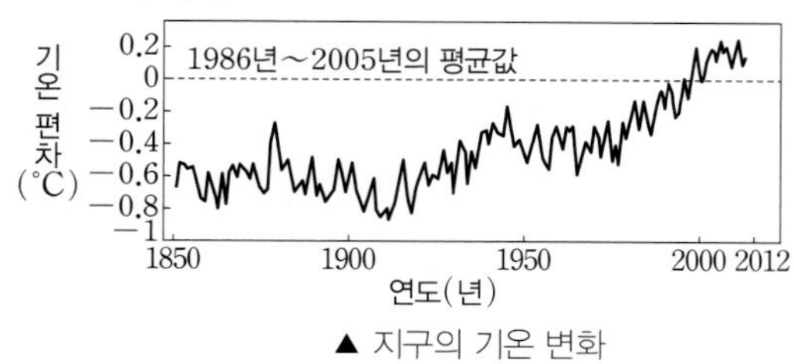

▲ 지구의 기온 변화

③ 지구 온난화의 영향: 해수의 부피가 팽창하고, 대륙 빙하가 녹아 해수면이 상승한다. 또한 기후대가 변하여 생태계 변화, 식량 생산 감소, 질병 증가 등이 예상되며, 기상 이변의 발생 횟수와 강도가 증가한다.

④ 우리나라의 기후 변화: 기온이 전 지구의 평균 기온 상승률보다 더 빠르게 상승하고 있으며, 강수량도 대체로 증가하는 경향을 보인다. ➡ 아열대 기후대가 확산되고, 주요 작물 재배지가 북상하고 있다.

(3) 기후 변화에 대한 대응

① 자원 절약, 신·재생 에너지 개발, 이산화 탄소 포집 및 저장 기술 개발 등을 통해 온실 기체 배출량을 줄인다.

② 기후 변화에 대응하기 위한 국제적 노력

- 기후 변화에 관한 국제 연합 기본 협약(1992년): 지구 온난화 방지를 위한 협약
- 교토 의정서(1997년): 온실 기체의 감축 목표치를 규정한 국제 협약
- 파리 협정(2015년): 전 세계 온실 기체 감축을 위한 국제 협약

더 알기 지구의 복사 평형

그림 (가)와 (나)는 복사 평형 상태에서의 지구 열수지를 대기의 유무에 따라 나타낸 것이다.

- (가)에서 지구는 태양 복사 에너지의 흡수량과 지구 복사 에너지의 방출량이 같으므로 복사 평형을 이룬다.
  ➡ 태양 복사 에너지 흡수량(100)=지구 복사 에너지 방출량(100)
- (나)에서 지구에 입사하는 태양 복사 에너지 100 중 25는 대기와 구름에 흡수, 45는 지표면에 흡수, 30은 우주 공간으로 반사된다.
  ➡ 지구의 반사량(30)=대기와 구름의 반사(25)+지표면의 반사(5)
- (나)에서 지구에서 우주로 방출되는 지구 복사 에너지 70 중 66은 대기 복사이고, 4는 지표면 복사이다.
  ➡ 지구 복사 에너지양(70)=대기와 구름에서 방출(66)+지표면에서 직접 방출(4)
- (나)에서 지구는 흡수하는 태양 복사 에너지양과 방출하는 지구 복사 에너지양이 같으므로 복사 평형을 이루며, 대기와 지표면 각각도 열수지 평형을 이룬다.
  ➡ 태양 복사 에너지 흡수량(70)=지구 복사 에너지 방출량(70)

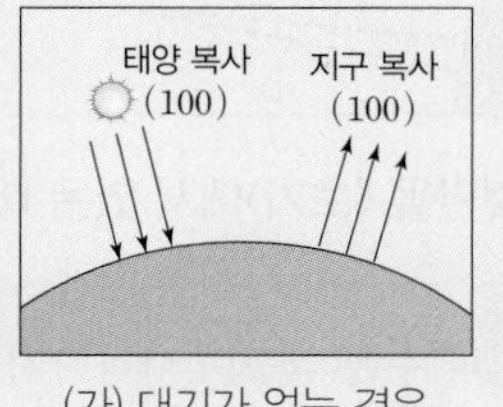

(가) 대기가 없는 경우

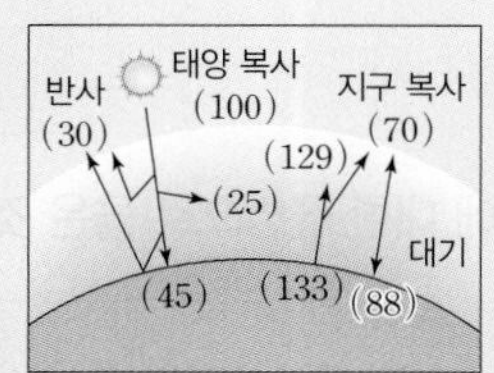

(나) 대기가 있는 경우

테마 대표 문제

| 2024학년도 수능 |

그림 (가)는 기상 위성으로 관측한 서태평양 적도 부근의 수증기량 편차를, (나)는 A와 B 중 한 시기에 관측한 태평양 적도 부근 해역의 해수면 높이 편차를 나타낸 것이다. A와 B는 각각 엘니뇨와 라니냐 시기 중 하나이고, 편차는 (관측값－평년값)이다.

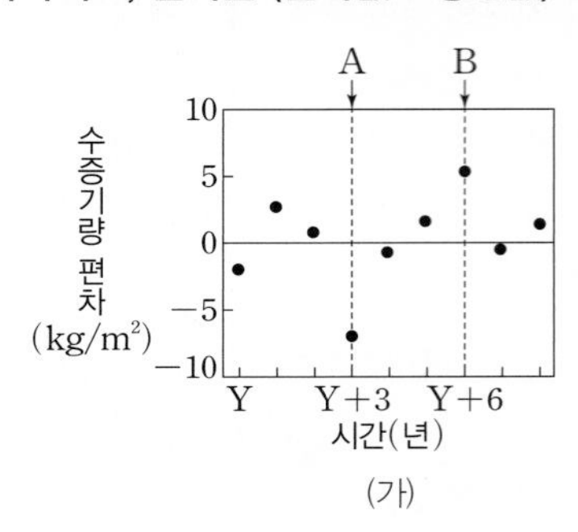

(가)

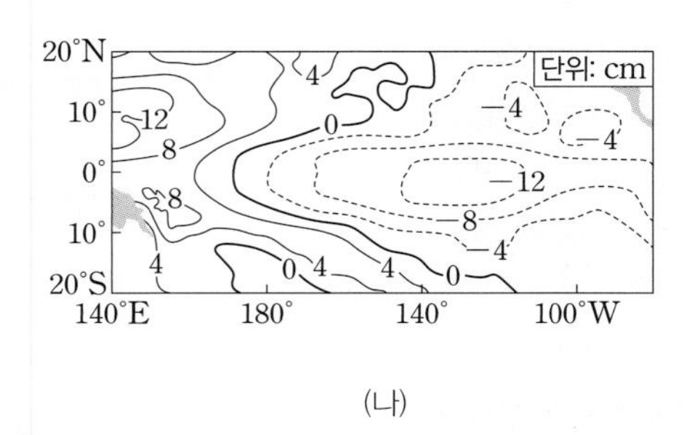

(나)

이에 대한 설명으로 옳은 것만을 〈보기〉에서 있는 대로 고른 것은?

보기

ㄱ. (나)는 B에 해당한다.

ㄴ. 동태평양 적도 부근 해역에서 수온 약층이 나타나기 시작하는 깊이는 A가 B보다 깊다.

ㄷ. 적도 부근 해역에서 (동태평양 해면 기압 편차－서태평양 해면 기압 편차) 값은 A가 B보다 크다.

① ㄱ ② ㄷ ③ ㄱ, ㄴ ④ ㄴ, ㄷ ⑤ ㄱ, ㄴ, ㄷ

접근 전략

서태평양 적도 부근의 수증기량 편차가 음(－)의 값인 A는 엘니뇨 시기이고, 서태평양 적도 부근의 수증기량 편차가 양(＋)의 값인 B는 라니냐 시기임을 알아야 한다.

간략 풀이

ㄱ. (나)에서 동태평양 적도 부근 해역의 해수면 높이 편차가 음(－)의 값인 것으로 보아 (나)는 라니냐 시기(B)에 해당한다.

ㄴ. 동태평양 적도 부근 해역에서 수온 약층이 나타나기 시작하는 깊이는 엘니뇨 시기(A)가 라니냐 시기(B)보다 깊다.

ㄷ. 엘니뇨 시기(A)에 동태평양 적도 부근 해역에서 해면 기압 편차는 음(－)의 값이고 서태평양 적도 부근 해역에서 해면 기압 편차는 양(＋)의 값이다. 라니냐 시기(B)에 동태평양 적도 부근 해역에서 해면 기압 편차는 양(＋)의 값이고 서태평양 적도 부근 해역에서 해면 기압 편차는 음(－)의 값이다. 따라서 적도 부근 해역에서 (동태평양 해면 기압 편차－서태평양 해면 기압 편차) 값은 A가 B보다 작다.

정답 | ③

닮은 꼴 문제로 유형 익히기

정답과 해설 25쪽

▸24069-0140

그림은 태평양 적도 부근 해역에서 엘니뇨 시기와 라니냐 시기의 해수면과 수온 약층이 나타나기 시작하는 깊이를 모식적으로 나타낸 것이다. A와 B는 각각 엘니뇨 시기와 라니냐 시기의 해수면 중 하나이고, a와 b는 각각 엘니뇨 시기와 라니냐 시기에 수온 약층이 나타나기 시작하는 깊이 중 하나이다. 편차는 (관측값－평년값)이다.

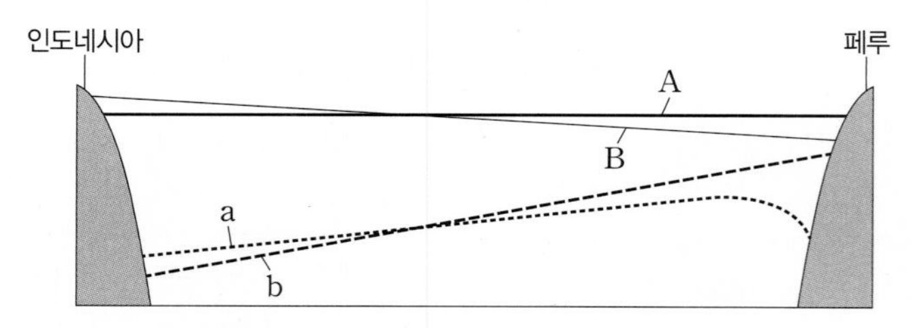

이에 대한 설명으로 옳은 것만을 〈보기〉에서 있는 대로 고른 것은?

보기

ㄱ. 엘니뇨 시기의 해수면과 수온 약층이 나타나기 시작하는 깊이는 각각 B와 a이다.

ㄴ. A가 나타나는 시기에 동태평양 적도 부근 해역에서 강수량 편차는 양(＋)의 값이다.

ㄷ. b가 나타나는 시기에 적도 부근 해역에서 (동태평양 해면 기압 편차－서태평양 해면 기압 편차)는 음(－)의 값이다.

① ㄱ ② ㄴ ③ ㄱ, ㄷ ④ ㄴ, ㄷ ⑤ ㄱ, ㄴ, ㄷ

유사점과 차이점

엘니뇨 시기와 라니냐 시기에 태평양 적도 부근 해역에서의 해수면 높이 변화와 수온 약층이 나타나기 시작하는 깊이 변화를 다룬다는 점에서 대표 문제와 유사하지만, 태평양 적도 부근 해역의 강수량 변화를 파악해야 한다는 점에서 대표 문제와 다르다.

배경 지식

- 엘니뇨 시기에 동태평양 적도 부근 해역의 해수면 높이 편차는 양(＋)의 값이고, 라니냐 시기에 동태평양 적도 부근 해역의 해수면 높이 편차는 음(－)의 값이다.
- 엘니뇨 시기에 동태평양 적도 부근 해역에서 수온 약층이 나타나기 시작하는 깊이 편차는 양(＋)의 값이고, 라니냐 시기에 동태평양 적도 부근 해역에서 수온 약층이 나타나기 시작하는 깊이 편차는 음(－)의 값이다.

01

▸24069-0141

그림 (가)와 (나)는 각각 일정한 방향으로 지속적으로 부는 바람에 의해 연안 용승이 일어나는 북반구 해역과 남반구 해역을 나타낸 것이다.

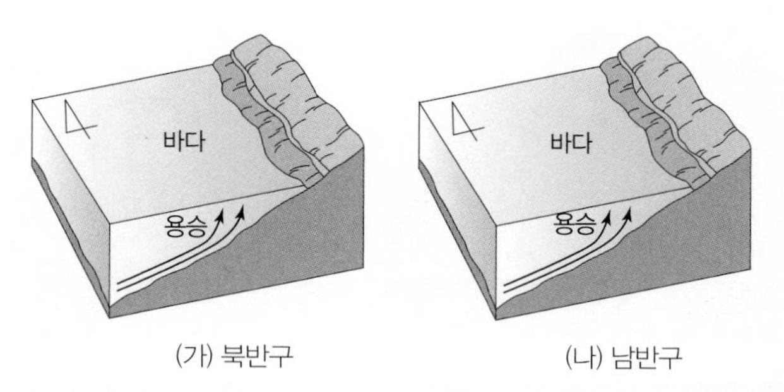

(가) 북반구 (나) 남반구

(가)와 (나) 해역 각각에서 지속적으로 부는 바람의 방향으로 적절한 것을 〈보기〉에서 골라 옳게 짝지은 것은?

보기

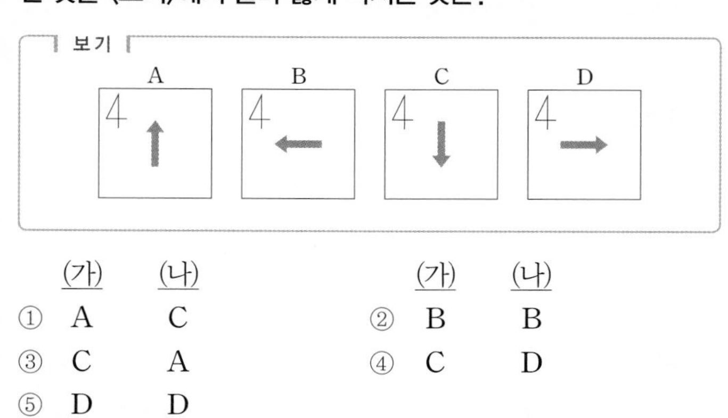

	(가)	(나)
①	A	C
②	B	B
③	C	A
④	C	D
⑤	D	D

02

▸24069-0142

그림은 동풍이 지속적으로 부는 북반구 어느 해역을 나타낸 것이다. 이 연안에서는 지속적으로 부는 바람에 의해 용승 또는 침강이 일어나고 있다.

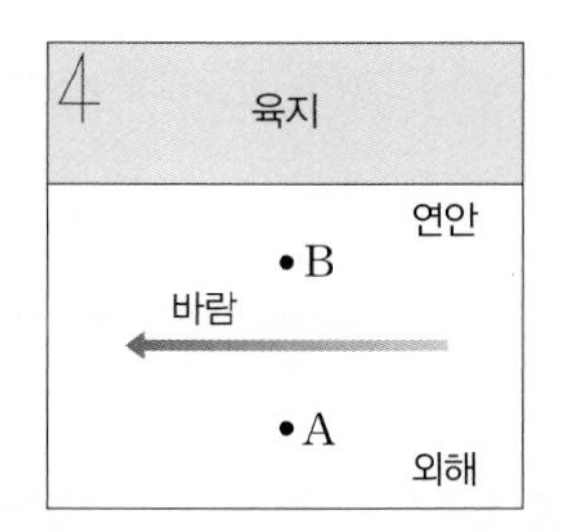

이에 대한 설명으로 옳은 것만을 〈보기〉에서 있는 대로 고른 것은?

보기

ㄱ. 연안에서 용승이 일어난다.

ㄴ. 표층 해수는 주로 북쪽으로 이동한다.

ㄷ. 해수면의 높이는 A에서 B로 갈수록 낮아지는 경향을 보인다.

① ㄱ ② ㄴ ③ ㄷ ④ ㄱ, ㄷ ⑤ ㄴ, ㄷ

03

▸24069-0143

그림은 전 세계에서 연안 용승이 일어나는 해역 A～D와 각 해역에서 지속적으로 부는 바람의 방향을 나타낸 것이다.

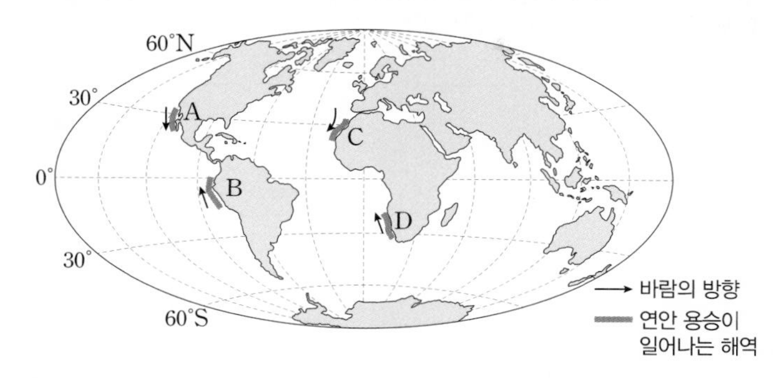

해역 A～D에 대한 공통적인 설명으로 옳은 것만을 〈보기〉에서 있는 대로 고른 것은?

보기

ㄱ. 지속적으로 부는 바람에 의해 표층 해수가 주로 먼 바다로 이동한다.

ㄴ. 아열대 순환을 이루는 한류의 영향을 받고 있다.

ㄷ. 지속적으로 부는 바람에 의해 표층 해수는 주로 바람 방향의 오른쪽 직각 방향으로 이동한다.

① ㄱ ② ㄷ ③ ㄱ, ㄴ ④ ㄴ, ㄷ ⑤ ㄱ, ㄴ, ㄷ

04

▸24069-0144

그림 (가)와 (나)는 엘니뇨 시기와 라니냐 시기에 태평양 적도 해역에서의 수온 약층 분포를 순서 없이 모식적으로 나타낸 것이다.

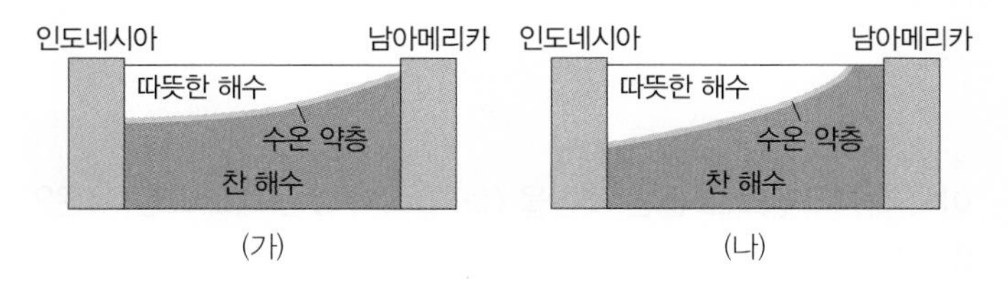

(가) (나)

(가) 시기와 비교한 (나) 시기에 대한 설명으로 옳은 것만을 〈보기〉에서 있는 대로 고른 것은?

보기

ㄱ. 태평양 적도 부근 해역에서 무역풍의 세기가 약하다.

ㄴ. 동태평양 적도 부근 해역에서 용승이 강하다.

ㄷ. $\frac{\text{서태평양 적도 해역의 평균 해면 기압}}{\text{동태평양 적도 해역의 평균 해면 기압}}$이 크다.

① ㄱ ② ㄴ ③ ㄷ ④ ㄱ, ㄴ ⑤ ㄴ, ㄷ

05

▸24069-0145

그림은 어느 시기에 태평양 적도 해역($2^\circ N \sim 2^\circ S$)에서 관측한 해수면 수온 편차(관측값－평년값)를 나타낸 것이다. 이 시기는 엘니뇨 시기 또는 라니냐 시기이다.

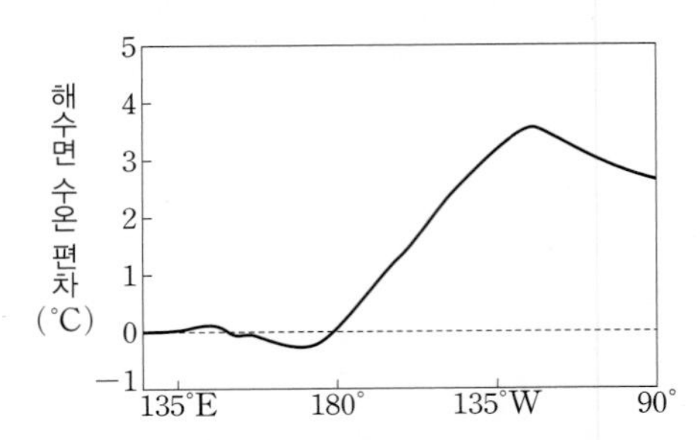

이 시기에 대한 설명으로 옳은 것만을 〈보기〉에서 있는 대로 고른 것은?

보기
ㄱ. 라니냐 시기이다.
ㄴ. (서태평양 적도 해역의 해수면 높이－동태평양 적도 해역의 해수면 높이)는 평상시보다 작다.
ㄷ. 태평양 적도 해역에서 무역풍의 세기는 평상시보다 강하다.

① ㄱ ② ㄴ ③ ㄷ
④ ㄱ, ㄴ ⑤ ㄱ, ㄷ

06

▸24069-0146

그림은 (가) 시기와 (나) 시기에 지구 자전축의 기울기와 태양 방향을 나타낸 것이다. (가)와 (나) 시기 모두에서 지구는 근일점에 위치한다.

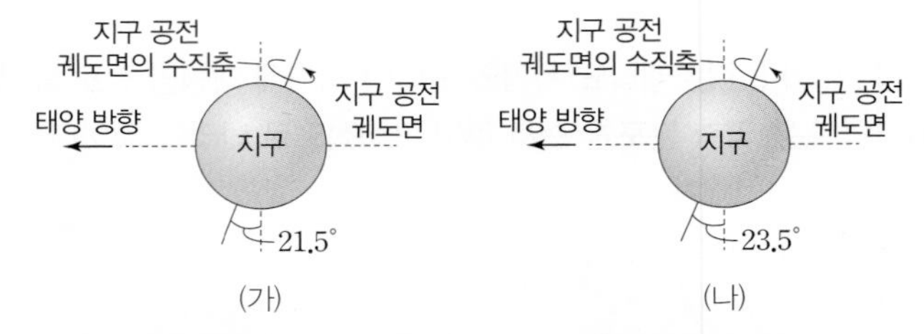

이에 대한 설명으로 옳은 것만을 〈보기〉에서 있는 대로 고른 것은? (단, 지구 자전축의 기울기 이외의 요인은 고려하지 않는다.)

보기
ㄱ. 30°N에 입사되는 태양 복사 에너지양은 (가)가 (나)보다 많다.
ㄴ. 남반구에서 태양의 최대 고도가 90°인 위도는 (가)가 (나)보다 높다.
ㄷ. 지구 전체에 입사되는 태양 복사 에너지양은 (가)와 (나)가 같다.

① ㄱ ② ㄴ ③ ㄷ
④ ㄱ, ㄷ ⑤ ㄴ, ㄷ

07

▸24069-0147

그림은 복사 평형을 이루고 있는 현재의 지구 열수지를 나타낸 것이다.

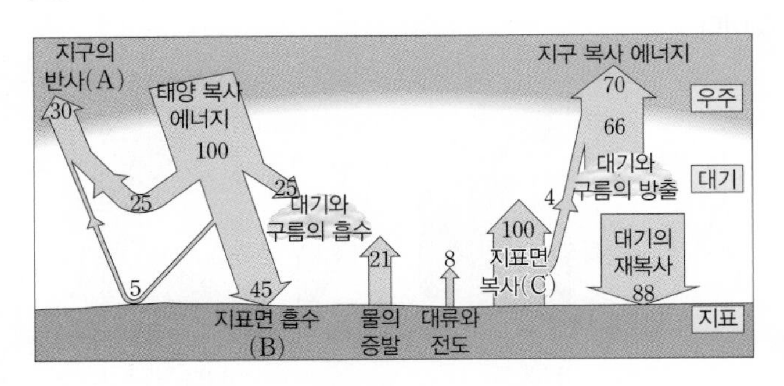

대기가 없고 지구가 복사 평형을 이룬다고 가정할 때, A, B, C 중에서 현재보다 에너지양이 큰 것만을 있는 대로 고른 것은? (단, 대기 이외의 요인은 고려하지 않는다.)

① A ② B ③ A, C
④ B, C ⑤ A, B, C

08

▸24069-0148

그림은 지구의 연평균 기온이 과거(1850년～1900년)의 평균 기온보다 2 ℃ 상승한다고 가정할 때, 전 지구의 연평균 기온 상승량 분포를 나타낸 것이다.

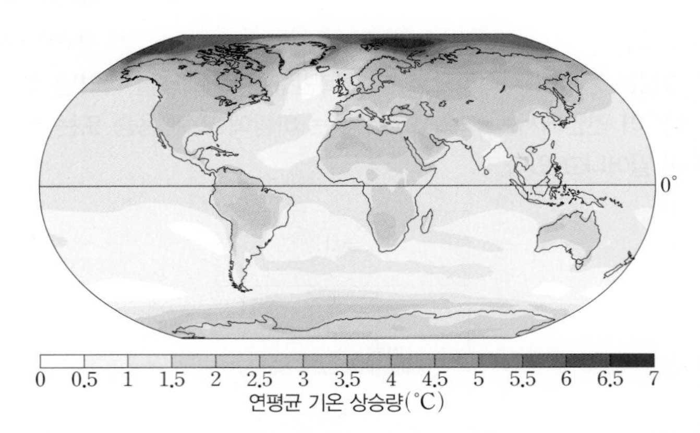

이 자료에 대한 설명으로 옳은 것만을 〈보기〉에서 있는 대로 고른 것은?

보기
ㄱ. 연평균 기온 상승량은 북반구가 남반구보다 크다.
ㄴ. 남반구에서 연평균 기온 상승량은 대륙이 바다보다 크다.
ㄷ. 북극 지방에서 지표면 반사율은 과거(1850년～1900년)의 평균 지표면 반사율보다 작을 것이다.

① ㄱ ② ㄷ ③ ㄱ, ㄴ
④ ㄴ, ㄷ ⑤ ㄱ, ㄴ, ㄷ

01

▸24069-0149

그림은 바람이 일정한 방향으로 지속적으로 불고 있는 남반구 어느 연안에서 동서 방향의 해수의 연직 밀도 분포를 나타낸 것이다. 이 연안에서는 지속적으로 부는 바람에 의해 용승 또는 침강이 일어나고 있다.

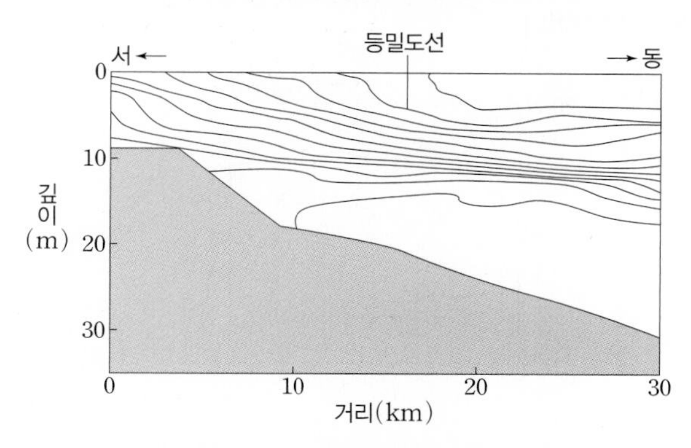

이 연안에 대한 설명으로 옳은 것만을 〈보기〉에서 있는 대로 고른 것은? (단, 이 연안에서 해수의 염분은 일정하다고 가정한다.)

보기
ㄱ. 연안 용승이 일어나고 있다.
ㄴ. 북풍 계열의 바람이 지속적으로 불고 있다.
ㄷ. 해수면 부근에서의 해수 밀도는 동쪽으로 갈수록 증가하는 경향을 보인다.

① ㄱ ② ㄷ ③ ㄱ, ㄴ ④ ㄴ, ㄷ ⑤ ㄱ, ㄴ, ㄷ

02

▸24069-0150

그림 (가)는 어느 해역에 위치한 열대 저기압의 모습을 나타낸 것이고, (나)는 (가)의 X−Y 구간에서 해수의 연직 구조를 해수면을 표시하지 않고 나타낸 것이다.

(가)

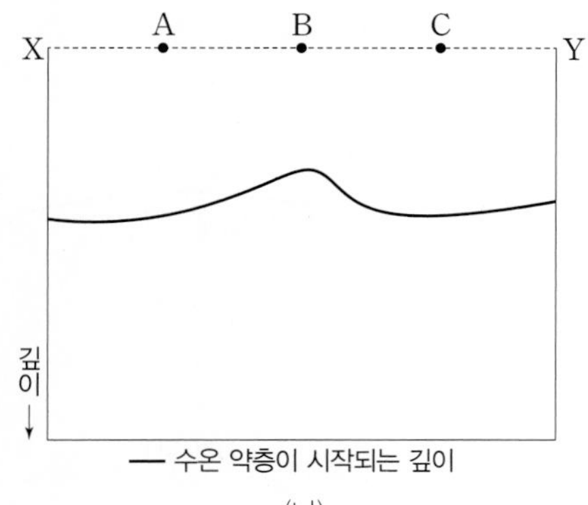

(나)

A, B, C 해역에 대한 설명으로 옳은 것만을 〈보기〉에서 있는 대로 고른 것은? (단, 용승 이외의 효과는 고려하지 않는다.)

보기
ㄱ. A에서는 북풍 계열의 바람이 남풍 계열의 바람보다 우세하다.
ㄴ. A와 C 모두에서 바람에 의해 표층 해수는 주로 동쪽 방향으로 이동한다.
ㄷ. 표층 수온은 B 부근이 C 부근보다 낮을 것이다.

① ㄱ ② ㄴ ③ ㄱ, ㄷ ④ ㄴ, ㄷ ⑤ ㄱ, ㄴ, ㄷ

03

▸24069-0151

그림 (가)와 (나)는 엘니뇨 시기에 A 해역(20°N~20°S, 120°E~170°E)과 B 해역(20°N~20°S, 120°W~170°W)을 기상 위성으로 관측한 적외선 방출 복사 에너지양의 편차(관측값－평년값)를 순서 없이 나타낸 것이다. 적외선 방출 복사 에너지는 구름, 대기, 지표에서 방출된 에너지이다.

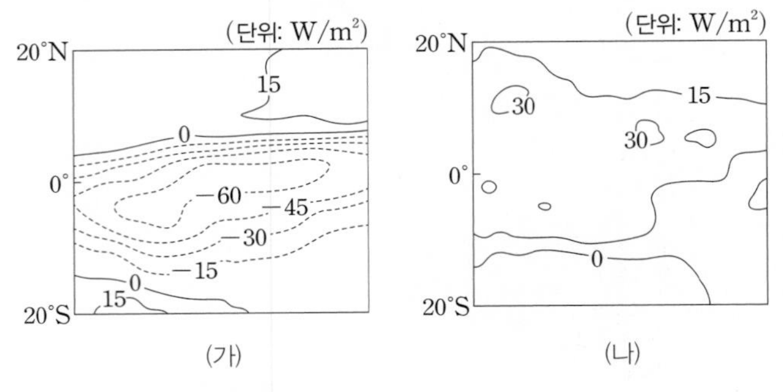

이에 대한 설명으로 옳은 것만을 〈보기〉에서 있는 대로 고른 것은?

보기

ㄱ. (가)는 B 해역이다.
ㄴ. (가)에서 적도 해역 해수면 수온 편차는 음(−)의 값이다.
ㄷ. (나)에서 적도 해역 해면 기압 편차는 양(+)의 값이다.

① ㄱ ② ㄴ ③ ㄷ ④ ㄱ, ㄷ ⑤ ㄴ, ㄷ

04

▸24069-0152

그림은 현재와 A 시기 각각에서 1년 동안 태양과 지구 사이의 거리를 나타낸 것이다. ㉠과 ㉡은 각각 지구가 근일점과 원일점에 위치할 때이다.

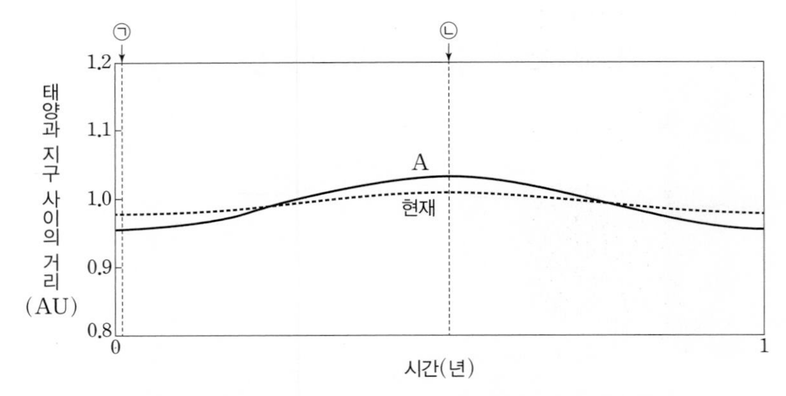

이에 대한 설명으로 옳은 것만을 〈보기〉에서 있는 대로 고른 것은? (단, 지구 공전 궤도 이심률 이외의 요인은 고려하지 않는다.)

보기

ㄱ. 근일점에서 원일점까지의 거리는 A 시기가 현재보다 길다.
ㄴ. 30°S에서 기온의 연교차는 A 시기가 현재보다 크다.
ㄷ. A 시기에 30°N에서 낮의 길이는 ㉠이 ㉡보다 길다.

① ㄱ ② ㄴ ③ ㄷ ④ ㄱ, ㄴ ⑤ ㄴ, ㄷ

05

▸24069-0153

그림은 1985년부터 2020년까지 대기 중의 이산화 탄소, 메테인의 농도 변화와 2000년의 온실 효과 기여도를 나타낸 것이다. A와 B는 각각 이산화 탄소와 메테인 중 하나이다.

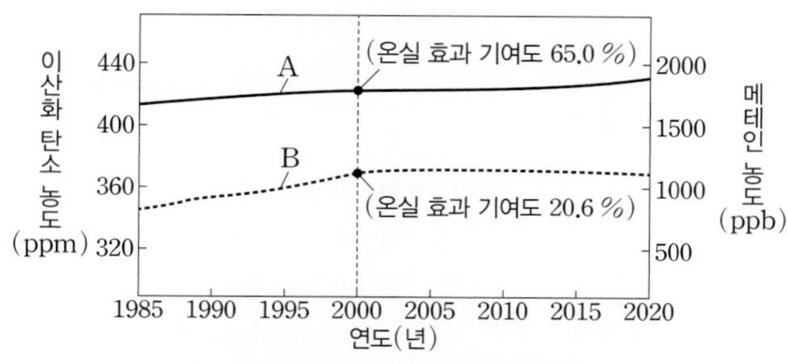

※ 온실 효과 기여도: 인위적 요인으로 발생한 온실 기체에 의한 전체 온실 효과 중 각 대기 성분이 기여하는 정도

※ ppm: 100만분율, ppb: 10억분율

이에 대한 설명으로 옳은 것만을 〈보기〉에서 있는 대로 고른 것은?

보기

ㄱ. A는 이산화 탄소이다.

ㄴ. 2020년에 대기 중 농도는 A가 B보다 높다.

ㄷ. 2000년에 단위 농도의 기체가 온실 효과에 기여하는 정도는 A가 B보다 크다.

① ㄱ ② ㄷ ③ ㄱ, ㄴ ④ ㄴ, ㄷ ⑤ ㄱ, ㄴ, ㄷ

06

▸24069-0154

그림 (가)는 현재(1995년~2014년) 대비 동아시아 지역의 기온 변화량을 이산화 탄소 배출량에 따른 시나리오 A와 B에 따라 나타낸 것이고, (나)와 (다)는 각각 A 또는 B에 따른 동아시아 지역의 현재 대비 ㉠ 기간의 평균 강수량 변화율을 나타낸 것이다. A와 B는 각각 고탄소 배출 시나리오와 저탄소 배출 시나리오 중 하나이다.

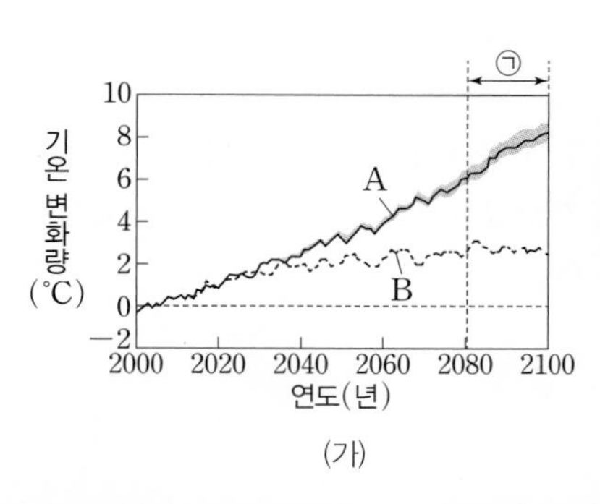

(가)

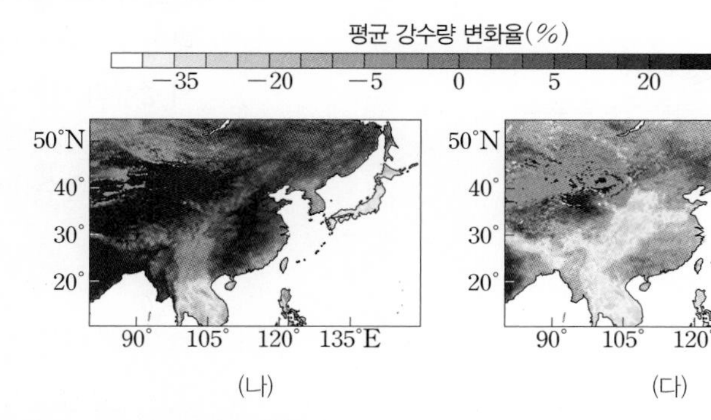

(나)

(다)

이 자료에 대한 설명으로 옳은 것만을 〈보기〉에서 있는 대로 고른 것은?

보기

ㄱ. A는 고탄소 배출 시나리오이다.

ㄴ. B에 따른 동아시아 지역의 현재 대비 ㉠ 기간의 평균 강수량 변화율은 (다)이다.

ㄷ. ㉠ 기간의 한반도 평균 강수량은 A가 B보다 많다.

① ㄱ ② ㄷ ③ ㄱ, ㄴ ④ ㄴ, ㄷ ⑤ ㄱ, ㄴ, ㄷ

11 별의 물리량과 분류

1 별의 물리량

(1) 분광 관측

① 분광 관측: 분광기를 사용하여 천체로부터 오는 전자기파를 파장별로 분산시켜서 나타난 스펙트럼을 관측하는 것으로, 별의 물리량 파악에 중요한 역할을 한다.

② 스펙트럼의 종류

- 연속 스펙트럼: 넓은 파장 범위에 걸쳐 연속적으로 나타나는 스펙트럼이다. 백열등 빛을 분광기에 통과시키면 무지개 색깔의 연속적인 색의 띠를 관찰할 수 있다.
- 방출 스펙트럼: 기체가 고온으로 가열될 때 불연속적인 파장의 빛이 방출되면서 특정 파장에서 밝은 선(방출선)이 나타나는 스펙트럼이다.
- 흡수 스펙트럼: 연속 스펙트럼이 나타나는 빛을 저온의 기체에 통과시키면 연속 스펙트럼 위에 특정 파장에서 검은색 선(흡수선)이 나타나는 스펙트럼이다.

(2) 별의 표면 온도: 표면 온도가 높을수록 짧은 파장의 빛(파란색)이, 표면 온도가 낮을수록 긴 파장의 빛(붉은색)이 많이 방출된다.

① 흑체: 입사하는 모든 복사 에너지를 흡수하고, 흡수한 복사 에너지를 모두 방출하는 이상적인 물체를 흑체라고 한다.

- 플랑크 곡선: 흑체가 방출하는 파장에 따른 복사 에너지 세기를 나타낸 곡선이다.

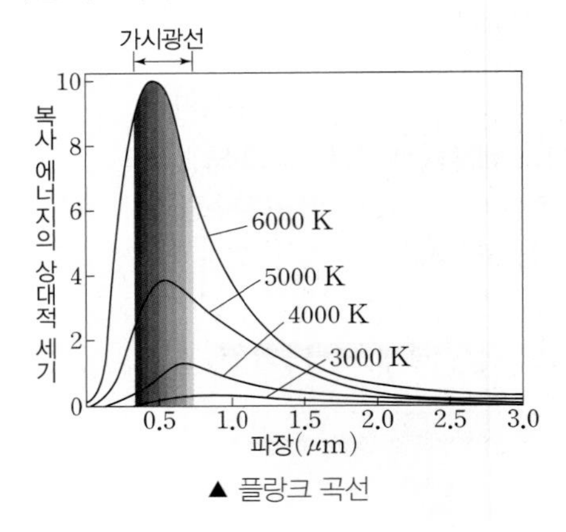

▲ 플랑크 곡선

- 빈의 변위 법칙: 흑체가 최대 복사 에너지를 방출하는 파장(λ_{max})은 표면 온도(T)가 높을수록 짧아진다.

$$\lambda_{max}=\frac{a}{T}\ (a=2.898\times10^{-3}\ \mathrm{m\cdot K})$$

② 색지수와 표면 온도

- 색지수는 별의 표면 온도를 나타내는 척도로 사용되며, U, B, V 필터로 정해지는 겉보기 등급의 차를 이용한다. 색지수는 일반적으로 (B−V)를 사용하며, 별의 표면 온도가 높을수록 작아진다.

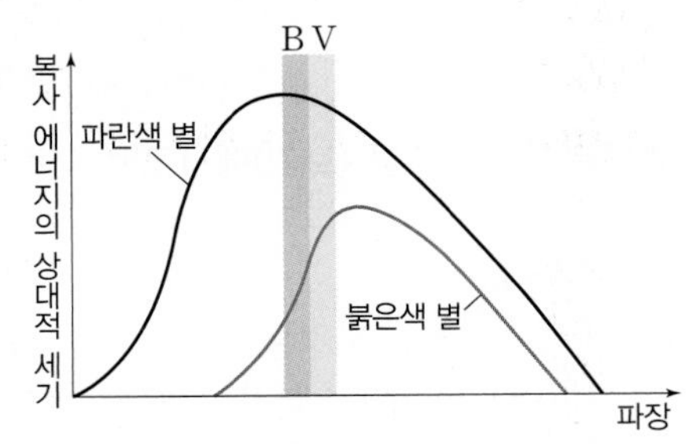

▲ 별의 색과 B, V 필터의 파장에 따른 빛의 투과 영역

- 색지수와 표면 온도: 표면 온도가 높은 별은 파장이 짧은 자외선과 파란색 부근에서 에너지를 많이 방출하므로 B 등급이 작지만, 파장이 긴 붉은색 부근에서는 에너지를 적게 방출하므로 V 등급이 크다. 즉, 별의 표면 온도가 높을수록 색지수(B−V)는 작아진다.

③ 분광형과 표면 온도

- 분광형: 별의 표면 온도에 따라 스펙트럼을 O, B, A, F, G, K, M형의 7개로 분류하며, 각각의 분광형은 다시 고온의 0에서 저온의 9까지 10등급으로 세분한다.
- 별의 대기에 존재하는 원소들은 별의 표면 온도에 따라 스펙트럼의 특정한 영역에서 흡수선을 형성하므로, 흡수 스펙트럼선의 종류와 세기는 별의 표면 온도에 따라 달라진다.
- 태양은 표면 온도가 약 5800 K인 노란색 별로, 이온화된 칼슘(CaⅡ) 흡수선이 가장 강하게 나타나며, 분광형은 G2형이다.

더 알기 별의 분광형과 흡수선의 종류 및 세기

- 표면 온도가 높은 O형, B형 별에서는 이온화된 헬륨(HeⅡ)이나 중성 헬륨(HeⅠ)에 의한 흡수선이, 표면 온도가 낮은 K형, M형 별에서는 금속 원소와 분자에 의한 흡수선이 강하게 나타난다. 또한 표면 온도가 약 10000 K인 A형 별에서는 수소(HⅠ)에 의한 흡수선이 강하게 나타난다.
- HⅠ, HeⅡ 등의 기호에 붙은 로마 숫자는 떨어져 나간 전자의 개수를 나타낸다. 전자가 떨어져 나가지 않은 중성 원자는 Ⅰ, 전자 1개가 떨어져 나가 +1가로 이온화된 원자는 Ⅱ, 전자 2개가 떨어져 나가 +2가로 이온화된 원자는 Ⅲ을 붙여 표현한다.

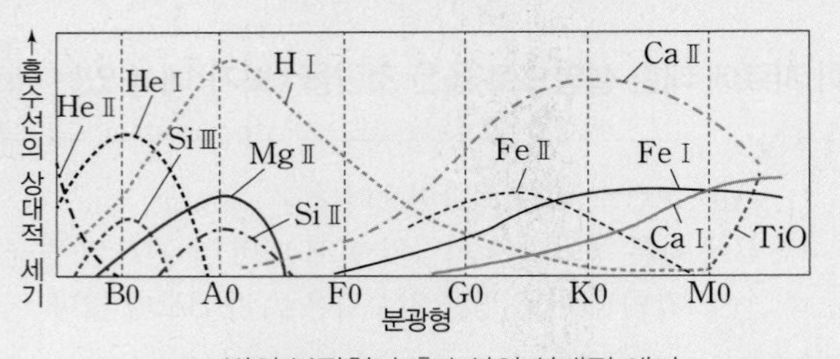

▲ 별의 분광형과 흡수선의 상대적 세기

(3) 별의 광도와 크기

① 슈테판·볼츠만 법칙: 흑체가 단위 시간에 단위 면적당 방출하는 에너지양(E)은 표면 온도(T)의 4제곱에 비례한다.

$$E=\sigma T^4\ (\sigma=5.670\times10^{-8}\ \mathrm{W\cdot m^{-2}\cdot K^{-4}})$$

② 별의 광도: 별이 단위 시간 동안 방출하는 에너지양으로, 반지름이 R인 별의 광도(L)는 별의 표면적과 별이 단위 시간에 단위 면적당 방출하는 에너지양을 곱하여 얻을 수 있다.

$$L=4\pi R^2\cdot\sigma T^4$$

③ 별의 반지름: 별의 표면 온도(T)와 별의 광도(L)를 알면 별의 반지름(R)을 알아낼 수 있다.

$$R\propto\frac{\sqrt{L}}{T^2}$$

④ 별의 광도 계급: 별의 표면 온도와 광도를 고려하여 별을 분류한 것이다.

- 분광형이 같은 경우, 별의 반지름이 클수록 스펙트럼 흡수선의 선폭이 좁아지는 현상을 이용하여 별의 크기와 광도를 결정한 후, 같은 분광형을 가진 별들을 광도에 따라 분류할 수 있는데, 이를 광도 계급이라고 한다.
- 분광형이 같을 때 광도 계급이 클수록 별의 크기와 광도는 대체로 작다.
- 태양은 표면 온도가 약 5800 K이고 주계열성에 해당하므로, 태양의 분광형과 광도 계급은 G2Ⅴ이다.

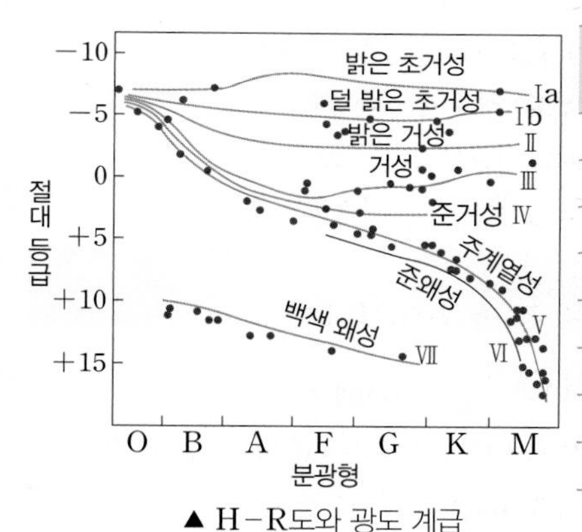

광도 계급	별의 종류
Ia	밝은 초거성
Ib	덜 밝은 초거성
Ⅱ	밝은 거성
Ⅲ	거성
Ⅳ	준거성
Ⅴ	주계열성(왜성)
Ⅵ	준왜성
Ⅶ	백색 왜성

▲ H－R도와 광도 계급

2 H－R도와 별의 종류

(1) H－R도

① H－R도: 가로축에 별의 분광형(또는 표면 온도)을, 세로축에 별의 절대 등급(또는 광도)을 나타낸 그래프로, 별의 표면 온도, 광도, 반지름 등의 물리적 특성을 파악할 수 있다.

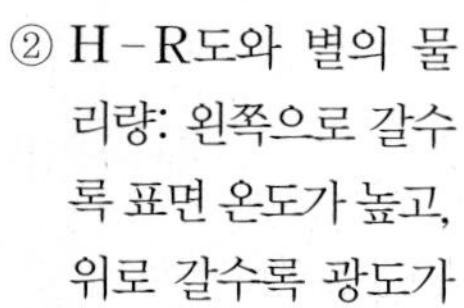

② H－R도와 별의 물리량: 왼쪽으로 갈수록 표면 온도가 높고, 위로 갈수록 광도가 크다. 또한 오른쪽 위로 갈수록 반지름이 크고, 왼쪽 아래(반지름이 작아지는 방향)로 갈수록 평균 밀도가 대체로 크다.

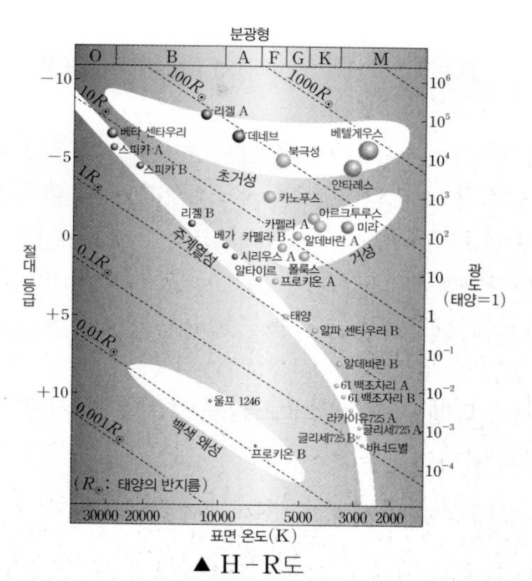

▲ H－R도

(2) 별의 종류

① 주계열성: H－R도의 왼쪽 위에서 오른쪽 아래로 대각선을 따라 분포하는 별들로, 전체 별들의 약 80～90 %를 차지한다. H－R도에서 주계열성이 다른 집단에 비해 많은 이유는 별들이 주계열 단계에서 가장 오랫동안 머무르기 때문이다. ➡ 왼쪽 위에 분포할수록 표면 온도가 높고 광도가 크며 반지름과 질량이 크다.

② 적색 거성(거성): H－R도의 오른쪽 위에 분포하는 별들로, 표면 온도는 낮지만 반지름이 커서 광도가 크고 붉은색을 띤다. 반지름은 태양의 약 10배～100배이며, 광도는 태양의 약 10배～1000배이다.

③ 초거성: H－R도에서 적색 거성보다 더 위쪽에 분포하는 매우 밝은 별들로, 주계열성이나 적색 거성에 비해 반지름이 커서 광도가 매우 크지만, 평균 밀도는 매우 작다. 반지름은 태양의 약 수백 배～1000배 이상이며, 광도는 태양의 약 수만 배～수십만 배이다.

④ 백색 왜성: H－R도의 왼쪽 아래에 분포하는 별들로, 표면 온도는 높지만 반지름이 매우 작아서 광도가 작으며, 평균 밀도는 태양의 약 100만 배로 매우 크다.

더 알기 흑체 복사 법칙을 이용하여 태양의 반지름 구하기

- 별은 거리가 매우 멀기 때문에 점처럼 보이므로 관측을 통해 직접 별의 크기를 알아낼 수 없다. 따라서 별의 크기를 구하기 위해서는 먼저 스펙트럼 분석을 통해 별의 표면 온도를 알아내고, 별의 절대 등급으로부터 별의 광도를 구해야 한다. 별의 표면 온도와 광도가 결정되면 슈테판·볼츠만 법칙을 이용하여 별의 반지름을 구할 수 있다.
- 빈의 변위 법칙을 이용하여 태양의 표면 온도(T)를 구할 수 있다. ➡ 태양이 복사 에너지를 최대로 방출하는 파장은 약 0.5 μm이므로 태양의 표면 온도는 약 5800 K이다.

$$\lambda_{max}=\frac{a}{T}\ (a=2.898\times10^{-3}\ \mathrm{m\cdot K}) \Rightarrow T\fallingdotseq5800\ \mathrm{K}$$

- 태양의 광도는 약 4×10^{26} W이므로 슈테판·볼츠만 법칙을 이용하여 태양의 반지름(R)을 구할 수 있다.

$$L=4\pi R^2\cdot\sigma T^4\ (\sigma=5.670\times10^{-8}\ \mathrm{W\cdot m^{-2}\cdot K^{-4}}) \Rightarrow R=\frac{\sqrt{L}}{\sqrt{4\pi\sigma}\cdot T^2}=\frac{\sqrt{4\times10^{26}}}{\sqrt{4\times3.14\times5.67\times10^{-8}}\times5800^2}\fallingdotseq7\times10^8\ \mathrm{m}$$

테마 대표 문제

| 2024학년도 수능 |

표는 별 (가), (나), (다)의 물리량을 나타낸 것이다. 태양의 절대 등급은 $+4.8$등급이다.

별	단위 시간당 단위 면적에서 방출하는 복사 에너지 (태양=1)	겉보기 등급	지구로부터의 거리(pc)
(가)	16	(　　)	(　　)
(나)	$\frac{1}{16}$	$+4.8$	1000
(다)	(　　)	-2.2	5

이에 대한 설명으로 옳은 것만을 〈보기〉에서 있는 대로 고른 것은?

보기

ㄱ. 복사 에너지를 최대로 방출하는 파장은 (가)가 (나)의 $\frac{1}{2}$배이다.

ㄴ. 반지름은 (나)가 태양의 400배이다.

ㄷ. $\frac{\text{(다)의 광도}}{\text{태양의 광도}}$는 100보다 작다.

① ㄱ　② ㄴ　③ ㄷ　④ ㄱ, ㄴ　⑤ ㄴ, ㄷ

접근 전략

슈테판·볼츠만 법칙, 빈의 변위 법칙을 이용하여 별의 표면 온도를 구하며, 별의 거리와 밝기 관계를 이용하여 절대 등급을 파악하고 별의 반지름과 광도를 비교해야 한다.

간략 풀이

ㄱ. 단위 시간당 단위 면적에서 방출하는 복사 에너지양은 표면 온도의 네제곱에 비례하므로 표면 온도는 (가)가 태양의 2배, (나)가 태양의 $\frac{1}{2}$배이다. 따라서 표면 온도는 (가)가 (나)의 4배이고, 복사 에너지를 최대로 방출하는 파장은 (가)가 (나)의 $\frac{1}{4}$배이다.

ㄴ. (나)의 광도는 태양의 100^2배, 표면 온도는 태양의 $\frac{1}{2}$배이다. 따라서 반지름은 (나)가 태양의 400배$\left(=\frac{\sqrt{100^2}}{\left(\frac{1}{2}\right)^2}\right)$이다.

ㄷ. (다)가 10 pc에 위치하면 밝기는 현재의 $\frac{1}{4}$배가 되고 겉보기 등급은 현재보다 약 1.5등급 커져 약 -0.7등급이 되므로, (다)의 절대 등급은 약 -0.7등급이다. 따라서 (다)의 절대 등급은 태양의 절대 등급보다 약 5.5등급 작으므로, (다)의 광도는 태양 광도의 100배보다 크다.

정답 | ②

닮은 꼴 문제로 유형 익히기

정답과 해설 28쪽

▶24069-0155

다음은 별 (가)와 (나)에 대한 설명이다.

(가) 겉보기 등급이 0등급으로, 별의 밝기를 측정할 때 표준성으로 이용되는 별이다. 지구로부터의 거리는 8 pc이며, 색지수(B−V)가 0인 흰색 별이다.

(나) 지구의 자전축 방향 부근에 위치한 별로, 지구로부터의 거리는 100 pc, 겉보기 등급은 2등급, 표면 온도는 6500 K이다.

이에 대한 설명으로 옳은 것만을 〈보기〉에서 있는 대로 고른 것은? (단, $2.5^{\frac{3}{2}}\fallingdotseq 4$이다.)

보기

ㄱ. (가)와 (나)의 절대 등급 차는 3등급보다 크다.

ㄴ. 스펙트럼에 나타나는 수소 흡수선의 상대적 세기는 (나)가 (가)보다 강하다.

ㄷ. $\frac{\text{(나)의 반지름}}{\text{(가)의 반지름}}$은 8보다 크다.

① ㄱ　② ㄴ　③ ㄷ　④ ㄱ, ㄴ　⑤ ㄱ, ㄷ

유사점과 차이점

흑체 복사 법칙을 이용하여 별들의 물리량을 비교한다는 점에서 대표 문제와 유사하지만, 스펙트럼의 특성을 비교한다는 점에서 대표 문제와 다르다.

배경 지식

- 별의 겉보기 밝기는 거리의 제곱에 반비례하므로 거리가 10배 멀어지면 밝기는 $\frac{1}{100}$배가 된다.
- 5등급 차이가 날 때 밝기 비는 100배이고, 1등급 차이가 날 때 밝기 비는 $100^{\frac{1}{5}}=10^{\frac{2}{5}}\fallingdotseq 2.5$배이다.
- 별의 반지름은 광도의 제곱근에 비례하고, 표면 온도의 제곱에 반비례한다.

수능 2점 테스트

정답과 해설 28쪽

01

▸24069-0156

그림은 흑체 ㉠, ㉡, ㉢의 플랑크 곡선과 최대 복사 에너지 세기를 나타낸 것이다.

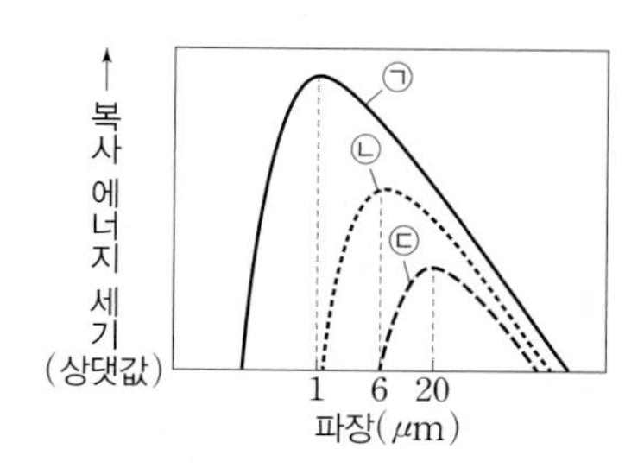

이 자료에 대한 설명으로 옳은 것만을 〈보기〉에서 있는 대로 고른 것은?

보기
ㄱ. 표면 온도는 ㉠이 ㉡의 6배이다.
ㄴ. 그래프와 가로축이 이루는 면적은 ㉠이 ㉢의 20배이다.
ㄷ. $\frac{\text{적외선 영역의 복사 에너지양}}{\text{자외선 영역의 복사 에너지양}}$은 흑체의 표면 온도가 높을수록 크다.

① ㄱ ② ㄴ ③ ㄱ, ㄷ
④ ㄴ, ㄷ ⑤ ㄱ, ㄴ, ㄷ

02

▸24069-0157

그림은 별 ㉠, ㉡의 스펙트럼과 흡수선의 종류를 나타낸 것이다. ㉠, ㉡의 분광형은 각각 A형, M형 중 하나이다.

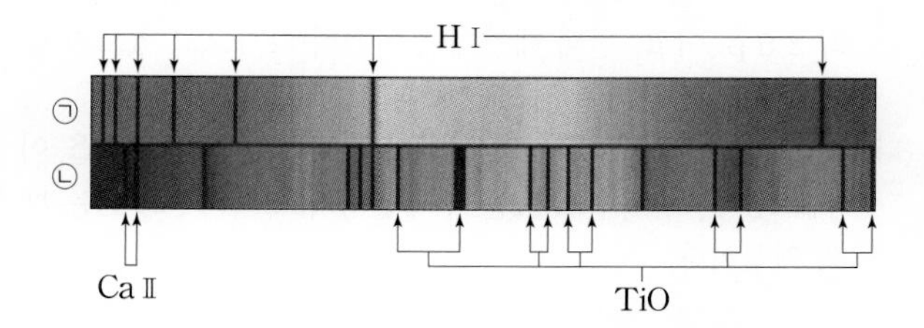

이에 대한 설명으로 옳은 것만을 〈보기〉에서 있는 대로 고른 것은?

보기
ㄱ. ㉠은 흰색 별이다.
ㄴ. ㉡은 태양보다 표면 온도가 낮다.
ㄷ. Fe I 흡수선의 상대적 세기는 ㉠이 ㉡보다 강하다.

① ㄱ ② ㄷ ③ ㄱ, ㄴ
④ ㄴ, ㄷ ⑤ ㄱ, ㄴ, ㄷ

03

▸24069-0158

그림은 광도 계급이 서로 다른 별의 세 집단 ㉠, ㉡, ㉢의 절대 등급과 표면 온도를 비교하여 나타낸 것이다. ㉠, ㉡, ㉢의 광도 계급은 각각 Ⅰb, Ⅲ, Ⅴ 중 하나이다.

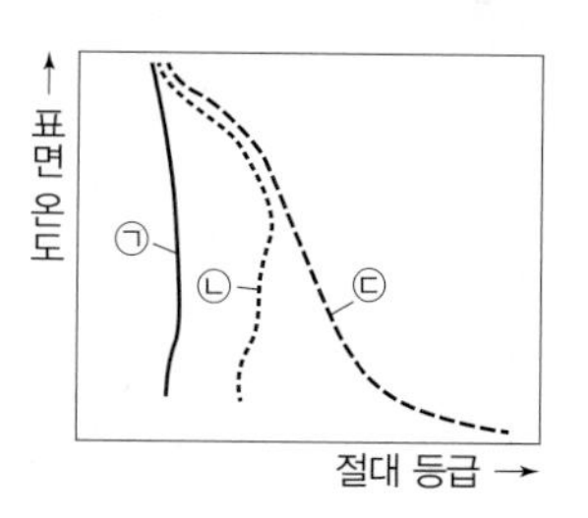

이에 대한 설명으로 옳은 것만을 〈보기〉에서 있는 대로 고른 것은?

보기
ㄱ. ㉠의 광도 계급은 Ⅰb이다.
ㄴ. 분광형이 같을 때, 광도 계급의 숫자가 클수록 절대 등급이 크다.
ㄷ. 가장 많은 별들이 속해 있는 광도 계급은 ㉢의 광도 계급과 같다.

① ㄱ ② ㄴ ③ ㄱ, ㄷ
④ ㄴ, ㄷ ⑤ ㄱ, ㄴ, ㄷ

04

▸24069-0159

그림은 절대 등급이 같은 두 별 A와 B에서 단위 시간당 동일한 양의 복사 에너지를 방출하는 면적 S_A와 S_B를 나타낸 것이다. $S_B = 625 \times S_A$이고, A와 B의 광도 계급은 각각 Ⅲ, Ⅴ 중 하나이다.

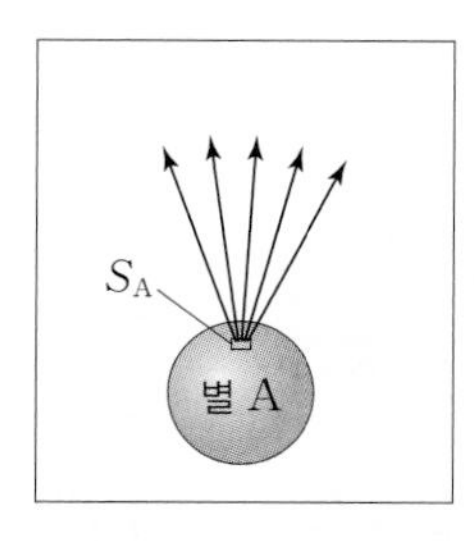

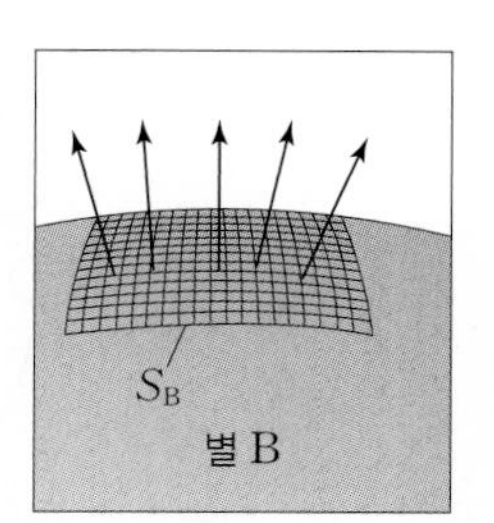

이에 대한 설명으로 옳은 것만을 〈보기〉에서 있는 대로 고른 것은?

보기
ㄱ. A는 주계열성이다.
ㄴ. 표면 온도는 A가 B의 5배이다.
ㄷ. 반지름은 B가 A의 25배이다.

① ㄱ ② ㄴ ③ ㄱ, ㄷ
④ ㄴ, ㄷ ⑤ ㄱ, ㄴ, ㄷ

05

▸24069-0160

그림은 H-R도에 주계열성의 질량과 수명을 나타낸 것이다.

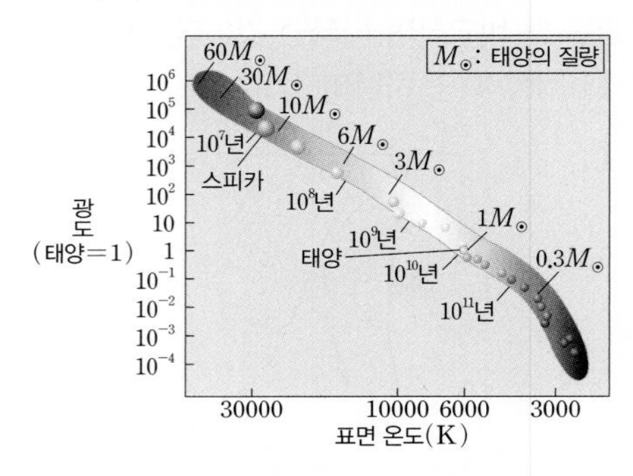

주계열성에 대한 설명으로 옳은 것만을 <보기>에서 있는 대로 고른 것은?

보기
ㄱ. 절대 등급이 작을수록 수명이 짧다.
ㄴ. 반지름이 클수록 복사 에너지를 최대로 방출하는 파장이 길다.
ㄷ. 질량이 클수록 단위 시간 동안 수소 핵융합 반응에 의한 에너지 생성량이 많다.

① ㄱ ② ㄷ ③ ㄱ, ㄴ
④ ㄱ, ㄷ ⑤ ㄴ, ㄷ

06

▸24069-0161

그림은 별의 종류 (가)~(라)를 H-R도에 나타낸 것이다. (가)~(라)는 각각 주계열성, 거성, 초거성, 백색 왜성 중 하나이다.

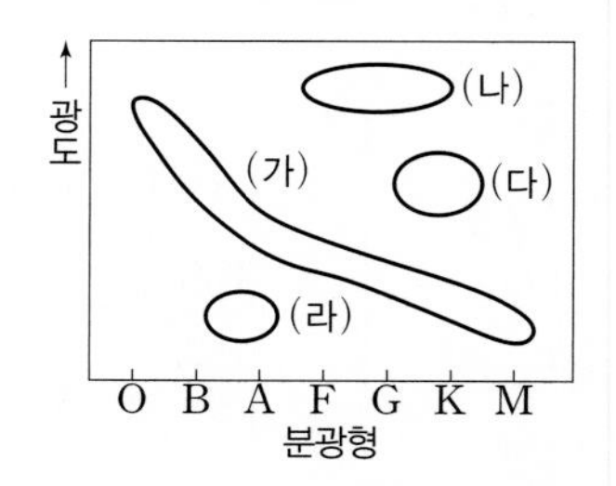

(가)~(라)에 대한 설명으로 옳은 것만을 <보기>에서 있는 대로 고른 것은?

보기
ㄱ. 태양은 (가)에 속한다.
ㄴ. 별의 진화 속도는 (나)가 (다)보다 느리다.
ㄷ. 별 전체에서 수소가 차지하는 비율은 (라)가 가장 높다.

① ㄱ ② ㄷ ③ ㄱ, ㄴ
④ ㄴ, ㄷ ⑤ ㄱ, ㄴ, ㄷ

07

▸24069-0162

그림은 별 ㉠과 ㉡의 특징을 물리량 X, 표면 온도, 평균 밀도에 따라 나타낸 것이다. ㉠과 ㉡ 중 ㉠만 주계열성에 속한다.

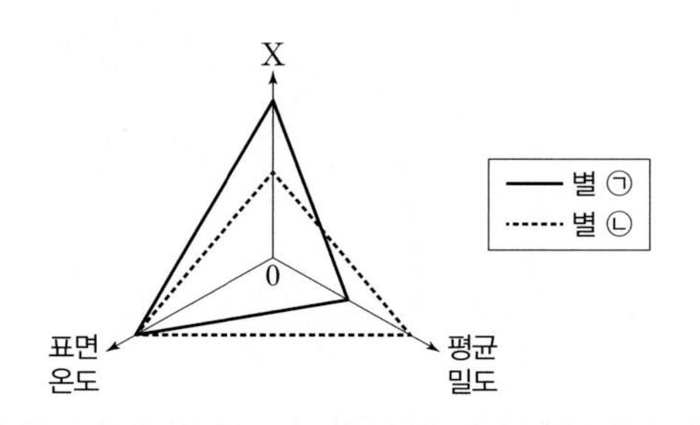

㉠과 ㉡에 대한 설명으로 옳은 것만을 <보기>에서 있는 대로 고른 것은?

보기
ㄱ. ㉡은 거성 또는 초거성이다.
ㄴ. 분광형은 ㉠과 ㉡이 같다.
ㄷ. 광도는 물리량 X에 해당한다.

① ㄱ ② ㄴ ③ ㄱ, ㄷ
④ ㄴ, ㄷ ⑤ ㄱ, ㄴ, ㄷ

08

▸24069-0163

다음은 밤하늘에서 가장 밝게 보이는 시리우스 A에 대한 설명이다.

(가) 시리우스 A는 겉보기 등급이 -1.5등급으로 태양을 제외하고 가장 밝게 보이는 별이다. 시리우스 A까지의 거리는 약 2.5 pc이고, 현재 태양계에 천천히 다가오고 있으며 앞으로 6만 년 후까지 점점 밝아질 것이다.
(나) 시리우스 A는 주변에 있는 시리우스 B와 함께 쌍성을 이루고 있다. 시리우스 A는 주계열성이고 시리우스 B는 백색 왜성이다.

이에 대한 설명으로 옳은 것만을 <보기>에서 있는 대로 고른 것은?

보기
ㄱ. 시리우스 A의 절대 등급은 0.0등급보다 크다.
ㄴ. 시리우스 A의 스펙트럼에서 청색 편이가 관측된다.
ㄷ. 광도 계급의 숫자는 시리우스 B가 시리우스 A보다 작다.

① ㄱ ② ㄴ ③ ㄷ
④ ㄱ, ㄴ ⑤ ㄱ, ㄷ

01

▸24069-0164

그림은 분광형이 A0형이고, 광도 계급이 다른 별 ㉠~㉤의 스펙트럼을 나타낸 것이다.

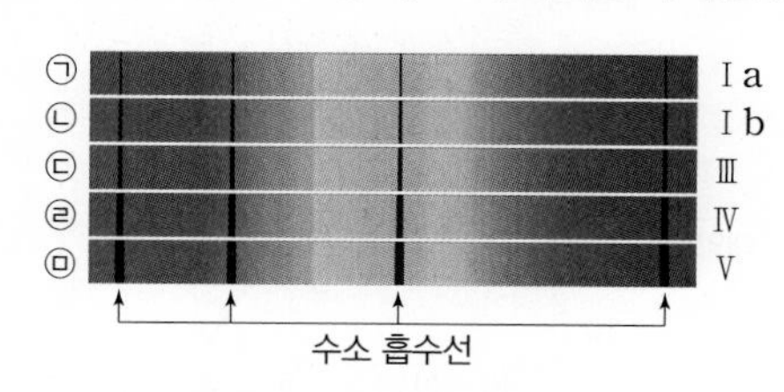

이 자료에 대한 설명으로 옳은 것만을 <보기>에서 있는 대로 고른 것은?

보기

ㄱ. ㉠~㉤은 모두 표면 온도가 같다.
ㄴ. 절대 등급은 ㉠이 가장 크다.
ㄷ. 광도 계급의 숫자가 작을수록 흡수선의 폭이 좁아지는 경향이 나타난다.

① ㄱ ② ㄴ ③ ㄱ, ㄷ ④ ㄴ, ㄷ ⑤ ㄱ, ㄴ, ㄷ

02

▸24069-0165

그림은 질량이 태양과 비슷한 어느 별이 진화하는 동안 시간에 따른 물리량의 크기 변화를 현잿값과 비교하여 나타낸 것이다. ㉠과 ㉡은 각각 광도와 반지름 중 하나이다.

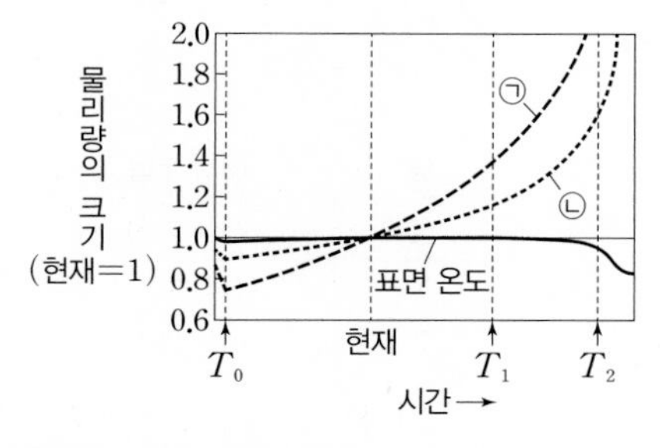

이에 대한 설명으로 옳은 것만을 <보기>에서 있는 대로 고른 것은?

보기

ㄱ. ㉠은 반지름, ㉡은 광도이다.
ㄴ. T_0~T_1 동안 별의 중심부에서 수소 핵융합 반응이 일어난다.
ㄷ. T_1일 때는 T_2일 때보다 H-R도에서 왼쪽 아래에 위치한다.

① ㄱ ② ㄷ ③ ㄱ, ㄴ ④ ㄴ, ㄷ ⑤ ㄱ, ㄴ, ㄷ

03

▸24069-0166

표는 세 별 ㉠, ㉡, ㉢의 물리량을, 그림은 H−R도에 주계열을 나타낸 것이다.

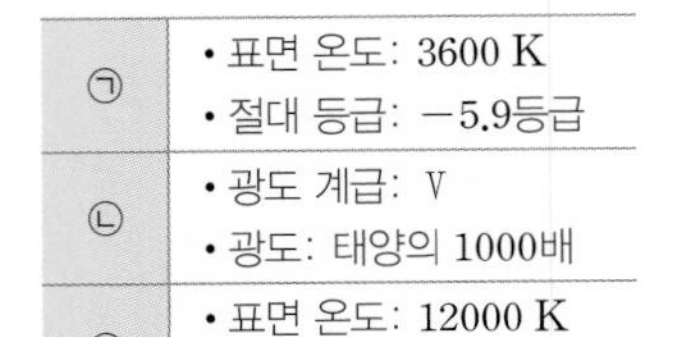

㉠	• 표면 온도: 3600 K • 절대 등급: −5.9등급
㉡	• 광도 계급: V • 광도: 태양의 1000배
㉢	• 표면 온도: 12000 K • 절대 등급: −7.8등급

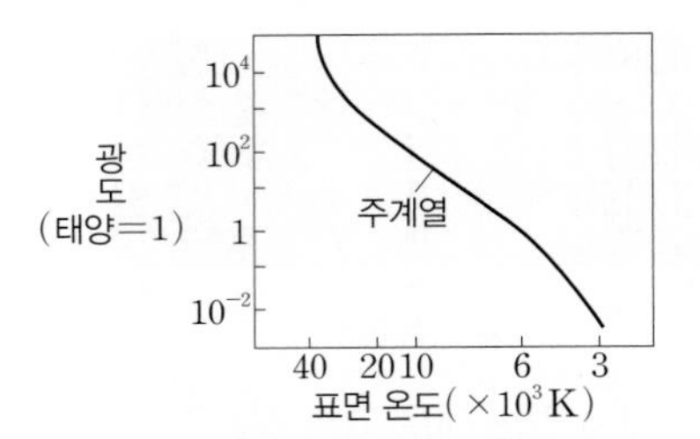

㉠, ㉡, ㉢에 대한 설명으로 옳은 것만을 〈보기〉에서 있는 대로 고른 것은? (단, 태양의 절대 등급은 +4.8등급이다.)

보기
ㄱ. ㉠은 적색 초거성이다.
ㄴ. 별의 표면 온도는 ㉡이 가장 높다.
ㄷ. 별의 반지름은 ㉢이 ㉡보다 크다.

① ㄱ ② ㄷ ③ ㄱ, ㄴ ④ ㄴ, ㄷ ⑤ ㄱ, ㄴ, ㄷ

04

▸24069-0167

그림은 별의 분광형에 따른 흡수선 ㉠~㉣의 상대적 세기를, 표는 별 X, Y, Z가 속한 별의 종류를 나타낸 것이다. ㉠~㉣은 각각 H Ⅰ, He Ⅰ, Ca Ⅱ, TiO 흡수선 중 하나이다.

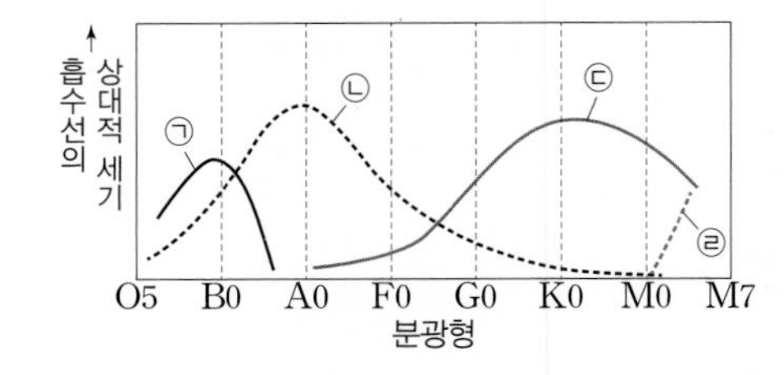

별	별의 종류
X	적색 거성
Y	청색 초거성
Z	백색 왜성

이에 대한 설명으로 옳은 것만을 〈보기〉에서 있는 대로 고른 것은?

보기
ㄱ. Ca Ⅱ 흡수선은 ㉢이다.
ㄴ. He Ⅰ 흡수선의 상대적 세기는 X보다 Y에서 강하다.
ㄷ. Z에서는 H Ⅰ 흡수선보다 TiO 흡수선이 더 강하게 나타난다.

① ㄱ ② ㄴ ③ ㄷ ④ ㄱ, ㄴ ⑤ ㄱ, ㄷ

05

▸24069-0168

그림은 어느 성단의 별들을 H−R도에 나타낸 것이고, 표는 이 성단에 속한 세 별 ㉠, ㉡, ㉢의 질량과 반지름을 나타낸 것이다.

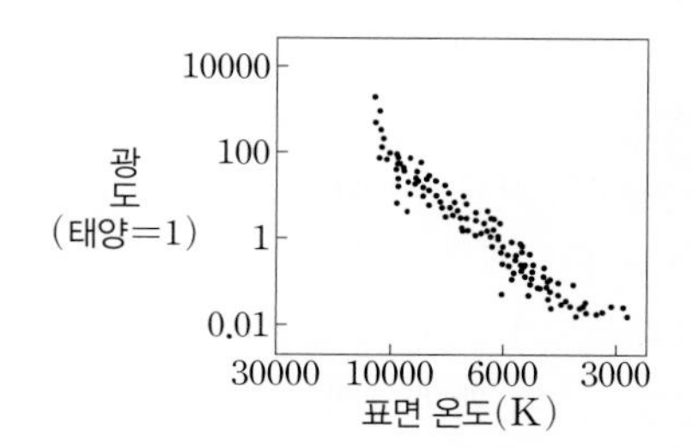

별	질량 (태양=1)	반지름 (태양=1)
㉠	2.10	1.70
㉡	1.03	1.05
㉢	0.45	0.63

이 자료에 대한 설명으로 옳은 것만을 〈보기〉에서 있는 대로 고른 것은? (단, 성단을 구성하는 별들은 거의 동시에 탄생하였다.)

보기

ㄱ. 이 성단은 대부분 주계열성으로 이루어져 있다.
ㄴ. 별의 평균 밀도는 ㉠이 ㉡보다 작다.
ㄷ. 별의 절대 등급은 ㉠이 ㉢보다 작다.

① ㄱ ② ㄴ ③ ㄱ, ㄷ ④ ㄴ, ㄷ ⑤ ㄱ, ㄴ, ㄷ

06

▸24069-0169

그림은 별 ㉠, ㉡, ㉢의 표면 온도와 반지름을 나타낸 것이다. 그림에서 곡선은 광도가 태양의 100배일 때 표면 온도와 반지름의 관계이며, ㉠, ㉡, ㉢ 중 주계열성은 1개이다.

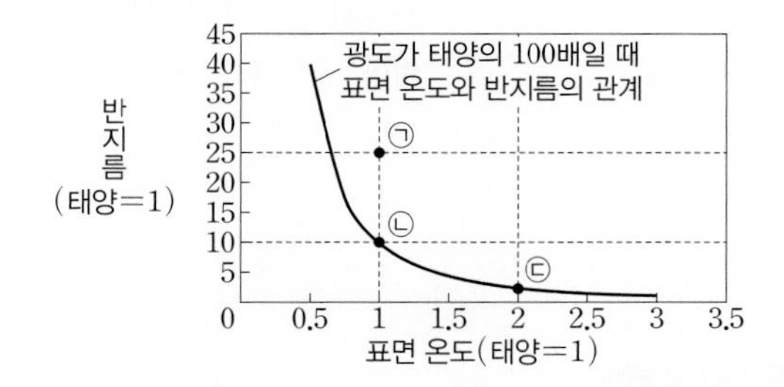

㉠, ㉡, ㉢에 대한 설명으로 옳은 것만을 〈보기〉에서 있는 대로 고른 것은?

보기

ㄱ. ㉢은 주계열성이다.
ㄴ. 별이 단위 시간에 단위 면적당 방출하는 에너지양은 ㉡이 태양의 100배이다.
ㄷ. 절대 등급은 ㉢이 ㉠보다 약 2등급 크다.

① ㄱ ② ㄴ ③ ㄱ, ㄷ ④ ㄴ, ㄷ ⑤ ㄱ, ㄴ, ㄷ

테마

12 별의 진화와 내부 구조

1 별의 진화

(1) 원시별의 탄생

① 원시별은 밀도가 크고 온도가 낮은 성운에서 생성된다. 거대한 성운이 중력 수축하면 중심부에서는 온도가 높아지고 밀도가 커짐에 따라 원시별이 생성된다.

② 원시별이 중력 수축하여 내부 온도가 높아지고, 표면 온도가 약 1000 K에 도달하면 가시광선 영역에서 관측이 가능해진다.

③ 원시별은 중력 수축에 의해 반지름이 점점 작아지면서 광도가 작아진다.

④ 원시별의 질량이 클수록 중력 수축이 빠르게 일어나 주계열 단계에 빨리 도달한다.

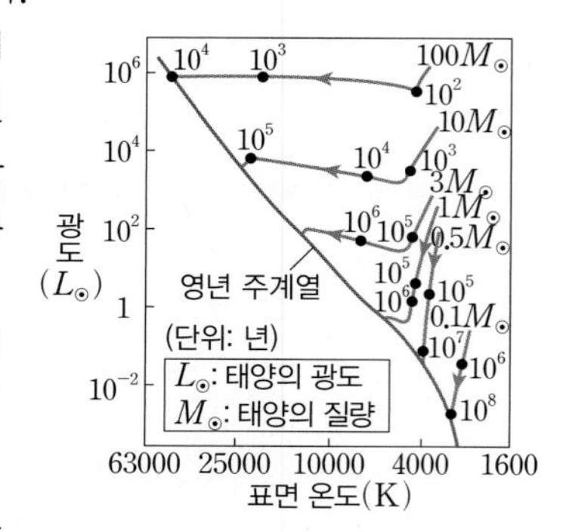

▲ 원시별의 진화

⑤ 질량이 태양 질량의 약 0.08배보다 작은 원시별은 중심부의 온도가 낮아서 핵융합 반응을 일으키지 못하여 갈색 왜성이 된다.

(2) 주계열 단계

① 주계열 이전 단계에서 중력 수축으로 중심부 온도가 약 1000만 K에 도달하면 수소 핵융합 반응이 일어나 주계열성이 된다.

② 수소 핵융합 반응으로 내부 온도가 상승하여 기체 압력 차에 의한 힘이 커지면 별의 중심 쪽으로 향하는 중력과 바깥쪽으로 향하는 기체 압력 차에 의한 힘이 평형을 이루어 반지름이 거의 일정하게 유지된다.

③ 질량이 큰 별은 중심부의 온도가 높고 생성되는 에너지가 많아서 표면 온도가 높고 광도가 크므로 H−R도에서 왼쪽 상단에 위치하고, 질량이 작은 별은 오른쪽 하단에 위치한다.

④ 대부분의 별들은 일생의 90 % 정도를 주계열 단계에서 머무르며, 질량이 큰 별일수록 수명이 짧다.

(3) 주계열 이후 단계: 주계열 단계 이후에는 별의 질량에 따라 진화 경로가 달라진다.

① 질량이 태양과 비슷한 별의 진화

- 적색 거성: 중심부의 수소가 고갈되면 중심부에서는 중력이 기체 압력 차에 의한 힘보다 커서 중심부는 수축하고, 별의 외곽은 팽창하여 적색 거성이 된다.
- 맥동 변광성: 적색 거성 이후 별은 수축과 팽창을 반복하여 반지름과 광도가 주기적으로 변하는 맥동 변광성이 된다.
- 행성상 성운과 백색 왜성: 맥동 변광성 단계에서 별의 바깥층 물질이 우주 공간으로 방출되어 행성상 성운이 되고, 중심부는 수축하여 백색 왜성이 된다.

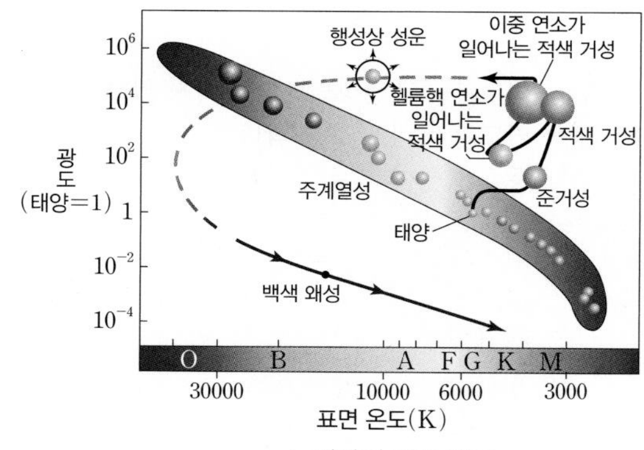

▲ 태양의 진화 경로

② 질량이 매우 큰 별의 진화

- 초거성: 주계열 단계 이후 질량이 매우 큰 별의 경우 수소의 연소 효율이 높아 진화 속도가 매우 빠르며, 적색 거성보다 훨씬 크고 밝은 초거성이 된다.
- 초신성 폭발: 별 중심부에서 계속적인 핵융합 반응이 일어나 탄소, 규소, 철 등의 무거운 원소가 만들어진다. 중심부에서 핵융합 반응이 멈추면 별은 빠르게 중력 수축하다가 결국 엄청난 에너지와 무거운 원소를 우주 공간으로 방출하는 초신성 폭발을 일으킨다.
- 중성자별과 블랙홀: 초신성 폭발이 일어나면 외곽층은 초신성 잔해를 남기고 중심부는 더욱 수축하여 밀도가 매우 큰 중성자별이 생성되고, 별의 중심부 질량이 더 큰 경우 블랙홀이 생성된다.

더 알기 질량에 따른 별의 최후

1. 질량이 태양과 비슷한 별
- 행성상 성운: 별이 거성의 마지막 단계에서 별의 외곽 물질을 우주 공간으로 방출하여 만들어진 주로 기체로 이루어진 성운이다.
- 백색 왜성: 행성상 성운의 중심에는 백색 왜성이 존재한다. 백색 왜성의 크기는 지구 정도이며, 대부분 탄소(일부 산소)로 이루어져 있다.

▲ 행성상 성운

2. 질량이 태양보다 훨씬 큰 별
- 초신성 잔해: 초신성(supernova) 폭발로 인해 생성된 별의 잔해이다. 초신성 잔해는 별에서 방출되는 물질로 이루어져 있으며 점차 바깥으로 퍼져나간다.
- 초신성 폭발이 일어나면 별의 외곽층은 우주 공간으로 흩어지고, 중심부는 심하게 수축하여 중성자별 또는 블랙홀이 생성된다.

▲ 초신성 잔해

2 별의 에너지원

(1) **원시별의 에너지원**: 중력 수축 에너지

① 저온 고밀도의 원시 성운이 중력 수축하면서 중력 수축 에너지의 일부가 복사 에너지로 전환된다.

② 원시별의 내부 온도를 상승시키는 역할을 한다.

(2) **주계열성의 에너지원**: 수소 핵융합 반응

① 4개의 수소 원자핵이 반응하여 1개의 헬륨 원자핵이 생성되는 반응으로, 양성자·양성자 반응(p−p 반응)과 탄소·질소·산소 순환 반응(CNO 순환 반응)이 있다.

② 양성자·양성자 반응(p−p 반응)

- 수소 원자핵 6개가 여러 반응 단계를 거치는 동안 헬륨 원자핵 1개와 수소 원자핵 2개로 바뀌면서 에너지를 생성하는 반응이다.
- 중심부 온도가 약 1800만 K 이하인 주계열성에서 우세하게 일어난다.
- 태양은 중심부 온도가 약 1500만 K이므로 양성자·양성자 반응(p−p 반응)이 우세하게 일어난다.

③ 탄소·질소·산소 순환 반응(CNO 순환 반응)

- 탄소, 질소, 산소가 촉매 역할을 하여 수소 원자핵을 융합시켜 헬륨 원자핵이 되는 반응이다.
- 중심부 온도가 약 1800만 K보다 높은 주계열성에서 우세하게 일어난다.

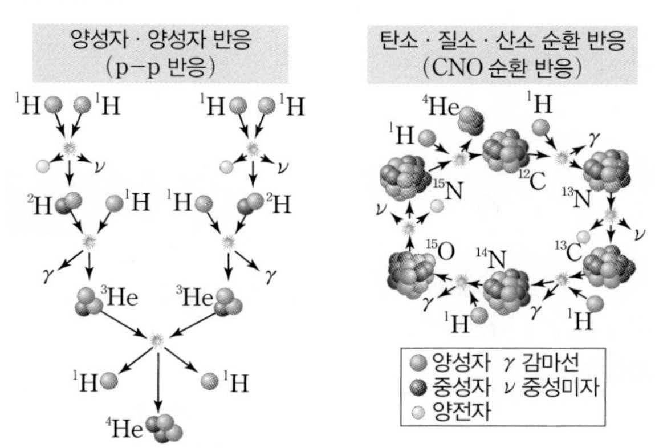

(3) **적색 거성과 초거성의 에너지원**

① 헬륨 핵융합 반응: 온도가 약 1억 K 이상인 적색 거성의 중심부에서는 3개의 헬륨 원자핵이 융합하여 1개의 탄소 원자핵을 만드는 헬륨 핵융합 반응이 일어난다.

② 헬륨보다 무거운 원소의 핵융합 반응: 질량이 큰 별은 중력 수축에 의해 중심부의 온도가 더 높아지기 때문에 헬륨보다 더 무거운 원소들(탄소, 산소, 네온, 마그네슘, 규소 등)의 핵융합 반응이 일어날 수 있다.

3 별의 내부 구조

(1) **주계열성**

① 질량이 태양 정도인 주계열성의 내부 구조

- 중심부의 핵에서 생성한 에너지를 복사로 전달한다.
- 복사층은 대류층에 둘러싸여 있다.

② 질량이 태양 질량의 약 2배보다 큰 주계열성의 내부 구조

- 중심부에 대류가 일어나는 대류핵이 있다.
- 대류핵을 복사층이 둘러싸고 있다.

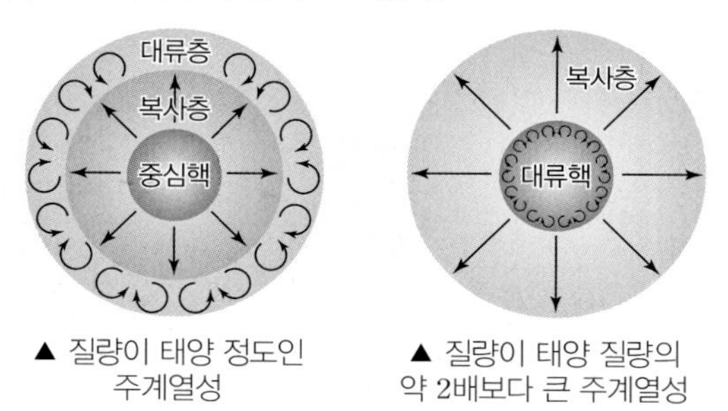

▲ 질량이 태양 정도인 주계열성 ▲ 질량이 태양 질량의 약 2배보다 큰 주계열성

(2) **적색 거성으로 진화하는 단계**

① 헬륨핵은 수축하고, 수소 껍질이 연소된다.

② 별의 외곽이 팽창하고 중심부에서는 헬륨 핵융합 반응이 일어나는 적색 거성이 된다.

(3) **질량이 매우 큰 별의 마지막 단계**

① 중심부의 온도가 매우 높기 때문에 더 높은 단계의 핵융합 반응이 일어나며, 최종적으로 철로 이루어진 중심핵이 만들어진다.

② 중심으로 갈수록 더 무거운 원소로 이루어진 양파 껍질 같은 구조를 이룬다.

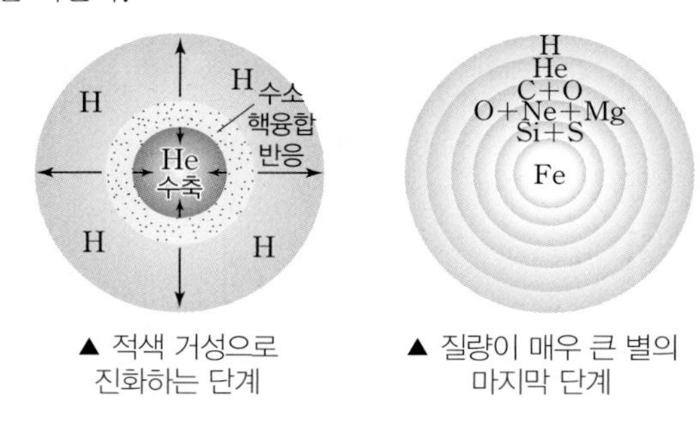

▲ 적색 거성으로 진화하는 단계 ▲ 질량이 매우 큰 별의 마지막 단계

더 알기 태양의 수명 계산

1. 수소 핵융합 반응을 일으킬 수 있는 핵의 질량: 현재 태양 질량의 약 10 % ➡ 2×10^{30} kg$\times0.1=2\times10^{29}$ kg
2. 수소 핵융합 반응에서 수소의 질량 결손 비율: 약 0.7 %
   결손된 질량$=2\times10^{29}$ kg$\times0.007=1.4\times10^{27}$ kg
3. 태양이 수소 핵융합 반응으로 방출할 수 있는 총 에너지
   $E=\Delta mc^2=1.4\times10^{27}\text{ kg}\times(3\times10^8\text{ m/s})^2=1.26\times10^{44}\text{ J}$
4. 태양의 수명$=\dfrac{\text{총 에너지}}{\text{현재 태양의 광도}}=\dfrac{1.26\times10^{44}\text{ J}}{4\times10^{26}\text{ J/s}}\fallingdotseq$100억 년

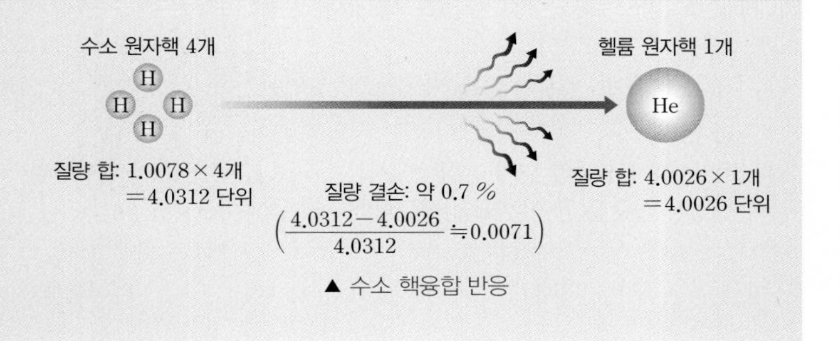

▲ 수소 핵융합 반응

테마 대표 문제

| 2024학년도 9월 모의평가 |

그림은 주계열 단계가 시작한 직후부터 별 A와 B가 진화하는 동안의 표면 온도를 시간에 따라 나타낸 것이다. A와 B의 질량은 각각 태양 질량의 1배와 4배 중 하나이다.

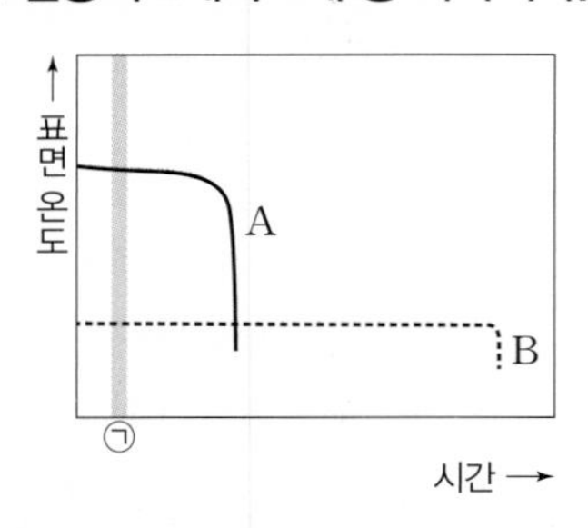

이 자료에 대한 설명으로 옳은 것만을 <보기>에서 있는 대로 고른 것은?

보기

ㄱ. B는 중성자별로 진화한다.
ㄴ. ㉠ 시기일 때, 대류가 일어나는 영역의 평균 깊이는 A가 B보다 깊다.
ㄷ. ㉠ 시기일 때, 핵에서의 $\frac{\text{p-p 반응에 의한 에너지 생성량}}{\text{CNO 순환 반응에 의한 에너지 생성량}}$은 A가 B보다 크다.

① ㄱ ② ㄴ ③ ㄷ ④ ㄱ, ㄴ ⑤ ㄴ, ㄷ

접근 전략

별의 표면 온도가 비교적 일정하게 유지되는 시간을 비교하여 주계열성 A와 B의 질량을 알아내야 한다.

간략 풀이

㉠ 시기에 A와 B는 모두 표면 온도가 거의 일정하게 유지된다. 따라서 ㉠ 시기는 주계열 단계에 해당한다.

ㄱ. B는 A보다 주계열 단계에 오래 머무르는 별이므로 질량이 태양 질량의 1배이며, 백색 왜성으로 진화한다.

ㄴ. ㉠ 시기일 때, 질량이 태양 질량의 4배인 A는 대류핵과 복사층으로 이루어져 있고, B는 중심핵(복사핵), 복사층, 대류층으로 이루어져 있다. 따라서 대류가 일어나는 영역의 평균 깊이는 A가 B보다 깊다.

ㄷ. ㉠ 시기일 때, A는 p-p 반응보다 CNO 순환 반응에 의한 에너지 생성량이 많고, B는 CNO 순환 반응보다 p-p 반응에 의한 에너지 생성량이 많다.

정답 | ②

닮은 꼴 문제로 유형 익히기

정답과 해설 30쪽

▸24069-0170

그림은 질량이 태양과 비슷한 어느 별이 영년 주계열성에서 백색 왜성이 되기까지 시간에 따른 광도 변화를 나타낸 것이다. ㉠~㉡과 ㉢~㉣ 기간 동안 중심부에서 핵융합 반응이 일어난다.

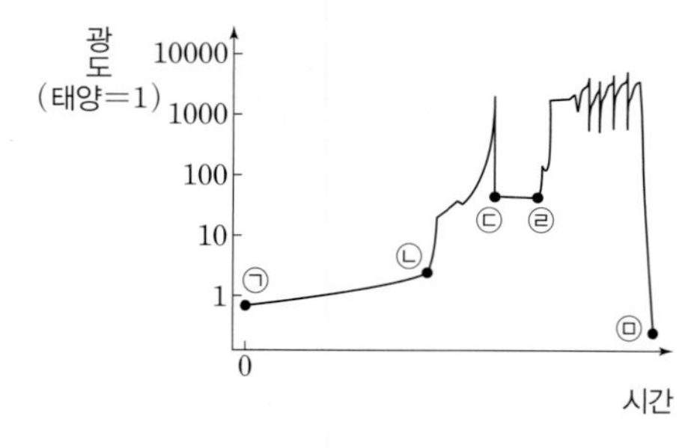

이에 대한 설명으로 옳은 것만을 <보기>에서 있는 대로 고른 것은?

보기

ㄱ. ㉠~㉡ 기간 동안 p-p 반응에 의한 에너지 생성량은 CNO 순환 반응에 의한 에너지 생성량보다 많다.
ㄴ. ㉢~㉣ 기간 동안 별의 중심부에서는 탄소 핵융합 반응이 일어난다.
ㄷ. 행성상 성운은 ㉤ 이후에 형성된다.

① ㄱ ② ㄴ ③ ㄱ, ㄷ ④ ㄴ, ㄷ ⑤ ㄱ, ㄴ, ㄷ

유사점과 차이점

별의 진화 과정에서 나타나는 물리량 변화를 비교한다는 점에서 대표 문제와 유사하지만, 주계열 단계에서부터 백색 왜성이 되기까지 진화의 전체 단계를 다룬다는 점에서 대표 문제와 다르다.

배경 지식

- 질량이 태양과 비슷한 별은 주계열성 → 적색 거성 → 맥동 변광성 → 행성상 성운 → 백색 왜성으로 진화한다.
- 질량이 태양과 비슷한 별은 중심부에서 헬륨 핵융합 반응이 끝난 이후 별의 외곽층 물질이 우주 공간으로 방출되어 행성상 성운이 만들어지고, 중심부는 수축하여 백색 왜성이 된다.

정답과 해설 30쪽

01

▸24069-0171

그림은 세 원시별 A, B, C가 진화하여 각각 주계열성이 되기까지의 경로를 H-R도에 나타낸 것이다.

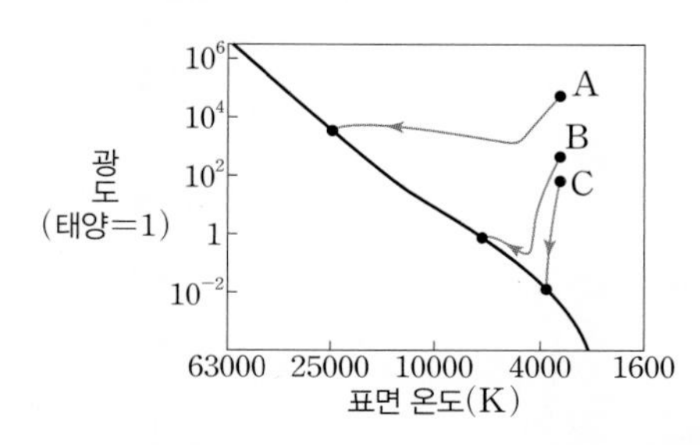

이 자료에 대한 설명으로 옳은 것만을 〈보기〉에서 있는 대로 고른 것은?

보기

ㄱ. 진화 과정에서 단위 시간당 중력 수축 에너지 생산량은 A가 B보다 많다.
ㄴ. C는 주계열성으로 진화하는 동안 반지름이 계속 작아진다.
ㄷ. 원시별에서 주계열성이 되는 데 걸리는 시간은 A<B<C이다.

① ㄱ ② ㄴ ③ ㄱ, ㄷ
④ ㄴ, ㄷ ⑤ ㄱ, ㄴ, ㄷ

02

▸24069-0172

그림 (가), (나), (다)는 별의 표면에서 작용하는 두 힘의 크기와 방향을 화살표로 나타낸 것이다. A와 B는 각각 중력과 기체 압력 차에 의한 힘 중 하나이다.

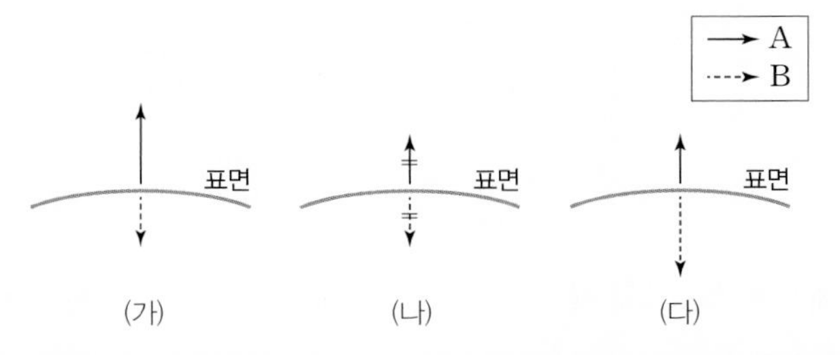

이에 대한 설명으로 옳은 것만을 〈보기〉에서 있는 대로 고른 것은?

보기

ㄱ. A는 중력이다.
ㄴ. (나)는 정역학 평형 상태이다.
ㄷ. 헬륨으로 이루어진 중심핵이 수축할 때, 별의 표면 상태는 (다)에 해당한다.

① ㄱ ② ㄴ ③ ㄱ, ㄷ
④ ㄴ, ㄷ ⑤ ㄱ, ㄴ, ㄷ

03

▸24069-0173

그림은 질량이 서로 다른 두 주계열성 (가)와 (나)에서 대류가 우세하게 일어나는 영역을 나타낸 것이다.

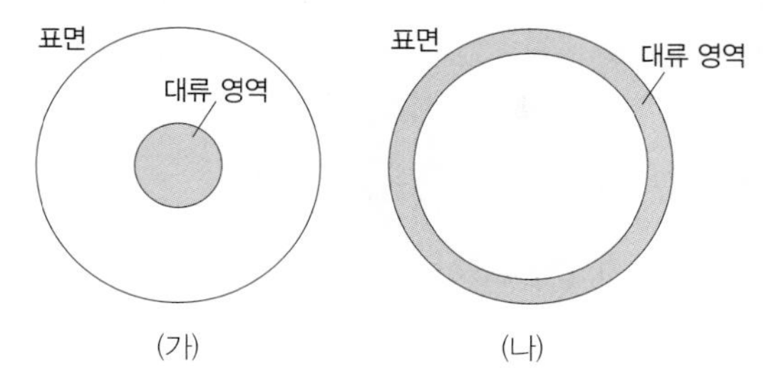

이에 대한 설명으로 옳은 것만을 〈보기〉에서 있는 대로 고른 것은?

보기

ㄱ. 별의 중심부 온도는 (가)가 (나)보다 높다.
ㄴ. (가)의 대류 영역에서는 수소 핵융합 반응이 일어난다.
ㄷ. 별의 일생 중 주계열 단계에 머무르는 시간은 (가)가 (나)보다 길다.

① ㄱ ② ㄴ ③ ㄷ
④ ㄱ, ㄴ ⑤ ㄱ, ㄷ

04

▸24069-0174

그림은 어느 별의 진화 경로를 H-R도에 나타낸 것이다.

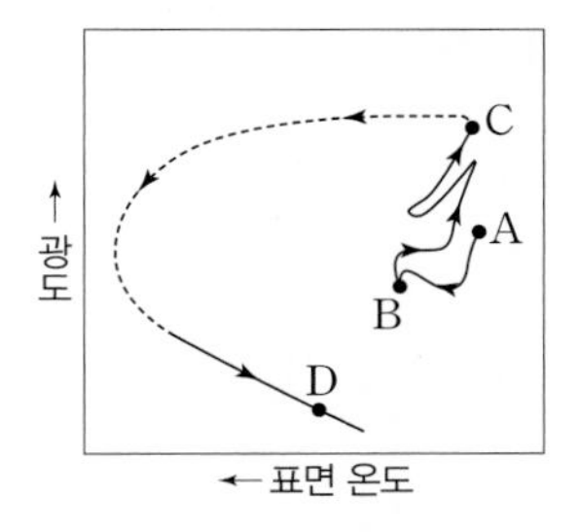

이 자료에 대한 설명으로 옳은 것을 〈보기〉에서 고른 것은?

보기

ㄱ. A일 때 별은 정역학 평형 상태를 유지한다.
ㄴ. B → C로 진화하는 동안 철 원자핵이 생성된다.
ㄷ. C 이후 별의 바깥층 물질이 우주 공간으로 방출되어 행성상 성운이 만들어진다.
ㄹ. D 이후에는 별 중심부에서 핵융합 반응이 일어나지 않는다.

① ㄱ, ㄷ ② ㄱ, ㄹ ③ ㄴ, ㄷ
④ ㄴ, ㄹ ⑤ ㄷ, ㄹ

05

▸24069-0175

그림 (가)는 어느 별의 진화 단계를, (나)는 이 별의 진화 과정 중 어느 시기의 내부 구조를 나타낸 것이다.

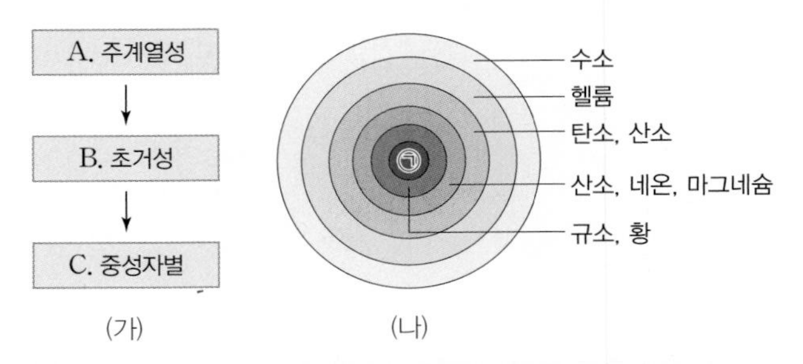

이에 대한 설명으로 옳은 것만을 〈보기〉에서 있는 대로 고른 것은?

보기
ㄱ. A 단계에서 별의 중심핵에서 단위 시간당 생성되는 에너지양은 태양보다 많다.
ㄴ. ㉠은 철보다 무거운 원자핵들로 이루어져 있다.
ㄷ. (나)는 A 단계에서 B 단계로 진행하기 직전에 해당한다.

① ㄱ ② ㄴ ③ ㄱ, ㄷ
④ ㄴ, ㄷ ⑤ ㄱ, ㄴ, ㄷ

06

▸24069-0176

그림은 태양 중심으로부터의 거리에 따른 원소 X의 함량 비율(%)과 온도를 나타낸 것이다. X는 수소와 헬륨 중 하나이며, ㉠, ㉡, ㉢은 각각 중심핵, 대류층, 복사층 중 하나이다.

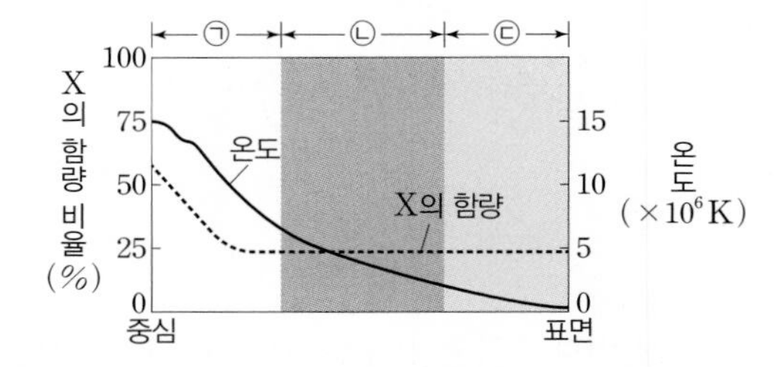

이에 대한 설명으로 옳은 것만을 〈보기〉에서 있는 대로 고른 것은?

보기
ㄱ. X는 헬륨이다.
ㄴ. ㉡은 대류층, ㉢은 복사층이다.
ㄷ. 주계열 단계에 머무르는 동안, ㉠에서 X의 함량은 계속 감소한다.

① ㄱ ② ㄴ ③ ㄱ, ㄴ
④ ㄱ, ㄷ ⑤ ㄴ, ㄷ

07

▸24069-0177

그림 (가)와 (나)는 서로 다른 종류의 핵융합 반응을 나타낸 것이다.

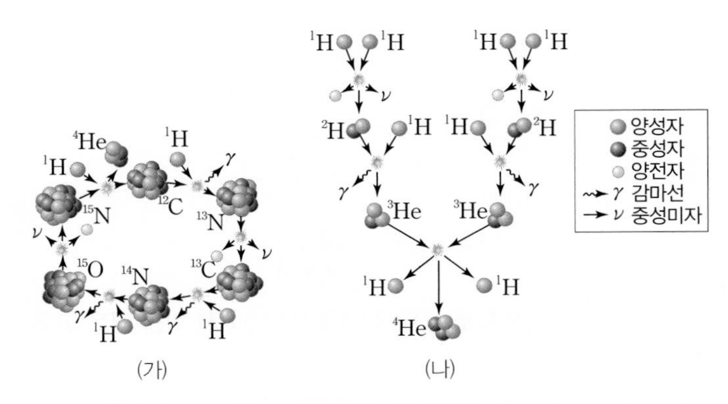

이에 대한 설명으로 옳은 것만을 〈보기〉에서 있는 대로 고른 것은?

보기
ㄱ. 대류핵이 있는 주계열성에서는 (가)보다 (나)가 우세하게 일어난다.
ㄴ. 반응에 참여하는 수소 원자핵의 개수는 (가)보다 (나)가 적다.
ㄷ. (가)와 (나)에서 핵융합 반응을 거쳐 최종적으로 생성되는 원자핵은 동일하다.

① ㄱ ② ㄷ ③ ㄱ, ㄴ
④ ㄱ, ㄷ ⑤ ㄴ, ㄷ

08

▸24069-0178

그림은 주계열성의 질량에 따른 절대 등급(영년 주계열 기준)과 주계열 단계에 머무르는 시간을 각각 A와 B로 순서 없이 나타낸 것이다.

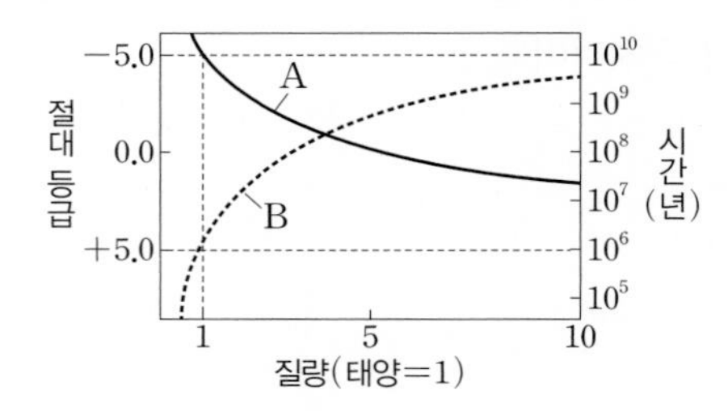

이에 대한 설명으로 옳은 것만을 〈보기〉에서 있는 대로 고른 것은?

보기
ㄱ. A는 주계열 단계에 머무르는 시간이다.
ㄴ. 광도가 태양의 100배인 주계열성은 질량이 태양의 5배보다 작다.
ㄷ. 질량이 태양의 5배인 별은 주계열 단계에 머무르는 시간이 태양의 약 $\frac{1}{100}$배이다.

① ㄱ ② ㄷ ③ ㄱ, ㄴ
④ ㄴ, ㄷ ⑤ ㄱ, ㄴ, ㄷ

01

▸24069-0179

그림은 별의 중심부 온도에 따른 핵융합 반응의 에너지 생성률을 나타낸 것이다. (가), (나), (다)는 각각 p−p 반응, CNO 순환 반응, 헬륨 핵융합 반응 중 하나이다.

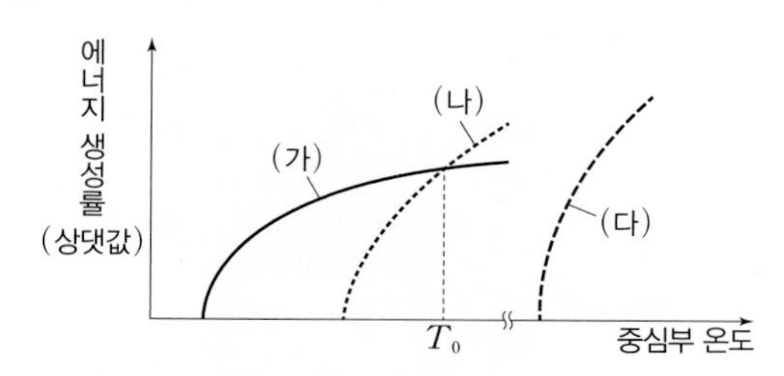

이에 대한 설명으로 옳은 것만을 〈보기〉에서 있는 대로 고른 것은?

보기

ㄱ. (가)는 CNO 순환 반응이다.
ㄴ. 태양의 중심부 온도는 T_0보다 낮다.
ㄷ. 태양과 질량이 같은 별이 진화할 때, 중심부에서 (나)가 일어나는 시간은 (다)가 일어나는 시간보다 짧다.

① ㄱ ② ㄴ ③ ㄱ, ㄴ ④ ㄱ, ㄷ ⑤ ㄴ, ㄷ

02

▸24069-0180

그림 (가)와 (나)는 질량이 다른 두 별의 진화에 따른 H−R도상의 위치 변화를 시간 순으로 나타낸 것이다.

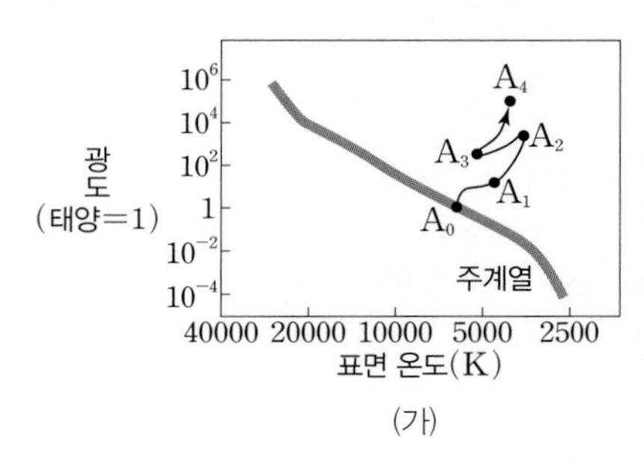

(가)

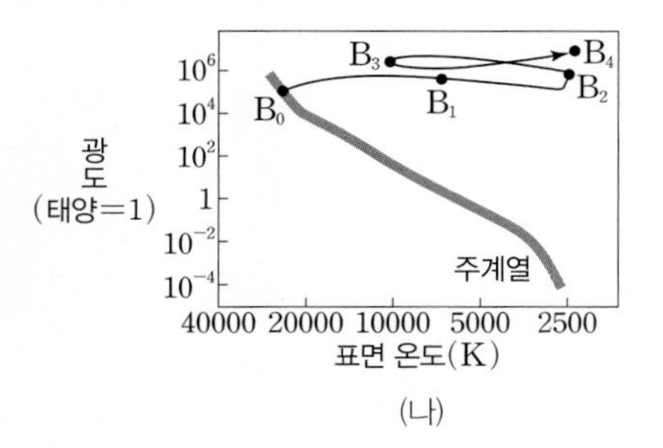

(나)

이 자료에 대한 설명으로 옳은 것만을 〈보기〉에서 있는 대로 고른 것은?

보기

ㄱ. $A_0 \rightarrow A_4$까지 걸린 시간은 $B_0 \rightarrow B_4$까지 걸린 시간보다 길다.
ㄴ. (가)와 (나)에서 모두 별의 반지름이 감소하는 구간이 존재한다.
ㄷ. 두 별은 A_4와 B_4 단계 이후 초신성 폭발을 일으킨다.

① ㄱ ② ㄷ ③ ㄱ, ㄴ ④ ㄴ, ㄷ ⑤ ㄱ, ㄴ, ㄷ

03

▸24069-0181

다음은 어느 학생이 수소 핵융합 반응을 통해 생성되는 에너지양을 계산하는 과정을 나타낸 것이다.

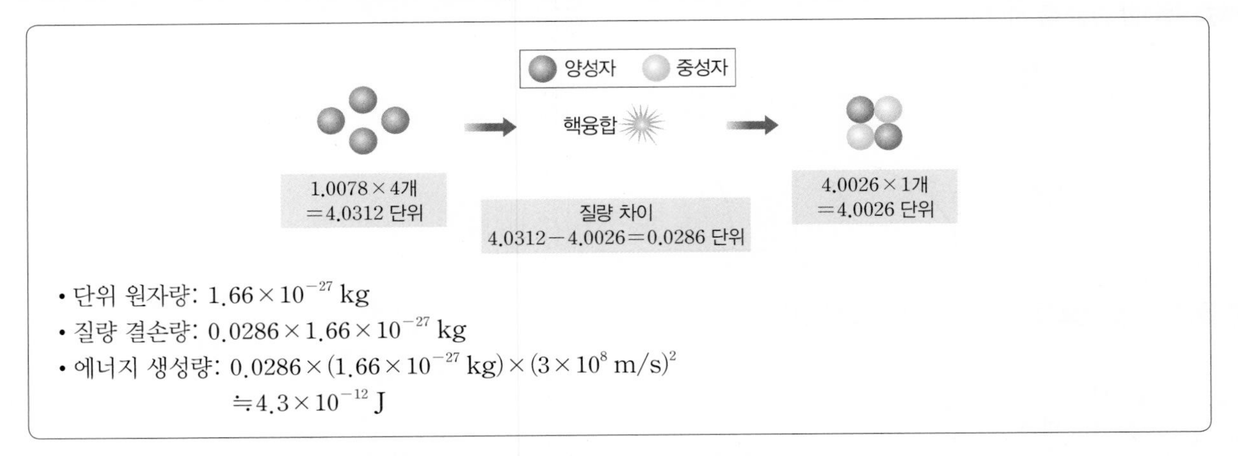

- 단위 원자량: 1.66×10^{-27} kg
- 질량 결손량: $0.0286\times1.66\times10^{-27}$ kg
- 에너지 생성량: $0.0286\times(1.66\times10^{-27}\text{ kg})\times(3\times10^{8}\text{ m/s})^{2}$
  $\fallingdotseq4.3\times10^{-12}$ J

이 반응에 대한 설명으로 옳은 것만을 <보기>에서 있는 대로 고른 것은?

보기
ㄱ. 태양 복사 에너지의 근원이 되는 반응이다.
ㄴ. 양성자 4개가 핵융합하여 헬륨 원자핵 1개를 생성한다.
ㄷ. 반응 전과 후에 약 0.7 %의 질량 결손이 나타난다.

① ㄱ ② ㄷ ③ ㄱ, ㄴ ④ ㄴ, ㄷ ⑤ ㄱ, ㄴ, ㄷ

04

▸24069-0182

그림 (가)는 태양 중심으로부터의 거리에 따른 기체 압력과 누적 질량 분포를, (나)는 태양의 내부 구조를 나타낸 것이다.

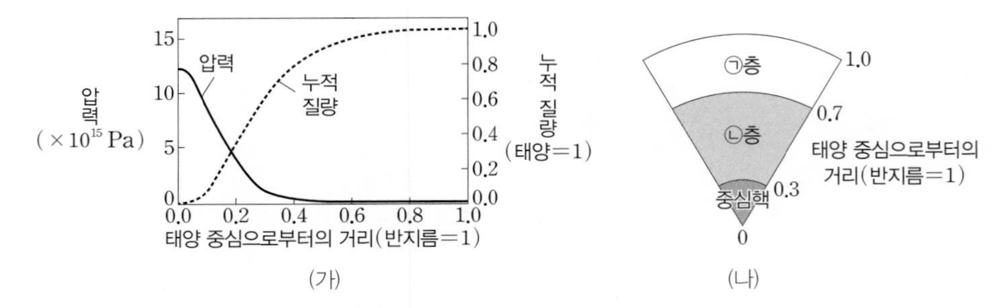

(가) (나)

이에 대한 설명으로 옳은 것만을 <보기>에서 있는 대로 고른 것은?

보기
ㄱ. 태양 내부의 각 층이 차지하는 질량비는 중심핵>복사층>대류층이다.
ㄴ. 태양 내부에서 중력의 크기는 중심핵과 ㉡층의 경계보다 ㉠층과 ㉡층의 경계에서 크다.
ㄷ. 태양 스펙트럼의 흡수선들은 빛이 ㉠층과 ㉡층을 통과하는 동안 형성된다.

① ㄱ ② ㄴ ③ ㄱ, ㄴ ④ ㄱ, ㄷ ⑤ ㄴ, ㄷ

05

▸24069-0183

다음은 질량이 태양과 비슷한 별의 주계열 단계 이후에 나타나는 특징을 순서 없이 설명한 것이다.

(가) 중심핵에서 헬륨 핵융합 반응이 급격하게 시작된다.
(나) 중심핵이 수축하면서 수소 껍질 연소가 시작된다.
(다) 중심핵이 수축하면서 헬륨 껍질 연소가 시작된다.
(라) 급격한 헬륨 껍질 연소가 반복되면서 별이 맥동한다.
(마) 크기가 비교적 일정하게 유지되면서 중심핵 연소와 껍질 연소가 동시에 일어난다.

진화 순서를 옳게 나열한 것은?

① (가) → (나) → (마) → (다) → (라)
② (가) → (라) → (나) → (마) → (다)
③ (나) → (가) → (다) → (마) → (라)
④ (나) → (가) → (마) → (다) → (라)
⑤ (나) → (다) → (가) → (마) → (라)

06

▸24069-0184

그림 (가)는 주계열성의 질량−광도 관계를, (나)는 (가)의 두 별 A와 B의 진화 경로 일부를 H−R도에 나타낸 것이다.

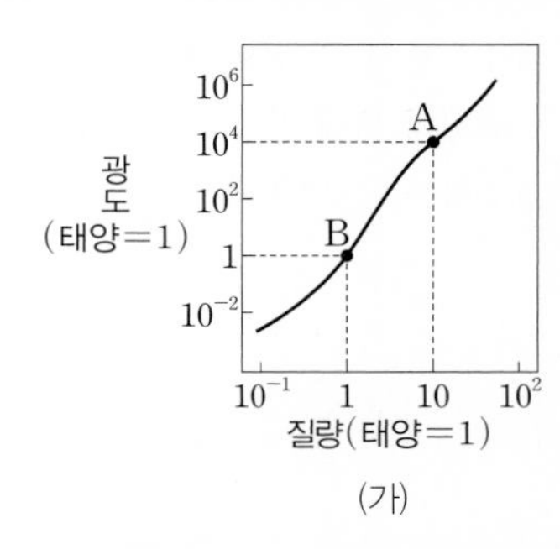

(가)

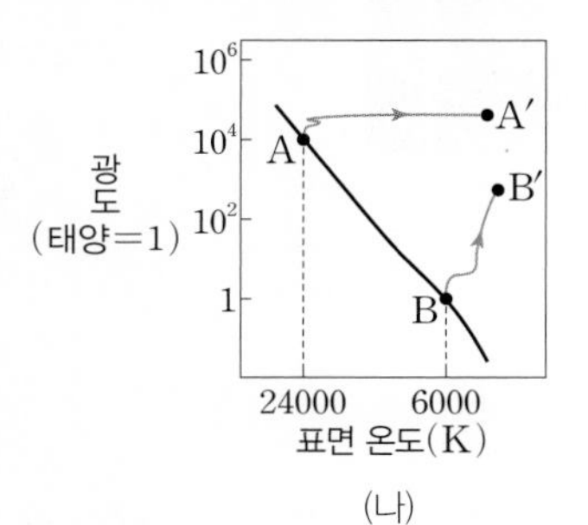

(나)

이에 대한 설명으로 옳은 것만을 〈보기〉에서 있는 대로 고른 것은?

보기
ㄱ. 별의 반지름은 A가 B의 6배보다 크다.
ㄴ. A → A′ 과정, B → B′ 과정에서 모두 수소 껍질 연소가 일어난다.
ㄷ. 광도 계급의 숫자 변화량은 A → A′이 B → B′보다 작다.

① ㄱ ② ㄴ ③ ㄷ ④ ㄱ, ㄴ ⑤ ㄴ, ㄷ

테마

13 외계 행성계와 생명체 탐사

Ⅲ. 우주

1 외계 행성계 탐사

(1) **도플러 효과 이용:** 별과 행성이 공통 질량 중심을 중심으로 공전함에 따라 별이 지구 쪽으로 미세하게 접근하거나 멀어지므로 이때 나타나는 도플러 효과를 측정한다.

① 별이 지구에 접근하면 청색 편이가 관측되며, 이때 행성은 지구에서 멀어진다. 별이 지구로부터 멀어지면 적색 편이가 관측되며, 이때 행성은 지구에 가까워진다.

② 별의 적색 편이와 청색 편이의 주기를 관측하면 행성의 공전 주기를 알아낼 수 있다.

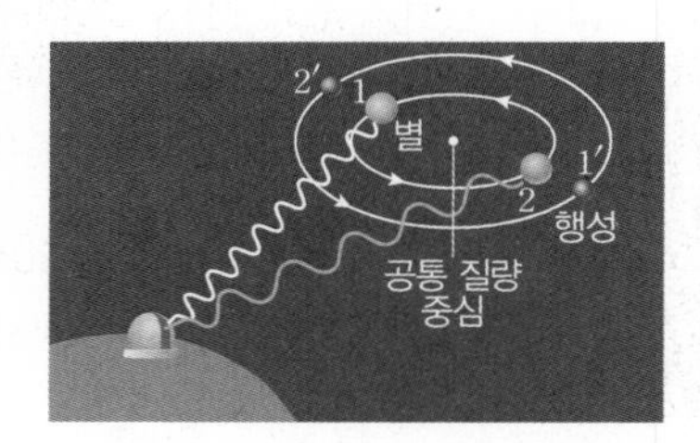

▲ 도플러 효과를 이용한 외계 행성계 탐사

(2) 식 현상 이용

① 별 주위를 공전하는 행성이 별의 앞면을 지나갈 때 별의 밝기가 감소하는 식 현상을 이용한다.

② 식 현상이 발생하는 주기를 관측하면 행성의 공전 주기를 알아낼 수 있다.

▲ 식 현상을 이용한 외계 행성계 탐사

(3) **미세 중력 렌즈 현상 이용:** 뒤쪽 별에서 나온 빛이 앞쪽 별의 중력에 의해 굴절된다. 이때 앞쪽 별이 행성을 가지고 있을 경우 행성의 중력에 의해 뒤쪽 별빛의 굴절 정도에 추가적인 변화가 나타나는데, 이를 통해 앞쪽 별에 행성이 존재하는지 여부를 알 수 있다.

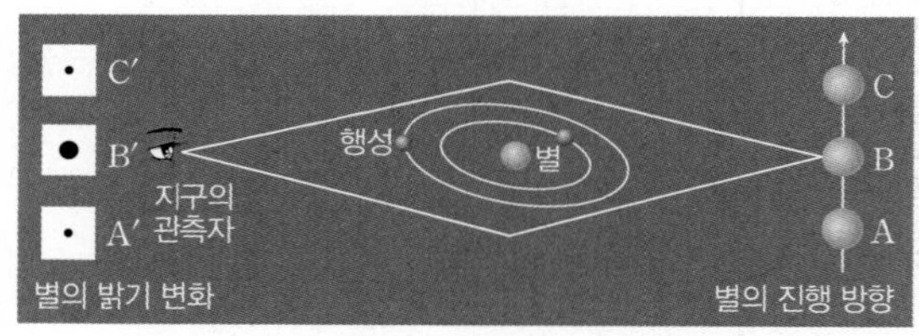

▲ 미세 중력 렌즈 현상을 이용한 외계 행성계 탐사

2 외계 생명체 탐사

(1) **생명 가능 지대:** 별의 주변에서 물이 액체 상태로 존재할 수 있는 거리의 범위를 생명 가능 지대라고 한다. ➡ 중심별이 주계열성인 경우, 중심별의 질량이 클수록 광도가 커서 생명 가능 지대는 중심별에서 멀어지고 폭은 넓어진다.

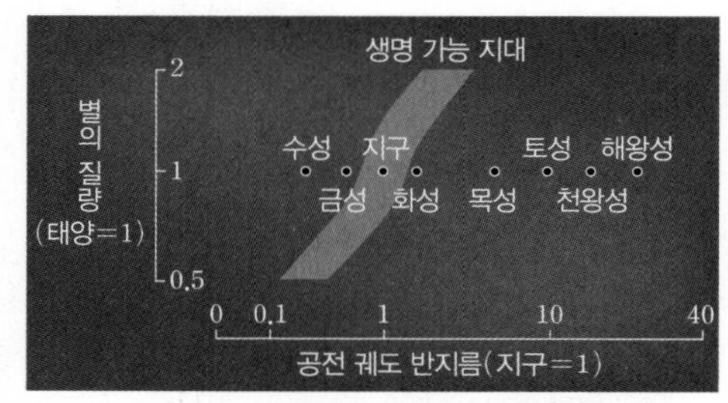

▲ 생명 가능 지대

(2) 생명체가 존재할 수 있는 행성의 조건

① 액체 상태의 물

② 적당한 중심별의 질량

- 중심별이 주계열성이며, 중심별의 질량이 클 때: 중심별에서 연료 소모율이 커서 별의 수명이 짧다. 중심별의 수명이 짧으면 행성에서 생명체가 탄생하여 진화할 수 있는 시간이 부족하다.
- 중심별이 주계열성이며, 중심별의 질량이 작을 때: 생명 가능 지대가 중심별에 가깝고 폭도 좁다. 행성이 중심별에서 가까운 곳에 위치하여 자전 주기와 공전 주기가 같아지면 별빛을 전혀 받지 못하는 쪽이 생겨서 생명체가 존재하기 어렵다.

③ 적당한 두께와 성분의 대기: 온실 효과를 일으켜 표면 온도를 알맞게 유지시켜 줄 수 있어야 하고, 유해한 자외선을 차단할 수 있어야 한다.

④ 자기장: 중심별과 우주에서 날아오는 유해한 우주선과 고에너지 입자들을 차단할 수 있어야 한다.

(3) **외계 생명체 탐사:** 지구와 환경이 비슷한 화성에 탐사선을 보내 물과 생명체의 존재 여부 조사, 외계에서 오는 전파 분석 등으로 외계 생명체를 탐사한다.

더 알기 식 현상을 이용한 외계 행성계 탐사

- 중심별이 최대로 어두워지는 정도를 이용해 중심별과 행성의 반지름 비를 구할 수 있다.
- 식 현상이 나타나지 않을 때 중심별의 밝기를 1이라 하고, 식 현상으로 중심별이 최대로 어두워졌을 때 관측되는 중심별의 밝기를 K라고 하면 K는 $1-\left(\frac{\text{행성의 반지름}}{\text{중심별의 반지름}}\right)^2$이다.

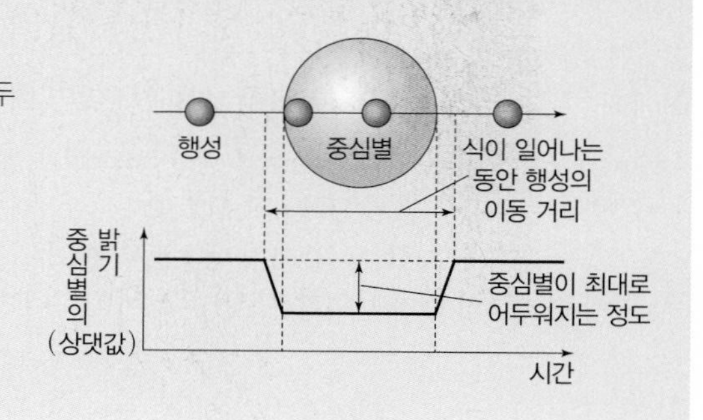

테마 대표 문제

| 2024학년도 수능 |

그림은 어느 외계 행성과 중심별이 공통 질량 중심을 중심으로 공전하는 원 궤도를, 표는 행성이 A, B, C에 위치할 때 중심별의 어느 흡수선 관측 결과를 나타낸 것이다. 행성의 공전 궤도면은 관측자의 시선 방향과 나란하다.

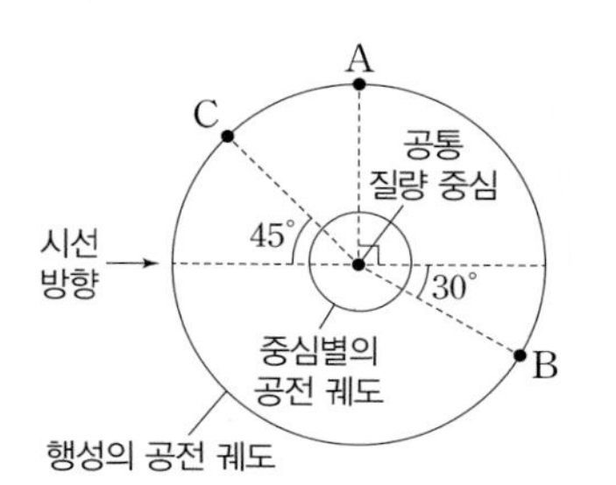

기준 파장(nm)	관측 파장(nm)		
	A	B	C
λ_0	499.990	500.005	(㉠)

이 자료에 대한 설명으로 옳은 것만을 〈보기〉에서 있는 대로 고른 것은? (단, 빛의 속도는 3×10^5 km/s이고, 중심별의 시선 속도 변화는 행성과의 공통 질량 중심에 대한 공전에 의해서만 나타난다.)

보기

ㄱ. 행성이 B에 위치할 때, 중심별의 스펙트럼에서 적색 편이가 나타난다.
ㄴ. ㉠은 499.995보다 작다.
ㄷ. 중심별의 공전 속도는 6 km/s이다.

① ㄱ ② ㄷ ③ ㄱ, ㄴ ④ ㄴ, ㄷ ⑤ ㄱ, ㄴ, ㄷ

접근 전략

행성이 A와 B에 위치할 때 중심별의 어느 흡수선 관측 파장 변화를 보고 행성의 공전 방향을 파악해야 한다.

간략 풀이

㉠ 행성이 A에 위치할 때보다 B에 위치할 때 중심별의 어느 흡수선 관측 파장이 긴 것으로 보아 행성의 공전 방향은 A → B → C이고, 행성이 B에 위치할 때 중심별의 스펙트럼에서 적색 편이가 나타난다.

㉡ 행성이 A에 위치할 때 중심별의 시선 속도를 v라고 하면 B에 위치할 때 중심별의 시선 속도는 $v\cos60°$이고 적색 편이가 나타난다. 중심별의 어느 흡수선의 기준 파장을 λ_0, 파장 변화량을 $\Delta\lambda$, 빛의 속도를 c라고 하면 $v=\frac{\Delta\lambda}{\lambda_0}\times c$이고, 행성이 A에 위치할 때 중심별의 시선 속도가 B에 위치할 때 중심별의 시선 속도의 2배이므로 λ_0은 500 nm이다. 행성이 C에 위치할 때 중심별의 시선 속도는 B에 위치할 때보다 $\sqrt{2}$배 크므로 $\frac{500-㉠}{500}>\frac{0.005}{500}$이다.

㉢ 행성이 A에 위치할 때 중심별의 시선 속도가 중심별의 공전 속도(6 km/s)이다.

정답 | ⑤

닮은 꼴 문제로 유형 익히기

정답과 해설 33쪽

▸24069-0185

그림은 어느 외계 행성계에서 관측된 중심별의 시선 속도 변화를, 표는 T_1, T_2, T_3일 때 관측된 중심별의 어느 흡수선 관측 결과를 나타낸 것이다. 행성의 공전 궤도면은 관측자의 시선 방향과 나란하고, 외계 행성과 중심별은 공통 질량 중심을 중심으로 원 궤도로 공전한다.

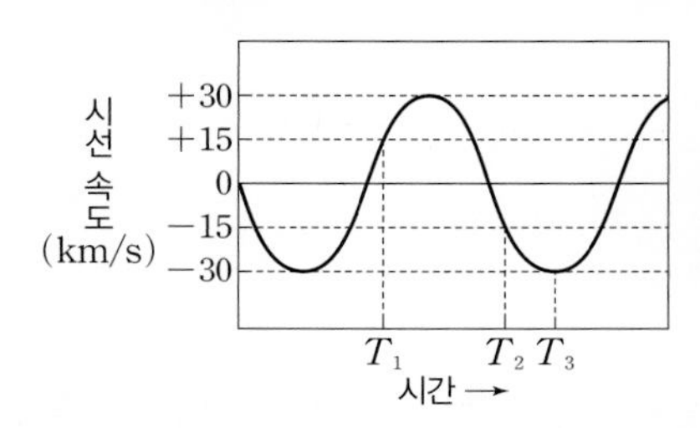

기준 파장(nm)	관측 파장(nm)		
	T_1	T_2	T_3
λ_0	600.03	㉠	㉡

이에 대한 설명으로 옳은 것만을 〈보기〉에서 있는 대로 고른 것은? (단, 빛의 속도는 3×10^5 km/s이고, 중심별의 시선 속도 변화는 행성과의 공통 질량 중심에 대한 공전에 의해서만 나타난다.)

보기

ㄱ. T_1일 때 행성은 지구에 가까워지고 있다.
ㄴ. λ_0은 600이다.
ㄷ. ㉠과 ㉡의 차는 0.03이다.

① ㄱ ② ㄷ ③ ㄱ, ㄴ ④ ㄴ, ㄷ ⑤ ㄱ, ㄴ, ㄷ

유사점과 차이점

외계 행성과 중심별이 공통 질량 중심을 중심으로 원 궤도로 공전할 때 중심별의 어느 흡수선 관측 파장 변화를 다룬다는 점에서 대표 문제와 유사하지만, 시선 속도 그래프를 다룬다는 점에서 대표 문제와 다르다.

배경 지식

- 시선 속도가 (+)일 때는 적색 편이가 나타나고, (−)일 때는 청색 편이가 나타난다.
- 청색 편이가 나타날 때는 관측 파장이 기준 파장보다 짧다.

01

▸24069-0186

그림은 어느 외계 행성에 의한 중심별의 시선 속도 변화를 나타낸 것이다. 이 기간 동안 행성에 의해 중심별이 가려지는 식 현상이 관측된다.

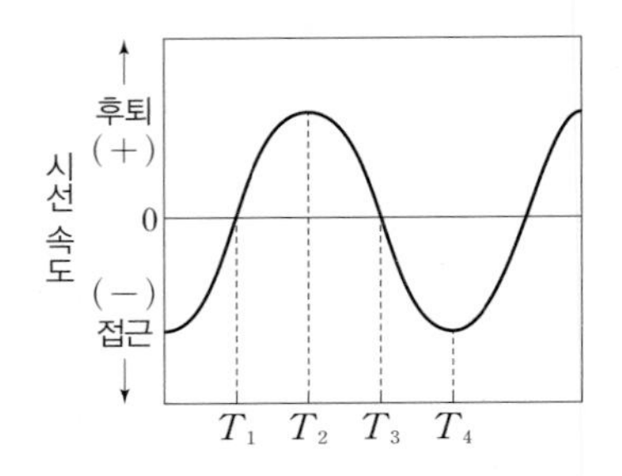

이에 대한 설명으로 옳은 것만을 〈보기〉에서 있는 대로 고른 것은?

보기

ㄱ. 지구로부터 행성까지의 거리는 T_1일 때가 T_2일 때보다 멀다.
ㄴ. T_4일 때 행성은 지구로부터 멀어진다.
ㄷ. 식 현상은 T_2에서 T_4 사이에 관측된다.

① ㄱ ② ㄷ ③ ㄱ, ㄴ ④ ㄴ, ㄷ ⑤ ㄱ, ㄴ, ㄷ

02

▸24069-0187

그림은 어느 외계 행성과 중심별이 공통 질량 중심을 중심으로 공전하는 모습을 나타낸 것이다. 행성이 A에 있을 때 중심별의 시선 속도 최댓값(60 m/s)이 관측된다. 행성은 원 궤도를 따라 공전하며, 관측자의 시선 방향과 행성의 공전 궤도면은 나란하다.

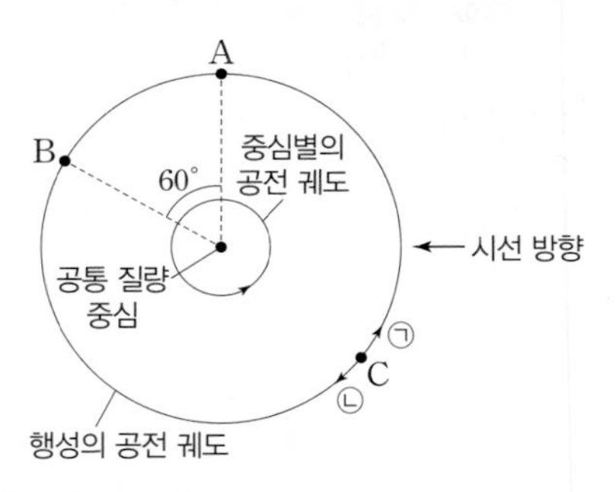

이에 대한 설명으로 옳은 것만을 〈보기〉에서 있는 대로 고른 것은? (단, 빛의 속도는 3×10^8 m/s이다.)

보기

ㄱ. 공통 질량 중심에 대한 행성의 공전 방향은 ㉠이다.
ㄴ. 행성이 C를 지날 때 중심별의 스펙트럼에서 청색 편이가 나타난다.
ㄷ. 행성이 B에 위치할 때 중심별에서 관측되는 500 nm의 고유 파장을 갖는 흡수선의 파장 변화량은 5×10^{-5} nm이다.

① ㄱ ② ㄴ ③ ㄱ, ㄷ ④ ㄴ, ㄷ ⑤ ㄱ, ㄴ, ㄷ

03

▸24069-0188

그림 (가)는 어느 외계 행성에 의한 식 현상으로 나타나는 중심별의 밝기 변화를, (나)는 미세 중력 렌즈 현상에 의한 어느 별의 밝기 변화를 나타낸 것이다. (가)에서 관측자의 시선 방향과 행성의 공전 궤도면은 나란하다.

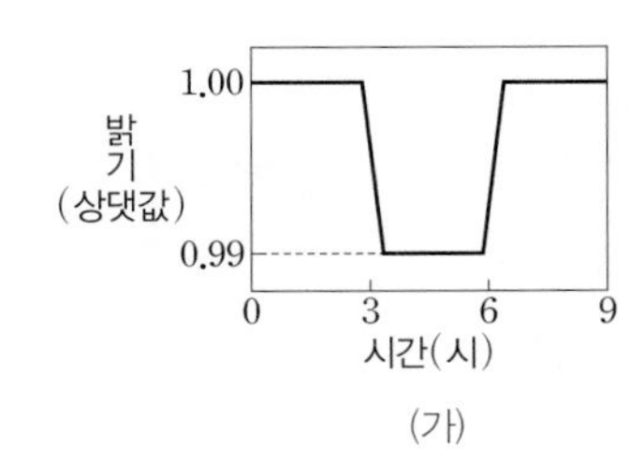

(가)

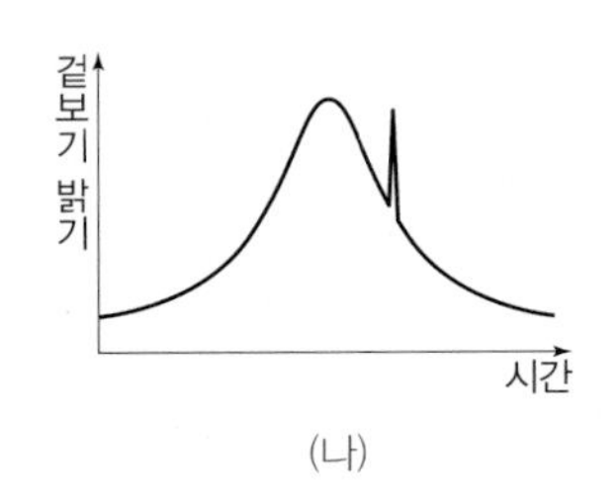

(나)

이에 대한 설명으로 옳은 것만을 〈보기〉에서 있는 대로 고른 것은?

보기

ㄱ. (가)에서 $\dfrac{\text{중심별의 반지름}}{\text{행성의 반지름}}$은 10이다.
ㄴ. (나)는 관측자의 시선 방향과 행성의 공전 궤도면이 수직인 경우 관측이 불가능하다.
ㄷ. 주기적으로 관측이 가능한 것은 (나)이다.

① ㄱ ② ㄷ ③ ㄱ, ㄴ ④ ㄴ, ㄷ ⑤ ㄱ, ㄴ, ㄷ

04

▸24069-0189

그림 (가)와 (나)는 행성이 하나인 동일한 외계 행성계를 서로 다른 두 관측자가 볼 때 행성이 중심별 앞을 지나가는 경로를 각각 나타낸 것이다.

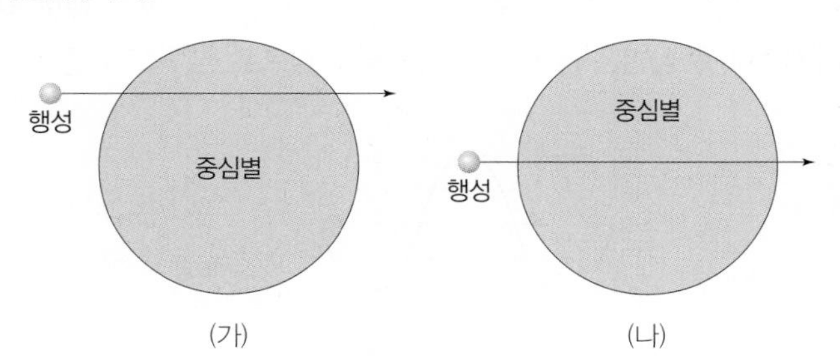

이에 대한 설명으로 옳은 것만을 〈보기〉에서 있는 대로 고른 것은?

보기

ㄱ. 관측자의 시선 방향과 행성의 공전 궤도면이 이루는 각은 (나)가 (가)보다 작다.
ㄴ. 행성에 의한 중심별의 최대 시선 속도는 (가)가 (나)보다 크다.
ㄷ. 식 현상이 나타나는 주기는 (가)와 (나)에서 같다.

① ㄱ ② ㄴ ③ ㄱ, ㄷ ④ ㄴ, ㄷ ⑤ ㄱ, ㄴ, ㄷ

05

▸24069-0190

그림은 서로 다른 외계 행성 탐사 방법 A～D로 발견한 외계 행성의 물리량을 나타낸 것이다. A～D는 각각 시선 속도 변화, 식 현상, 미세 중력 렌즈 현상, 직접 관측을 이용한 방법 중 하나이다.

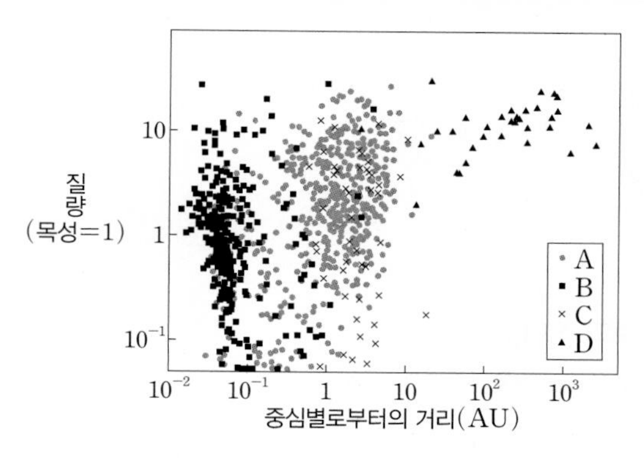

이 자료에 대한 설명으로 옳은 것만을 〈보기〉에서 있는 대로 고른 것은?

보기
ㄱ. B는 식 현상을 이용한 방법이다. ㄴ. 직접 관측법으로 관측한 행성들은 중심별로부터의 거리가 대부분 10 AU보다 가깝다. ㄷ. A와 C는 관측자의 시선 방향과 행성의 공전 궤도면이 수직인 경우에도 관측이 가능하다.

① ㄱ ② ㄴ ③ ㄷ
④ ㄱ, ㄴ ⑤ ㄱ, ㄷ

06

▸24069-0191

표는 주계열성 (가)와 (나), 태양의 생명 가능 지대 바깥쪽 경계, 안쪽 경계의 중심별로부터의 거리, 생명 가능 지대에 위치한 행성에서 중심별로부터 단위 시간에 단위 면적당 받는 복사 에너지를 A, B, C로 각각 나타낸 것이다.

	A(AU)	B(AU)	C(지구=1.00)
(가)	1.35	㉠	1.00
태양	1.25	0.70	1.00
(나)	0.85	0.60	0.75

이에 대한 설명으로 옳은 것만을 〈보기〉에서 있는 대로 고른 것은?

보기
ㄱ. ㉠은 0.70보다 작다. ㄴ. (가)의 생명 가능 지대에 위치한 행성과 중심별 사이의 거리는 1 AU보다 가깝다. ㄷ. 중심별의 질량은 (가)가 (나)보다 크다.

① ㄱ ② ㄷ ③ ㄱ, ㄴ
④ ㄴ, ㄷ ⑤ ㄱ, ㄴ, ㄷ

07

▸24069-0192

그림 (가), (나), (다)는 주계열에 막 도달한 중심별과 생명 가능 지대에 위치한 행성의 중심별로부터의 거리를 나타낸 것이다. 행성은 각 행성계의 생명 가능 지대 안쪽 경계선에 위치한다.

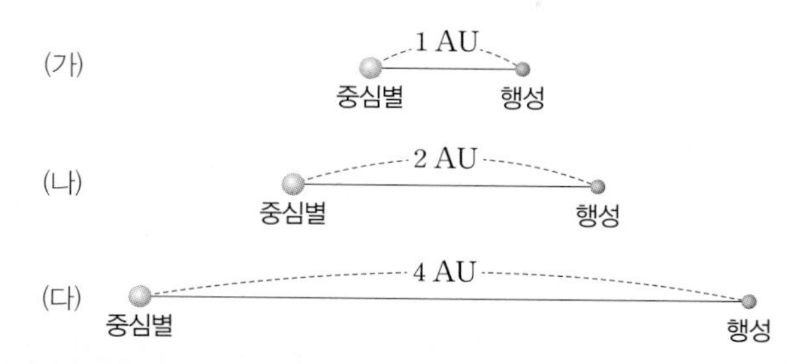

이에 대한 설명으로 옳은 것만을 〈보기〉에서 있는 대로 고른 것은?

보기
ㄱ. 중심별의 광도는 (가)가 (다)보다 크다. ㄴ. (가), (나), (다) 중 생명 가능 지대의 폭은 (다)가 가장 좁다. ㄷ. 주계열 단계에 머무르는 시간은 (가)의 중심별이 (다)의 중심별보다 길다.

① ㄱ ② ㄷ ③ ㄱ, ㄴ
④ ㄴ, ㄷ ⑤ ㄱ, ㄴ, ㄷ

08

▸24069-0193

그림은 어느 외계 행성계에서 행성에 의한 식 현상이 일어날 때, 중심별의 상대적 밝기 변화를 나타낸 것이다. 관측자의 시선 방향과 행성의 공전 궤도면은 나란하다.

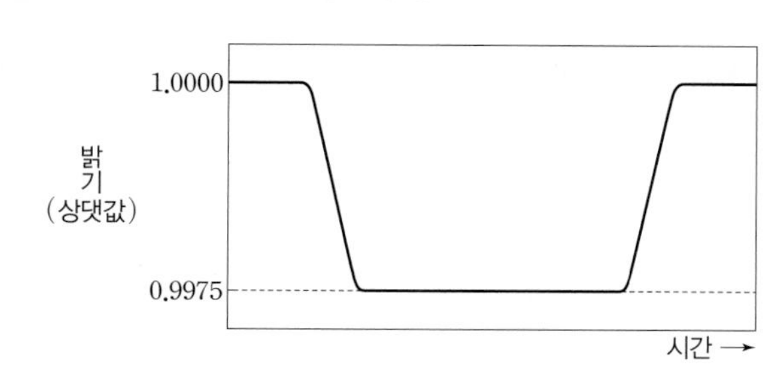

이에 대한 설명으로 옳은 것만을 〈보기〉에서 있는 대로 고른 것은?

보기
ㄱ. 중심별의 반지름은 행성 반지름의 20배이다. ㄴ. 식 현상이 일어날 때 식 현상이 지속되는 시간은 관측자의 시선 방향과 행성의 공전 궤도면이 나란하지 않을 때가 나란할 때보다 길다. ㄷ. 식 현상이 일어나는 동안 행성이 이동한 거리는 행성 반지름의 42배보다 작다.

① ㄱ ② ㄴ ③ ㄱ, ㄷ
④ ㄴ, ㄷ ⑤ ㄱ, ㄴ, ㄷ

01

▸24069-0194

그림 (가), (나), (다)는 중심별과 행성이 공통 질량 중심을 중심으로 원 궤도로 공전하는 동일한 외계 행성계를 서로 다른 시선 방향에서 관측했을 때 중심별의 시선 속도 변화를 나타낸 것이다. (가), (나), (다)에서 관측자의 시선 방향과 행성의 공전 궤도면이 이루는 각은 각각 0°, 15°, 30° 중 하나이다.

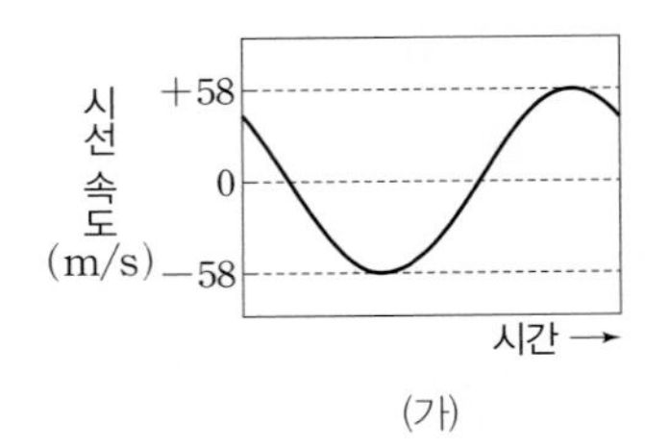

(가)

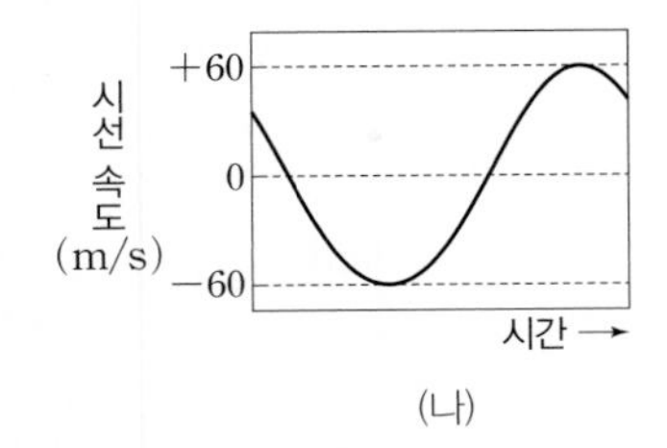

(나)

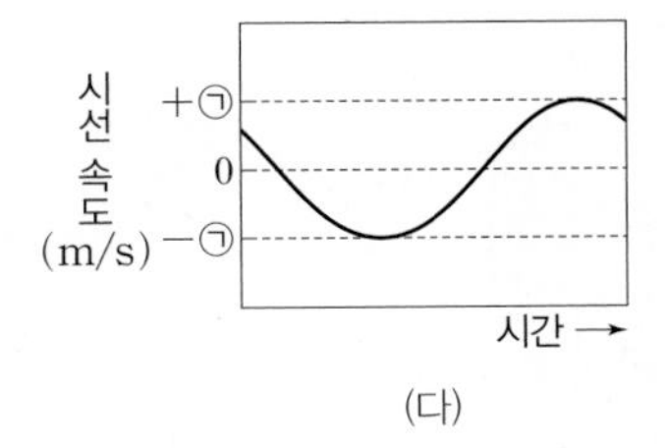

(다)

이에 대한 설명으로 옳은 것만을 <보기>에서 있는 대로 고른 것은? (단, ㉠은 58보다 작다.)

보기
ㄱ. 관측자의 시선 방향과 행성의 공전 궤도면이 나란한 것은 (가)이다.
ㄴ. 중심별이 중심별과 행성의 공통 질량 중심을 중심으로 공전하는 속도는 60 m/s이다.
ㄷ. (다)에서 시선 속도 크기의 최댓값인 ㉠은 30이다.

① ㄱ ② ㄴ ③ ㄷ ④ ㄱ, ㄴ ⑤ ㄴ, ㄷ

02

▸24069-0195

그림 (가)와 (나)는 현재 나이가 50억 년으로 서로 같은 두 별이 주계열 단계에 도달한 직후부터 시간에 따른 중심별로부터 생명 가능 지대 안쪽 경계와 바깥쪽 경계까지의 거리를 나타낸 것이다.

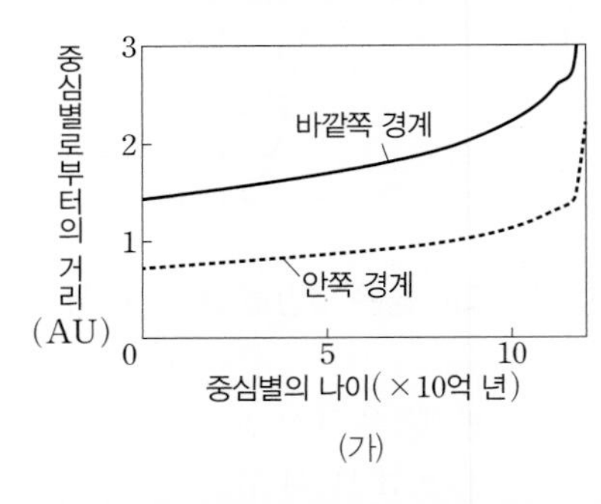

(가)

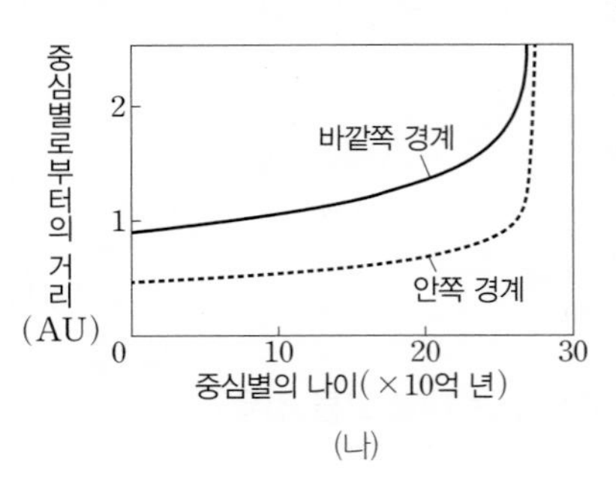

(나)

이에 대한 설명으로 옳은 것만을 <보기>에서 있는 대로 고른 것은?

보기
ㄱ. 중심별이 주계열 단계에 머무르는 시간은 (가)가 (나)보다 짧다.
ㄴ. 현재 중심별로부터 1.5 AU 거리에 있는 행성이 생명 가능 지대에 속하는 것은 (가)이다.
ㄷ. 중심별로부터 1 AU 거리에 있는 행성이 생명 가능 지대에 머무르는 시간은 (가)가 (나)보다 짧다.

① ㄱ ② ㄷ ③ ㄱ, ㄴ ④ ㄴ, ㄷ ⑤ ㄱ, ㄴ, ㄷ

03

▸24069-0196

그림 (가)와 (나)는 동일한 외계 행성계를 서로 다른 시선 방향에서 관측했을 때 행성에 의한 식 현상으로 나타나는 중심별의 밝기 변화를 나타낸 것이다. (가)에서 관측자의 시선 방향과 행성의 공전 궤도면은 나란하며, 중심별의 중심과 행성의 중심 사이의 거리는 행성 반지름의 100배이다.

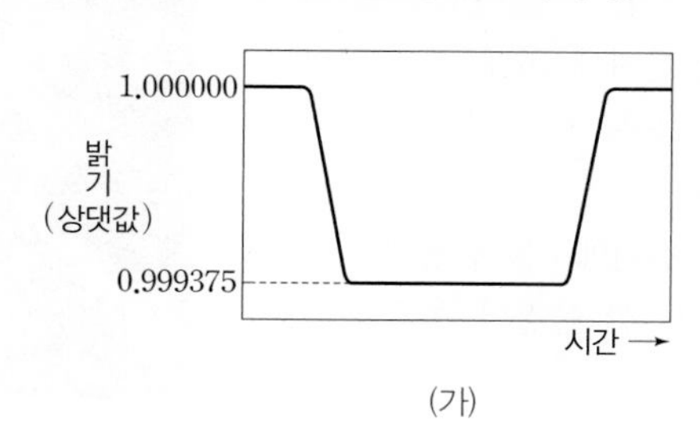

(가)

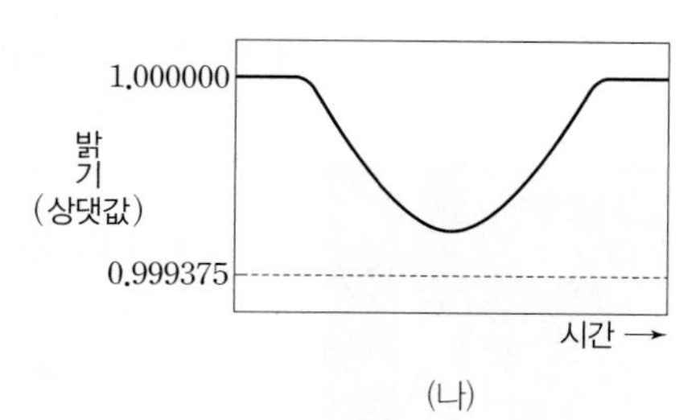

(나)

이 자료에 대한 설명으로 옳은 것만을 <보기>에서 있는 대로 고른 것은?

보기
ㄱ. 중심별의 반지름은 행성 반지름의 40배이다.
ㄴ. (가)에서 중심별 스펙트럼의 흡수선 파장은 식 현상이 시작되기 직전이 식 현상이 끝난 직후보다 짧다.
ㄷ. (나)에서 관측자의 시선 방향과 행성의 공전 궤도면이 이루는 각은 30°보다 크다.

① ㄱ ② ㄴ ③ ㄱ, ㄷ ④ ㄴ, ㄷ ⑤ ㄱ, ㄴ, ㄷ

04

▸24069-0197

표는 주계열성 A, B, C를 각각 원 궤도로 공전하는 외계 행성 a, b, c의 공전 궤도 반지름, 반지름, 중심별의 생명 가능 지대 범위, a, b, c에 의한 식 현상으로 중심별의 밝기가 최대로 어두워졌을 때 중심별의 상대적 밝기를 나타낸 것이다. a, b, c의 공전 궤도면과 관측자의 시선 방향은 나란하다.

외계 행성	행성의 공전 궤도 반지름 (AU)	반지름 (a=1)	중심별의 생명 가능 지대 범위 (AU)	중심별의 밝기가 최대로 어두워졌을 때 중심별의 상대적 밝기 (중심별의 원래 밝기=1)
a	1.3	1	1.2~2.0	0.9975
b	1.5	2	( )	0.9900
c	0.4	(㉠)	0.3~0.5	0.9900

이 자료에 대한 설명으로 옳은 것만을 <보기>에서 있는 대로 고른 것은?

보기
ㄱ. b는 생명 가능 지대에 위치한다.
ㄴ. 생명 가능 지대에 머무르는 시간은 a가 c보다 길다.
ㄷ. ㉠은 2보다 작다.

① ㄱ ② ㄴ ③ ㄱ, ㄷ ④ ㄴ, ㄷ ⑤ ㄱ, ㄴ, ㄷ

14 외부 은하

1 외부 은하의 분류

(1) **외부 은하:** 우리은하 바깥에 존재하는 은하

(2) **허블의 은하 분류:** 외부 은하를 가시광선 영역에서 관측되는 형태에 따라 타원 은하, 나선 은하, 불규칙 은하로 분류하였다.

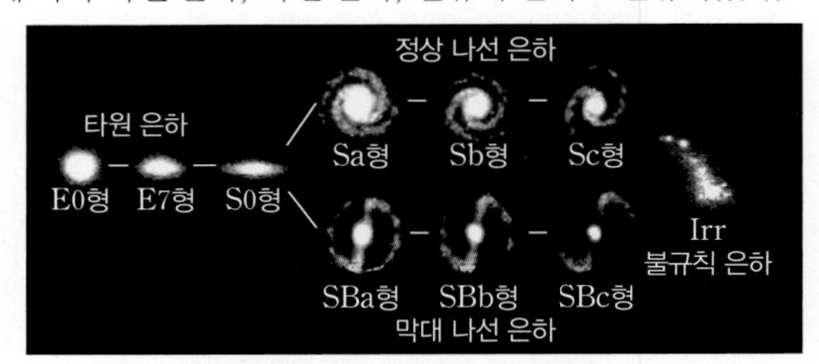

▲ 형태에 따른 외부 은하의 분류

(3) 은하의 종류

구분	특성	
타원 은하	• 성간 물질이 거의 없다. • 대부분의 별들이 나이가 많아서 대체로 붉은색을 띤다. • E0에서 E7로 갈수록 편평도가 커진다.	
나선 은하	• 은하핵과 나선팔로 구성되어 있다. • 나선팔에는 별과 성운들이 모여 있고, 중심부에는 중앙 팽대부라고 하는 밀도가 큰 부분이 위치한다. • 은하핵을 가로지르는 막대 모양 구조의 유무에 따라 정상 나선 은하와 막대 나선 은하로 구분한다. • 나선팔에는 성간 물질과 젊은 별들이 많다. • 중앙 팽대부와 헤일로에는 늙은 별들과 구상 성단이 주로 분포한다. • 나선팔이 감긴 정도와 은하핵의 상대적인 크기에 따라 Sa, Sb, Sc 또는 SBa, SBb, SBc로 구분한다.	
불규칙 은하	• 규칙적인 모양을 보이지 않거나 비대칭적인 은하이다. • 성간 물질이 많이 분포하고 있어서 새로운 별의 탄생 비율이 높다. • 젊은 별들이 많이 분포한다.	

2 특이 은하

(1) **전파 은하**

① 일반 은하에 비해 전파 영역에서 매우 높은 에너지를 방출하는 은하이다.

② 전파 은하에서는 중심부를 기준으로 강력한 물질의 흐름인 제트가 관측된다.

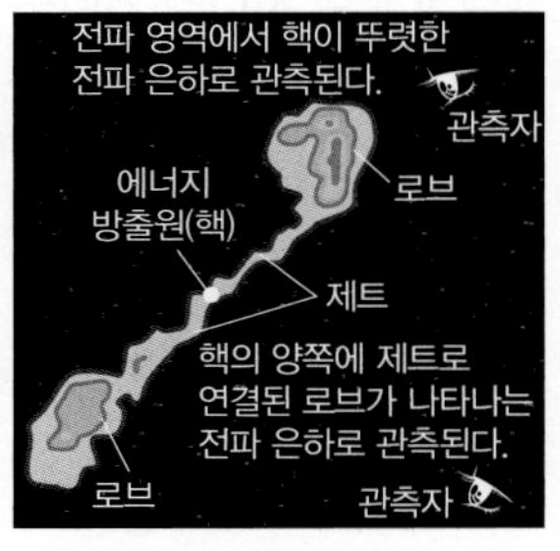

▲ 전파 은하

(2) **퀘이사:** 수많은 별들로 이루어져 있지만 너무 멀리 있어서 하나의 별처럼 보이는 은하이다.

① 적색 편이가 매우 크며, 이를 이용하여 거리를 측정해 보면 100억 광년 이상인 것도 관측된다.

② 보통 은하에 비해 수백 배의 에너지를 방출하고 있으며, 태양계 정도의 작은 공간에서 엄청난 양의 에너지를 방출하는 것으로 보아 퀘이사의 중심에는 질량이 매우 큰 블랙홀이 있을 것으로 추정된다.

(3) **세이퍼트은하**

① 일반적인 은하에 비해 핵이 다른 부분보다 상대적으로 밝고, 스펙트럼상에서 넓은 방출선이 보인다.

② 대부분 나선 은하의 형태로 관측된다.

▲ 퀘이사 ▲ 세이퍼트은하

(4) **충돌 은하:** 은하와 은하가 충돌하여 생긴 은하이다.

① 은하가 충돌할 때 별들은 거의 충돌하지 않으며, 은하의 상호 작용으로 성간 물질(가스와 티끌 등)의 밀도가 커지면서 별이 생성되기도 한다.

② 크기가 매우 큰 은하는 서로 다른 은하가 충돌하는 과정에서 생성되었을 것으로 추정된다.

더 알기 우리은하

1. 우리은하는 은하핵을 가로지르는 막대 모양의 구조와 나선팔을 가지고 있는 막대 나선 은하이다.
2. 우리은하는 중심부에 해당하는 은하핵, 은하면을 포함하는 둥근 은하 원반, 이를 둘러싸고 있는 헤일로로 구성된다.

• 은하핵: 볼록하게 부풀어 오른 중앙 팽대부가 있고, 중앙 팽대부를 막대 모양의 구조가 가로지르고 있다. 나이가 많은 붉은색 별들이 많이 모여 있다.

• 은하 원반: 막대 구조의 양끝에서 나선팔이 뻗어 있는 구조이다. 나선팔에는 나이가 적은 파란색 별들이 많고, 성간 물질이 많이 분포한다.

• 헤일로: 나이가 많은 붉은색 별들로 이루어진 구상 성단이 분포한다.

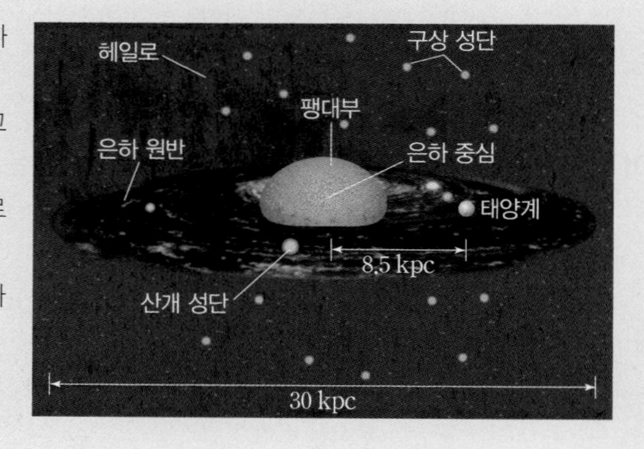

테마 대표 문제

| 2024학년도 수능 |

표는 허블의 은하 분류 기준과 이에 따라 분류한 은하의 종류를 나타낸 것이다. (가), (나), (다)는 각각 막대 나선 은하, 불규칙 은하, 타원 은하 중 하나이다.

분류 기준	(가)	(나)	(다)
(㉠)	○	○	×
나선팔이 있는가?	○	×	×
편평도에 따라 세분할 수 있는가?	×	○	×

(○: 있다, ×: 없다)

이에 대한 설명으로 옳은 것만을 〈보기〉에서 있는 대로 고른 것은?

보기
ㄱ. '중심부에 막대 구조가 있는가?'는 ㉠에 해당한다.
ㄴ. 주계열성의 평균 광도는 (가)가 (나)보다 크다.
ㄷ. 은하의 질량에 대한 성간 물질의 질량비는 (나)가 (다)보다 크다.

① ㄱ ② ㄴ ③ ㄷ ④ ㄱ, ㄴ ⑤ ㄴ, ㄷ

접근 전략

타원 은하는 편평도에 따라 세분할 수 있지만 불규칙 은하는 편평도에 따라 세분할 수 없다는 것을 파악해야 한다.

간략 풀이

타원 은하와 불규칙 은하는 나선팔이 없고, 중심부 막대 구조의 유무는 나선 은하를 구분할 때 이용한다.

ㄱ(×). 나선팔이 존재하지 않고 편평도에 따라 세분할 수 없는 (다)는 불규칙 은하이다. 타원 은하는 중심부에 막대 구조가 없다.

ㄴ(○). (가)는 나선팔이 있는 것으로 보아 막대 나선 은하이고, (나)는 타원 은하이다. 주계열성의 평균 광도는 젊고 질량이 큰 주계열성이 많은 (가)가 (나)보다 크다.

ㄷ(×). 타원 은하에는 성간 물질이 적고, 불규칙 은하에는 성간 물질이 많다.

정답 | ②

닮은 꼴 문제로 유형 익히기

정답과 해설 35쪽

▸24069-0198

그림 (가), (나), (다)는 가시광선으로 관측한 서로 다른 세 은하의 모습을 나타낸 것이다. (가), (나), (다)는 각각 정상 나선 은하, 불규칙 은하, 타원 은하 중 하나이다.

(가)

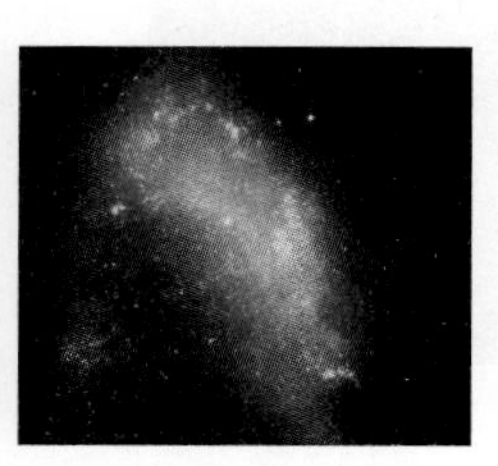
(나)

(다)

이에 대한 설명으로 옳은 것만을 〈보기〉에서 있는 대로 고른 것은?

보기
ㄱ. 허블의 은하 분류에 따르면 (가)는 E0에 해당한다.
ㄴ. 은하를 구성하는 별들의 평균 나이는 (가)가 (다)보다 많다.
ㄷ. (가), (나), (다) 중 은하의 질량에 대한 성간 물질의 질량비는 (가)가 가장 크다.

① ㄱ ② ㄴ ③ ㄱ, ㄷ ④ ㄴ, ㄷ ⑤ ㄱ, ㄴ, ㄷ

유사점과 차이점

허블의 은하 분류와 그에 따른 은하의 특징에 대해 다룬다는 점에서 대표 문제와 유사하지만, 은하의 사진을 제시하고 은하를 분류한다는 점에서 대표 문제와 다르다.

배경 지식

- 타원 은하는 타원의 납작한 정도에 따라 E0~E7로 세분하는데, 모양이 가장 원에 가까운 것이 E0이다.
- 불규칙 은하에는 성간 물질과 젊은 별들이 많이 분포한다.

01

▸24069-0199

그림 (가)와 (나)는 두 은하의 모습을 나타낸 것이다.

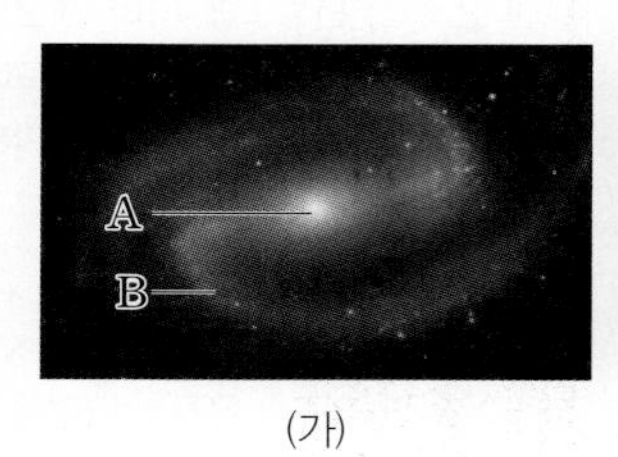

(가)

(나)

이에 대한 설명으로 옳은 것만을 〈보기〉에서 있는 대로 고른 것은?

보기

ㄱ. (가)는 막대 나선 은하이다.
ㄴ. 붉은색 별의 비율은 A보다 B에서 높다.
ㄷ. (가)는 (나)로 진화한다.

① ㄱ ② ㄴ ③ ㄷ
④ ㄱ, ㄴ ⑤ ㄴ, ㄷ

02

▸24069-0200

그림은 나선 은하 (가), (나), (다)의 모습을 나타낸 것이다. (가), (나), (다)는 허블의 은하 분류에 따라 각각 Sa, Sc, SBb형 중 하나이다.

(가)

(나)

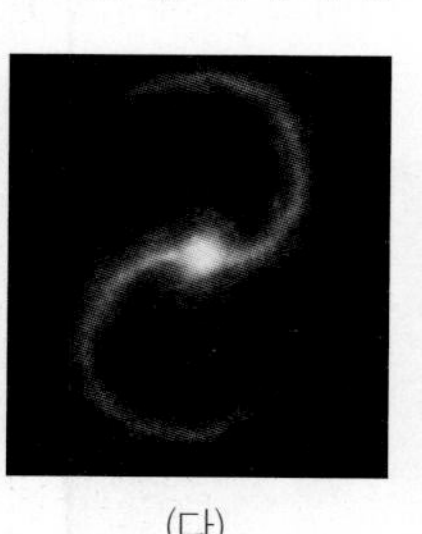
(다)

이에 대한 설명으로 옳은 것만을 〈보기〉에서 있는 대로 고른 것은?

보기

ㄱ. (가)와 (나)는 은하핵을 가로지르는 막대 모양 구조의 유무로 구분할 수 있다.
ㄴ. (다)는 (나)보다 나선팔이 느슨하게 감겨 있다.
ㄷ. (다)는 Sc형이다.

① ㄱ ② ㄷ ③ ㄱ, ㄴ
④ ㄴ, ㄷ ⑤ ㄱ, ㄴ, ㄷ

03

▸24069-0201

그림 (가)와 (나)는 전파 은하 센타우루스 A의 가시광선 영상과 전파 영상을 순서 없이 나타낸 것이다.

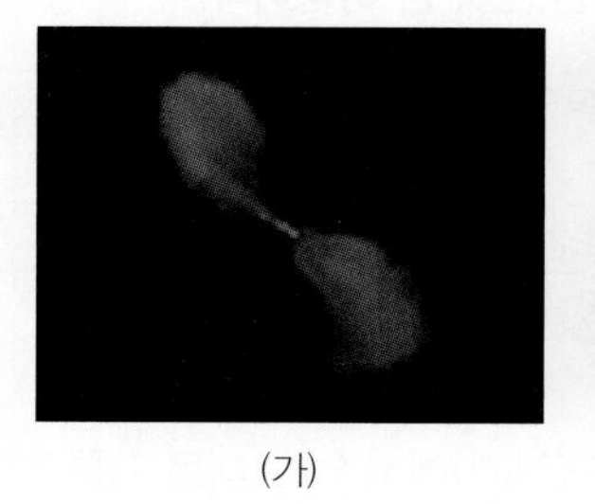
(가)

(나)

이에 대한 설명으로 옳은 것만을 〈보기〉에서 있는 대로 고른 것은?

보기

ㄱ. 허블의 은하 분류에서 센타우루스 A는 타원 은하이다.
ㄴ. (가)에서 제트가 관측된다.
ㄷ. 은하 중심부 별들의 회전축은 관측자의 시선 방향과 나란하다.

① ㄱ ② ㄷ ③ ㄱ, ㄴ
④ ㄴ, ㄷ ⑤ ㄱ, ㄴ, ㄷ

04

▸24069-0202

그림은 충돌하고 있는 은하 A와 B의 모습을 나타낸 것이다.

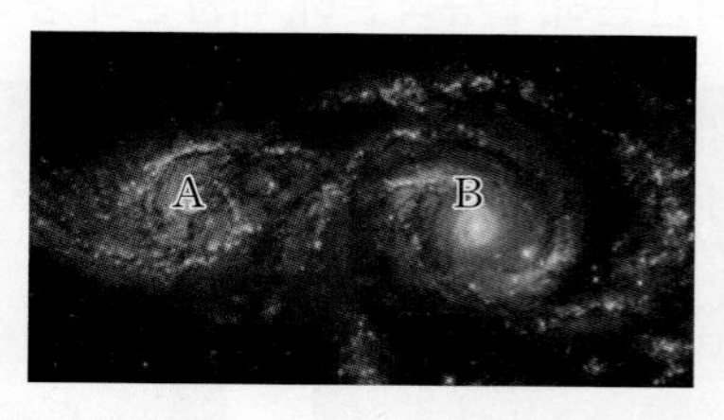

이에 대한 설명으로 옳은 것만을 〈보기〉에서 있는 대로 고른 것은?

보기

ㄱ. A와 B는 나선 은하이다.
ㄴ. A에서 관측할 때 B에 속한 별 중 스펙트럼에서 청색 편이가 나타나는 별이 있다.
ㄷ. 은하 충돌 과정에서 A와 B에 속한 대부분의 별들은 충돌한다.

① ㄱ ② ㄷ ③ ㄱ, ㄴ
④ ㄴ, ㄷ ⑤ ㄱ, ㄴ, ㄷ

05

▸24069-0203

그림은 형태가 다른 은하 ㉠, ㉡, ㉢의 색지수 분포를 나타낸 것이다. ㉠, ㉡, ㉢은 각각 정상 나선 은하(Sb형), 타원 은하, 불규칙 은하 중 하나이다.

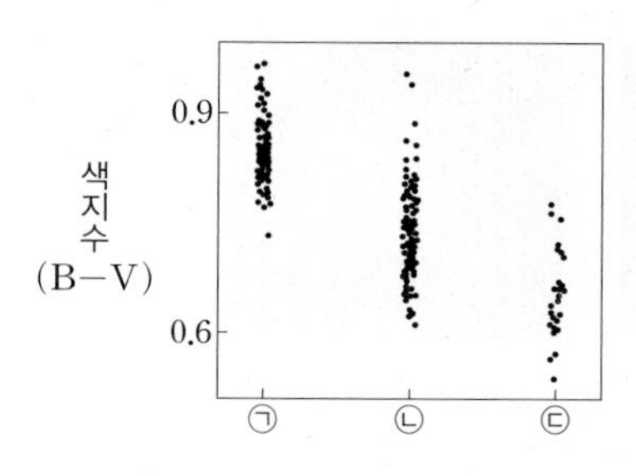

이에 대한 설명으로 옳은 것만을 〈보기〉에서 있는 대로 고른 것은?

보기

ㄱ. ㉡은 타원 은하이다.
ㄴ. 은하를 구성하는 별들의 평균 나이는 ㉠이 ㉢보다 많다.
ㄷ. 평균 색지수는 타원 은하가 정상 나선 은하보다 크다.

① ㄱ ② ㄷ ③ ㄱ, ㄴ ④ ㄴ, ㄷ ⑤ ㄱ, ㄴ, ㄷ

06

▸24069-0204

그림은 어느 일반 은하 A에 의한 중력 렌즈 효과로 하나의 퀘이사가 4개(B ~ E)로 관측된 모습이다.

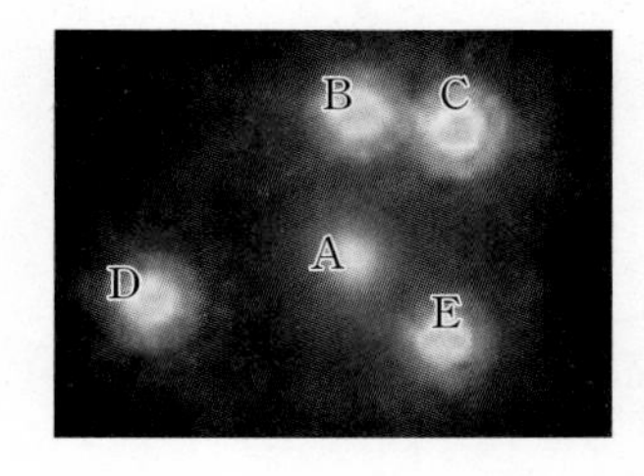

이에 대한 설명으로 옳은 것만을 〈보기〉에서 있는 대로 고른 것은?

보기

ㄱ. 적색 편이는 A가 B보다 크다.
ㄴ. 고유 파장이 같은 흡수선의 관측 파장은 B ~ E에서 같다.
ㄷ. 후퇴 속도는 A가 C보다 빠르다.

① ㄱ ② ㄴ ③ ㄷ ④ ㄱ, ㄴ ⑤ ㄱ, ㄷ

07

▸24069-0205

그림은 충돌하고 있는 은하 A와 B의 모습을 나타낸 것이다. A는 세이퍼트은하이다.

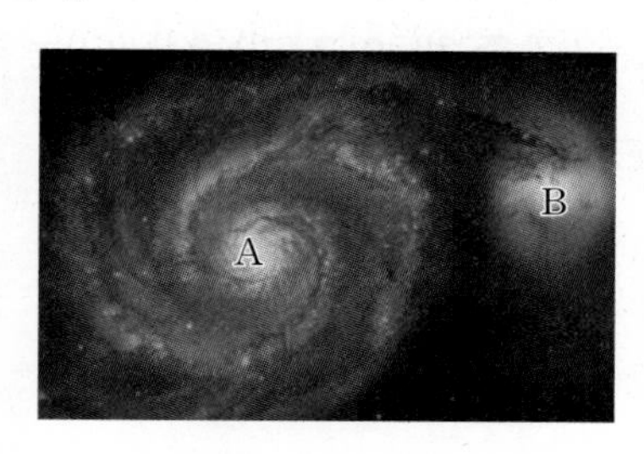

이에 대한 설명으로 옳은 것만을 〈보기〉에서 있는 대로 고른 것은?

보기

ㄱ. A는 막대 나선 은하이다.
ㄴ. 두 은하가 충돌할 때 많은 별들이 탄생할 수 있다.
ㄷ. A의 중심부에는 거대 질량의 블랙홀이 있다.

① ㄱ ② ㄷ ③ ㄱ, ㄴ ④ ㄴ, ㄷ ⑤ ㄱ, ㄴ, ㄷ

08

▸24069-0206

그림 (가)와 (나)는 각각 세이퍼트은하와 전파 은하를 나타낸 것이다. (가)는 가시광선 영상이고, (나)는 가시광선과 전파로 관측하여 합성한 영상이다.

(가)

(나)

이에 대한 설명으로 옳은 것만을 〈보기〉에서 있는 대로 고른 것은?

보기

ㄱ. (가)는 허블의 은하 분류에 따르면 나선 은하이다.
ㄴ. (나)의 제트에서는 X선이 방출된다.
ㄷ. (가)와 (나)의 중심부에는 거대 질량의 블랙홀이 있다.

① ㄱ ② ㄷ ③ ㄱ, ㄴ ④ ㄴ, ㄷ ⑤ ㄱ, ㄴ, ㄷ

01

▸24069-0207

표는 허블의 은하 분류 기준과 이에 따라 분류한 은하의 종류를 나타낸 것이고, 그림 A와 B는 각각 (가), (나), (다) 중 하나에 속하는 은하의 가시광선 영상이다. ㉠, ㉡, ㉢은 각각 '규칙적인 구조가 있는가?', '나선팔이 있는가?', '중심부에 막대 구조가 있는가?' 중 하나이고 (가), (나), (다)는 각각 타원 은하, 불규칙 은하, 정상 나선 은하 중 하나이다.

분류 기준	(가)	(나)	(다)
㉠	○	○	×
㉡	×	×	×
㉢	○	×	×

(○: 있다, ×: 없다)

A

B

이에 대한 설명으로 옳은 것만을 〈보기〉에서 있는 대로 고른 것은?

보기

ㄱ. B는 (가)에 속한다.
ㄴ. 은하의 질량에 대한 성간 물질의 질량비는 (나)가 (다)보다 크다.
ㄷ. '중심부에 막대 구조가 있는가?'는 ㉡에 해당한다.

① ㄱ ② ㄷ ③ ㄱ, ㄴ ④ ㄴ, ㄷ ⑤ ㄱ, ㄴ, ㄷ

02

▸24069-0208

그림 (가)와 (나)는 우주의 탄생부터 현재까지 퀘이사의 시간에 따른 개수 밀도와 우주 전체에서 별의 생성 비율 변화를 나타낸 것이다.

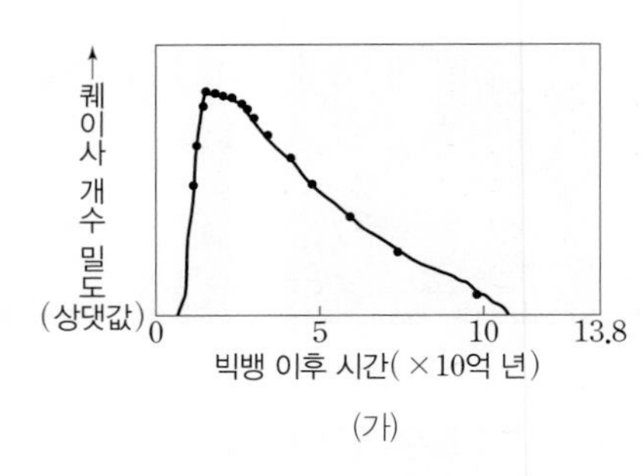

(가)

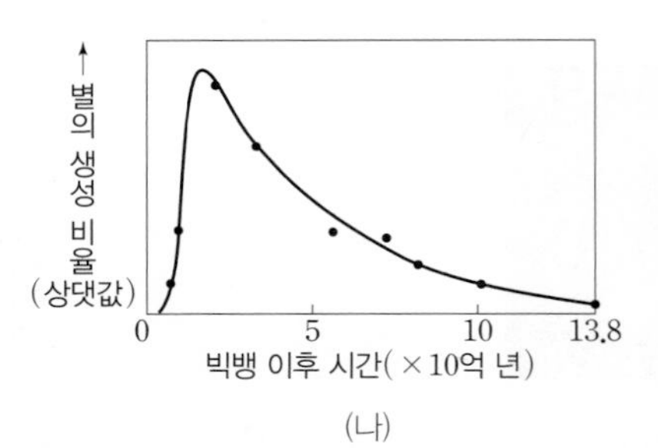

(나)

이 자료에 대한 설명으로 옳은 것만을 〈보기〉에서 있는 대로 고른 것은?

보기

ㄱ. 퀘이사의 개수 밀도는 퀘이사의 적색 편이가 클수록 크다.
ㄴ. 별의 생성 비율은 우리은하로부터 관측 거리가 먼 은하일수록 작다.
ㄷ. 퀘이사의 개수 밀도와 별의 생성 비율이 가장 높을 때 우주의 크기는 현재보다 작았다.

① ㄱ ② ㄷ ③ ㄱ, ㄴ ④ ㄴ, ㄷ ⑤ ㄱ, ㄴ, ㄷ

03

▸24069-0209

그림은 서로 다른 나선 은하 A, B, C가 탄생한 후, 연간 생성된 별의 총 질량의 상댓값 변화를 시간에 따라 나타낸 것이다. A, B, C는 질량이 같고, 허블의 은하 분류에 따르면 각각 Sa, Sb, Sc형이며, 현재 나이는 100억 년이다.

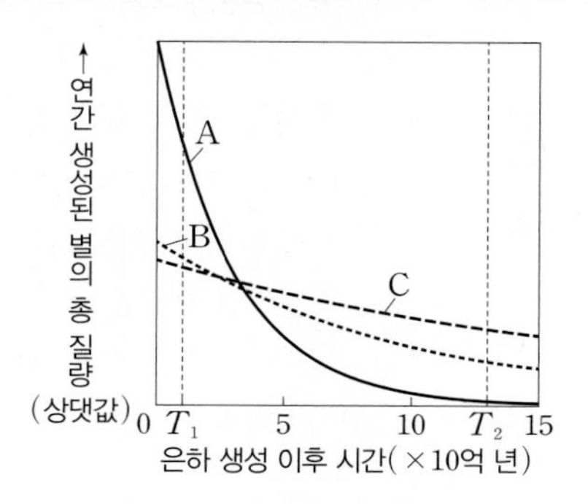

이 자료에 대한 설명으로 옳은 것만을 <보기>에서 있는 대로 고른 것은?

보기

ㄱ. T_1일 때 연간 생성된 별의 총 질량은 A가 B보다 크다.
ㄴ. T_2일 때 별의 평균 나이는 A가 C보다 많다.
ㄷ. A, B, C에서 연간 생성된 별의 총 질량은 은하 생성 초기가 현재보다 크다.

① ㄱ ② ㄷ ③ ㄱ, ㄴ ④ ㄴ, ㄷ ⑤ ㄱ, ㄴ, ㄷ

04

▸24069-0210

표는 서로 다른 종류의 은하 (가)와 (나)의 특징을, 그림은 은하 A의 모습을 나타낸 것이다. (가)와 (나)는 각각 퀘이사와 세이퍼트은하 중 하나이고, A는 (가)와 (나) 중 하나에 해당한다.

은하	광도 (우리은하=1)	형태
(가)	0.1~10	대부분 나선 은하
(나)	10~100	대부분 타원 은하

A

이 자료에 대한 설명으로 옳은 것만을 <보기>에서 있는 대로 고른 것은?

보기

ㄱ. 관측되는 은하들의 적색 편이는 대체로 (가)가 (나)보다 작다.
ㄴ. 은하의 $\frac{\text{중심부의 밝기}}{\text{전체 밝기}}$는 (가)가 (나)보다 크다.
ㄷ. A는 세이퍼트은하이다.

① ㄱ ② ㄴ ③ ㄱ, ㄷ ④ ㄴ, ㄷ ⑤ ㄱ, ㄴ, ㄷ

테마

15 우주 팽창

1 허블 법칙과 우주론

(1) 외부 은하의 관측

① 외부 은하의 스펙트럼 관측: 멀리 있는 외부 은하들의 스펙트럼을 관측하면 대부분 흡수선들의 위치가 원래 위치보다 파장이 긴 적색 쪽으로 이동하는 적색 편이가 나타난다. ➡ 적색 편이는 외부 은하가 우리은하로부터 멀어질 때 나타난다.

② 외부 은하의 스펙트럼 관측과 후퇴 속도: 외부 은하의 후퇴 속도(v)와 흡수선의 파장 변화량($\Delta\lambda$=관측 파장−원래 파장) 사이에는 다음과 같은 관계가 성립한다.

$$v = c \times \frac{\Delta\lambda}{\lambda}$$

(c: 빛의 속도, λ: 원래의 흡수선 파장, $\Delta\lambda$: 흡수선의 파장 변화량)

(2) 허블 법칙과 우주 팽창

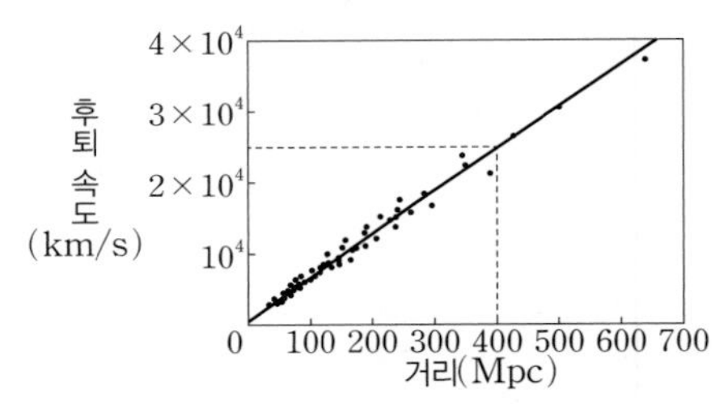

▲ 외부 은하들의 거리에 따른 후퇴 속도

① 허블 법칙: 외부 은하의 후퇴 속도는 거리에 비례하여 증가한다.
$v = H \cdot r$ (v: 후퇴 속도, H: 허블 상수, r: 거리)

② 허블 상수: 1 Mpc당 우주가 팽창하는 속도(km/s)를 나타내는 값이다.

③ 우주의 나이: 우주의 팽창 속도가 일정하다고 가정하면, 허블 상수의 역수로 우주의 나이를 구할 수 있다.

④ 멀리 있는 은하일수록 빠르게 멀어지는 현상은 우주가 팽창한다는 것을 의미한다.

(3) 빅뱅 우주론(대폭발 우주론): 우주의 모든 물질과 에너지가 매우 작고 뜨거운 한 점에 모여 있다가 대폭발이 일어난 후 팽창하면서 냉각되어 현재와 같은 우주가 생성되었다는 이론이다.

(4) 빅뱅 우주론의 근거: 우주가 팽창하는 것은 과거에는 우주의 크기가 매우 작고 뜨거웠다는 사실을 암시하기 때문에 빅뱅 우주론의 가정과 잘 들어맞는다.

① 가벼운 원소의 비율: 빅뱅 우주론에 따르면 수소와 헬륨의 질량비가 약 3 : 1이 되어야 하는데, 이 예측은 관측 결과와 잘 들어맞는다.

② 우주 배경 복사: 우주의 온도가 약 3000 K일 때 방출되었던 복사로, 우주가 팽창하는 동안 온도가 낮아지고 파장이 길어져 현재는 약 2.7 K 복사로 관측된다.

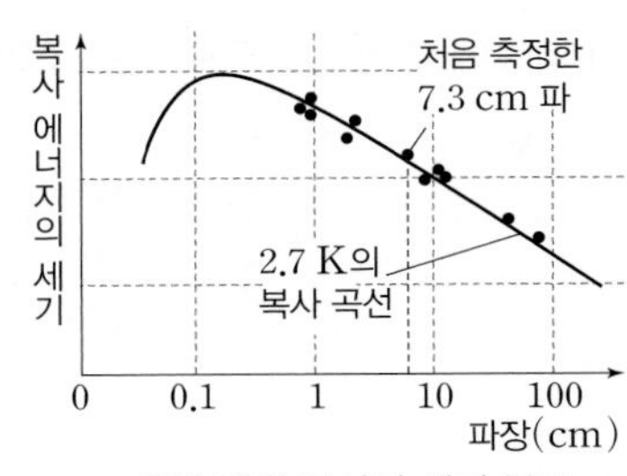

▲ 우주 배경 복사의 세기 분포

(5) 빅뱅 우주론의 한계와 급팽창 우주론

① 빅뱅 우주론의 문제점

- 우주의 평탄성 문제: 현재 관측 결과 우주는 완벽할 정도로 평탄하지만 빅뱅 우주론에서는 그 까닭을 설명하지 못하였다.
- 우주의 지평선 문제: 현재 관측 결과 우주의 모든 영역에서 물질이나 우주 배경 복사가 거의 균일한데, 이는 멀리 떨어진 두 지역이 과거에는 정보 교환이 있었다는 것을 의미한다. 그러나 빅뱅 우주론에서는 빛이 이동할 수 있는 시간보다 우주의 나이가 더 적기 때문에 이를 설명하지 못하였다.
- 우주의 자기 홀극 문제: 빅뱅 우주론에 따르면 현재 우주에는 초기 우주 때 생성된 자기 홀극이 많이 존재해야 한다. 하지만 다양한 실험을 통해 자기 홀극을 발견하기 위해 노력하였으나 지금까지 발견되지 않았다.

더 알기 외부 은하의 흡수선 파장 변화

- 세 흡수선의 원래 파장은 각각 400 nm, 500 nm, 600 nm이다.
- 은하 A와 B의 스펙트럼에서 관측되는 세 흡수선의 파장은 원래 파장보다 길다. ➡ 흡수선의 파장이 원래 파장보다 길어진 적색 편이가 나타난다.
- 각각의 은하에서 흡수선의 파장 변화량은 원래 파장이 길수록 크다.
- 세 흡수선의 파장 변화량은 B가 A보다 크다. ➡ 은하의 후퇴 속도는 B가 A보다 빠르다.

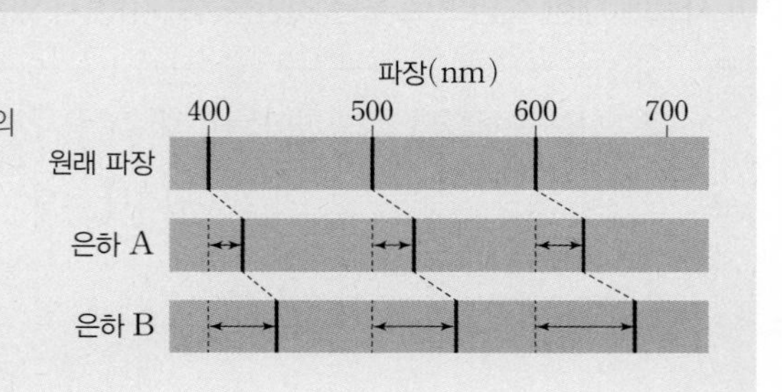

② 급팽창 우주론(인플레이션 이론): 빅뱅 이후 우주가 급격히 팽창했다는 이론으로, 빅뱅 우주론에서 설명할 수 없었던 여러 문제들을 해결하였다.

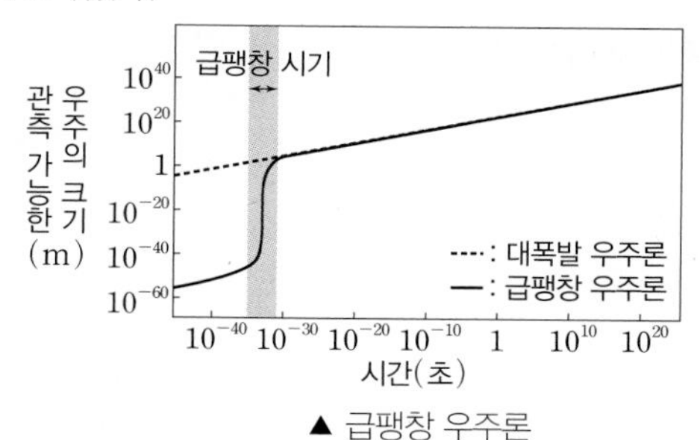

▲ 급팽창 우주론

- 우주가 전체적으로는 곡률을 가지고 있더라도 우주 생성 초기에 급격히 팽창하여 공간의 크기가 매우 커지게 되면 관측되는 우주의 영역은 평탄하게 보이게 된다고 주장함으로써 우주의 평탄성 문제를 해결하였다.
- 우주 생성 초기에 우주가 급팽창하였기 때문에 급팽창이 일어나기 이전에 가까이 있었던 두 지역은 서로 정보를 교환할 수 있었다고 주장함으로써 우주의 지평선 문제를 해결하였다.
- 우주가 생성 초기에 급격히 팽창하였기 때문에 자기 홀극의 밀도는 관측 가능량 미만으로 희박해졌다고 주장함으로써 우주의 자기 홀극 문제를 해결하였다.

(6) **우주의 가속 팽창**

① 과거에는 우주를 구성하는 물질의 인력으로 인해 시간에 따라 우주의 팽창 속도가 감소할 것이라고 예상하였다.

② 현재 우주는 평탄하지만, 1998년 수십 개의 Ⅰa형 초신성 관측 자료를 분석한 결과 우주의 팽창 속도가 점점 증가하고 있다는 것을 알아냈다.

③ 현재 우주가 가속 팽창하는 이유는 척력으로 작용하는 암흑 에너지 때문인 것으로 설명한다.

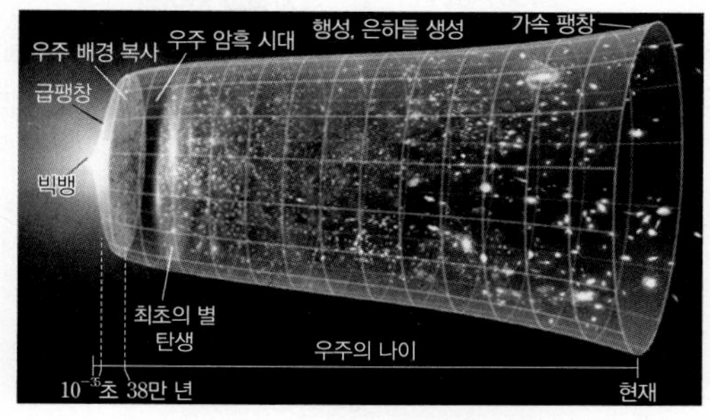

▲ 우주의 급팽창과 가속 팽창

2 암흑 물질과 암흑 에너지

(1) **암흑 물질**: 전자기파로 관측되지 않아 우리 눈에 보이지 않기 때문에 중력적인 방법으로만 존재를 추정할 수 있는 물질이다.

(2) **암흑 에너지**

① 우주의 모든 물질들 사이에는 인력이 작용하므로 만약 우주를 팽창시키는 어떤 에너지가 없다면 우주는 물질들의 인력에 의해 팽창 속도가 감소하거나 수축할 것이다.

② 최근의 관측 결과 현재 우주는 팽창 속도가 계속 증가하는 것으로 밝혀졌다. 이것은 우주 안에 있는 물질들의 인력을 합친 것보다 더 큰 어떤 힘이 우주를 팽창시키고 있음을 의미한다. 과학자들은 이 힘을 발생시키는 에너지를 암흑 에너지라고 하는데, 암흑 에너지는 우주에 널리 퍼져 있으며 척력으로 작용해 우주를 가속 팽창시키는 역할을 하는 것으로 추정하고 있다.

(3) **우주의 구성**

① 최근 초신성이나 우주 배경 복사를 플랑크 망원경으로 관측한 결과 과학자들은 약 4.9 %의 보통 물질과 약 26.8 %의 암흑 물질, 약 68.3 %의 암흑 에너지가 우주를 구성하고 있다고 추정하고 있다.

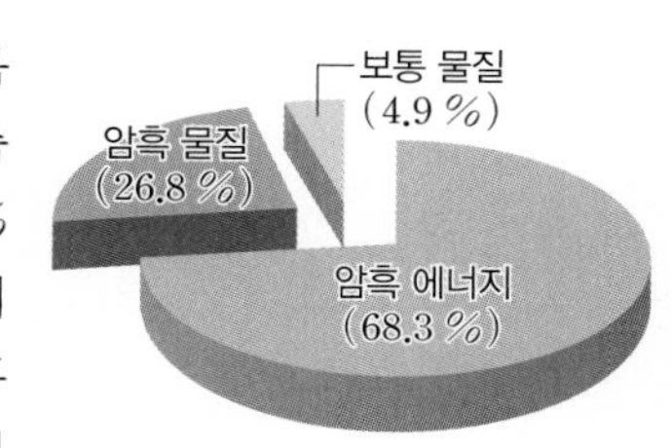

▲ 현재 우주의 구성

② 과학자들은 현재 우주는 평탄하지만 많은 양의 암흑 에너지가 우주를 가속 팽창시키기 때문에 우주는 영원히 팽창할 것으로 예측하고 있다.

(4) **우주의 미래**: 우주가 영원히 팽창할지, 팽창을 멈추게 될지는 우주 내부에 있는 물질과 에너지양에 의해 결정된다.

① 임계 밀도: 평탄 우주의 밀도이다.

② 우주의 미래 모형(암흑 에너지를 고려하지 않을 경우)

구분	설명
열린 우주	우주의 평균 밀도가 임계 밀도보다 작고, 곡률이 음(−)인 우주이다.
평탄 우주	우주의 평균 밀도가 임계 밀도와 같고, 곡률이 0인 우주이다.
닫힌 우주	우주의 평균 밀도가 임계 밀도보다 크고, 곡률이 양(+)인 우주이다.

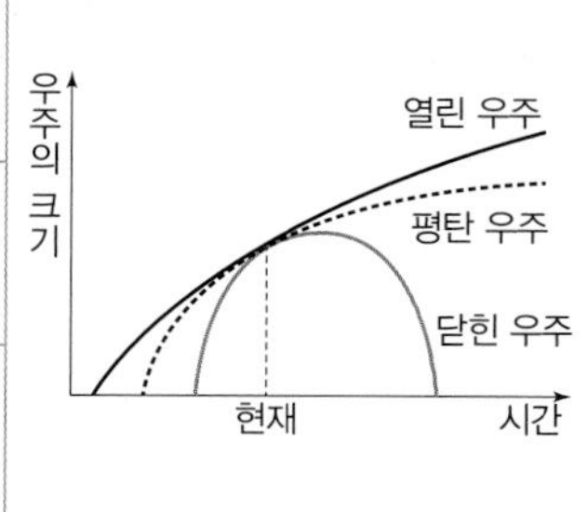

더 알기 암흑 물질

- 암흑 물질은 전자기파를 흡수하거나 방출하지 않으므로 일반적인 방법으로는 존재를 확인할 수 없는 물질이다. ➡ 암흑 물질의 존재는 중력 렌즈 현상을 이용하여 확인하고 있다.
- 은하단과 암흑 물질에 의한 중력 렌즈 현상으로 외부 은하가 왜곡된 영상(여러 개의 영상, 길게 늘어난 영상 등)으로 관측된다. ➡ 중력 렌즈 현상을 이용하여 은하단에서의 암흑 물질 분포를 알아낼 수 있다.

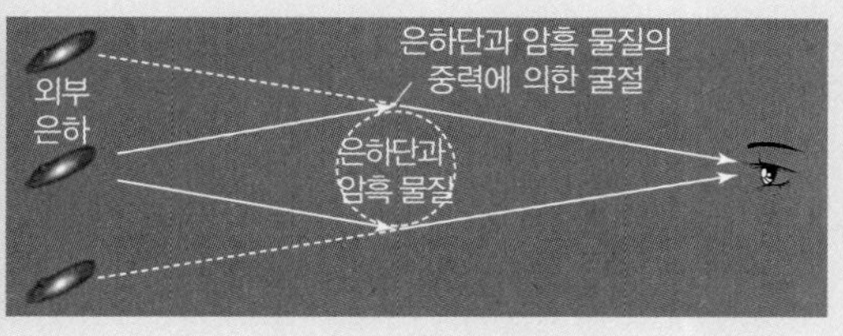

▲ 은하단과 암흑 물질에 의한 중력 렌즈 현상으로 외부 은하가 왜곡되어 보이는 모습

테마 대표 문제

| 2024학년도 수능 |

그림은 빅뱅 우주론에 따라 우주가 팽창하는 동안 우주 구성 요소 A와 B의 상대적 비율(%)을 시간에 따라 나타낸 것이다. A와 B는 각각 암흑 에너지와 물질(보통 물질+암흑 물질) 중 하나이다.

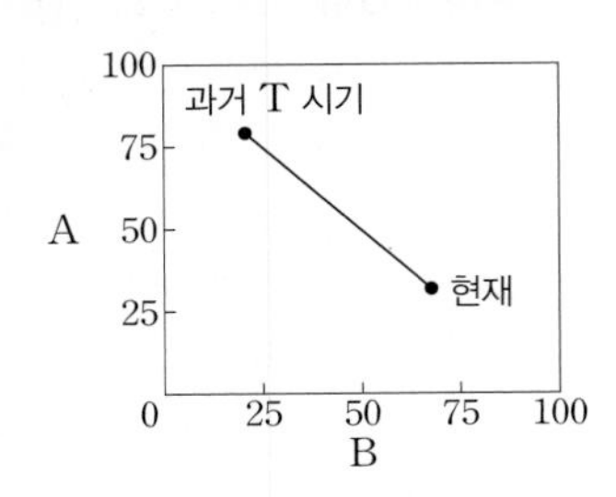

이에 대한 설명으로 옳은 것만을 〈보기〉에서 있는 대로 고른 것은?

보기
ㄱ. A는 물질에 해당한다.
ㄴ. 우주 배경 복사의 온도는 과거 T 시기가 현재보다 낮다.
ㄷ. 우주가 팽창하는 동안 B의 총량은 일정하다.

① ㄱ　② ㄴ　③ ㄷ　④ ㄱ, ㄴ　⑤ ㄱ, ㄷ

접근 전략

현재 우주는 약 68.3 %의 암흑 에너지와 약 4.9 %의 보통 물질, 약 26.8 %의 암흑 물질로 구성된다. 우주는 암흑 에너지로 인해 가속 팽창하고 있다.

간략 풀이

현재 우주에서는 물질보다 암흑 에너지의 비율이 높다.

ㄱ. 현재 A는 B보다 비율이 낮은 것으로 보아 A는 물질에 해당한다.

ㄴ. 우주 배경 복사의 온도는 우주가 팽창함에 따라 시간이 흐를수록 낮아진다.

ㄷ. 암흑 에너지의 총량은 우주가 팽창함에 따라 증가한다.

정답 | ①

닮은 꼴 문제로 유형 익히기

정답과 해설 37쪽

▸24069-0211

그림은 빅뱅 우주론에 따라 우주가 팽창하는 동안 우주 구성 요소 A, B, C의 상대적 밀도를 시간에 따라 나타낸 것이다. A, B, C는 각각 암흑 에너지, 보통 물질, 암흑 물질 중 하나이다.

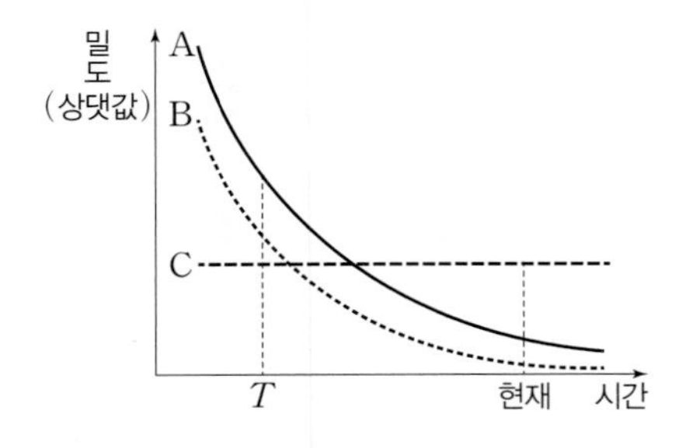

이에 대한 설명으로 옳은 것만을 〈보기〉에서 있는 대로 고른 것은?

보기
ㄱ. A는 전자기파로 관측할 수 있다.
ㄴ. 우주 배경 복사의 파장은 T 시기가 현재보다 길다.
ㄷ. 현재 이후 우주가 팽창하는 동안 $\frac{\text{(A+B)의 비율}}{\text{C의 비율}}$은 감소한다.

① ㄱ　② ㄷ　③ ㄱ, ㄴ　④ ㄴ, ㄷ　⑤ ㄱ, ㄴ, ㄷ

유사점과 차이점

우주의 팽창에 따른 물질과 암흑 에너지의 변화를 다룬다는 점에서 대표 문제와 유사하지만, 물질을 암흑 물질과 보통 물질로 구분하여 시간에 따른 변화를 다룬다는 점에서 대표 문제와 다르다.

배경 지식

- 우주 배경 복사는 우주가 팽창함에 따라 파장이 점점 길어진다.
- 현재 우주는 가속 팽창하고 있으며, 가속 팽창하는 힘을 발생시키는 에너지가 암흑 에너지이다.

01
▸24069-0212

그림 (가)는 헬륨 원자핵이 생성된 직후 모습을, (나)는 우주 배경 복사가 방출된 시기의 모습을 나타낸 것이다.

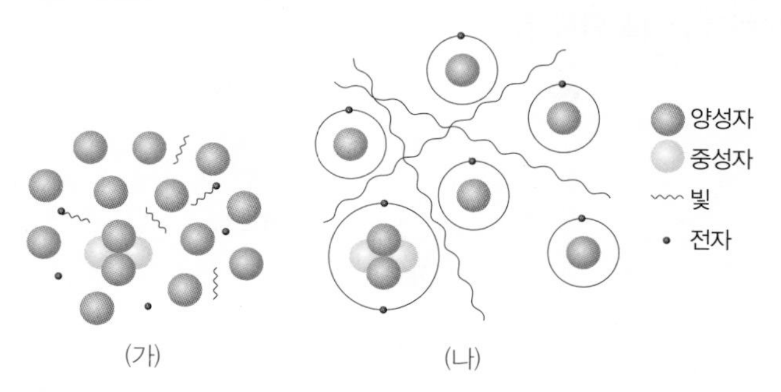

이에 대한 설명으로 옳은 것만을 〈보기〉에서 있는 대로 고른 것은?

보기
ㄱ. (가) 시기에 수소와 헬륨의 질량비는 약 7 : 1이다.
ㄴ. (나) 시기에 우주 배경 복사의 파장은 현재보다 길다.
ㄷ. 우주의 온도는 (가) 시기가 (나) 시기보다 높다.

① ㄱ ② ㄷ ③ ㄱ, ㄴ ④ ㄴ, ㄷ ⑤ ㄱ, ㄴ, ㄷ

02
▸24069-0213

그림은 서로 다른 세 우주 (가), (나), (다)에서 외부 은하의 거리에 따른 후퇴 속도를 나타낸 것이다. (가), (나), (다)의 은하들은 각각 허블 법칙을 만족한다. (가), (나), (다)에서 현재 은하들의 평균 거리는 동일하고 현재 이후 세 우주의 허블 상수는 변하지 않는다.

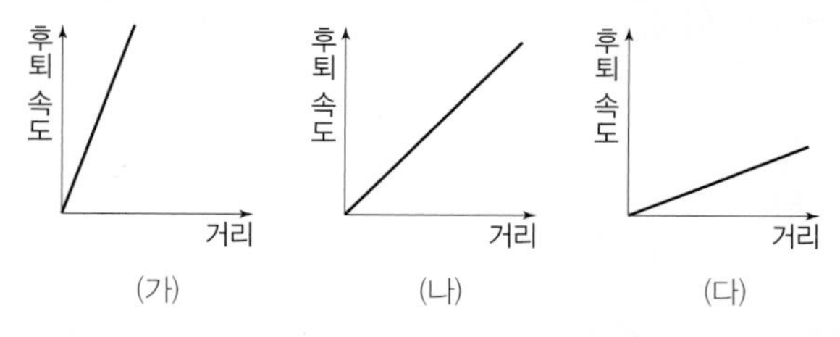

이에 대한 설명으로 옳은 것만을 〈보기〉에서 있는 대로 고른 것은? (단, 거리와 후퇴 속도 축의 간격은 일정하다.)

보기
ㄱ. 후퇴 속도가 같은 은하까지의 거리는 (가)에서가 (다)에서보다 멀다.
ㄴ. 허블 상수는 (가)가 (나)보다 크다.
ㄷ. (가), (나), (다)에서 20억 년 후 은하들 사이의 평균 거리는 (나)가 (다)보다 멀다.

① ㄱ ② ㄷ ③ ㄱ, ㄴ ④ ㄴ, ㄷ ⑤ ㄱ, ㄴ, ㄷ

03
▸24069-0214

그림 (가)는 WMAP 우주 망원경으로 관측한 우주의 온도 편차를, (나)는 빅뱅 후 38만 년일 때와 현재의 우주 배경 복사에 해당하는 흑체 복사 곡선을 나타낸 것이다.

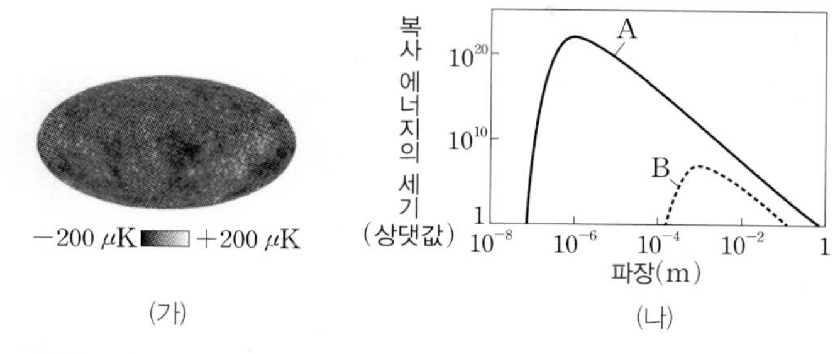

이 자료에 대한 설명으로 옳은 것만을 〈보기〉에서 있는 대로 고른 것은?

보기
ㄱ. (가)에서 미세한 온도 편차는 우주 초기에 미세한 밀도 차가 존재했다는 증거이다.
ㄴ. 현재 관측되는 우주 배경 복사의 흑체 복사 곡선은 B이다.
ㄷ. (가)와 (나)는 모두 대폭발 이론으로 설명이 가능하다.

① ㄱ ② ㄷ ③ ㄱ, ㄴ ④ ㄴ, ㄷ ⑤ ㄱ, ㄴ, ㄷ

04
▸24069-0215

그림은 우주 모형 A, B에서 외부 은하의 거리에 따른 후퇴 속도와 외부 은하에서 발견된 Ⅰa형 초신성의 관측 자료를 나타낸 것이다.

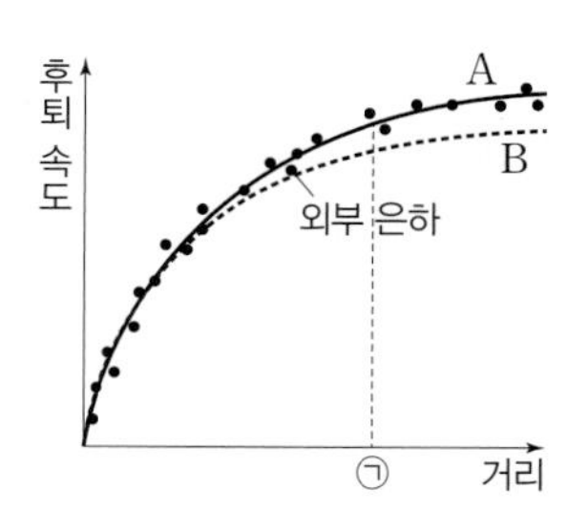

이 자료에 대한 설명으로 옳은 것만을 〈보기〉에서 있는 대로 고른 것은? (단, 거리와 후퇴 속도 축의 간격은 일정하다.)

보기
ㄱ. 은하들의 후퇴 속도는 은하까지의 거리에 비례한다.
ㄴ. Ⅰa형 초신성이 최대 밝기일 때의 절대 등급은 거리에 관계없이 거의 일정하다.
ㄷ. 거리가 ㉠인 은하의 스펙트럼 흡수선의 관측 파장 예측값은 A가 B보다 작다.

① ㄱ ② ㄴ ③ ㄱ, ㄷ ④ ㄴ, ㄷ ⑤ ㄱ, ㄴ, ㄷ

05

▸24069-0216

표는 허블 법칙을 만족하는 외부 은하 (가), (나), (다)에서 관측되는 고유 파장이 500 nm인 흡수선의 파장을 나타낸 것이다.

은하	(가)	(나)	(다)
흡수선 파장 (nm)	510	520	540

이에 대한 설명으로 옳은 것만을 〈보기〉에서 있는 대로 고른 것은?

보기
ㄱ. (가)의 적색 편이는 0.02이다.
ㄴ. 은하의 후퇴 속도는 (다)가 (가)의 4배이다.
ㄷ. 지구로부터의 거리는 (나)가 (가)의 2배이다.

① ㄱ ② ㄷ ③ ㄱ, ㄴ
④ ㄴ, ㄷ ⑤ ㄱ, ㄴ, ㄷ

06

▸24069-0217

표는 우주의 구성 요소에 대한 설명이다. (가), (나), (다)는 각각 암흑 에너지, 암흑 물질, 보통 물질 중 하나이다.

구성 요소	설명
(가)	질량을 가지고 있지만 전자기파로 관측되지 않는다.
(나)	척력으로 작용해 우주를 가속 팽창시킨다.
(다)	전자기파로 관측이 가능하다.

이에 대한 설명으로 옳은 것만을 〈보기〉에서 있는 대로 고른 것은?

보기
ㄱ. (가)는 암흑 에너지이다.
ㄴ. 우주에 존재하는 (나)의 총량은 시간에 따라 증가한다.
ㄷ. 현재 이후 시간에 따라 $\frac{\text{(가)의 비율}+\text{(다)의 비율}}{\text{(나)의 비율}}$은 감소한다.

① ㄱ ② ㄷ ③ ㄱ, ㄴ
④ ㄴ, ㄷ ⑤ ㄱ, ㄴ, ㄷ

07

▸24069-0218

그림은 은하 A~D의 위치를 나타낸 것이다. A에서 관측한 C의 후퇴 속도는 2800 km/s이다. 은하 A~D는 동일 평면상에 위치하고 허블 법칙을 만족한다.

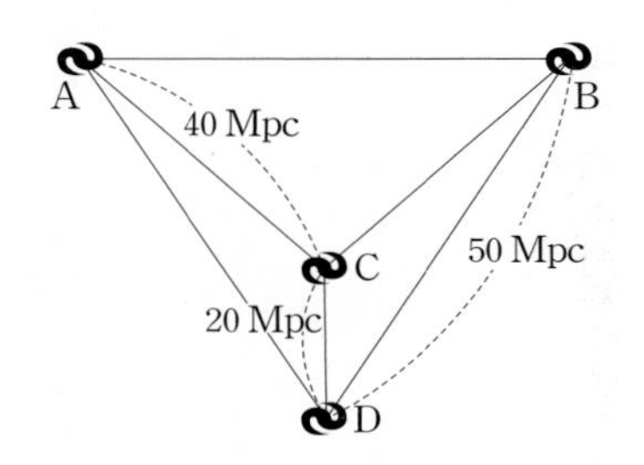

이에 대한 설명으로 옳은 것만을 〈보기〉에서 있는 대로 고른 것은? (단, 빛의 속도는 3×10^5 km/s이다.)

보기
ㄱ. 허블 상수는 70 km/s/Mpc이다.
ㄴ. C에서 D를 관측하면, D의 스펙트럼에서 고유 파장이 600 nm인 흡수선은 602.8 nm로 관측된다.
ㄷ. B에서 관측한 D의 후퇴 속도는 3500 km/s이다.

① ㄱ ② ㄷ ③ ㄱ, ㄴ
④ ㄴ, ㄷ ⑤ ㄱ, ㄴ, ㄷ

08

▸24069-0219

그림은 서로 다른 우주론 (가)와 (나)의 시간에 따른 우주의 질량 변화를 나타낸 것이다. (가)와 (나)는 각각 정상 우주론과 빅뱅 우주론 중 하나이다.

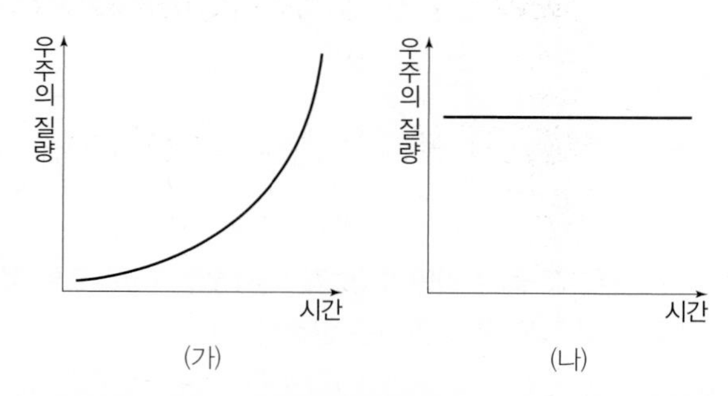

이에 대한 설명으로 옳은 것만을 〈보기〉에서 있는 대로 고른 것은?

보기
ㄱ. (가)에서 우주의 부피 변화는 질량 변화에 비례한다.
ㄴ. 우주 배경 복사를 설명할 수 있는 우주론은 (나)이다.
ㄷ. 우주의 온도 변화는 (가)가 (나)보다 크다.

① ㄱ ② ㄷ ③ ㄱ, ㄴ
④ ㄴ, ㄷ ⑤ ㄱ, ㄴ, ㄷ

09

▶24069-0220

표는 초기 빅뱅 우주론과 급팽창 이론의 내용을 (가)와 (나)로 순서 없이 나타낸 것이다.

이론	내용
(가)	㉠우주는 곡률이 0인 편평한 공간이 될 가능성이 거의 없다.
(나)	우주는 생성 초기에 급팽창하였다.

이에 대한 설명으로 옳은 것만을 〈보기〉에서 있는 대로 고른 것은?

보기

ㄱ. ㉠은 우주의 평탄성 문제이다.
ㄴ. (가)는 우주의 자기 홀극 문제를 설명할 수 있다.
ㄷ. (나)에서 우주가 급팽창하기 전에는 우주에서 서로 다른 반대편에 위치한 두 지역의 정보 교환이 가능했다.

① ㄱ ② ㄴ ③ ㄱ, ㄷ
④ ㄴ, ㄷ ⑤ ㄱ, ㄴ, ㄷ

10

▶24069-0221

그림 (가)는 현재 우주 구성 요소의 비율을, (나)는 팽창하는 우주 모형에서 시간에 따른 우주의 크기 변화를 나타낸 것이다. A, B, C는 각각 보통 물질, 암흑 물질, 암흑 에너지 중 하나이다.

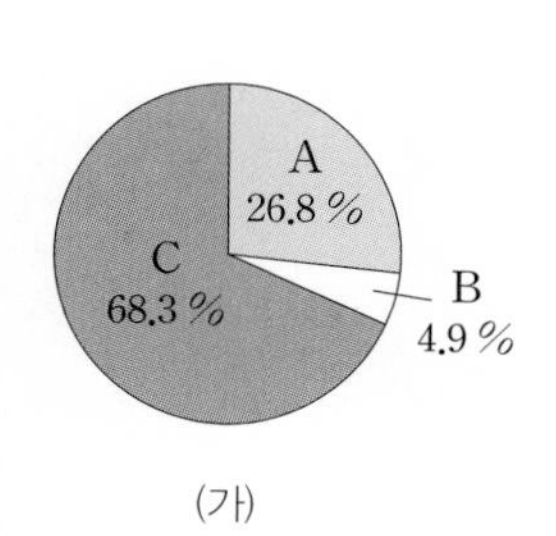

(가)

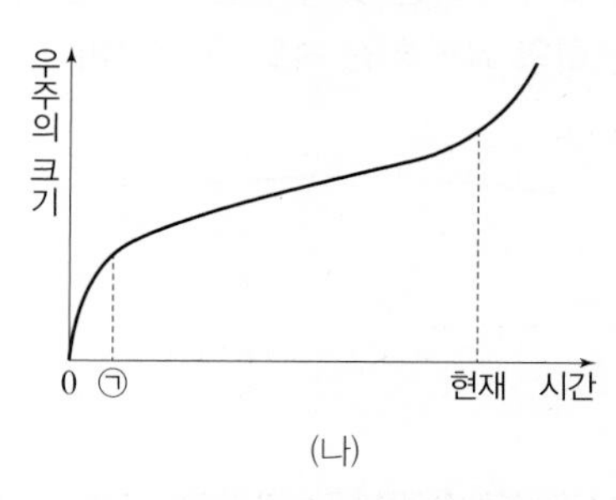

(나)

이에 대한 설명으로 옳은 것만을 〈보기〉에서 있는 대로 고른 것은?

보기

ㄱ. A는 암흑 물질이다.
ㄴ. ㉠ 시기에 우주는 감속 팽창했다.
ㄷ. ㉠ 시기는 현재보다 $\frac{\text{B의 비율}}{\text{C의 비율}}$이 크다.

① ㄱ ② ㄷ ③ ㄱ, ㄴ
④ ㄴ, ㄷ ⑤ ㄱ, ㄴ, ㄷ

11

▶24069-0222

표는 우주 모형 A, B, C의 Ω_m과 Ω_Λ를 나타낸 것이고, 그림은 이들 모형에서 시간에 따른 우주의 크기 변화를 나타낸 것이다. ㉠, ㉡, ㉢은 각각 A, B, C 중 하나이다. Ω_m과 Ω_Λ는 각각 현재 우주의 물질 밀도와 암흑 에너지 밀도를 임계 밀도로 나눈 값이다.

우주 모형	Ω_m	Ω_Λ
A	0.3	0
B	1	0
C	5	0

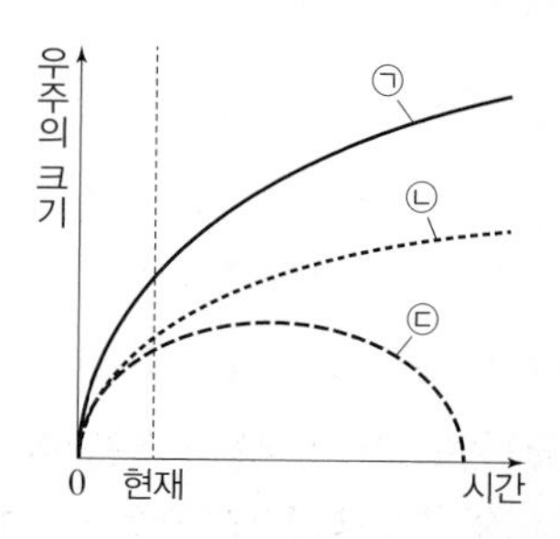

이에 대한 설명으로 옳은 것만을 〈보기〉에서 있는 대로 고른 것은?

보기

ㄱ. 우주의 곡률이 음(−)인 것은 B이다.
ㄴ. ㉡은 A에 해당한다.
ㄷ. 현재 C는 감속 팽창하고 있다.

① ㄱ ② ㄷ ③ ㄱ, ㄴ
④ ㄴ, ㄷ ⑤ ㄱ, ㄴ, ㄷ

12

▶24069-0223

표는 빅뱅 이후 우주에서 일어난 사건 (가)~(라)에 대한 설명을 나타낸 것이다.

사건	설명
(가)	헬륨 원자핵 생성
(나)	최초의 별 탄생
(다)	우주 배경 복사 출발
(라)	관측되는 가장 가까운 퀘이사에서 빛 출발

이에 대한 설명으로 옳은 것만을 〈보기〉에서 있는 대로 고른 것은?

보기

ㄱ. 사건이 일어난 시간 순서는 (가)→(다)→(나)→(라)이다.
ㄴ. (가)와 (나) 사이에 우주는 급팽창하였다.
ㄷ. 빅뱅 이후 (가)까지 걸린 시간은 (가)에서 (다)까지 걸린 시간보다 길다.

① ㄱ ② ㄴ ③ ㄷ
④ ㄱ, ㄴ ⑤ ㄱ, ㄷ

01

▸24069-0224

표는 우리은하에서 관측한 은하 A, B, C의 스펙트럼의 흡수선 파장을 나타낸 것이다. 우리은하에서 A, B, C까지의 거리는 각각 $\frac{100}{7}$ Mpc, $\frac{60}{7}$ Mpc, $\frac{120}{7}$ Mpc이다. A의 흡수선 관측 파장은 허블 법칙으로 예상되는 값과 다르고, B와 C의 흡수선 관측 파장은 허블 법칙으로 예상되는 값과 같다.

고유 파장(nm)	관측된 파장(nm)		
	A	B	C
300	(　　)	(㉠)	301.2
600	601.4	601.2	602.4

이에 대한 설명으로 옳은 것만을 〈보기〉에서 있는 대로 고른 것은? (단, 빛의 속도는 3×10^5 km/s이다.)

보기
ㄱ. ㉠은 300.6이다.
ㄴ. 허블 상수는 70 km/s/Mpc이다.
ㄷ. A의 후퇴 속도는 허블 법칙으로 예상한 값보다 300 km/s 작다.

① ㄱ　② ㄷ　③ ㄱ, ㄴ　④ ㄴ, ㄷ　⑤ ㄱ, ㄴ, ㄷ

02

▸24069-0225

그림 (가)는 빅뱅 우주론에서 시간에 따른 보통 물질, 암흑 물질, 암흑 에너지의 밀도 변화를 A, B, C로 순서 없이 나타낸 것이고, (나)는 우리은하의 회전 속도를 은하 중심으로부터의 거리에 따라 나타낸 것이다. ㉠과 ㉡은 각각 관측 가능한 물질로부터 추론한 우리은하의 회전 속도와 관측으로 알아낸 우리은하의 실제 회전 속도 중 하나이다.

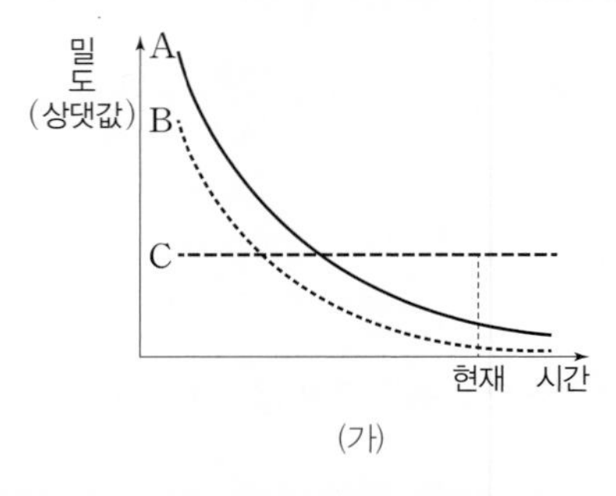

(가)

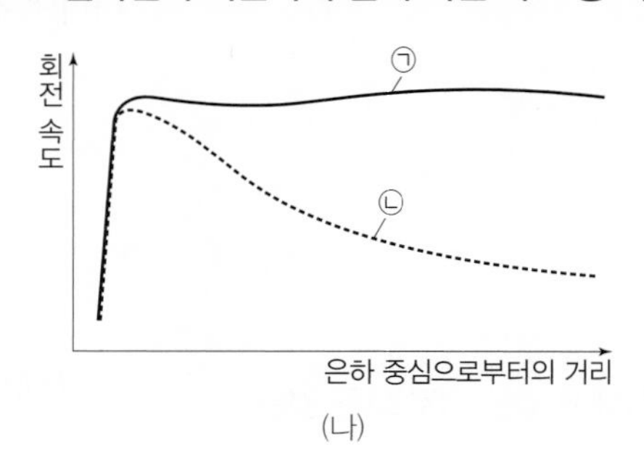

(나)

이 자료에 대한 설명으로 옳은 것만을 〈보기〉에서 있는 대로 고른 것은?

보기
ㄱ. C로 인해 중력 렌즈 현상이 나타난다.
ㄴ. 우리은하의 실제 회전 속도는 ㉠이다.
ㄷ. ㉠과 ㉡의 차이는 B로 인해 나타난다.

① ㄱ　② ㄴ　③ ㄱ, ㄷ　④ ㄴ, ㄷ　⑤ ㄱ, ㄴ, ㄷ

03

▸24069-0226

그림 (가), (나), (다)는 각각 빅뱅 우주론에서 우주가 팽창함에 따라 물질, 우주 배경 복사, 암흑 에너지의 변화를 나타낸 것이다.

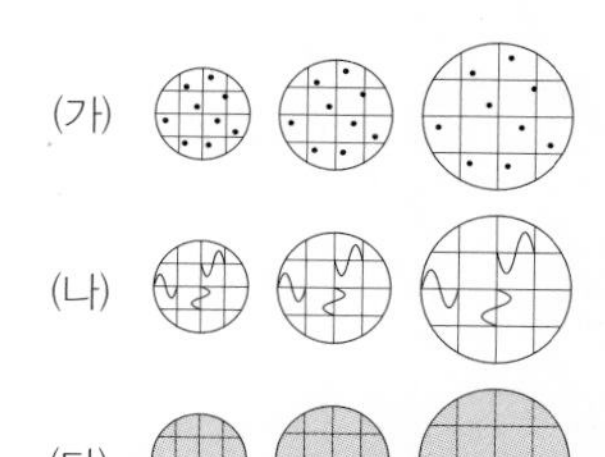

우주가 팽창함에 따라 증가하는 것만을 〈보기〉에서 있는 대로 고른 것은?

보기

ㄱ. 우주의 질량
ㄴ. 우주 배경 복사의 파장
ㄷ. 암흑 에너지의 밀도

① ㄱ ② ㄴ ③ ㄱ, ㄷ ④ ㄴ, ㄷ ⑤ ㄱ, ㄴ, ㄷ

04

▸24069-0227

표는 우주 모형 A, B, C의 Ω_m과 Ω_Λ를 나타낸 것이고, 그림은 이들 모형에서 은하들의 거리와 후퇴 속도의 관계를 Ⅰa형 초신성 관측 자료와 함께 나타낸 것이다. ㉠, ㉡, ㉢은 각각 A, B, C 중 하나이다. Ω_m과 Ω_Λ는 각각 현재 우주의 물질 밀도와 암흑 에너지 밀도를 임계 밀도로 나눈 값이다.

우주 모형	Ω_m	Ω_Λ
A	0	1
B	1	0
C	0.3	0.7

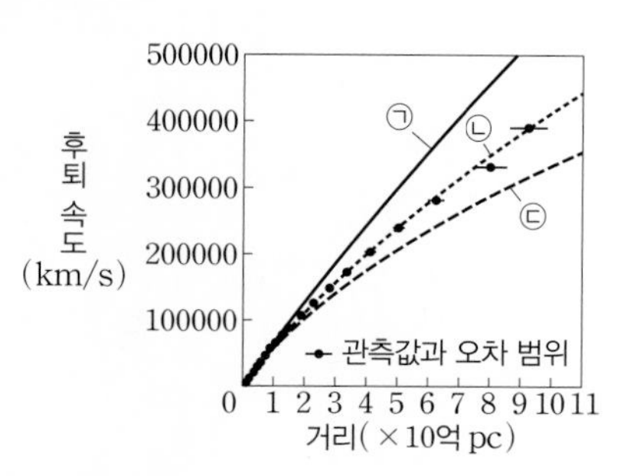

이에 대한 설명으로 옳은 것만을 〈보기〉에서 있는 대로 고른 것은?

보기

ㄱ. A, B, C는 모두 평탄 우주이다.
ㄴ. ㉡은 C이다.
ㄷ. 관측 자료에 나타난 우주의 팽창을 설명하기 위해서는 물질과 암흑 에너지를 모두 고려해야 한다.

① ㄱ ② ㄷ ③ ㄱ, ㄴ ④ ㄴ, ㄷ ⑤ ㄱ, ㄴ, ㄷ

정답과 해설 38쪽

05

▸24069-0228

표는 은하 A, B, C의 겉보기 등급과 A, B, C의 스펙트럼에서 고유 파장이 500 nm인 흡수선이 관측되는 파장을 나타낸 것이다. A, B, C는 허블 법칙을 만족하고, A와 B의 절대 등급은 같다.

은하	겉보기 등급	관측 파장(nm)
A	8.0	(㉠)
B	9.0	508
C	14.0	516

이에 대한 설명으로 옳은 것만을 〈보기〉에서 있는 대로 고른 것은?

보기

ㄱ. ㉠은 508보다 작다.
ㄴ. A, B, C 중 지구로부터의 거리는 B가 가장 가깝다.
ㄷ. 절대 등급은 C가 B보다 크다.

① ㄱ ② ㄴ ③ ㄷ ④ ㄱ, ㄷ ⑤ ㄴ, ㄷ

06

▸24069-0229

그림의 A와 B는 우주 배경 복사가 출발한 위치와 관측되는 가장 가까이 있는 퀘이사에서 빛이 출발한 위치를 순서 없이 나타낸 것이다. 현재 우주의 나이는 약 138억 년이다.

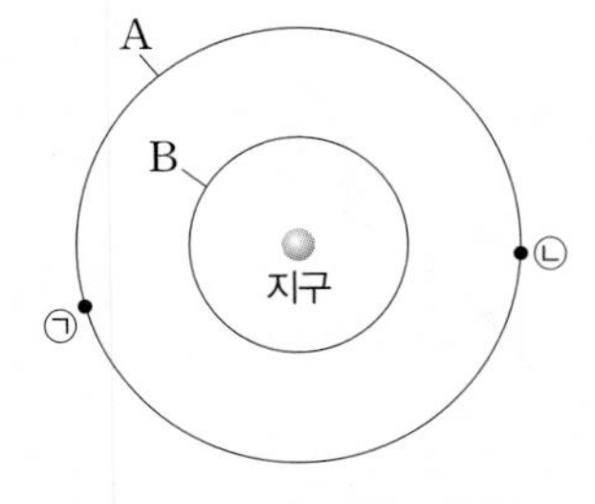

이 자료에 대한 설명으로 옳은 것만을 〈보기〉에서 있는 대로 고른 것은?

보기

ㄱ. 처음 만들어진 별에서 빛이 출발한 위치는 B보다 멀다.
ㄴ. A까지의 거리는 약 138억 광년이다.
ㄷ. 지점 ㉠과 지점 ㉡은 전자기파를 통해 현재 상호 작용할 수 있다.

① ㄱ ② ㄴ ③ ㄱ, ㄷ ④ ㄴ, ㄷ ⑤ ㄱ, ㄴ, ㄷ

07

▸24069-0230

표는 서로 다른 시기 T_1, T_2, T_3에 우주 구성 요소 A, B, C의 비율을 나타낸 것이다. A, B, C는 각각 암흑 물질, 암흑 에너지, 보통 물질 중 하나이고 T_1, T_2, T_3은 각각 과거, 현재, 미래 중 하나이다.

구성 요소	A	B	C
T_1	68.3	4.9	26.8
T_2	80.5	2.6	16.9
T_3	10.5	67.1	22.4

(단위: %)

이 자료에 대한 설명으로 옳은 것만을 〈보기〉에서 있는 대로 고른 것은?

보기

ㄱ. 현재 우주를 가속 팽창시키는 역할을 하는 것은 A이다.

ㄴ. B는 전자기파로 관측이 가능하다.

ㄷ. $\frac{\text{암흑 에너지 밀도}}{\text{물질 밀도}}$는 T_2가 T_3보다 작다.

① ㄱ ② ㄷ ③ ㄱ, ㄴ ④ ㄴ, ㄷ ⑤ ㄱ, ㄴ, ㄷ

08

▸24069-0231

그림 (가)와 (나)는 급팽창 이론에서 빅뱅 후 서로 다른 두 시기의 관측 가능한 우주의 크기와 실제 우주의 크기를 나타낸 것이다.

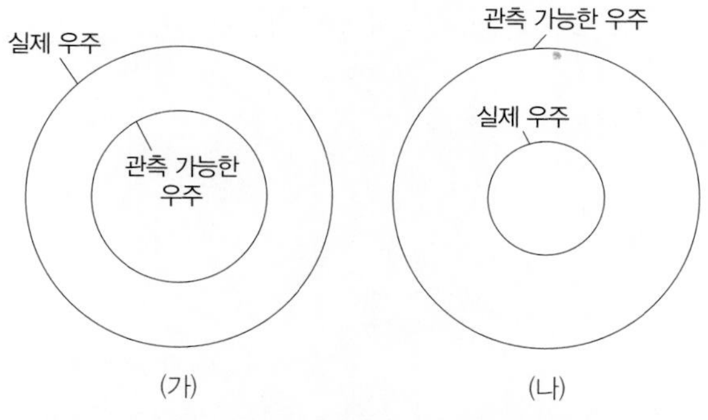

이 자료에 대한 설명으로 옳은 것만을 〈보기〉에서 있는 대로 고른 것은? (단, 빅뱅 이후 빛이 이동한 거리는 빅뱅 이후 빛이 직진할 수 있다고 가정할 때의 거리이다.)

보기

ㄱ. (가)에서 우주의 모든 지역은 서로 정보 교환이 가능하다.

ㄴ. 급팽창 이론은 우주의 평탄성 문제를 설명할 수 있다.

ㄷ. 시간 순서는 (나) → (가)이다.

① ㄱ ② ㄷ ③ ㄱ, ㄴ ④ ㄴ, ㄷ ⑤ ㄱ, ㄴ, ㄷ

과학탐구영역 **지구과학 I**

실전 모의고사

실전 모의고사 1회

제한시간 30분 | 배점 50점 | 정답과 해설 40쪽

문항에 따라 배점이 다르니, 각 물음의 끝에 표시된 배점을 참고하시오. 3점 문항에만 점수가 표시되어 있습니다. 점수 표시가 없는 문항은 모두 2점입니다.

01

▸24069-0232

그림은 암석 순환 과정의 일부를 나타낸 것이다.

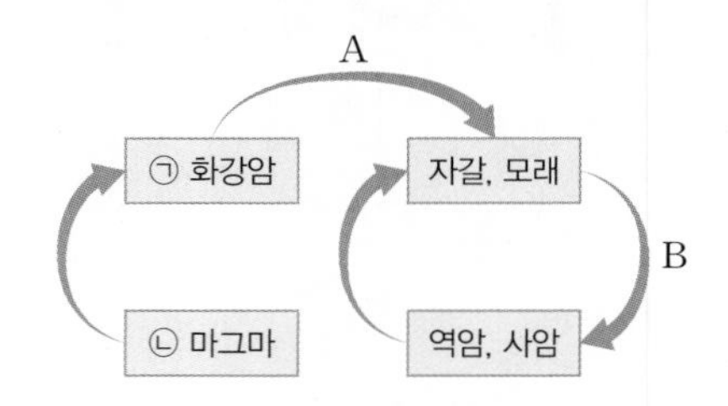

이 자료에 대한 설명으로 옳은 것만을 ⟨보기⟩에서 있는 대로 고른 것은?

보기
ㄱ. A 과정으로 생성된 퇴적물은 유기적 퇴적물이다.
ㄴ. B 과정에서 퇴적물 공극의 평균 크기는 작아진다.
ㄷ. Si와 O 모두는 ㉠과 ㉡ 모두의 주요 구성 원소이다.

① ㄱ ② ㄷ ③ ㄱ, ㄴ ④ ㄴ, ㄷ ⑤ ㄱ, ㄴ, ㄷ

02

▸24069-0233

그림 (가)와 (나)는 각각 태평양의 A–B 구간과 대서양의 C–D 구간에서의 해저 지형을 나타낸 것이다.

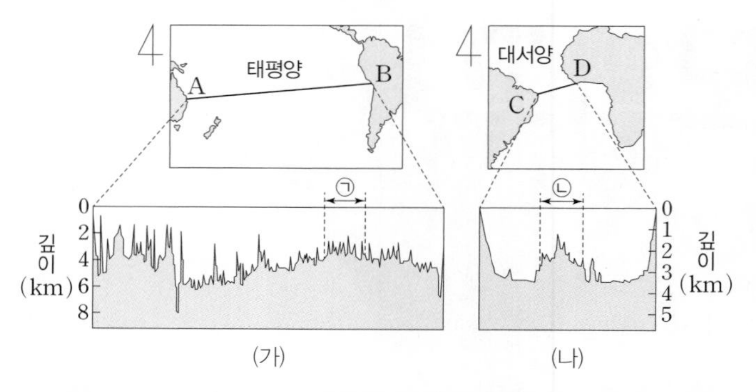

(가) (나)

㉠ 해역과 ㉡ 해역의 공통점으로 옳은 것만을 ⟨보기⟩에서 있는 대로 고른 것은?

보기
ㄱ. 정자극기에 만들어진 해양 지각이 분포한다.
ㄴ. 해양판 하부에는 맨틀 대류의 상승류가 있다.
ㄷ. 진원 깊이 300 km 이상인 지진이 활발하게 발생한다.

① ㄱ ② ㄴ ③ ㄷ ④ ㄱ, ㄴ ⑤ ㄴ, ㄷ

03

▸24069-0234

그림은 어느 퇴적암을 스케치한 것이고, 표는 퇴적 입자 A와 B 각각을 구성하는 광물에서 측정한 절대 연령을 나타낸 것이다. A와 B 모두는 화성암이 풍화 · 침식되어 만들어졌다.

퇴적 입자	절대 연령 (억 년)
A	0.5
B	1.0

이 퇴적암에 대한 설명으로 옳은 것만을 ⟨보기⟩에서 있는 대로 고른 것은?

보기
ㄱ. 사암이다.
ㄴ. 신생대에 퇴적되었다.
ㄷ. 생성되는 과정에서 속성 작용을 받았다.

① ㄱ ② ㄴ ③ ㄷ ④ ㄱ, ㄴ ⑤ ㄴ, ㄷ

04

▸24069-0235

그림은 대기 대순환에 의한 지표 부근의 바람과 해수의 표층 순환 모형의 일부를 나타낸 것이다.

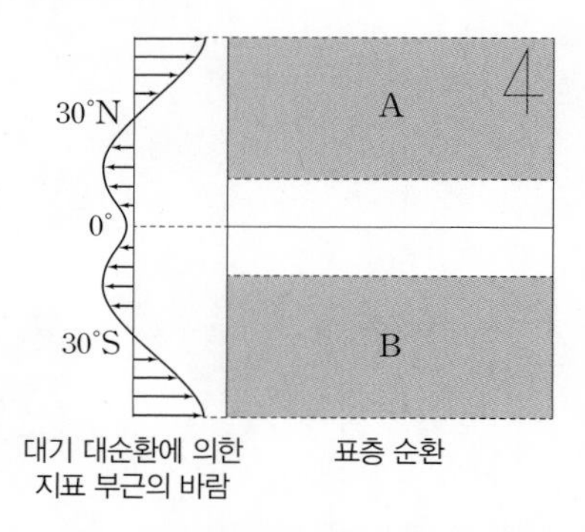

A와 B 해역 각각에서의 표층 순환으로 적절한 것을 ⟨보기⟩에서 골라 옳게 짝지은 것은?

보기
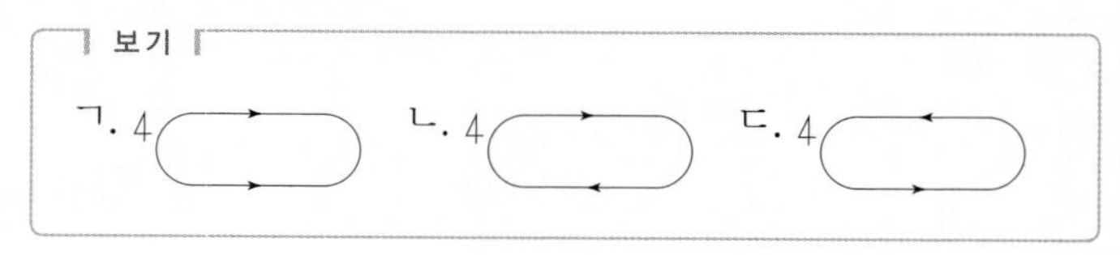

	A	B
①	ㄱ	ㄴ
②	ㄴ	ㄱ
③	ㄴ	ㄷ
④	ㄷ	ㄱ
⑤	ㄷ	ㄴ

05

▸24069-0236

그림은 어느 지역의 지층과 지층에서 나타나는 퇴적 구조를 나타낸 것이다.

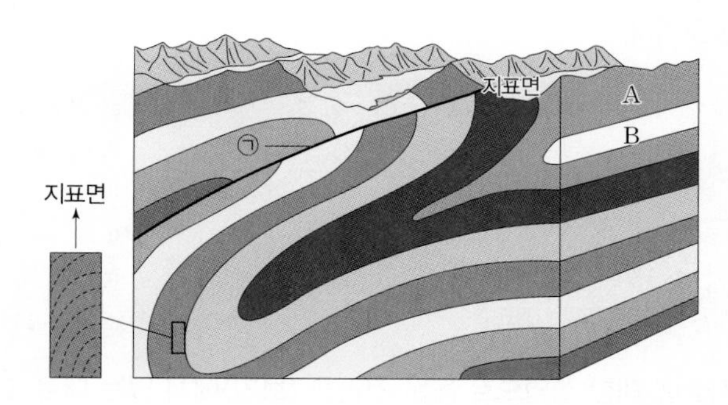

이에 대한 설명으로 옳은 것만을 〈보기〉에서 있는 대로 고른 것은?

〈보기〉
ㄱ. ㉠은 역단층이다.
ㄴ. 지층에서 나타나는 퇴적 구조로부터 퇴적물이 공급된 방향을 추정할 수 있다.
ㄷ. A층은 B층보다 나중에 퇴적되었다.

① ㄱ ② ㄷ ③ ㄱ, ㄴ
④ ㄴ, ㄷ ⑤ ㄱ, ㄴ, ㄷ

06

▸24069-0237

그림 (가)는 어느 지역의 지질 단면을, (나)는 P−Q 구간에서 각 암석의 연령을 나타낸 것이다. A, B, C 암석 중 1개는 쇄설성 퇴적암이고 2개는 심성암이며, 쇄설성 퇴적암은 일정한 속도로 퇴적되어 생성되었다.

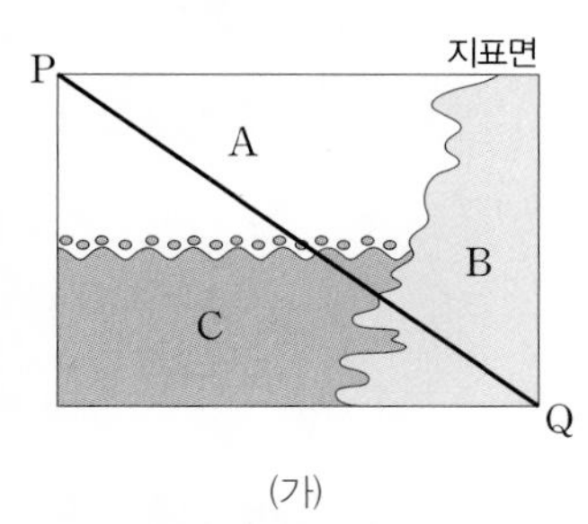

(가)

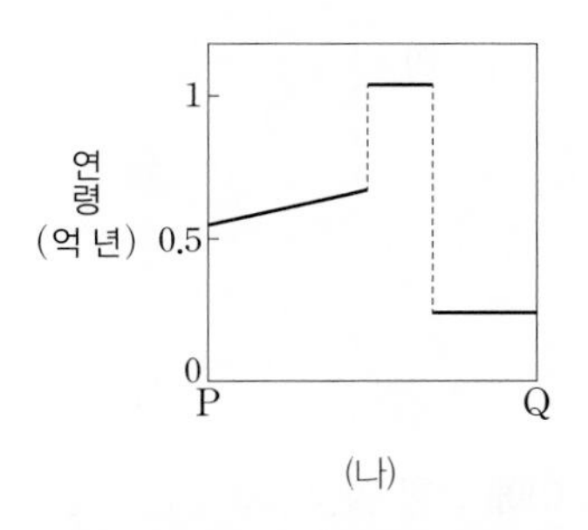

(나)

이에 대한 설명으로 옳은 것만을 〈보기〉에서 있는 대로 고른 것은? [3점]

〈보기〉
ㄱ. 난정합면이 나타난다.
ㄴ. 가장 오래된 암석은 심성암 중 하나이다.
ㄷ. C와 접한 B에 변성된 부분이 나타날 수 있다.

① ㄱ ② ㄴ ③ ㄷ
④ ㄱ, ㄴ ⑤ ㄴ, ㄷ

07

▸24069-0238

표는 대기 대순환 모형의 적도 저압대, 북반구 중위도 고압대, 북반구 한대 전선대에서 대기 대순환에 의한 순환 세포 상한의 평균 높이를 나타낸 것이다. A, B, C는 각각 적도 저압대, 북반구 중위도 고압대, 북반구 한대 전선대 중 하나이다.

	순환 세포 상한의 평균 높이(km)
A	16
B	10
C	13

이에 대한 설명으로 옳은 것만을 〈보기〉에서 있는 대로 고른 것은? [3점]

〈보기〉
ㄱ. 평균 해면 기압은 A가 C보다 높다.
ㄴ. A와 C 사이 지표 부근에서는 대기 대순환에 의한 동풍 계열의 바람이 우세하다.
ㄷ. 대기 대순환에서 B와 C 사이의 순환 세포는 간접 순환이다.

① ㄱ ② ㄴ ③ ㄷ
④ ㄱ, ㄷ ⑤ ㄴ, ㄷ

08

▸24069-0239

그림은 우리나라 부근에 발달한 온대 저기압에 동반된 어느 전선 부근에서 동서 방향의 연직 기온 분포를 등온선으로 나타낸 것이다. 이 전선은 온난 전선과 한랭 전선 중 하나이다.

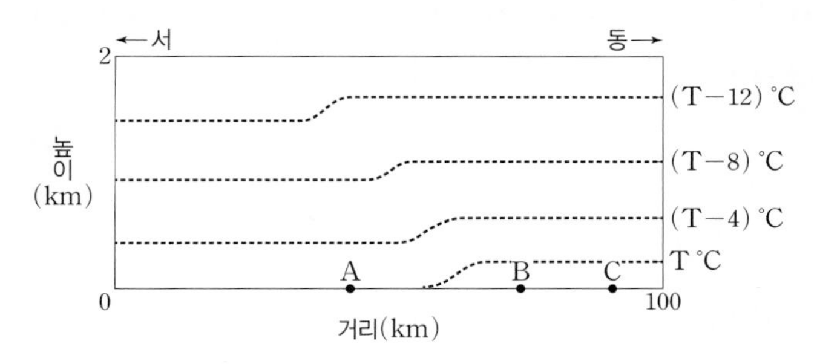

이 자료에 대한 설명으로 옳은 것만을 〈보기〉에서 있는 대로 고른 것은?

〈보기〉
ㄱ. A 지점 상공에는 전선면이 나타난다.
ㄴ. A와 C 지점의 지상 모두에서 남풍 계열의 바람이 우세하다.
ㄷ. B 지점에서 높이에 따른 기온 감소율은 증가하는 경향을 보인다.

① ㄱ ② ㄴ ③ ㄷ
④ ㄱ, ㄴ ⑤ ㄴ, ㄷ

09

▸24069-0240

그림은 어느 열대 저기압의 등압선 및 풍속과 풍향 분포를 나타낸 지상 일기도이다. A는 지상에 위치한다.

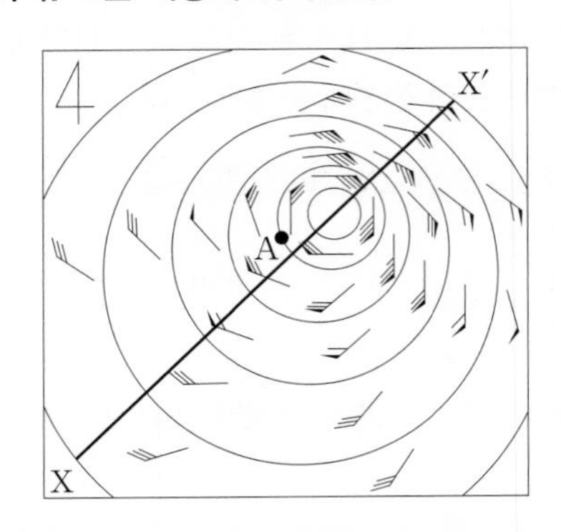

이 열대 저기압에 대한 설명으로 옳은 것만을 <보기>에서 있는 대로 고른 것은? [3점]

보기
ㄱ. 이동 방향은 북동쪽이다.
ㄴ. A는 위험 반원에 위치한다.
ㄷ. X−X′ 구간에서 거리에 따른 기압 변화의 평균값은 태풍 중심의 북동쪽이 남서쪽보다 크다.

① ㄱ ② ㄷ ③ ㄱ, ㄴ
④ ㄴ, ㄷ ⑤ ㄱ, ㄴ, ㄷ

10

▸24069-0241

그림 (가)는 우리나라에 영향을 미치는 황사의 발원지를, (나)는 1960년부터 2022년까지 서울과 부산에서 관측된 월별 황사 총 일수를 A와 B로 순서 없이 나타낸 것이다.

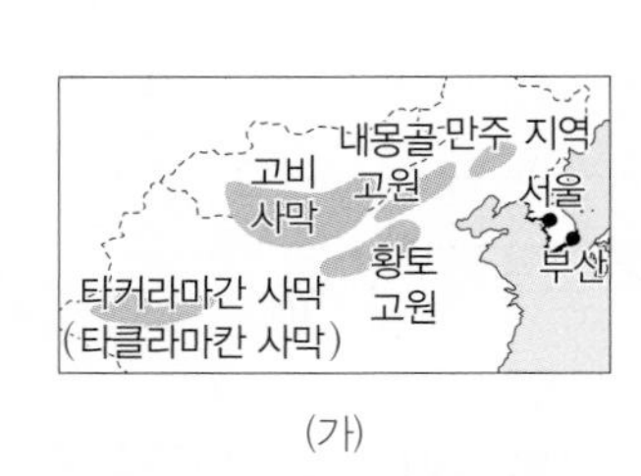

(가)

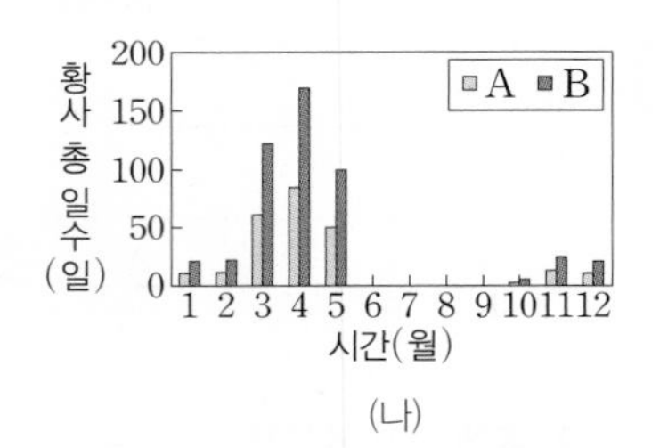

(나)

이 자료에 대한 설명으로 옳은 것만을 <보기>에서 있는 대로 고른 것은?

보기
ㄱ. 우리나라에서 황사는 주로 봄철에 발생한다.
ㄴ. 황사는 주로 무역풍을 타고 이동한다.
ㄷ. A는 서울이다.

① ㄱ ② ㄴ ③ ㄷ
④ ㄱ, ㄴ ⑤ ㄱ, ㄷ

11

▸24069-0242

그림은 구름에서 우박이 성장하는 과정을 나타낸 모식도이고, 표는 최근 30년 동안 서울의 계절별 우박 평균 일수를 순서 없이 나타낸 것이다.

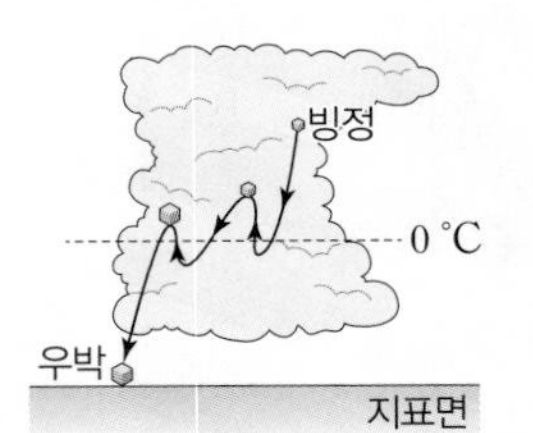

계절	우박 평균 일수(일)
봄(3월~5월)	0.5
A	0.4
겨울(12월~2월)	0.1
( )	0.1

※ 여름: 6월~8월, 가을: 9월~11월

이 자료에 대한 설명으로 옳은 것만을 <보기>에서 있는 대로 고른 것은? [3점]

보기
ㄱ. 구름은 층운형 구름이다.
ㄴ. 구름에는 과냉각 물방울이 존재한다.
ㄷ. A는 여름이다.

① ㄱ ② ㄴ ③ ㄷ
④ ㄱ, ㄴ ⑤ ㄴ, ㄷ

12

▸24069-0243

그림은 북태평양과 그 주변에서 어느 달의 평년 해면 기압 분포를 나타낸 것이다. 이 달은 1월 또는 7월이다.

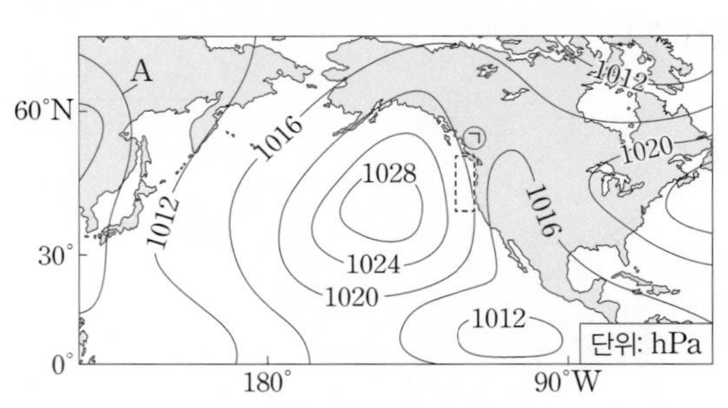

이에 대한 설명으로 옳은 것만을 <보기>에서 있는 대로 고른 것은? [3점]

보기
ㄱ. A 등압선의 기압값은 1008 hPa이다.
ㄴ. ㉠ 해역에서는 연안 용승이 일어날 수 있다.
ㄷ. 북태평양 고기압 중심의 평균 위도는 이 달이 6개월 후의 달보다 낮다.

① ㄱ ② ㄷ ③ ㄱ, ㄴ
④ ㄴ, ㄷ ⑤ ㄱ, ㄴ, ㄷ

13

▸24069-0244

그림은 해양판 (가), (나)의 경계와 위치가 고정된 열점 A, B 각각에서 분출된 마그마에 의해 생성된 화산섬의 분포와 연령을 나타낸 것이다. 지리상 북극의 위치는 변하지 않았다.

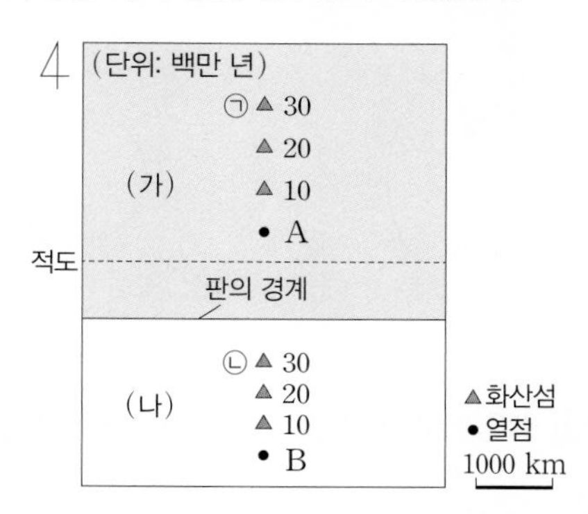

이에 대한 설명으로 옳은 것만을 〈보기〉에서 있는 대로 고른 것은? [3점]

보기
ㄱ. 최근 3천만 년 동안 판의 평균 이동 속도는 (가)가 (나)보다 느렸다.
ㄴ. 현재 (가)와 (나)의 경계에는 발산형 경계가 발달한다.
ㄷ. ㉠ 화산섬에서 측정한 고지자기 복각의 크기는 ㉡ 화산섬에서보다 크다.

① ㄱ ② ㄴ ③ ㄷ
④ ㄱ, ㄴ ⑤ ㄴ, ㄷ

14

▸24069-0245

그림 (가)는 북태평양의 표층 순환을, (나)는 C 해역과 D 해역에서 관측한 표층 수온과 표층 염분을 수온 염분도에 나타낸 것이다. ㉠과 ㉡ 각각은 C와 D 해역의 관측값 중 하나이다.

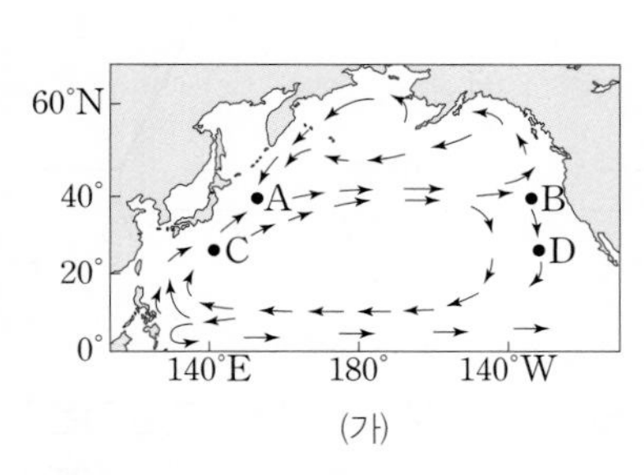

(가)

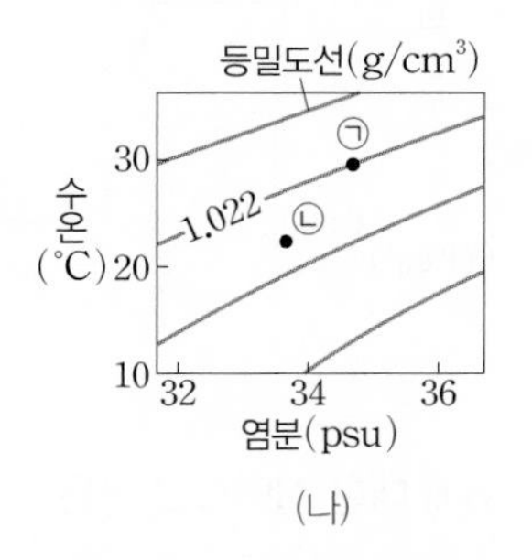

(나)

A~D 해역에 대한 설명으로 옳은 것만을 〈보기〉에서 있는 대로 고른 것은?

보기
ㄱ. 남북 방향의 표층 수온 변화는 A 부근이 B 부근보다 크다.
ㄴ. D에서 표층 해수의 밀도는 1.022 g/cm³보다 크다.
ㄷ. B에서 표층 수온은 ㉡보다 높다.

① ㄱ ② ㄷ ③ ㄱ, ㄴ
④ ㄴ, ㄷ ⑤ ㄱ, ㄴ, ㄷ

15

▸24069-0246

그림은 어느 천체의 적외선 영상이고, 표는 이 천체의 물리량을 나타낸 것이다.

질량(태양=1)	1.5×10^{12}
시선 속도(km/s)	−301
거리(광년)	2.5×10^{6}
절대 등급	−21.5

이 천체에 대한 설명으로 옳은 것만을 〈보기〉에서 있는 대로 고른 것은?

보기
ㄱ. 우리은하 밖에 있는 천체이다.
ㄴ. 관측값으로 보아 허블 법칙을 만족한다.
ㄷ. 이 천체에서 우리은하를 관측하면 시선 속도는 +301 km/s로 관측될 것이다.

① ㄱ ② ㄴ ③ ㄷ
④ ㄱ, ㄷ ⑤ ㄴ, ㄷ

16

▸24069-0247

표는 별 A, B, C의 물리량을 나타낸 것이다.

별	절대 등급	겉보기 등급	거리(pc)	표면 온도(A=1)
A	−5	−5	10	1
B	( )	−5	1	1
C	( )	0	10	2

이에 대한 설명으로 옳은 것만을 〈보기〉에서 있는 대로 고른 것은? [3점]

보기
ㄱ. A의 반지름은 B의 10배이다.
ㄴ. A의 광도는 C의 100배이다.
ㄷ. B의 절대 등급은 0등급이다.

① ㄱ ② ㄷ ③ ㄱ, ㄴ
④ ㄴ, ㄷ ⑤ ㄱ, ㄴ, ㄷ

17

▸24069-0248

표는 어느 별의 물리량을 나타낸 것이다.

최대 복사 에너지를 방출하는 파장	1 μm
겉보기 등급	0
거리	100 pc

이 별에 대한 설명으로 옳은 것만을 〈보기〉에서 있는 대로 고른 것은? (단, 태양이 최대 복사 에너지를 방출하는 파장은 0.5 μm이다.)

보기
ㄱ. 광도 계급은 Ⅲ이다.
ㄴ. 절대 등급은 −5등급이다.
ㄷ. 주계열성일 때, 표면 온도는 태양보다 높다.

① ㄱ ② ㄴ ③ ㄷ
④ ㄱ, ㄴ ⑤ ㄴ, ㄷ

18

▸24069-0249

그림 (가)와 (나)는 서로 다른 은하에서 관측한 외부 은하의 후퇴 속도를 나타낸 것이다. A~E 은하는 동일 평면상에 위치하고 허블 법칙을 만족한다.

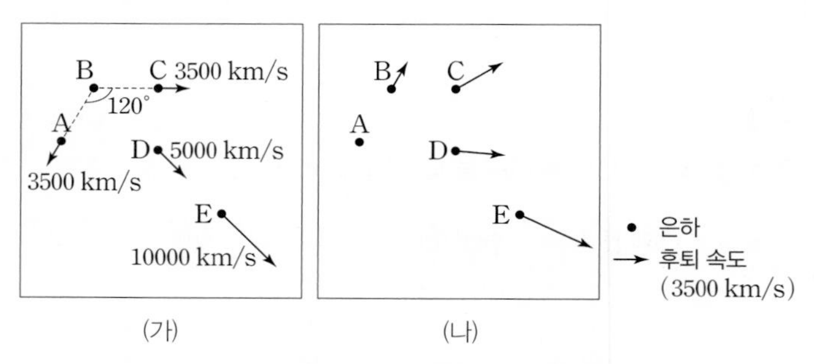

(가) (나)

이에 대한 설명으로 옳은 것만을 〈보기〉에서 있는 대로 고른 것은? [3점]

보기
ㄱ. (가)에서 우주의 중심은 B이고 (나)에서 우주의 중심은 A이다.
ㄴ. (가)에서 어느 흡수선의 파장 변화량은 E가 D의 2배이다.
ㄷ. (나)에서 C의 후퇴 속도는 $3500\sqrt{3}$ km/s이다.

① ㄱ ② ㄴ ③ ㄷ
④ ㄱ, ㄴ ⑤ ㄴ, ㄷ

19

▸24069-0250

그림 (가)와 (나)는 각각 급팽창 이론에서 급팽창 직전과 급팽창 직후의 우주의 크기를 우주의 지평선과 함께 나타낸 것이다. A와 B는 각각 우주의 크기와 우주의 지평선 중 하나이다.

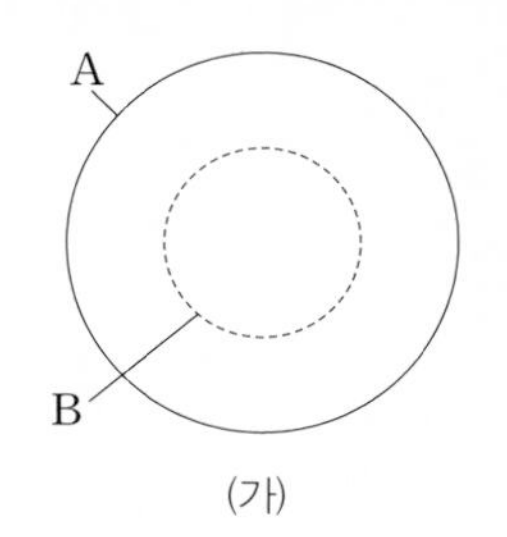

(가)

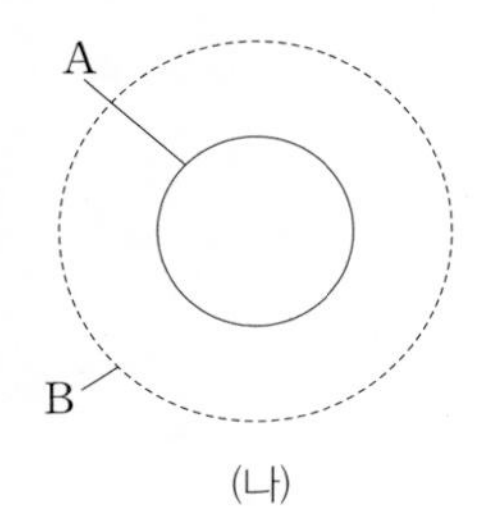

(나)

이 자료에 대한 설명으로 옳은 것만을 〈보기〉에서 있는 대로 고른 것은? [3점]

보기
ㄱ. A는 우주의 크기이다.
ㄴ. (가) 시기에 우주를 구성하는 보통 물질은 대부분 중성 수소와 중성 헬륨이었다.
ㄷ. (가)→(나) 과정에서 우주는 빛보다 빠른 속도로 팽창하였다.

① ㄱ ② ㄴ ③ ㄷ ④ ㄱ, ㄷ ⑤ ㄴ, ㄷ

20

▸24069-0251

그림 (가)는 지구에서 관측할 때 어느 외계 행성에 의한 식 현상으로 나타나는 중심별의 겉보기 밝기 변화를, (나)는 이 외계 행성계를 다른 방향에서 관측한다고 가정할 때 이 외계 행성에 의한 식 현상으로 나타나는 중심별의 겉보기 밝기 변화를 나타낸 것이다. (가)와 (나) 중 하나는 관측자의 시선 방향과 행성의 공전 궤도면이 이루는 각이 0°이다.

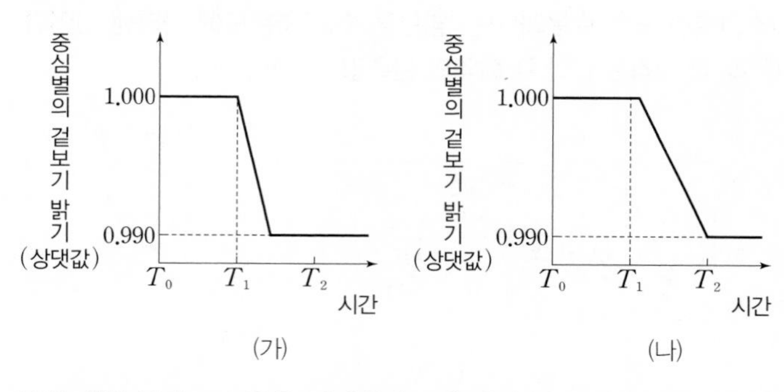

(가) (나)

이에 대한 설명으로 옳은 것만을 〈보기〉에서 있는 대로 고른 것은? [3점]

보기
ㄱ. 관측자의 시선 방향과 행성의 공전 궤도면이 이루는 각은 (가)가 (나)보다 작다.
ㄴ. $\frac{\text{중심별의 반지름}}{\text{행성의 반지름}}$은 10이다.
ㄷ. (가)와 (나) 모두에서 중심별의 어느 흡수선 파장은 T_1일 때가 T_2일 때보다 길다.

① ㄱ ② ㄷ ③ ㄱ, ㄴ ④ ㄴ, ㄷ ⑤ ㄱ, ㄴ, ㄷ

실전 모의고사 2회

(제한시간 30분) (배점 50점) 정답과 해설 43쪽

문항에 따라 배점이 다르니, 각 물음의 끝에 표시된 배점을 참고하시오. 3점 문항에만 점수가 표시되어 있습니다. 점수 표시가 없는 문항은 모두 2점입니다.

01

▸24069-0252

그림은 마그마가 분출되는 지역 A, B, C를 나타낸 것이다.

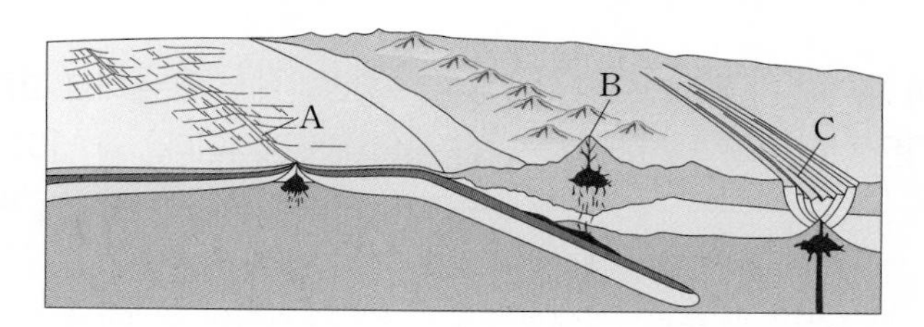

A, B, C에 대한 설명으로 옳은 것만을 〈보기〉에서 있는 대로 고른 것은? [3점]

보기
ㄱ. 분출하는 마그마의 SiO_2 함량(%)은 A보다 B에서 많다. ㄴ. C의 마그마는 주로 압력 감소 과정을 거쳐 생성되었다. ㄷ. 같은 깊이의 연약권에서 지진파의 속도는 A의 하부보다 B의 하부에서 대체로 느리다.

① ㄱ ② ㄴ ③ ㄷ ④ ㄱ, ㄴ ⑤ ㄱ, ㄷ

02

▸24069-0253

그림 (가)는 약 6500만 년 전, (나)는 현재의 수륙 분포를 나타낸 것이다.

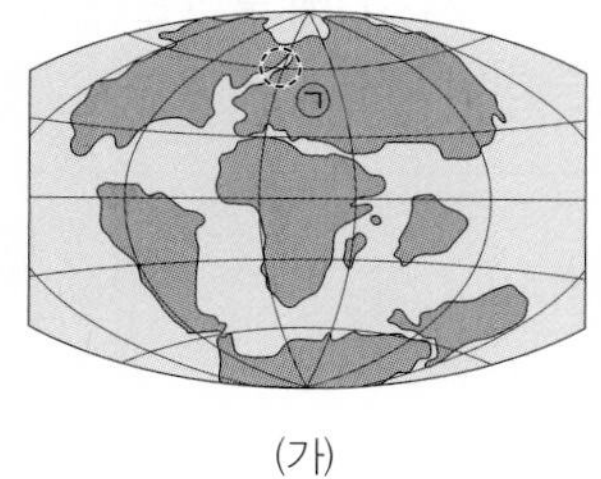

(가)

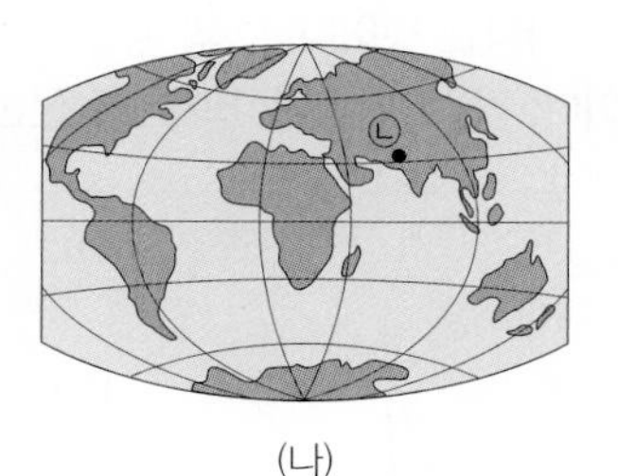

(나)

이에 대한 설명으로 옳은 것만을 〈보기〉에서 있는 대로 고른 것은? (단, ㉡ 지점의 암석은 과거 인도 대륙에서 생성되었다.)

보기
ㄱ. (가)의 ㉠에서는 대규모 습곡 산맥이 형성되고 있다. ㄴ. ㉡에 분포하는 암석의 고지자기 복각의 크기는 팔레오기에 생성된 암석보다 제4기에 생성된 암석에서 크다. ㄷ. 남대서양에 분포하는 해양 지각의 평균 연령은 (가)일 때보다 (나)일 때 많다.

① ㄱ ② ㄴ ③ ㄱ, ㄷ ④ ㄴ, ㄷ ⑤ ㄱ, ㄴ, ㄷ

03

▸24069-0254

다음은 발산형 경계가 존재하는 어느 해역에서 측정한 고지자기의 줄무늬 분포와 특징을 나타낸 것이다. ㉠과 ㉡은 각각 정자극기 또는 역자극기이다.

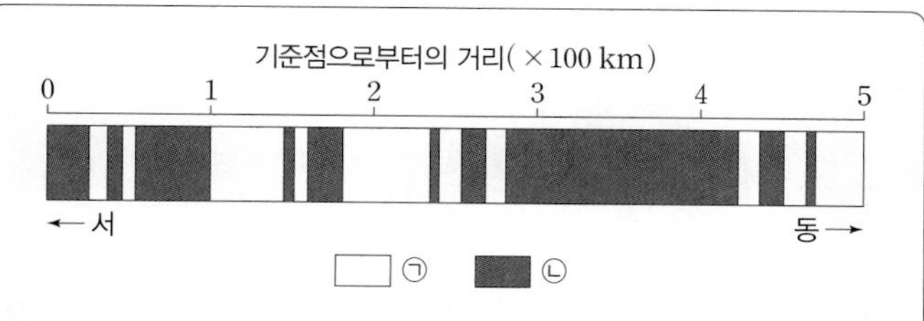

• 기준점으로부터의 거리는 발산형 경계에 대하여 수직 방향이다. 발산형 경계는 기준점으로부터의 거리 100～400 km 사이에 존재한다.
• 판의 확장 속도는 10 cm/년으로 일정하였으며, 판 경계의 위치는 변하지 않았다.

이 자료에 대한 설명으로 옳은 것만을 〈보기〉에서 있는 대로 고른 것은? [3점]

보기
ㄱ. ㉠은 역자극기이다. ㄴ. 해수면에서 초음파의 왕복 시간을 측정하면 기준점으로부터 100 km 지점보다 200 km 지점에서 길다. ㄷ. 기준점으로부터 0～500 km 사이에서 해양 지각의 최대 연령은 300만 년보다 많다.

① ㄱ ② ㄴ ③ ㄱ, ㄷ ④ ㄴ, ㄷ ⑤ ㄱ, ㄴ, ㄷ

04

▸24069-0255

그림 (가)는 서로 다른 퇴적 환경 A와 B를, (나)는 퇴적 구조 ㉠과 ㉡을 나타낸 것이다.

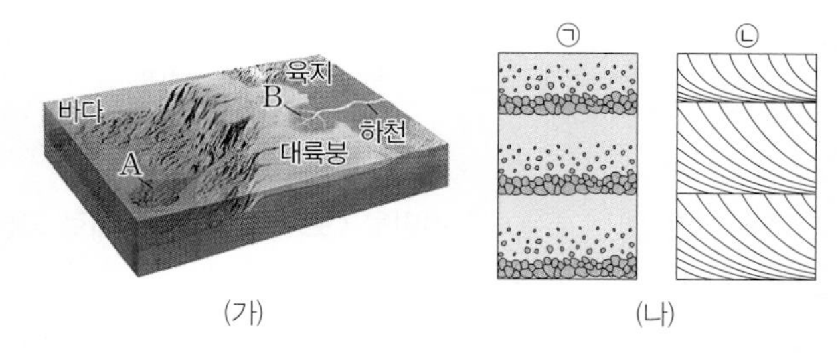

(가) (나)

이에 대한 설명으로 옳은 것만을 〈보기〉에서 있는 대로 고른 것은?

보기
ㄱ. A는 연안 환경에 속한다. ㄴ. B에서는 ㉠보다 ㉡의 퇴적 구조가 잘 나타난다. ㄷ. A와 B에서는 모두 쇄설성 퇴적암보다 화학적 퇴적암이 잘 생성된다.

① ㄱ ② ㄴ ③ ㄱ, ㄴ ④ ㄱ, ㄷ ⑤ ㄴ, ㄷ

05

▸24069-0256

그림은 어느 지역의 지질 단면을, 표는 화성암 P, Q에 포함된 방사성 동위 원소 X의 자원소 함량과 절대 연령을 나타낸 것이다. P, Q에 포함된 X의 처음 양은 같았으며, 자원소는 모두 X가 붕괴하여 생성되었다.

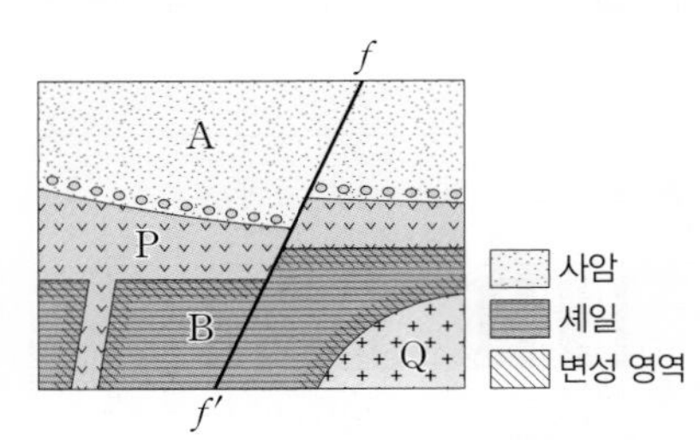

구분	P	Q
X의 자원소 함량(%)	40	20
절대 연령 (억 년)	(　)	0.5

이 자료에 대한 설명으로 옳은 것만을 〈보기〉에서 있는 대로 고른 것은? [3점]

보기

ㄱ. P의 절대 연령은 1억 년보다 많다.
ㄴ. 단층 $f-f'$은 부정합이 형성되기 전에 만들어졌다.
ㄷ. 부정합의 법칙과 관입의 법칙을 이용하여 A와 Q의 상대 연령을 판단할 수 있다.

① ㄱ ② ㄴ ③ ㄷ
④ ㄱ, ㄴ ⑤ ㄱ, ㄷ

06

▸24069-0257

그림 (가)는 어느 지역의 지질 단면과 퇴적층 A, B, C에서 산출되는 화석을, (나)는 약 4억 년 전부터 현재까지의 지구 평균 기온 변화를 나타낸 것이다. A, B, C의 퇴적 시기는 각각 ㉠, ㉡, ㉢이다.

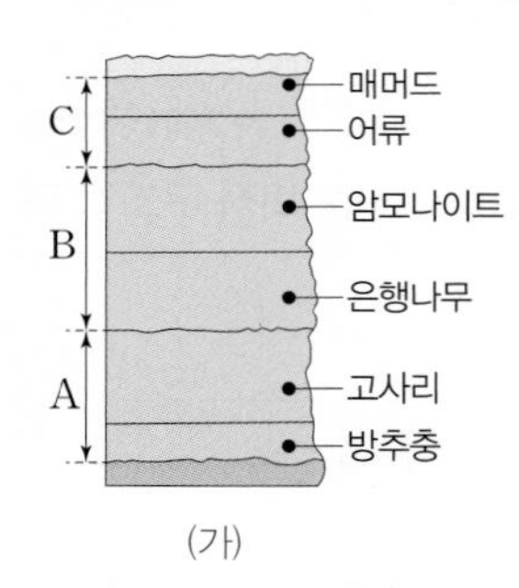

(가)

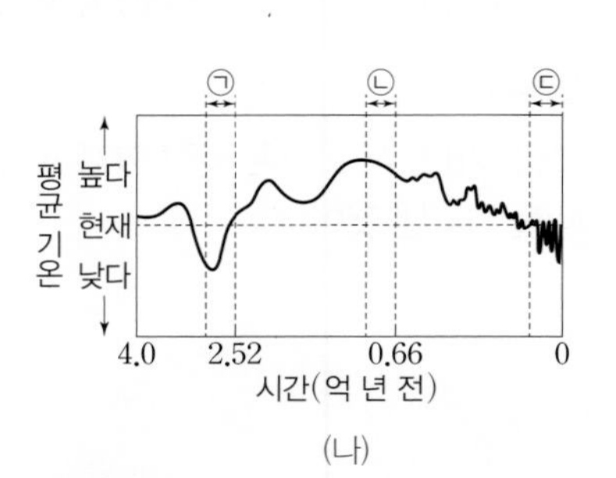

(나)

이 자료에 대한 설명으로 옳은 것만을 〈보기〉에서 있는 대로 고른 것은?

보기

ㄱ. A, B, C에는 모두 육성층과 해성층이 존재한다.
ㄴ. 지구의 평균 해수면 높이는 B가 퇴적될 당시보다 C가 퇴적될 당시에 낮았다.
ㄷ. (나)의 지구 평균 기온 변화는 남극 대륙의 빙하 시추 연구를 통해 알아낼 수 있다.

① ㄱ ② ㄴ ③ ㄱ, ㄴ
④ ㄱ, ㄷ ⑤ ㄴ, ㄷ

07

▸24069-0258

그림 (가)와 (나)는 북반구 아시아 지역의 1월과 7월의 평년 해면 기압 분포를 순서 없이 나타낸 것이다.

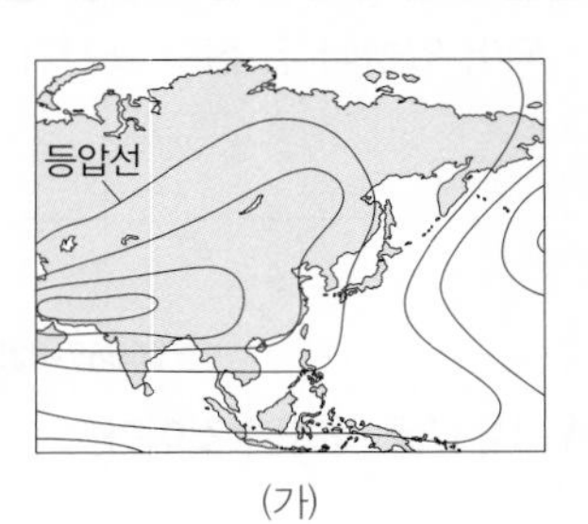

(가)

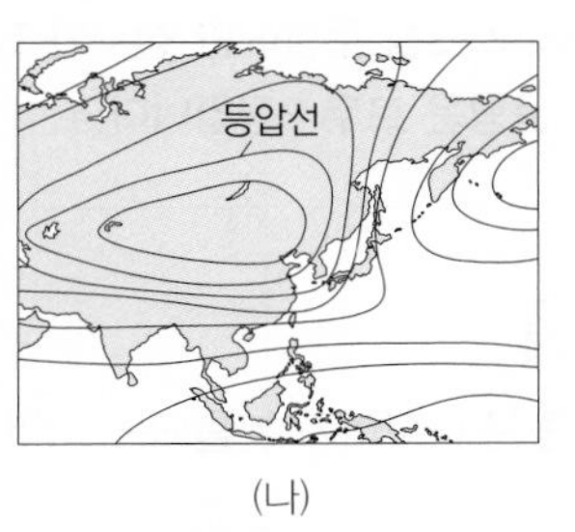

(나)

이 자료에 대한 설명으로 옳은 것만을 〈보기〉에서 있는 대로 고른 것은? (단, (가)와 (나)에서 등압선은 4 hPa 간격이다.) [3점]

보기

ㄱ. 우리나라의 평균 풍속은 (가)보다 (나)일 때 빠르다.
ㄴ. (가)일 때 우리나라에서는 남풍 계열의 바람이 우세하다.
ㄷ. 우리나라에서 집중 호우에 의한 피해는 (가)보다 (나)일 때 자주 발생한다.

① ㄴ ② ㄷ ③ ㄱ, ㄴ
④ ㄱ, ㄷ ⑤ ㄱ, ㄴ, ㄷ

08

▸24069-0259

그림 (가)와 (나)는 북반구 중위도에 위치한 어느 지역에서 시각 T_1, T_2일 때 관측한 전선의 위치와 전선 부근의 날씨를 일기 기호로 나타낸 것이다. ㉠과 ㉡은 어느 온대 저기압에 동반된 두 전선이며, 각각 한랭 전선과 온난 전선 중 하나이다.

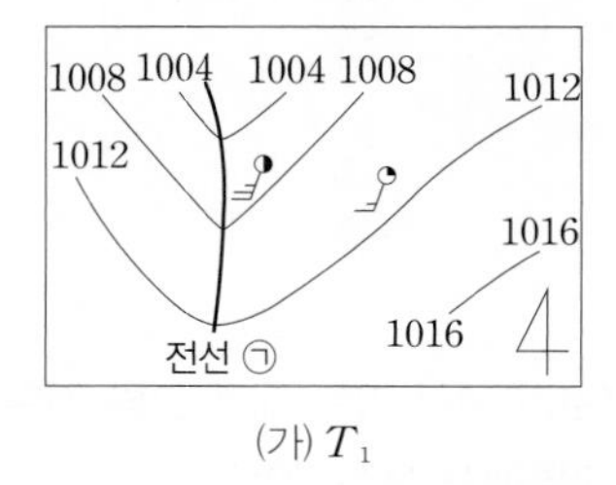

(가) T_1

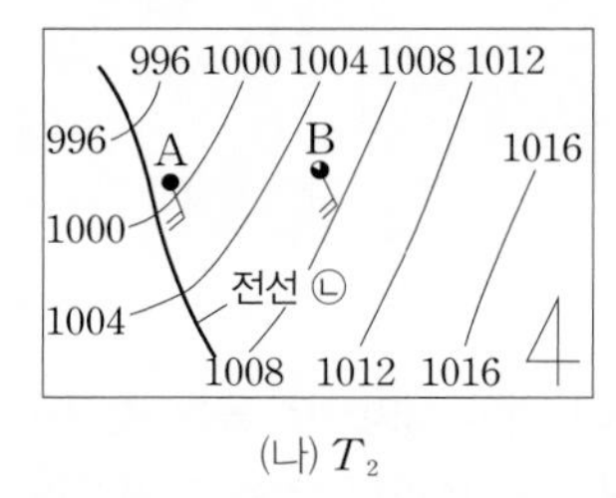

(나) T_2

이에 대한 설명으로 옳은 것만을 〈보기〉에서 있는 대로 고른 것은?

보기

ㄱ. ㉠은 온난 전선이다.
ㄴ. 관측 시각은 $T_2 \rightarrow T_1$이다.
ㄷ. T_2일 때, 구름 최상부의 높이는 A보다 B에서 높다.

① ㄱ ② ㄴ ③ ㄷ
④ ㄱ, ㄷ ⑤ ㄴ, ㄷ

09

▸24069-0260

그림은 태풍 루사의 이동 경로와 특징을, 표는 태풍의 강도 및 크기 분류를 나타낸 것이다.

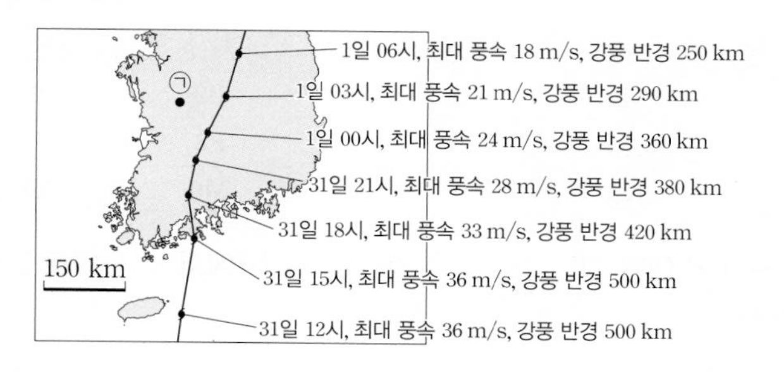

태풍의 강도 분류		태풍의 크기 분류	
구분	최대 풍속	구분	강풍 반경
약	17~25 m/s	소형	300 km 미만
중	25~33 m/s	중형	300~500 km
강	33~44 m/s	대형	500~800 km
매우 강	44 m/s 이상	초대형	800 km 이상

이 자료에 대한 설명으로 옳은 것만을 〈보기〉에서 있는 대로 고른 것은?

보기

ㄱ. 남해안에 상륙한 이후 6시간이 지났을 때 태풍 강도는 '약'으로 바뀌었다.
ㄴ. 1일 03시에 제주도는 강풍 반경에 속하였다.
ㄷ. 태풍이 통과하는 동안 ㉠에서 풍향은 시계 반대 방향으로 바뀌었다.

① ㄴ ② ㄷ ③ ㄱ, ㄴ ④ ㄱ, ㄷ ⑤ ㄱ, ㄴ, ㄷ

10

▸24069-0261

그림은 태평양 적도 부근 해역의 변화로 인해 엘니뇨 또는 라니냐가 강화되는 과정을 모식적으로 나타낸 것이다.

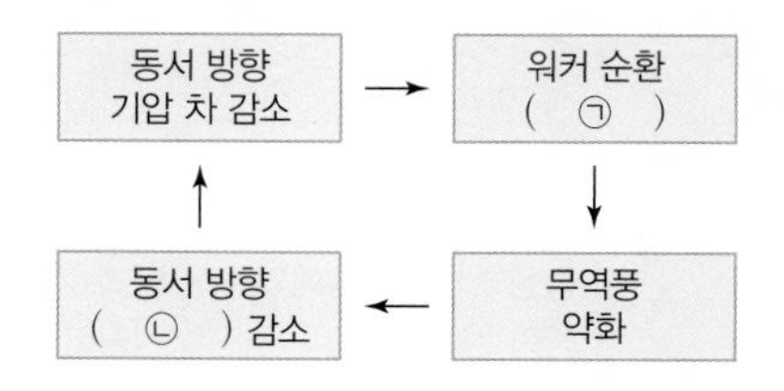

이 과정에 대한 설명으로 옳은 것만을 〈보기〉에서 있는 대로 고른 것은?

보기

ㄱ. 라니냐가 강화되는 과정이다.
ㄴ. '강화'는 ㉠에 해당한다.
ㄷ. '해수면 온도 차'는 ㉡에 해당한다.

① ㄱ ② ㄴ ③ ㄷ ④ ㄱ, ㄴ ⑤ ㄱ, ㄷ

11

▸24069-0262

그림 (가)와 (나)는 전 세계 해양의 표층 용존 산소량과 표층 염분 분포를 나타낸 것이다.

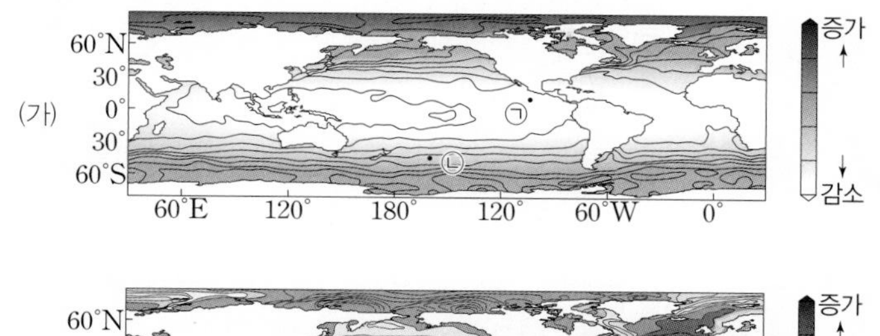

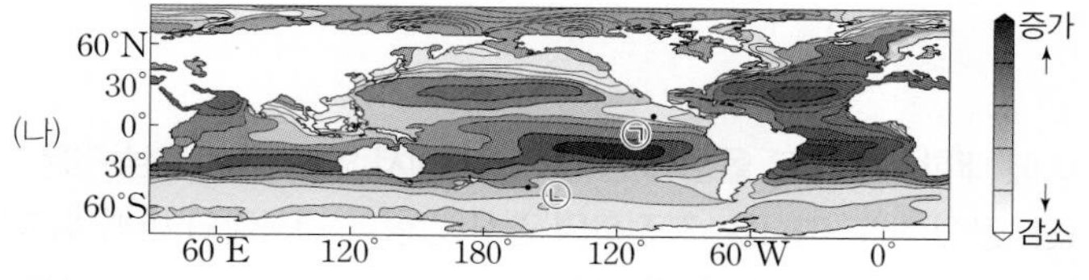

이 자료에 대한 설명으로 옳은 것만을 〈보기〉에서 있는 대로 고른 것은? [3점]

보기

ㄱ. 북태평양 아열대 해역에서 표층 용존 산소량은 한류가 흐르는 해역보다 난류가 흐르는 해역에서 많다.
ㄴ. (연 증발량－연 강수량) 값은 북태평양보다 북대서양에서 대체로 클 것이다.
ㄷ. 표층 해수의 밀도는 ㉠ 해역이 ㉡ 해역보다 작다.

① ㄱ ② ㄴ ③ ㄱ, ㄷ ④ ㄴ, ㄷ ⑤ ㄱ, ㄴ, ㄷ

12

▸24069-0263

그림은 대서양의 심층 수괴 ㉠, ㉡, ㉢의 수온과 염분을, 표는 지중해 유출수의 평균 수온과 평균 염분을 나타낸 것이다. ㉠, ㉡, ㉢은 각각 북대서양 심층수, 남극 중층수, 남극 저층수 중 하나이다.

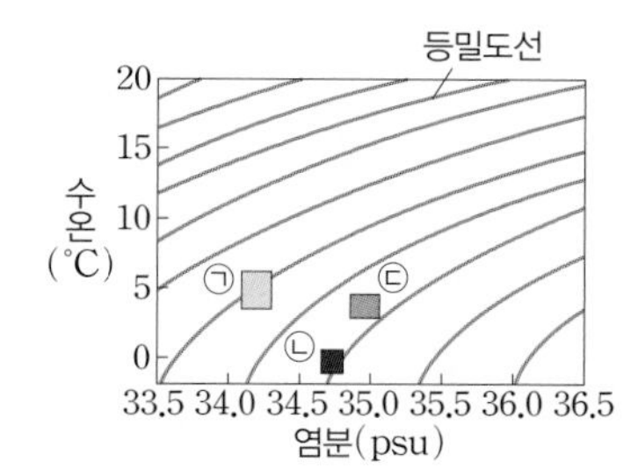

지중해 유출수	
평균 수온 (°C)	10
평균 염분 (psu)	36.0

이 자료에 대한 설명으로 옳은 것만을 〈보기〉에서 있는 대로 고른 것은? [3점]

보기

ㄱ. 침강이 일어나는 해역의 표층 염분은 남극 중층수가 북대서양 심층수보다 낮다.
ㄴ. 해수의 평균 밀도는 지중해 유출수가 남극 중층수보다 작다.
ㄷ. 같은 질량의 남극 중층수와 남극 저층수를 혼합한 해수는 북대서양 심층수보다 밀도가 크다.

① ㄱ ② ㄷ ③ ㄱ, ㄴ ④ ㄴ, ㄷ ⑤ ㄱ, ㄴ, ㄷ

13

▸24069-0264

그림 (가)와 (나)는 현재와 미래 어느 시점의 지구 공전 궤도의 모양, 자전축의 경사 방향, 자전축의 경사각을 각각 나타낸 것이다.

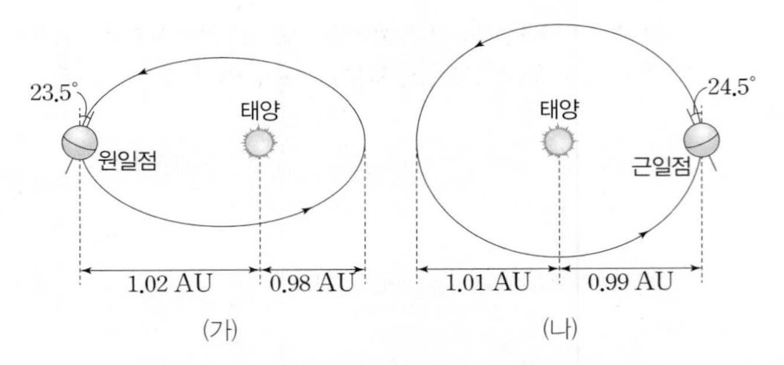

(가) (나)

이에 대한 설명으로 옳은 것만을 〈보기〉에서 있는 대로 고른 것은? (단, 공전 궤도 이심률, 자전축의 경사 방향과 경사각의 변화 이외의 요인은 변하지 않는다고 가정한다.) [3점]

보기

ㄱ. 공전 궤도 이심률은 (가)보다 (나)에서 크다.
ㄴ. 40°N에서 여름철에 입사하는 태양 복사 에너지양은 (가)보다 (나)에서 많다.
ㄷ. (가)에서 (나)로 변할 때, 겨울철 평균 기온의 변화량은 40°N보다 40°S에서 크다.

① ㄱ ② ㄴ ③ ㄷ
④ ㄱ, ㄷ ⑤ ㄴ, ㄷ

14

▸24069-0265

그림 (가)는 공통 질량 중심 주위를 돌고 있는 쌍성 ㉠과 ㉡의 특징을, (나)는 두 별의 파장에 따른 상대적 복사 에너지 세기를 X, Y로 순서 없이 나타낸 것이다.

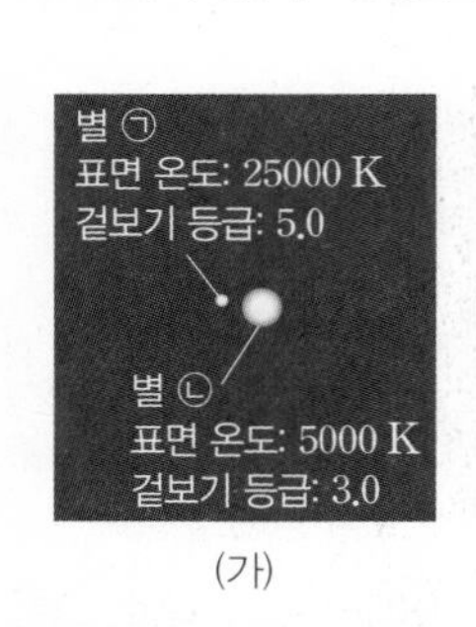

(가)

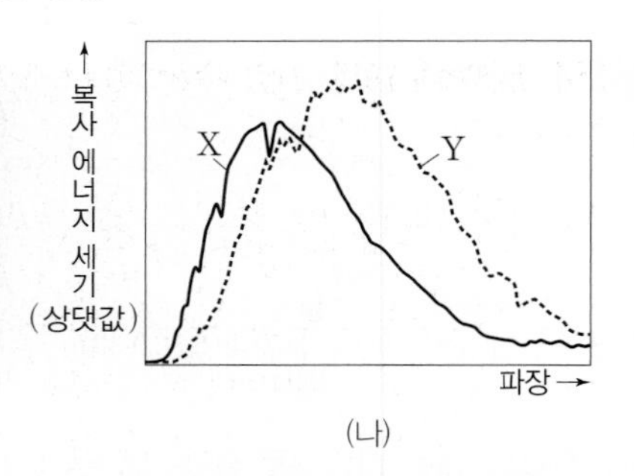

(나)

이에 대한 설명으로 옳은 것만을 〈보기〉에서 있는 대로 고른 것은? [3점]

보기

ㄱ. 광도는 ㉡이 ㉠의 약 2.5배이다.
ㄴ. ㉠의 파장에 따른 복사 에너지 세기는 X이다.
ㄷ. 반지름은 ㉡이 ㉠의 50배보다 크다.

① ㄱ ② ㄷ ③ ㄱ, ㄴ
④ ㄴ, ㄷ ⑤ ㄱ, ㄴ, ㄷ

15

▸24069-0266

표는 별 ㉠~㉥의 분광형과 절대 등급을 나타낸 것이다. ㉠~㉥ 중 주계열성은 3개이다.

별	분광형	절대 등급	별	분광형	절대 등급
㉠	M3	12.5	㉡	B2	12.0
㉢	A0	1.5	㉣	F3	2.7
㉤	K2	0.0	㉥	M0	−5.6

㉠~㉥에 대한 설명으로 옳은 것만을 〈보기〉에서 있는 대로 고른 것은?

보기

ㄱ. ㉠의 광도 계급은 Ⅴ이다.
ㄴ. 별의 평균 밀도는 ㉡이 ㉢보다 크다.
ㄷ. H−R도에서 가장 오른쪽 상단에 위치한 별은 ㉥이다.

① ㄱ ② ㄷ ③ ㄱ, ㄴ
④ ㄴ, ㄷ ⑤ ㄱ, ㄴ, ㄷ

16

▸24069-0267

표는 어느 별이 진화하는 동안 서로 다른 진화 단계 (가), (나)에서 반지름과 수소 핵융합 반응이 일어나는 영역, 특징을 나타낸 것이다. (단, 광도는 (가)보다 (나)일 때 작다.)

구분 \ 진화 단계	(가)	(나)
반지름	$R_{(가)}$	$R_{(나)}$
수소 핵융합 반응이 일어나는 영역	$0.02R_{(가)} \sim 0.03R_{(가)}$	중심~$0.25R_{(나)}$
특징	중심부에서 헬륨핵의 수축이 일어난다.	별의 가장 바깥쪽에 복사층이 존재한다.

이에 대한 설명으로 옳은 것만을 〈보기〉에서 있는 대로 고른 것은?

보기

ㄱ. 별의 중심부 온도는 (가)보다 (나)일 때 높다.
ㄴ. (나)일 때 별의 중심부에는 대류핵이 존재한다.
ㄷ. 단위 시간 동안 수소 핵융합 반응에 의한 에너지 생성량은 (가)보다 (나)일 때 많다.

① ㄱ ② ㄴ ③ ㄷ
④ ㄱ, ㄴ ⑤ ㄴ, ㄷ

17

▸24069-0268

그림은 어느 외계 행성계에서 관측된 중심별의 시선 속도 변화와 행성에 의한 밝기 변화를 일정한 시간 간격으로 나타낸 것이다. 중심별의 질량은 행성 질량의 500배이다.

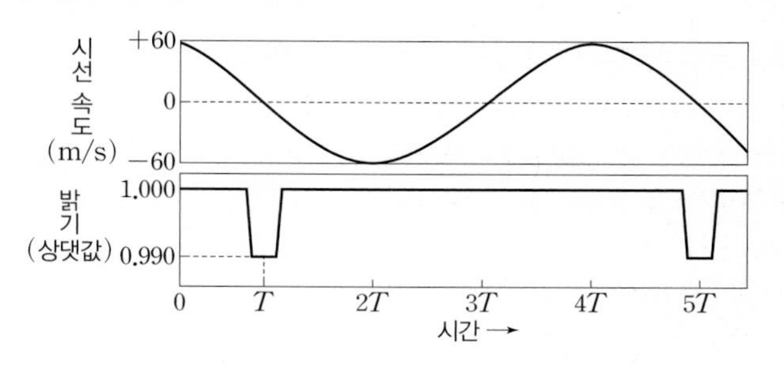

이 자료에 대한 설명으로 옳은 것만을 〈보기〉에서 있는 대로 고른 것은? (단, 관측자의 시선 방향과 행성의 공전 궤도면은 나란하고, 빛의 속도는 3×10^5 km/s이다.) [3점]

보기

ㄱ. 행성의 공전 주기는 $4T$이다.
ㄴ. 행성이 공통 질량 중심 주위를 공전하는 속도는 30 km/s 이다.
ㄷ. 평균 밀도는 중심별이 행성의 2배이다.

① ㄱ ② ㄷ ③ ㄱ, ㄴ ④ ㄴ, ㄷ ⑤ ㄱ, ㄴ, ㄷ

18

▸24069-0269

그림 (가)는 은하를 구성하는 별들의 색지수 분포를, (나)는 형태가 다른 세 은하 ㉠, ㉡, ㉢의 모습을 나타낸 것이다.

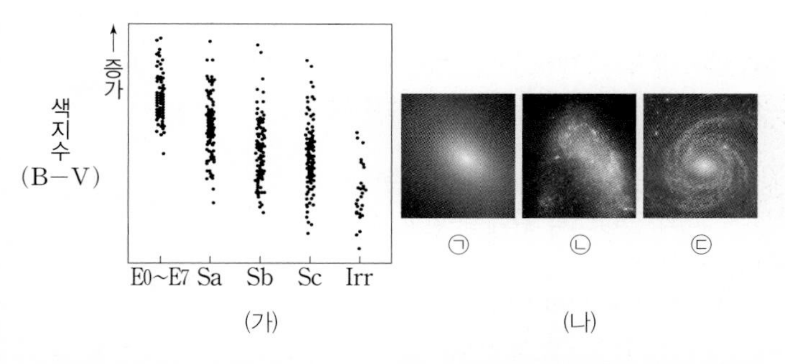

(가) (나)

이 자료에 대한 설명으로 옳은 것만을 〈보기〉에서 있는 대로 고른 것은?

보기

ㄱ. 나선 은하는 중심핵의 크기가 상대적으로 작고 나선팔이 느슨하게 감겨 있을수록 붉은색 별의 비율이 감소한다.
ㄴ. 은하를 구성하는 별들의 평균 색지수(B−V)는 ㉠이 ㉢보다 작다.
ㄷ. ㉠, ㉡, ㉢ 중 은하에서 성간 물질이 차지하는 질량 비율은 ㉡이 가장 작다.

① ㄱ ② ㄷ ③ ㄱ, ㄴ ④ ㄴ, ㄷ ⑤ ㄱ, ㄴ, ㄷ

19

▸24069-0270

그림은 멀리 있는 퀘이사에서 방출된 빛이 천체 A에 의해 굴절되는 모습을 모식적으로 나타낸 것이다.

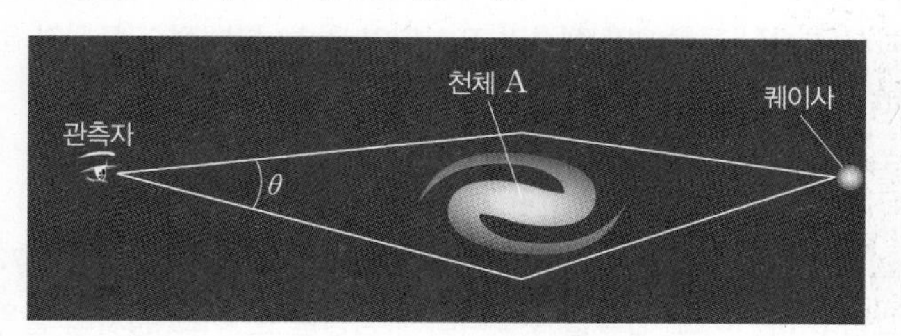

이에 대한 설명으로 옳은 것만을 〈보기〉에서 있는 대로 고른 것은?

보기

ㄱ. 스펙트럼에 나타난 적색 편이는 퀘이사가 A보다 크다.
ㄴ. A의 중력 렌즈 작용에 의해 퀘이사가 여러 개의 상으로 관측될 수 있다.
ㄷ. 퀘이사에 포함된 암흑 물질의 양이 많을수록 빛이 굴절된 각 θ는 커진다.

① ㄱ ② ㄷ ③ ㄱ, ㄴ ④ ㄴ, ㄷ ⑤ ㄱ, ㄴ, ㄷ

20

▸24069-0271

그림은 빅뱅 우주론에 근거하여 우주가 팽창하는 모습을 나타낸 것이다. 우주의 나이가 77억 년일 때 ㉠에서 출발한 빛이 현재 ㉡에 도착하였고, 이 빛의 적색 편이 z는 1.0이다.

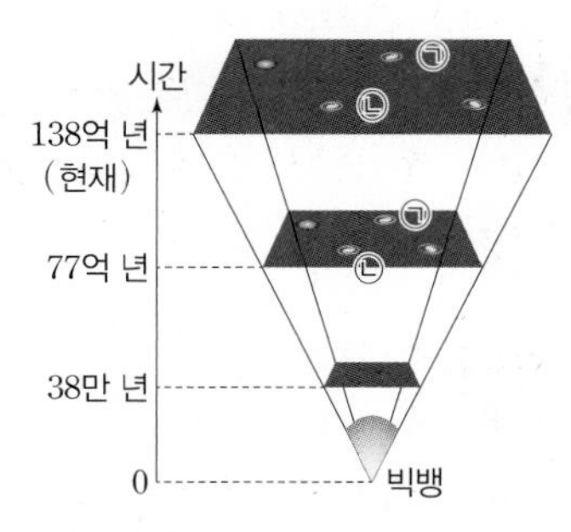

이에 대한 설명으로 옳은 것만을 〈보기〉에서 있는 대로 고른 것은? [3점]

보기

ㄱ. 최초의 별은 우주의 나이 38만 년 이전에 생성되었다.
ㄴ. 우주의 나이가 77억 년일 때 우주의 상대적 크기는 현재의 0.5배이다.
ㄷ. 현재 ㉠에서 출발한 빛은 앞으로 61억 년 후에 ㉡에 도착한다.

① ㄱ ② ㄴ ③ ㄷ ④ ㄱ, ㄴ ⑤ ㄴ, ㄷ

실전 모의고사 3회

(제한시간 30분) (배점 50점) 정답과 해설 47쪽

문항에 따라 배점이 다르니, 각 물음의 끝에 표시된 배점을 참고하시오. 3점 문항에만 점수가 표시되어 있습니다. 점수 표시가 없는 문항은 모두 2점입니다.

01

▸24069-0272

그림 (가)는 어느 해 4월 우리나라에 영향을 준 어느 황사의 발원지와 관측소 ㉠과 ㉡의 위치를 나타낸 것이고, (나)는 관측소 A와 B에서 측정한 미세먼지 농도를 나타낸 것이다. A와 B는 각각 ㉠과 ㉡ 중 한곳이다.

(가)

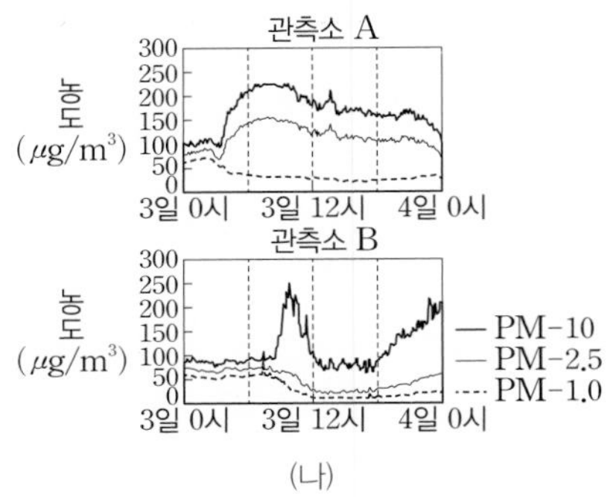

(나)

이에 대한 설명으로 옳은 것만을 〈보기〉에서 있는 대로 고른 것은?

〈보기〉

ㄱ. A는 ㉠이다.

ㄴ. 황사는 발원지에서 4월 3일 3시경에 발생하였다.

ㄷ. 이 황사는 극동풍을 타고 이동하였다.

① ㄱ ② ㄴ ③ ㄱ, ㄷ ④ ㄴ, ㄷ ⑤ ㄱ, ㄴ, ㄷ

02

▸24069-0273

그림은 지구 내부의 온도 편차를 근거로 추정한 뜨거운 플룸, 차가운 플룸 중 하나를 나타낸 입체 모식도이다. A는 지구 내부의 플룸이고, B는 지표면상의 한 지점이다. 이 자료에 대한 설명으로 옳은 것만을 〈보기〉에서 있는 대로 고른 것은? [3점]

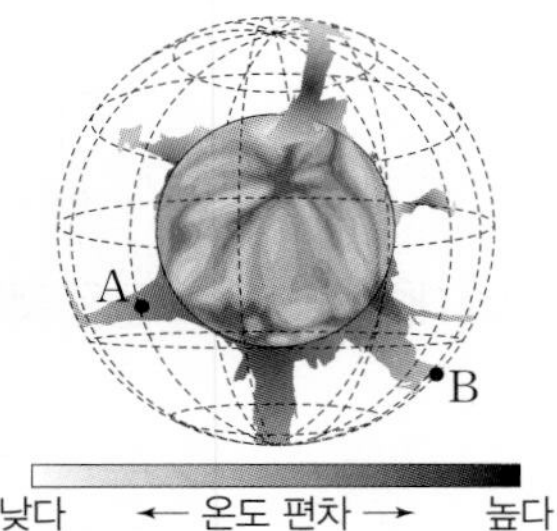

〈보기〉

ㄱ. 뜨거운 플룸을 나타내고 있다.

ㄴ. 상부 맨틀과 하부 맨틀의 경계에서 A가 생성된다.

ㄷ. B에서는 주로 현무암질 마그마가 분출한다.

① ㄴ ② ㄷ ③ ㄱ, ㄴ ④ ㄱ, ㄷ ⑤ ㄱ, ㄴ, ㄷ

03

▸24069-0274

그림 (가)는 태평양의 해역 ㉠과 ㉡을, (나)는 ㉠과 ㉡의 수온과 염분을 수온 염분도에 A, B로 순서 없이 나타낸 것이다.

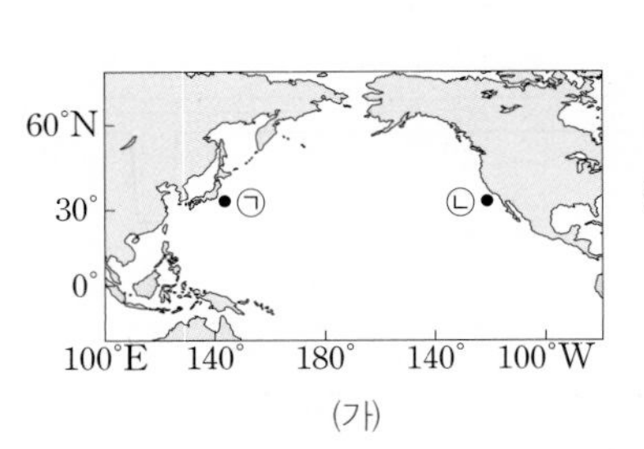

(가)

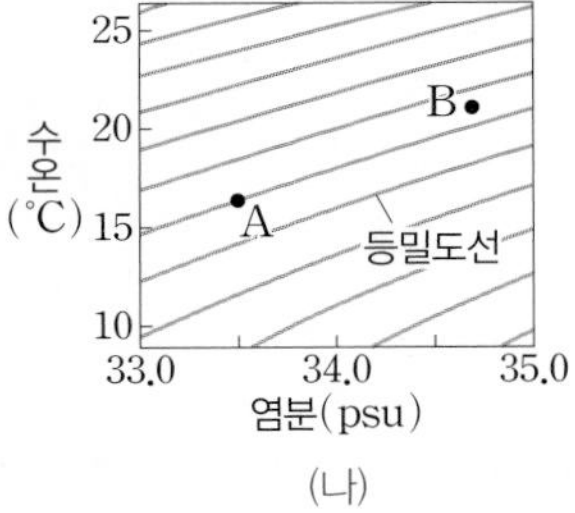

(나)

이에 대한 설명으로 옳은 것만을 〈보기〉에서 있는 대로 고른 것은?

〈보기〉

ㄱ. ㉠의 관측값은 B이다.

ㄴ. 해수의 밀도는 B가 A보다 크다.

ㄷ. 해수의 용존 산소량은 ㉠이 ㉡보다 많다.

① ㄱ ② ㄷ ③ ㄱ, ㄴ ④ ㄴ, ㄷ ⑤ ㄱ, ㄴ, ㄷ

04

▸24069-0275

다음은 어느 퇴적 구조의 형성 과정을 알아보기 위한 실험이다.

[실험 목표]

• (㉠)의 형성 과정을 이해할 수 있다.

[실험 과정]

(가) 크기가 2 mm 이하, 2∼4 mm, 4∼8 mm인 석영 입자를 각각 동일한 양씩 준비한다.

(나) 그림과 같은 장치를 3개 준비하고, 각각의 플라스틱 관에 동일한 양의 물을 넣는다.

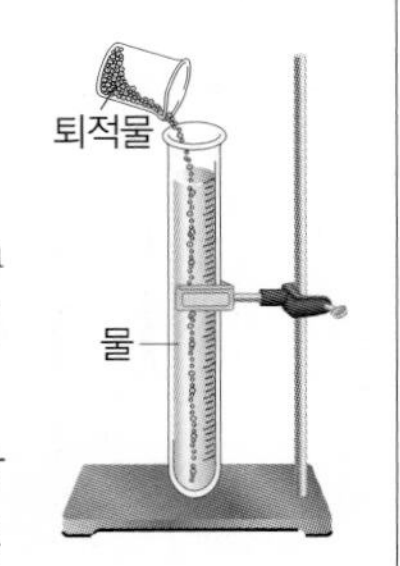

(다) 크기가 2 mm 이하, 2∼4 mm, 4∼8 mm인 석영 입자를 각각 물을 넣은 플라스틱 관에 천천히 부은 후 석영 입자가 플라스틱 관의 바닥에 가라앉는 데까지 걸리는 시간을 측정하고 결과를 기록한다.

(라) 석영 입자의 크기와 석영 입자가 플라스틱 관의 바닥에 가라앉는 데까지 걸리는 시간과의 관계를 그래프로 나타낸다.

이에 대한 설명으로 옳은 것만을 〈보기〉에서 있는 대로 고른 것은?

〈보기〉

ㄱ. '점이 층리'는 ㉠에 해당한다.

ㄴ. 입자의 크기가 클수록 빨리 가라앉는다.

ㄷ. 이 퇴적 구조는 해양 환경 중 주로 대륙대에서 형성된다.

① ㄱ ② ㄷ ③ ㄱ, ㄴ ④ ㄴ, ㄷ ⑤ ㄱ, ㄴ, ㄷ

05

▶24069-0276

그림 (가)와 (나)는 타원 은하와 나선 은하를 순서 없이 나타낸 것이고, (다)는 (가)와 (나)의 특성을 A, B로 순서 없이 나타낸 것이다.

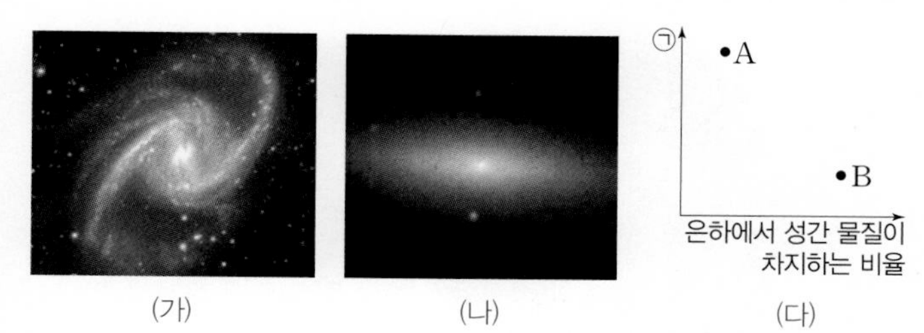

(가) (나)

㉠ •A •B

은하에서 성간 물질이 차지하는 비율

(다)

이에 대한 설명으로 옳은 것만을 〈보기〉에서 있는 대로 고른 것은?

보기

ㄱ. (가)는 A이다.

ㄴ. 허블의 은하 분류에 의하면 (나)는 E0에 해당한다.

ㄷ. '은하를 구성하는 별들의 평균 연령'은 ㉠에 해당한다.

① ㄴ ② ㄷ ③ ㄱ, ㄴ ④ ㄱ, ㄷ ⑤ ㄱ, ㄴ, ㄷ

06

▶24069-0277

그림은 시각 t일 때 북반구 해상에서 관측한 어느 태풍의 하층(고도 2 km 수평면) 풍속 분포를 나타낸 것이고, 표는 이 태풍이 어느 지역을 통과하는 동안 관측소 P_1과 P_2에서 3시간 간격으로 관측한 날씨를 나타낸 것이다. 두 관측소에서 태풍 중심까지의 거리는 $t+6$시에 가장 가까웠다.

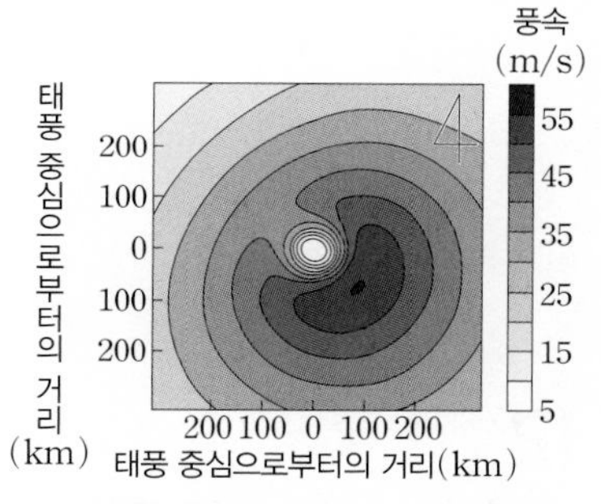

시각(시) / 관측소	$t+3$	$t+6$	$t+9$
P_1	680	660	685
P_2	730	710	750

이에 대한 설명으로 옳은 것만을 〈보기〉에서 있는 대로 고른 것은? (단, 등압선은 태풍 중심에 대하여 동심원을 이룬다고 가정한다.) [3점]

보기

ㄱ. 현재 이 태풍은 북동쪽으로 이동하고 있다.

ㄴ. P_1은 태풍의 안전 반원에 위치한다.

ㄷ. $t+6$시에 태풍 중심까지의 거리는 P_2가 P_1보다 가깝다.

① ㄱ ② ㄷ ③ ㄱ, ㄴ ④ ㄴ, ㄷ ⑤ ㄱ, ㄴ, ㄷ

07

▶24069-0278

그림은 표준 우주 모형에서의 시간에 따른 우주의 크기를, 표는 서로 다른 두 시기의 우주 구성 요소의 비율을 나타낸 것이다. t_1, t_2 시기는 각각 A, B 시기 중 하나이고, a, b, c는 각각 보통 물질, 암흑 물질, 암흑 에너지 중 하나이다.

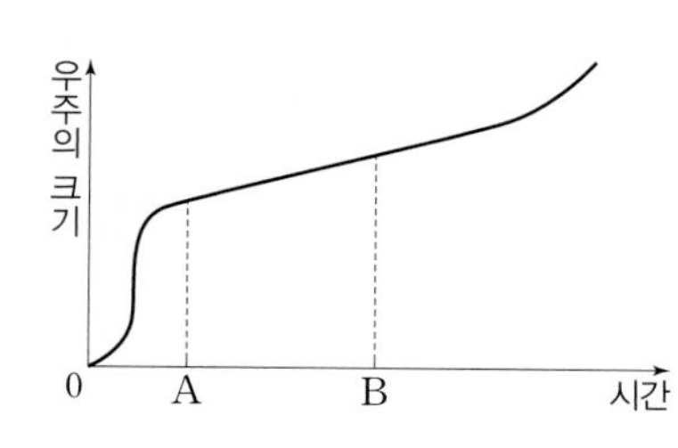

우주 구성 요소 \ 시기	t_1	t_2
a	30.6	83.3
b	62.5	3.4
c	6.9	13.3

(단위: %)

이에 대한 설명으로 옳은 것만을 〈보기〉에서 있는 대로 고른 것은? [3점]

보기

ㄱ. A는 t_1 시기이다.

ㄴ. b는 전자기파로 직접 관측할 수 있다.

ㄷ. $\frac{\text{암흑 에너지 밀도}}{\text{물질 밀도}}$는 t_1 시기가 t_2 시기보다 크다.

① ㄴ ② ㄷ ③ ㄱ, ㄴ ④ ㄱ, ㄷ ⑤ ㄱ, ㄴ, ㄷ

08

▶24069-0279

그림은 40억 년 전부터 현재까지 지질 시대의 상대적인 지속 시간을 나타낸 것이다. A, B, C는 각각 시생 누대, 원생 누대, 현생 누대 중 하나이다.

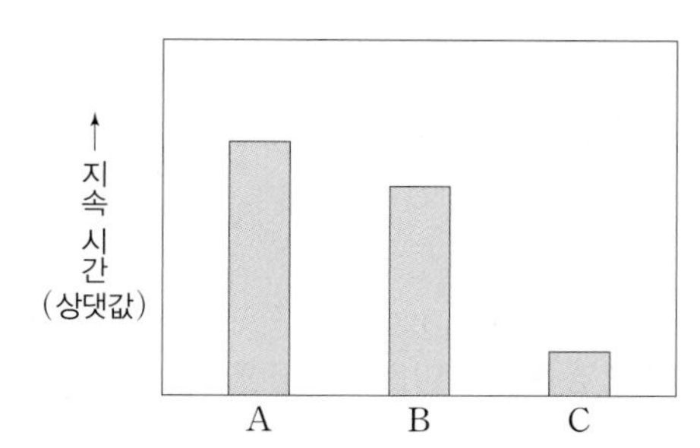

이에 대한 설명으로 옳은 것만을 〈보기〉에서 있는 대로 고른 것은?

보기

ㄱ. 대기 중 산소의 평균 농도는 A 시기가 B 시기보다 높다.

ㄴ. B 시기 말기에 에디아카라 동물군이 출현하였다.

ㄷ. C 시기에 육상 동물이 출현하였다.

① ㄱ ② ㄴ ③ ㄷ ④ ㄱ, ㄷ ⑤ ㄴ, ㄷ

09

▸24069-0280

그림 (가)는 마그마가 생성되는 지역 A, B, C를, (나)는 대륙과 해양의 지하 온도 분포와 암석의 용융 곡선 및 마그마의 생성 과정을 나타낸 것이다.

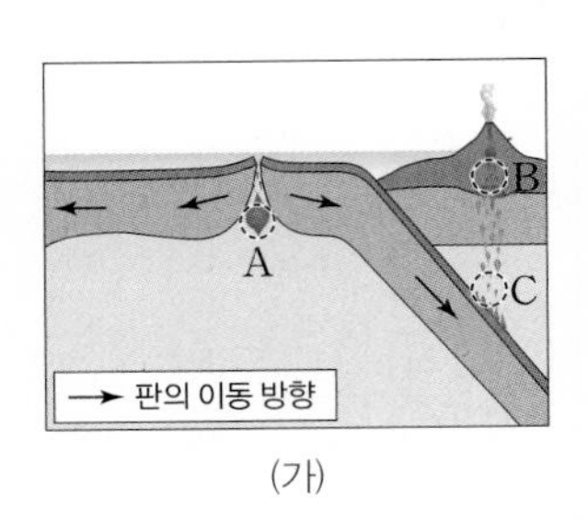

(가)

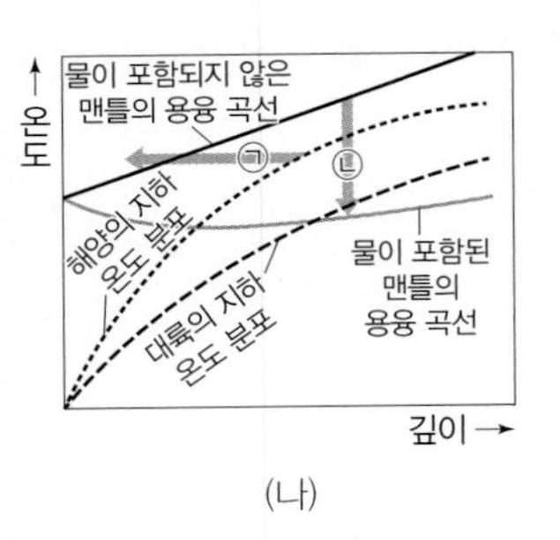

(나)

이 자료에 대한 설명으로 옳은 것만을 〈보기〉에서 있는 대로 고른 것은?

보기

ㄱ. 생성되는 마그마의 SiO_2 함량(%)은 C가 A보다 많다.

ㄴ. 물의 공급에 의해 맨틀 물질의 용융이 시작되는 깊이는 해양 하부에서가 대륙 하부에서보다 깊다.

ㄷ. ㉡은 B에서 마그마가 생성되는 과정에 해당한다.

① ㄱ ② ㄷ ③ ㄱ, ㄴ ④ ㄴ, ㄷ ⑤ ㄱ, ㄴ, ㄷ

10

▸24069-0281

그림 (가)와 (나)는 여름철과 겨울철의 지표 부근의 평년 풍향 및 풍속 분포를 순서 없이 나타낸 것이다.

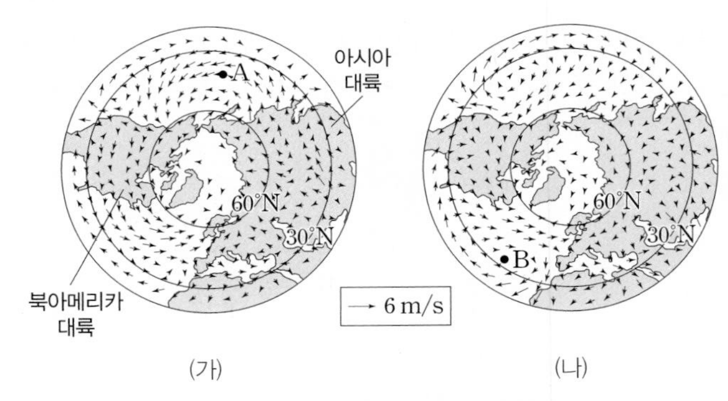

(가) (나)

이에 대한 설명으로 옳은 것만을 〈보기〉에서 있는 대로 고른 것은? [3점]

보기

ㄱ. (가)는 겨울철의 풍향 및 풍속 분포이다.

ㄴ. A 해역에는 북태평양 해류가 흐른다.

ㄷ. B 해역의 고기압은 해들리 순환의 하강 기류로 인해 형성된다.

① ㄴ ② ㄷ ③ ㄱ, ㄴ ④ ㄱ, ㄷ ⑤ ㄱ, ㄴ, ㄷ

11

▸24069-0282

그림은 별의 진화 단계 중 팽창하는 행성상 성운과 A, B 지점에서의 방출선을 관측하는 모습을 나타낸 것이다.

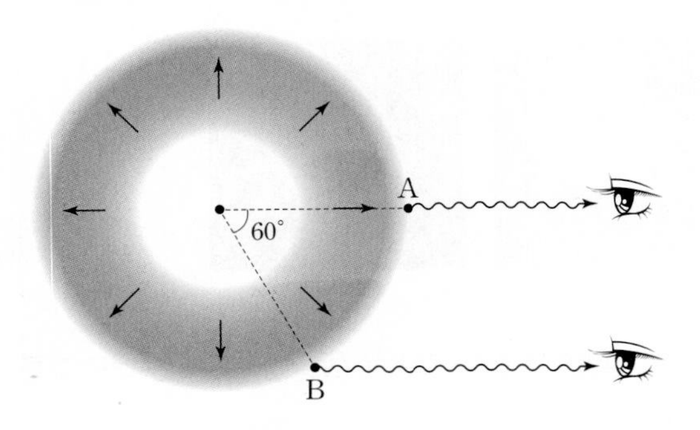

이에 대한 설명으로 옳은 것만을 〈보기〉에서 있는 대로 고른 것은? (단, 행성상 성운은 모든 방향으로 동일한 속도로 팽창한다.)

보기

ㄱ. 중심부에는 백색 왜성이 존재한다.

ㄴ. A와 B 모두에서 적색 편이가 관측된다.

ㄷ. 팽창 시선 속도의 크기는 A가 B의 2배이다.

① ㄱ ② ㄴ ③ ㄱ, ㄷ ④ ㄴ, ㄷ ⑤ ㄱ, ㄴ, ㄷ

12

▸24069-0283

그림 (가)와 (나)는 북반구 중위도 지역의 어느 온대 저기압의 일생 중 서로 다른 두 시기의 모습을 나타낸 것이다. A와 B는 지표면의 지점이다.

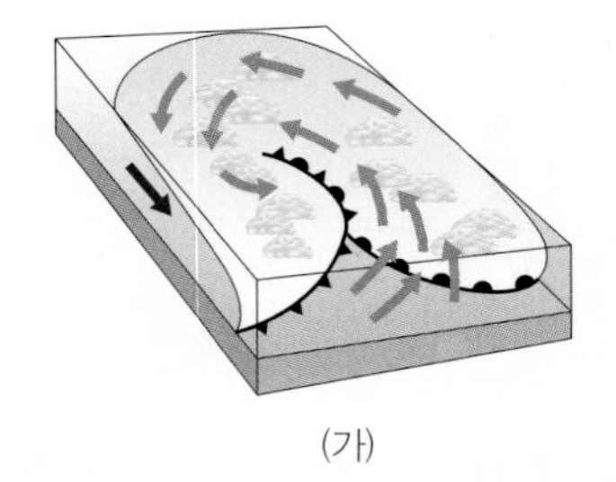
(가)

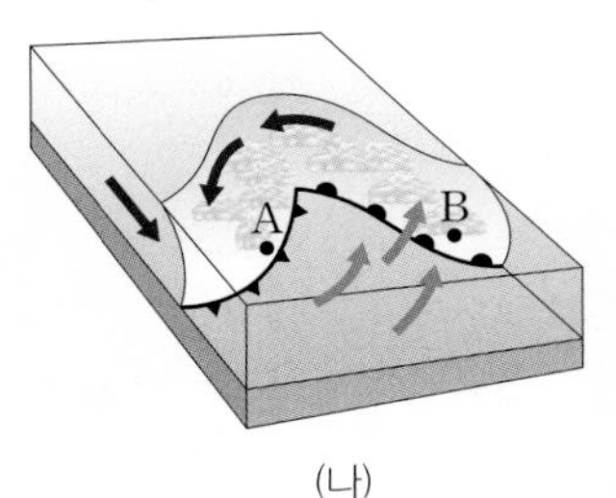

(나)

이에 대한 설명으로 옳은 것만을 〈보기〉에서 있는 대로 고른 것은?

보기

ㄱ. (가) 이후 온대 저기압의 세기는 대체로 약해진다.

ㄴ. 가시 영상에서 B 지점이 A 지점보다 밝게 보일 것이다.

ㄷ. (나)는 (가) 이후 시기의 모습이다.

① ㄱ ② ㄷ ③ ㄱ, ㄴ ④ ㄴ, ㄷ ⑤ ㄱ, ㄴ, ㄷ

13

▸24069-0284

표는 별 A, B, C의 표면 온도와 반지름을, 그림은 별 A, B, C에서 단위 시간에 단위 면적당 방출되는 복사 에너지의 상대적 세기를 파장에 따라 나타낸 것이다. ㉠, ㉡, ㉢은 각각 A, B, C 중 하나이다.

별	표면 온도 (K)	반지름 (A=1)
A	25000	1
B	15000	1
C	10000	1.5

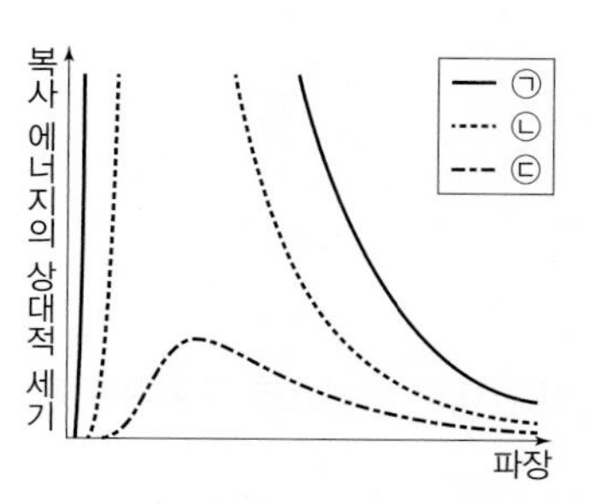

이에 대한 설명으로 옳은 것만을 〈보기〉에서 있는 대로 고른 것은? [3점]

보기

ㄱ. A의 복사 에너지 세기를 나타낸 것은 ㉠이다.

ㄴ. 별이 단위 시간에 단위 면적당 방출하는 복사 에너지양은 ㉠이 ㉡보다 많다.

ㄷ. 별의 광도는 B가 C의 $\frac{3}{2}$배이다.

① ㄱ ② ㄷ ③ ㄱ, ㄴ ④ ㄴ, ㄷ ⑤ ㄱ, ㄴ, ㄷ

14

▸24069-0285

그림 (가)는 1900년부터 2013년까지 호주 동부 지역의 강수량 편차와 남방 진동 지수를, (나)는 (가)의 A와 B 중 한 시기에 적도 부근의 워커 순환을 나타낸 것이다. A와 B는 각각 엘니뇨 시기와 라니냐 시기 중 하나이다.

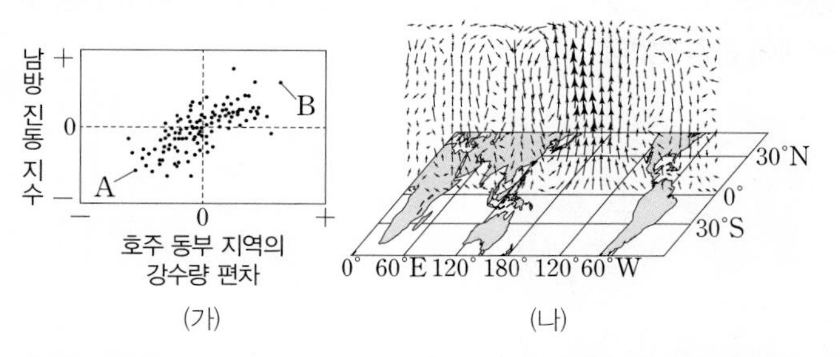

(가) (나)

이에 대한 설명으로 옳은 것만을 〈보기〉에서 있는 대로 고른 것은? (단, 편차는 '관측값−평년값'이다.)

보기

ㄱ. (나)는 A 시기의 워커 순환이다.

ㄴ. 적도 부근에서 $\frac{\text{서태평양 평균 해면 기압}}{\text{동태평양 평균 해면 기압}}$은 B 시기가 A 시기보다 작다.

ㄷ. (동태평양 적도 부근 해역의 해수면 높이 편차−서태평양 적도 부근 해역의 해수면 높이 편차)가 음(−)의 값을 갖는 시기는 B이다.

① ㄱ ② ㄷ ③ ㄱ, ㄴ ④ ㄴ, ㄷ ⑤ ㄱ, ㄴ, ㄷ

15

▸24069-0286

그림 (가)는 어느 외계 행성계에서 중심별의 시선 속도를 관측하여 나타낸 것이고, (나)는 이 외계 행성계의 모식도와 시간에 따른 밝기 변화를 나타낸 것이다. 이때 밝기는 별의 밝기와 행성의 밝기를 더해 나타낸 것이다.

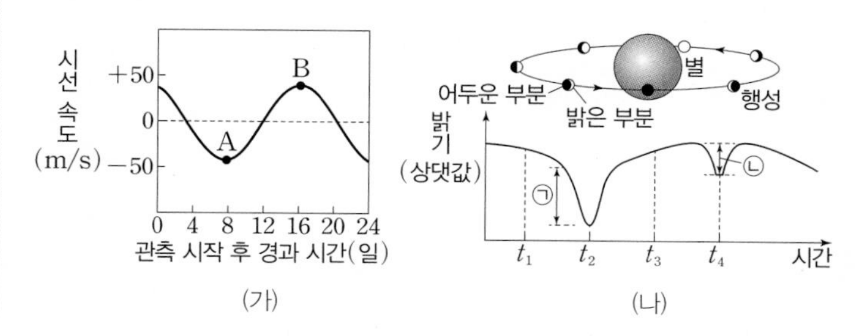

(가) (나)

이에 대한 설명으로 옳은 것만을 〈보기〉에서 있는 대로 고른 것은? (단, t_1~t_4 사이의 시간 간격은 동일하다.) [3점]

보기

ㄱ. (가)의 A 시기는 (나)의 t_3이다.

ㄴ. B 시기에 행성에 의한 식 현상이 관측된다.

ㄷ. 행성의 반지름이 커지면 ㉠과 ㉡ 모두 증가한다.

① ㄴ ② ㄷ ③ ㄱ, ㄴ ④ ㄱ, ㄷ ⑤ ㄱ, ㄴ, ㄷ

16

▸24069-0287

그림은 북반구 중위도 지역의 서로 다른 해령 A, B, C의 해령 축으로부터의 거리에 따른 해양 지각의 연령과 해령 부근의 고지자기 분포를 나타낸 것이다. 세 해령 주변에서 해저 퇴적물이 쌓이는 속도는 일정하다.

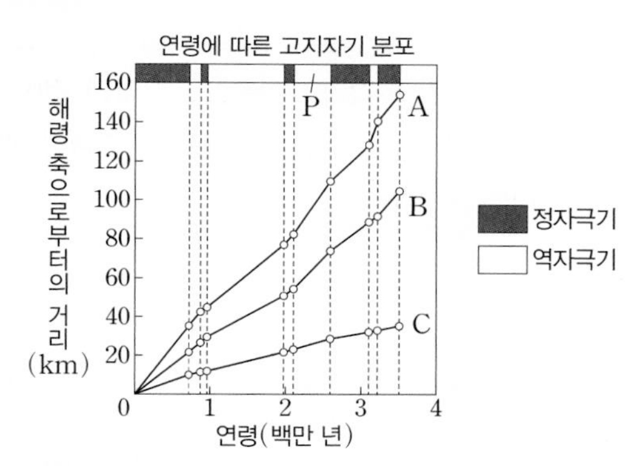

이에 대한 설명으로 옳은 것만을 〈보기〉에서 있는 대로 고른 것은? [3점]

보기

ㄱ. A, B, C 중 해저의 평균 확장 속도는 A 주변이 가장 빠르다.

ㄴ. 해령 축으로부터 동일한 거리에서 해저 퇴적물의 두께는 B 주변이 A 주변보다 두껍다.

ㄷ. 역자극기 P의 고지자기가 분포하는 구간의 폭은 C 주변이 B 주변보다 좁다.

① ㄱ ② ㄷ ③ ㄱ, ㄴ ④ ㄴ, ㄷ ⑤ ㄱ, ㄴ, ㄷ

17
▸24069-0288

그림은 미래의 t 시기의 지구 공전 궤도 이심률, 지구 자전축 경사각, 남반구 A 지역의 기온의 연교차에 대한 $t+13000$년의 상대적인 물리량을 나타낸 것이다. t 시기의 근일점일 때 북반구는 겨울철이다.

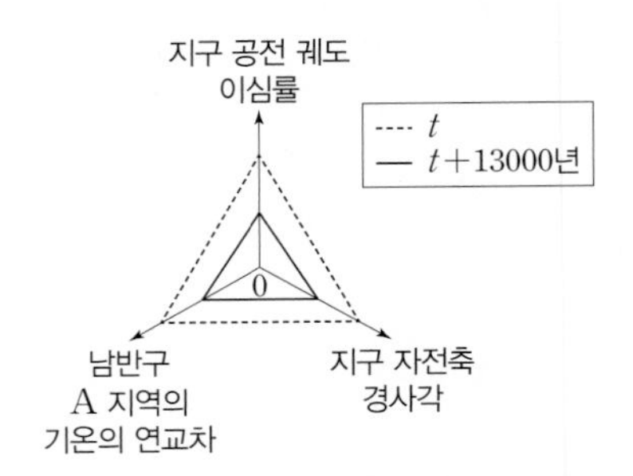

이에 대한 설명으로 옳은 것만을 〈보기〉에서 있는 대로 고른 것은? (단, 지구 공전 궤도 이심률, 지구 자전축 경사각, 세차 운동 이외의 조건은 변하지 않는다고 가정한다.) [3점]

보기

ㄱ. 37°N에서 겨울철 낮의 길이는 $t+13000$년이 t 시기보다 길다.

ㄴ. 37°S에서 $\dfrac{t+13000\text{년에 겨울철 지구에서 태양까지의 평균 거리}}{t\text{ 시기에 여름철 지구에서 태양까지의 평균 거리}}<1$ 이다.

ㄷ. A 지역에서 겨울철에 같은 배율로 관측한 태양의 겉보기 크기는 t 시기가 $t+13000$년보다 크다.

① ㄱ ② ㄷ ③ ㄱ, ㄴ ④ ㄴ, ㄷ ⑤ ㄱ, ㄴ, ㄷ

18
▸24069-0289

그림은 현재 복각이 $+45°$인 어느 지역의 지질 단면에 나타난 화성암 A와 B의 고지자기 복각과 그 분포를 나타낸 것이다. A와 B의 생성 당시 두 화성암과 접하는 하부 지층은 수평인 상태였고, 이 지역은 북반구에 위치했다.

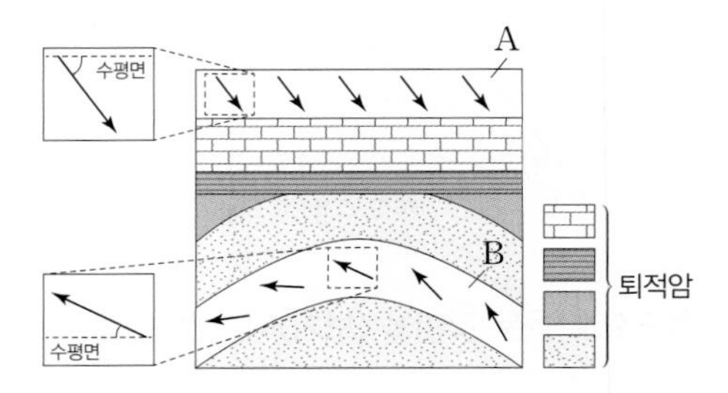

이에 대한 설명으로 옳은 것만을 〈보기〉에서 있는 대로 고른 것은? (단, 지층의 역전은 없었다.) [3점]

보기

ㄱ. 정자극기에 A가 생성되었다.

ㄴ. 습곡 작용이 일어난 이후에 B의 자성 광물은 자화되었다.

ㄷ. 이 지역은 B가 생성된 이후에 북쪽으로 이동한 적이 있다.

① ㄴ ② ㄷ ③ ㄱ, ㄴ ④ ㄱ, ㄷ ⑤ ㄱ, ㄴ, ㄷ

19
▸24069-0290

그림 (가)와 (나)는 질량이 태양과 같은 어느 별과 질량이 태양의 5배인 어느 별의 진화 경로를 H-R도에 순서 없이 나타낸 것이다.

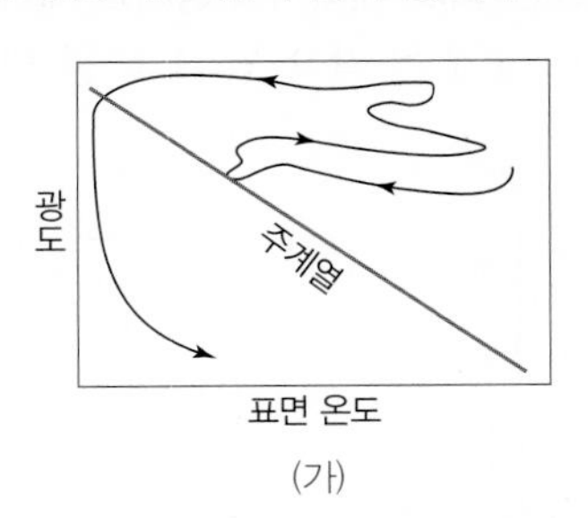

(가)

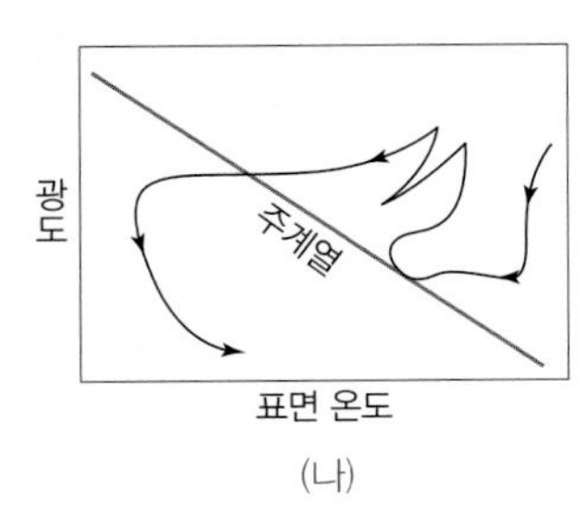

(나)

이에 대한 설명으로 옳은 것만을 〈보기〉에서 있는 대로 고른 것은?

보기

ㄱ. 질량이 태양의 5배인 별은 (가)의 별이다.

ㄴ. 주계열 단계일 때, (나)의 별 중심부에는 대류핵이 존재한다.

ㄷ. 주계열 단계일 때, 중심핵에서의 $\dfrac{\text{p-p 반응에 의한 에너지 생성량}}{\text{CNO 순환 반응에 의한 에너지 생성량}}$은 (가)의 별이 (나)의 별보다 크다.

① ㄱ ② ㄷ ③ ㄱ, ㄴ
④ ㄴ, ㄷ ⑤ ㄱ, ㄴ, ㄷ

20
▸24069-0291

그림은 어느 지역의 지질 단면을, 표는 화성암 P와 Q에 포함된 방사성 동위 원소 X와 이 원소가 붕괴하여 생성된 자원소의 함량을 나타낸 것이다. 지층 A에서는 화폐석 화석이, 지층 B에서는 공룡 화석이, 지층 C에서는 삼엽충 화석이 발견되었으며, P는 고생대에 관입하였다.

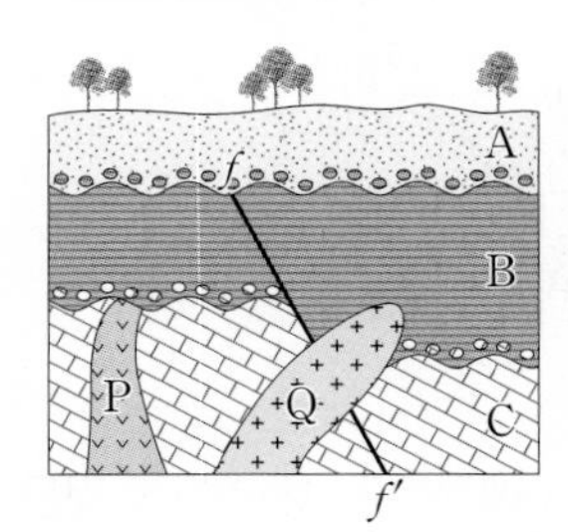

구분	방사성 동위 원소 X의 함량(%)	자원소의 함량(%)
P	12	88
Q	25	75

이에 대한 설명으로 옳은 것만을 〈보기〉에서 있는 대로 고른 것은? (단, 화성암 P, Q는 생성될 당시에 방사성 동위 원소 X의 자원소가 포함되지 않았다.) [3점]

보기

ㄱ. 현재 단층면을 경계로 B의 두께는 상반이 하반보다 두껍다.

ㄴ. 방사성 동위 원소 X의 반감기는 1억 3천만 년보다 짧다.

ㄷ. 지층과 암석의 생성 순서는 C→P→B→A→Q이다.

① ㄱ ② ㄷ ③ ㄱ, ㄴ
④ ㄴ, ㄷ ⑤ ㄱ, ㄴ, ㄷ

실전 모의고사 4회

제한시간 30분 | 배점 50점 | 정답과 해설 51쪽

문항에 따라 배점이 다르니, 각 물음의 끝에 표시된 배점을 참고하시오. 3점 문항에만 점수가 표시되어 있습니다. 점수 표시가 없는 문항은 모두 2점입니다.

01

▸24069-0292

그림 (가)는 어느 지역의 지층 A～E와 지질 구조를, (나)는 지점 ㄱ～ㅁ 중 어느 한곳에서 깊이에 따른 지층의 연령을 나타낸 것이다. l_1은 l_2보다 길다.

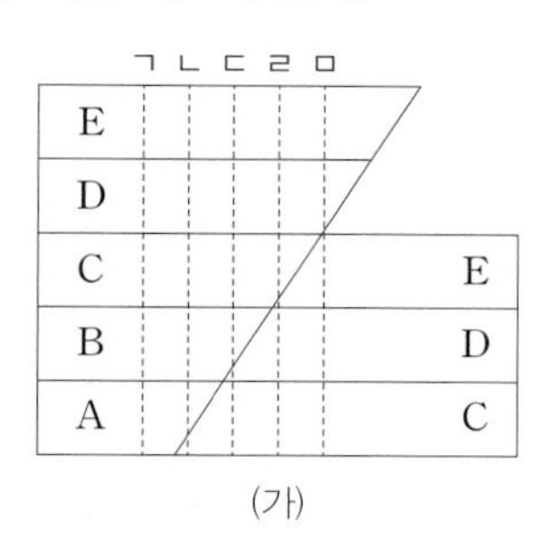

(가)

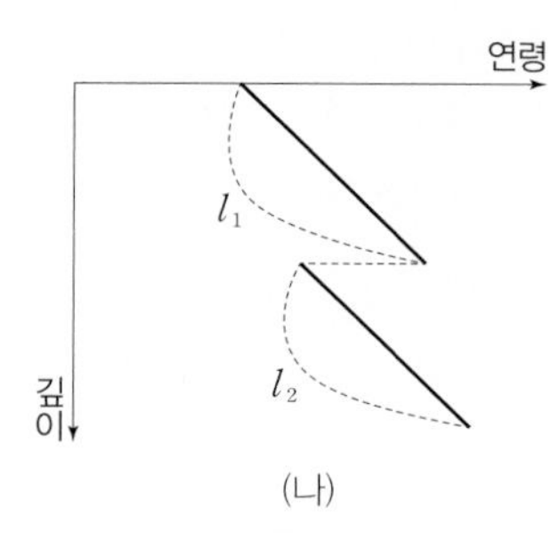

(나)

ㄱ～ㅁ 중 (나)에 해당하는 지점으로 가장 적절한 곳은? (단, 지층 A～E의 두께는 일정하고, 각 지층이 쌓이는 속도는 일정하다.) [3점]

① ㄱ ② ㄴ ③ ㄷ ④ ㄹ ⑤ ㅁ

02

▸24069-0293

그림 (가)는 깊이에 따른 지하의 온도 분포와 암석의 용융 곡선 A, B 및 마그마의 생성 과정 ㉠과 ㉡을, (나)는 하와이 킬라우에아 화산과 북한산 인수봉의 모습을 나타낸 것이다.

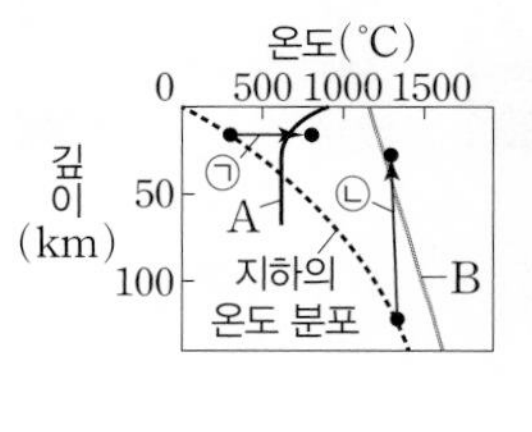

(가)

하와이 킬라우에아 화산

북한산 인수봉

(나)

이에 대한 설명으로 옳은 것만을 〈보기〉에서 있는 대로 고른 것은?

> 보기
> ㄱ. (가)에서 A는 물이 포함되지 않은 암석의 용융 곡선이다.
> ㄴ. 하와이 킬라우에아 화산을 형성한 마그마는 ㉠ 과정을 거쳐 생성되었다.
> ㄷ. 북한산 인수봉을 형성한 마그마는 하와이 킬라우에아 화산을 형성한 마그마보다 SiO_2 함량(%)이 많다.

① ㄱ ② ㄷ ③ ㄱ, ㄴ ④ ㄴ, ㄷ ⑤ ㄱ, ㄴ, ㄷ

03

▸24069-0294

그림은 어느 지역의 깊이에 따른 P파의 속도 편차(측정값－평균값)를, 표는 화산체 ㉠과 ㉡을 이루는 주요 암석의 평균 SiO_2 함량을 나타낸 것이다. ㉠과 ㉡ 중 하나는 열점에 의해 형성되었고, a와 b는 각각 (＋)와 (－) 중 하나이다.

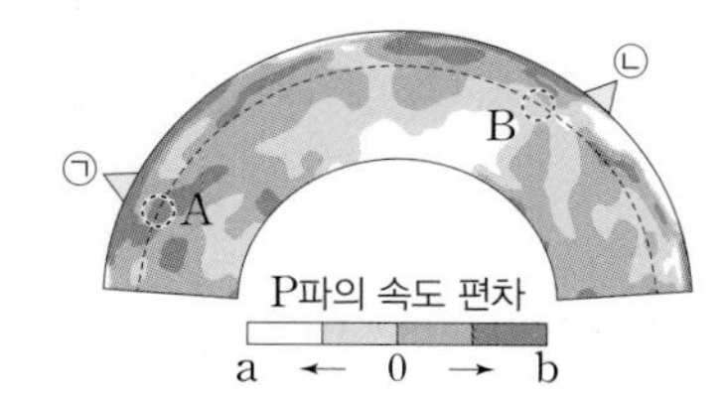

	㉠	㉡
평균 SiO_2 함량(%)	61	49

이에 대한 설명으로 옳은 것만을 〈보기〉에서 있는 대로 고른 것은?

> 보기
> ㄱ. P파의 속도 편차는 A 지역이 B 지역보다 크다.
> ㄴ. a는 (－), b는 (＋)이다.
> ㄷ. ㉠은 열점에 의해 형성된 화산체이다.

① ㄱ ② ㄷ ③ ㄱ, ㄴ ④ ㄴ, ㄷ ⑤ ㄱ, ㄴ, ㄷ

04

▸24069-0295

그림 (가)는 어느 화산암체의 고지자기 복각을, (나)는 (가)의 화산암체에 기록된 A, B, C 시기의 고지자기로 추정한 지리상 북극 방향을 나타낸 것이다.

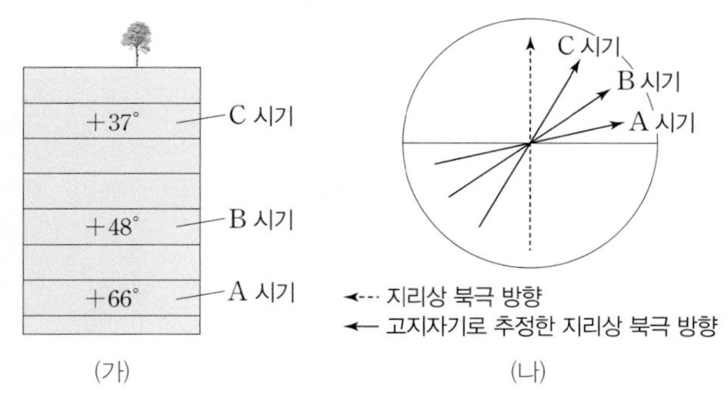

(가) (나)

A～C 시기 동안 이 화산암체에 대한 설명으로 옳은 것만을 〈보기〉에서 있는 대로 고른 것은? (단, A, B, C 시기는 모두 정자극기였고, 지리상 북극의 위치는 변하지 않았다.) [3점]

> 보기
> ㄱ. 북반구에 위치하였다.
> ㄴ. 저위도 방향으로 이동하였다.
> ㄷ. 지리상 북극 방향에 대해 시계 방향으로 회전한 적이 있다.

① ㄱ ② ㄷ ③ ㄱ, ㄴ ④ ㄴ, ㄷ ⑤ ㄱ, ㄴ, ㄷ

05

▸24069-0296

그림 (가)와 (나)는 서로 다른 두 지역의 지질 단면과 지층에서 관찰된 퇴적 구조를 나타낸 것이다. 지층 C와 D는 같은 시기에 퇴적되었다.

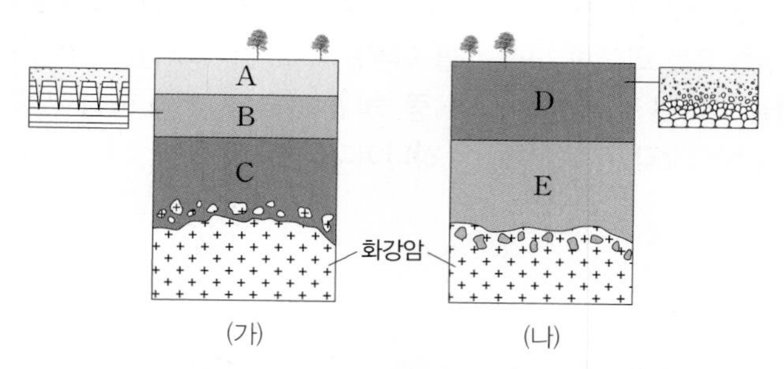

이에 대한 설명으로 옳은 것만을 〈보기〉에서 있는 대로 고른 것은?

보기

ㄱ. (가)는 관입의 법칙을 적용하여 지사를 해석할 수 있다.
ㄴ. 퇴적층이 형성될 때 수심은 B가 D보다 얕았다.
ㄷ. 지층 A~E 중 가장 먼저 퇴적된 지층은 E이다.

① ㄱ ② ㄴ ③ ㄱ, ㄷ
④ ㄴ, ㄷ ⑤ ㄱ, ㄴ, ㄷ

06

▸24069-0297

그림은 판의 경계 부근에서 발생한 지진의 진앙 위치와 진원 깊이를 나타낸 것이다.

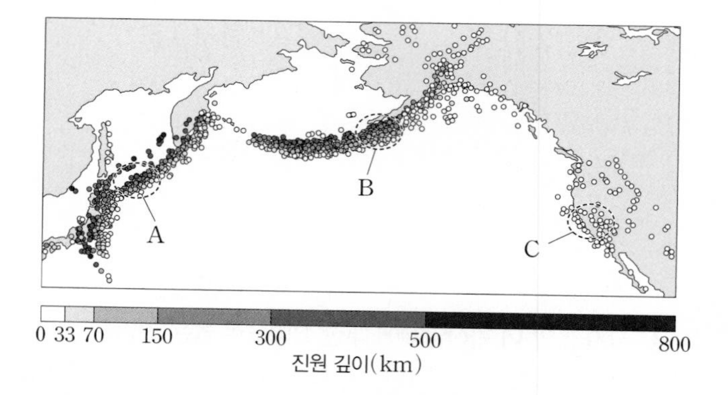

이에 대한 설명으로 옳은 것만을 〈보기〉에서 있는 대로 고른 것은?

보기

ㄱ. A 지역에는 해구가 발달한다.
ㄴ. B 지역에서는 화산 활동이 일어나지 않는다.
ㄷ. C 지역에서는 심발 지진이 활발하게 발생한다.

① ㄱ ② ㄷ ③ ㄱ, ㄴ
④ ㄴ, ㄷ ⑤ ㄱ, ㄴ, ㄷ

07

▸24069-0298

방사성 동위 원소 X, Y가 포함된 화강암 A와 B 중 A에서 현재 X의 $\frac{\text{자원소 함량}}{\text{모원소 함량}}$은 7, 현재 Y의 $\frac{\text{자원소 함량}}{\text{모원소 함량}}$은 15이고, B에서 현재 X의 $\frac{\text{자원소 함량}}{\text{모원소 함량}}$은 3이다. 화강암 A의 절대 연령은 12억 년이고, A와 B에 포함된 자원소는 모두 각각의 모원소가 붕괴하여 생성되었다.

이에 대한 설명으로 옳은 것만을 〈보기〉에서 있는 대로 고른 것은? [3점]

보기

ㄱ. $\frac{\text{X의 반감기}}{\text{Y의 반감기}}$는 $\frac{4}{3}$이다.
ㄴ. 화강암 B의 절대 연령은 8억 년이다.
ㄷ. 화강암 B에서 현재 Y의 $\frac{\text{모원소 함량}}{\text{모원소 함량}+\text{자원소 함량}}$은 $\frac{1}{8}$보다 크다.

① ㄱ ② ㄴ ③ ㄱ, ㄷ
④ ㄴ, ㄷ ⑤ ㄱ, ㄴ, ㄷ

08

▸24069-0299

다음은 폭설, 강풍, 호우에 대하여 학생 A, B, C가 나눈 대화를 나타낸 것이다.

폭설

강풍

호우

폭설은 시베리아 기단의 찬 공기가 남하하면서 황해상에서 기층이 불안정해져 상승 기류가 발달할 때 발생할 수 있어.

강풍은 가로수 등의 나무나 여러 가지 시설물을 파손시킬 수 있어.

호우는 주로 층운형 구름에서 잘 나타나는 현상이야.

제시한 내용이 옳은 학생만을 있는 대로 고른 것은?

① A ② C ③ A, B
④ B, C ⑤ A, B, C

09

▸24069-0300

그림은 북반구 어느 지역에 온대 저기압이 위치할 때, 온난 전선과 한랭 전선 중 어느 하나의 전선이 나타나는 A~D 지역의 높이에 따른 기온 분포를 나타낸 것이다.

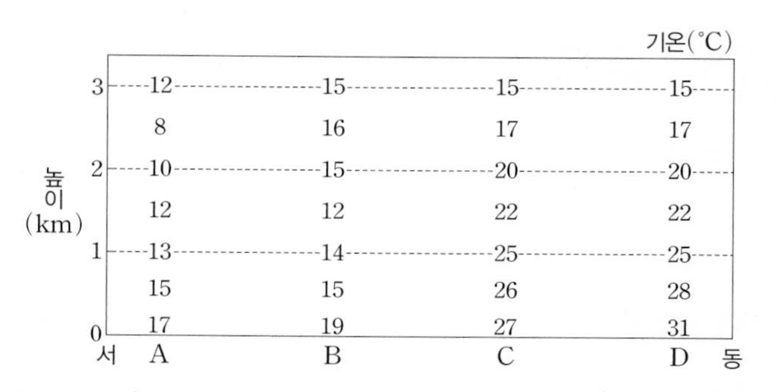

이에 대한 설명으로 옳은 것만을 〈보기〉에서 있는 대로 고른 것은? [3점]

보기
ㄱ. A와 B 지역 상공에는 전선면이 나타난다.
ㄴ. B 지역의 지표 부근에는 동풍 계열의 바람이 분다.
ㄷ. C와 D 지역에서는 이슬비가 내린다.

① ㄱ ② ㄴ ③ ㄱ, ㄷ ④ ㄴ, ㄷ ⑤ ㄱ, ㄴ, ㄷ

10

▸24069-0301

그림은 1850년~2020년 동안 전 지구, 아시아, 우리나라의 지표 온도 편차(관측값−기준값)를 나타낸 것이다. 기준값은 1850년~2020년의 평균 지표 온도이다.

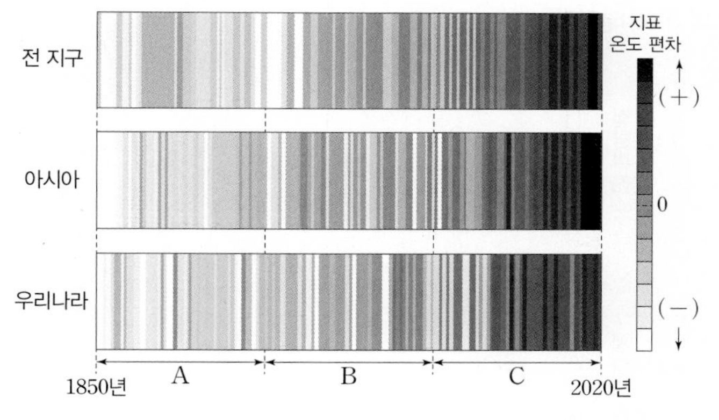

이 자료에 대한 설명으로 옳은 것만을 〈보기〉에서 있는 대로 고른 것은?

보기
ㄱ. 1850년~2020년 동안 지표 온도의 평균 상승률은 아시아가 우리나라보다 크다.
ㄴ. A 기간보다 C 기간에 전 지구 지표 온도의 평균 상승률이 크다.
ㄷ. 전 지구, 아시아, 우리나라 모두 1850년~2020년 동안 지표 온도는 높아지는 경향이 있다.

① ㄱ ② ㄴ ③ ㄱ, ㄷ ④ ㄴ, ㄷ ⑤ ㄱ, ㄴ, ㄷ

11

▸24069-0302

그림 (가), (나), (다)는 어느 날 북반구 해상에서 관측한 태풍의 해면 기압, 해수면 부근 풍속, 일 강수량을 순서 없이 나타낸 것이다.

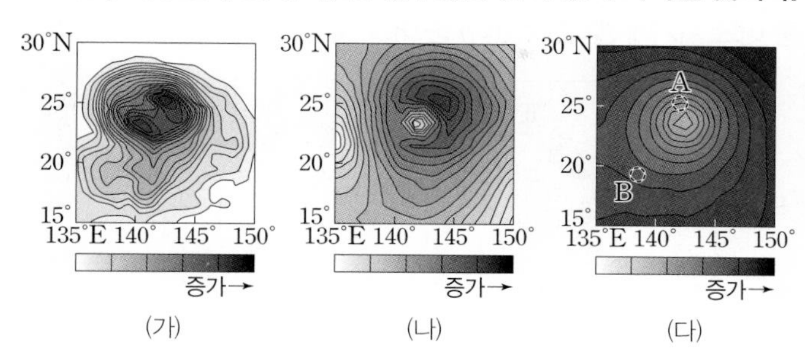

(가) (나) (다)

이에 대한 설명으로 옳은 것만을 〈보기〉에서 있는 대로 고른 것은?

보기
ㄱ. (가)는 태풍의 해면 기압 자료이다.
ㄴ. 일 강수량은 A 지역이 B 지역보다 많다.
ㄷ. 태풍은 북서 방향으로 이동하고 있다.

① ㄱ ② ㄴ ③ ㄱ, ㄷ ④ ㄴ, ㄷ ⑤ ㄱ, ㄴ, ㄷ

12

▸24069-0303

그림 (가)는 어느 해역의 깊이에 따른 수온과 염분을, (나)는 대서양에서 관측되는 수괴의 수온과 염분 분포를, (다)는 대서양의 심층 순환을 나타낸 것이다. A~D는 북대서양 심층수, 남극 중층수, 남극 저층수, 지중해 중층수 중 하나이다. (가)는 (다)의 ㉠과 ㉡ 중 어느 한곳에서의 깊이에 따른 수온과 염분 자료이다.

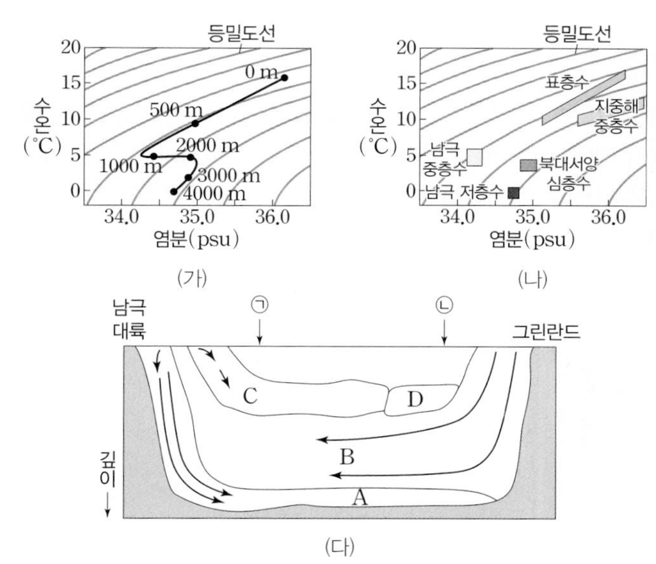

이에 대한 설명으로 옳은 것만을 〈보기〉에서 있는 대로 고른 것은?

보기
ㄱ. (가)는 ㉡에서의 깊이에 따른 수온과 염분 자료이다.
ㄴ. (가)에서 2000 m 깊이에 존재하는 수괴는 북대서양 심층수이다.
ㄷ. A~D 중 평균 염분이 가장 높은 수괴는 A이다.

① ㄱ ② ㄴ ③ ㄱ, ㄷ ④ ㄴ, ㄷ ⑤ ㄱ, ㄴ, ㄷ

13
▸24069-0304

그림 (가)와 (나)는 각각 A, B, C 시기와 D, E, F 시기에 적도 부근 해역의 표층 수온 편차(관측값－평년값)를 나타낸 것이다. (가) 중 어느 시기에 엘니뇨가, (나) 중 어느 시기에 라니냐가 발생하였다.

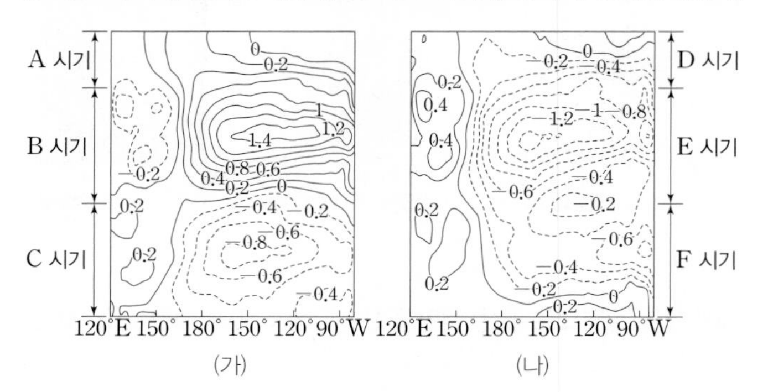

(가) (나)

이에 대한 설명으로 옳은 것만을 〈보기〉에서 있는 대로 고른 것은?

보기
ㄱ. (가)의 B 시기에 엘니뇨가 발생하였다.
ㄴ. (나)의 E 시기에 적도 부근 동태평양은 평상시보다 해면 기압이 높다.
ㄷ. 적도 부근 동태평양에서 수온 약층이 나타나기 시작하는 평균 깊이는 B 시기보다 E 시기에 깊다.

① ㄱ ② ㄷ ③ ㄱ, ㄴ
④ ㄴ, ㄷ ⑤ ㄱ, ㄴ, ㄷ

14
▸24069-0305

그림 (가)는 광도가 같은 별 A와 B에서 단위 시간당 동일한 양의 복사 에너지를 방출하는 면적을 나타낸 것이고, (나)는 별 A의 파장에 따른 복사 에너지의 상대적 세기를 나타낸 것이다. 지구에서 별 A까지의 거리는 별 B까지 거리의 10배이다.

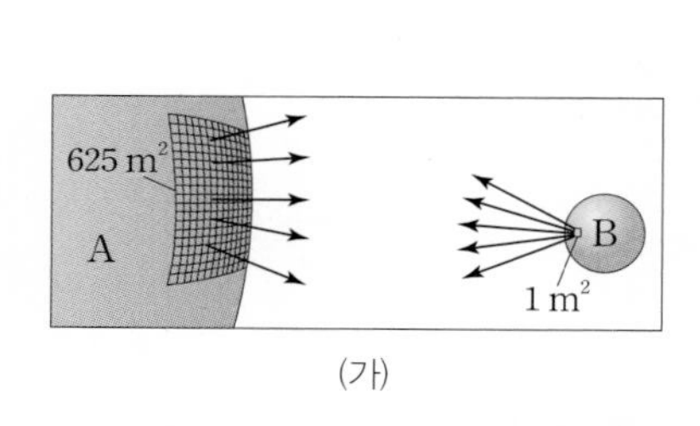

(가)

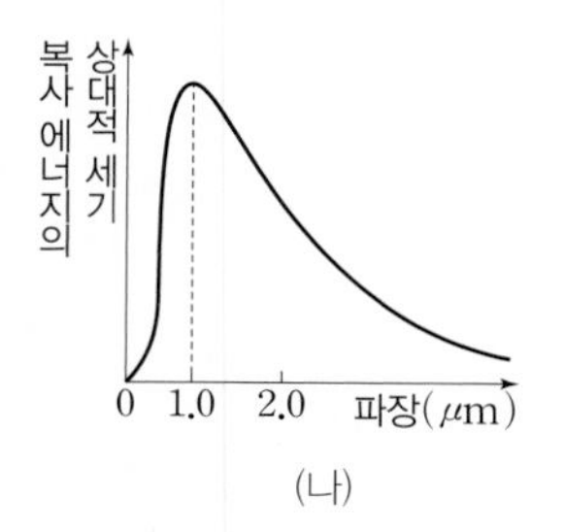

(나)

이에 대한 설명으로 옳은 것만을 〈보기〉에서 있는 대로 고른 것은?

보기
ㄱ. 별 B가 최대 복사 에너지를 방출하는 파장은 1 μm보다 길다.
ㄴ. $\frac{\text{별 A의 반지름}}{\text{별 B의 반지름}}$은 25이다.
ㄷ. (별 A의 겉보기 등급－별 B의 겉보기 등급)은 5이다.

① ㄱ ② ㄴ ③ ㄱ, ㄷ
④ ㄴ, ㄷ ⑤ ㄱ, ㄴ, ㄷ

15
▸24069-0306

표는 별 ㉠~㉣의 반지름과 표면 온도를, 그림은 별 ㉠과 ㉡의 스펙트럼을 A와 B로 순서 없이 나타낸 것이다. 별 ㉠~㉣ 중 주계열성은 3개이다.

별	반지름 (태양=1)	표면 온도 (K)
㉠	10	6000
㉡	1	6000
㉢	8	30000
㉣	10	ⓐ

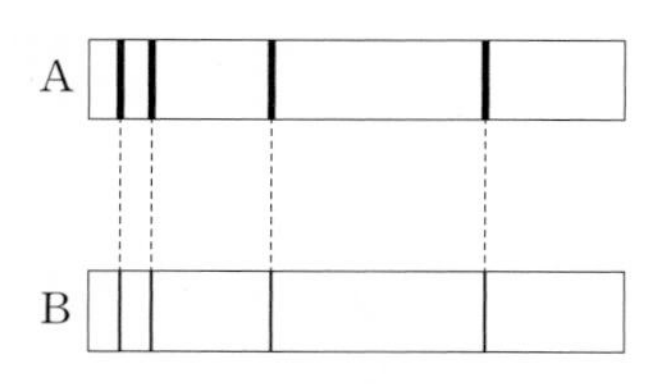

이에 대한 설명으로 옳은 것만을 〈보기〉에서 있는 대로 고른 것은? [3점]

보기
ㄱ. ⓐ는 30000보다 크다.
ㄴ. A는 ㉠의 스펙트럼이다.
ㄷ. (㉡의 절대 등급－㉢의 절대 등급)은 11보다 크다.

① ㄱ ② ㄴ ③ ㄱ, ㄷ
④ ㄴ, ㄷ ⑤ ㄱ, ㄴ, ㄷ

16
▸24069-0307

그림 (가)와 (나)는 백색 왜성으로 진화하기 직전의 별 A와 B의 중심으로부터 표면까지 거리에 따른 수소, 헬륨, 탄소의 질량비를 순서 없이 나타낸 것이다. ㉠, ㉡, ㉢은 각각 수소, 헬륨, 탄소 중 하나이고, A의 질량은 태양 질량의 0.88배, B의 질량은 태양 질량의 0.53배이다.

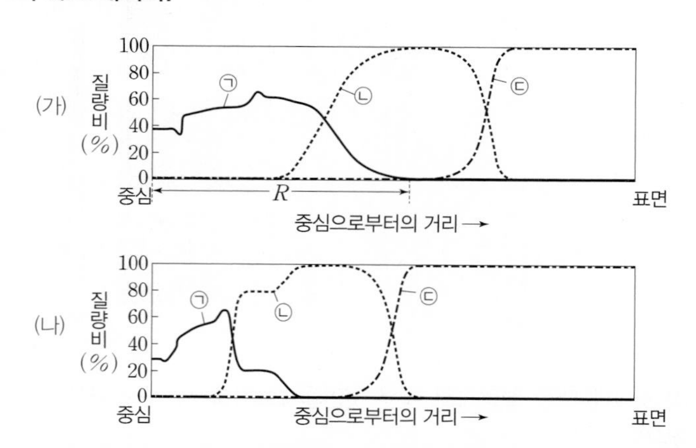

이 자료에 대한 설명으로 옳은 것만을 〈보기〉에서 있는 대로 고른 것은? [3점]

보기
ㄱ. ㉠은 탄소, ㉡은 헬륨, ㉢은 수소이다.
ㄴ. (나)는 별 B의 자료이다.
ㄷ. (가)에 해당하는 별의 중심핵의 반지름은 R이다.

① ㄱ ② ㄷ ③ ㄱ, ㄴ
④ ㄴ, ㄷ ⑤ ㄱ, ㄴ, ㄷ

17

▸24069-0308

그림은 공통 질량 중심을 중심으로 공전하는 중심별과 행성의 공전 궤도를 나타낸 것이다. A에서는 스펙트럼의 최대 적색 편이량이, C에서는 스펙트럼의 최대 청색 편이량이 나타나고, B와 D에서는 스펙트럼의 파장 편이량이 0이다.

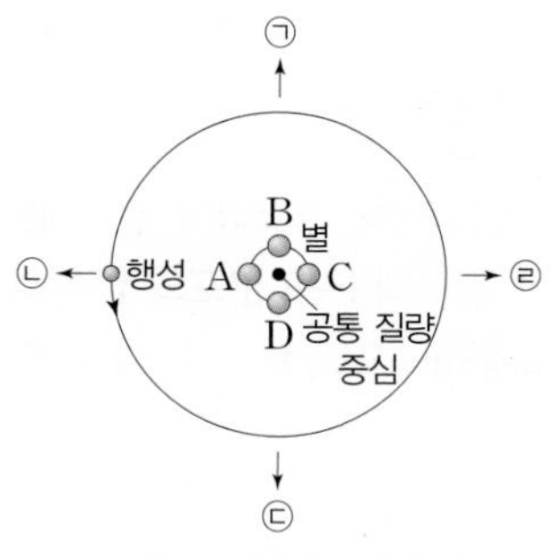

이에 대한 설명으로 옳은 것만을 〈보기〉에서 있는 대로 고른 것은? [3점]

보기

ㄱ. 지구 방향은 ㉢이다.
ㄴ. 지구와 행성 사이의 거리는 중심별이 D에 있을 때 가장 가깝다.
ㄷ. 중심별과 행성 사이의 거리가 일정할 때, 행성의 질량이 클수록 중심별의 스펙트럼 최대 편이량은 커진다.

① ㄱ ② ㄴ ③ ㄱ, ㄷ ④ ㄴ, ㄷ ⑤ ㄱ, ㄴ, ㄷ

18

▸24069-0309

그림은 외부 은하의 거리에 따른 후퇴 속도를 나타낸 것이다. A~D는 외부 은하까지의 거리를 측정하는 방법이고, ㉠, ㉡, ㉢은 서로 다른 허블 상수를 가진다.

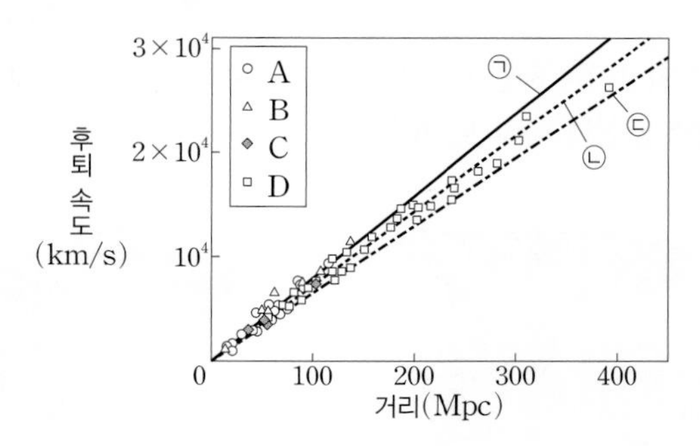

이에 대한 설명으로 옳은 것만을 〈보기〉에서 있는 대로 고른 것은? (단, 그림에는 A~D 방법으로 측정할 수 있는 외부 은하까지의 최대 거리가 표시되어 있다.) [3점]

보기

ㄱ. A~D 중 측정할 수 있는 외부 은하까지의 최대 거리는 D가 가장 길다.
ㄴ. ㉠, ㉡, ㉢ 중 허블 상수가 가장 작은 것은 ㉠이다.
ㄷ. ㉠, ㉡, ㉢ 중 같은 거리에 있는 외부 은하의 적색 편이는 ㉢이 가장 크다.

① ㄱ ② ㄴ ③ ㄱ, ㄷ ④ ㄴ, ㄷ ⑤ ㄱ, ㄴ, ㄷ

19

▸24069-0310

그림 (가)와 (나)는 나선 은하, 불규칙 은하, 타원 은하의 성간 물질 함량과 색지수(B−V)를 각각 나타낸 것이다. A, B, C는 각각 나선 은하, 불규칙 은하, 타원 은하 중 하나이다.

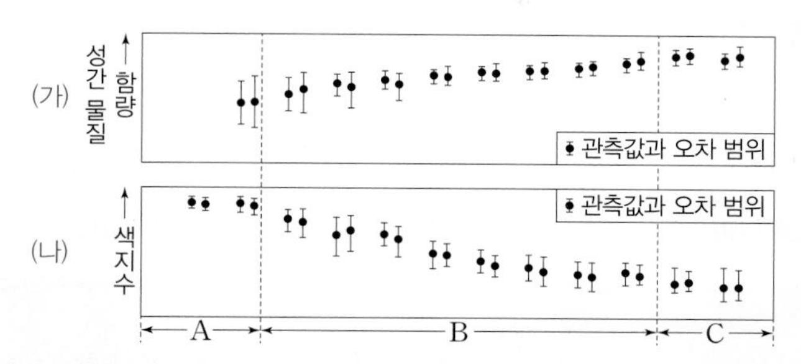

이에 대한 설명으로 옳은 것만을 〈보기〉에서 있는 대로 고른 것은? [3점]

보기

ㄱ. 우리은하는 B에 속한다.
ㄴ. 세이퍼트은하는 대부분 A로 관측된다.
ㄷ. 은하를 구성하는 별들 중 젊은 별이 차지하는 비율은 C가 A보다 높다.

① ㄱ ② ㄷ ③ ㄱ, ㄴ ④ ㄱ, ㄷ ⑤ ㄴ, ㄷ

20

▸24069-0311

그림은 우주 모형 A, B와 외부 은하에서 발견된 Ⅰa형 초신성의 관측 자료를 나타낸 것이다. Ω_m과 Ω_Λ는 각각 현재 우주의 물질 밀도와 암흑 에너지 밀도를 임계 밀도로 나눈 값이다. A와 B 중 하나는 암흑 에너지를 고려하지 않은 우주 모형이다.

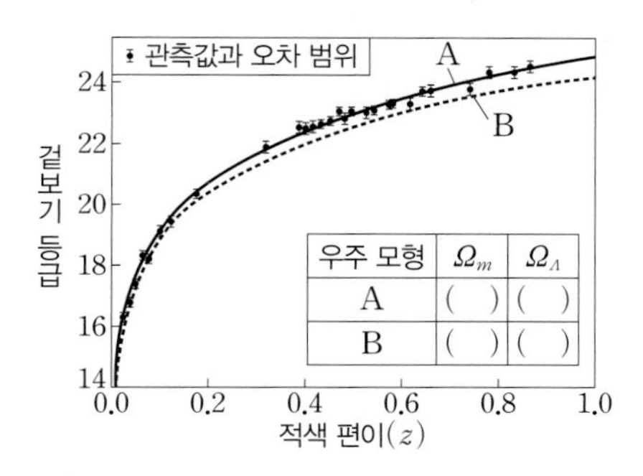

우주 모형	Ω_m	Ω_Λ
A	( )	( )
B	( )	( )

이에 대한 설명으로 옳은 것만을 〈보기〉에서 있는 대로 고른 것은? [3점]

보기

ㄱ. A는 가속 팽창하는 우주 모형이다.
ㄴ. 겉보기 등급이 24등급인 Ⅰa형 초신성의 관측된 후퇴 속도는 B에서 예측한 후퇴 속도보다 빠르다.
ㄷ. $\frac{\Omega_\Lambda}{\Omega_m}$ 값은 A가 B보다 크다.

① ㄱ ② ㄴ ③ ㄱ, ㄷ ④ ㄴ, ㄷ ⑤ ㄱ, ㄴ, ㄷ

실전 모의고사 5회

제한시간 30분 | 배점 50점 | 정답과 해설 54쪽

문항에 따라 배점이 다르니, 각 물음의 끝에 표시된 배점을 참고하시오. 3점 문항에만 점수가 표시되어 있습니다. 점수 표시가 없는 문항은 모두 2점입니다.

01

▸24069-0312

그림 (가), (나), (다)는 우리나라의 지질 명소를 나타낸 것이다.

(가) 태백시 구문소

(나) 무등산 주상 절리대

(다) 제주도 수월봉

이에 대한 설명으로 옳은 것만을 〈보기〉에서 있는 대로 고른 것은?

보기

ㄱ. (가)의 석회암은 주로 바다에서 퇴적되었다.
ㄴ. (나)는 용암이 급격히 냉각되면서 수축되어 형성되었다.
ㄷ. (다)의 응회암은 중생대에 생성되었다.

① ㄱ ② ㄷ ③ ㄱ, ㄴ ④ ㄴ, ㄷ ⑤ ㄱ, ㄴ, ㄷ

02

▸24069-0313

표는 고정된 열점에 의해 형성된 화산섬 A～E에서 구한 고지자기극의 위도를 화산섬의 연령 및 현재 위도와 함께 나타낸 것이다. A～E는 한쪽 방향으로 움직이는 같은 판 위에 위치하고, 동일 경도상에 위치한다.

화산섬	A	B	C	D	E
고지자기극의 위도	90°N	85°N	80°N	(㉠)	60°N
화산섬의 연령 (백만 년)	0	5	22	30	45
화산섬의 현재 위도	( )	35°N	( )	52°N	( )

이에 대한 설명으로 옳은 것만을 〈보기〉에서 있는 대로 고른 것은? (단, 고지자기극은 고지자기 방향으로 추정한 지리상 북극이고, 지리상 북극은 변하지 않았으며, A～E에서 고지자기 방향으로 추정한 지리상 북극 방향과 실제 지리상 북극 방향의 사잇각은 모두 0°이다.) [3점]

보기

ㄱ. 판의 이동 방향은 북쪽 방향이다.
ㄴ. ㉠은 68°N이다.
ㄷ. A와 E에서 구한 고지자기 복각은 같다.

① ㄱ ② ㄷ ③ ㄱ, ㄴ ④ ㄴ, ㄷ ⑤ ㄱ, ㄴ, ㄷ

03

▸24069-0314

그림 (가)는 마그마가 생성되는 지역 A, B, C를, (나)는 깊이에 따른 지하의 온도 분포와 암석의 용융 곡선(㉠, ㉡) 및 마그마의 생성 과정(a → a′, b → b′)을 나타낸 것이다.

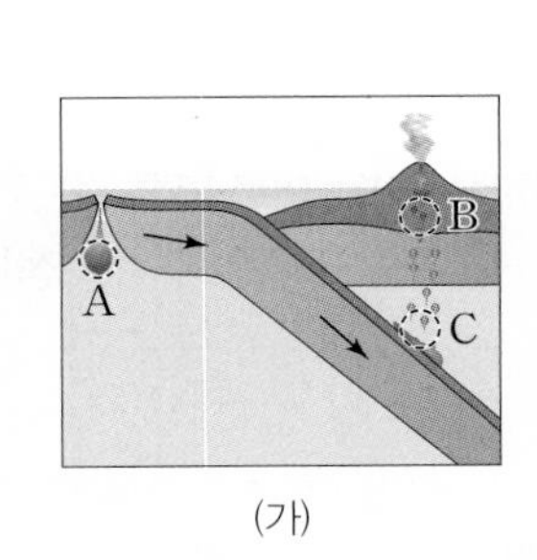

(가)

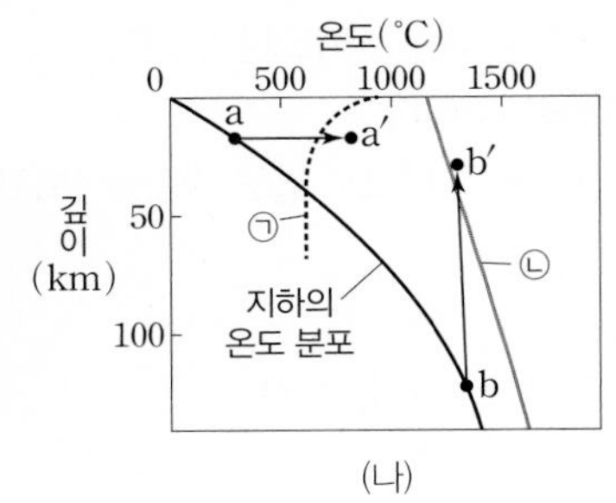

(나)

이에 대한 설명으로 옳은 것만을 〈보기〉에서 있는 대로 고른 것은? [3점]

보기

ㄱ. 생성되는 마그마의 SiO_2 함량(%)은 A에서가 B에서보다 많다.
ㄴ. (나)에서 물이 포함된 암석의 용융 곡선은 ㉠이다.
ㄷ. C에서 마그마가 생성되는 과정에 해당하는 것은 a → a′이다.

① ㄱ ② ㄴ ③ ㄱ, ㄷ ④ ㄴ, ㄷ ⑤ ㄱ, ㄴ, ㄷ

04

▸24069-0315

그림 (가)와 (나)는 해양판이 섭입하는 서로 다른 두 지역의 지진파 단층 촬영 영상을 나타낸 것이다.

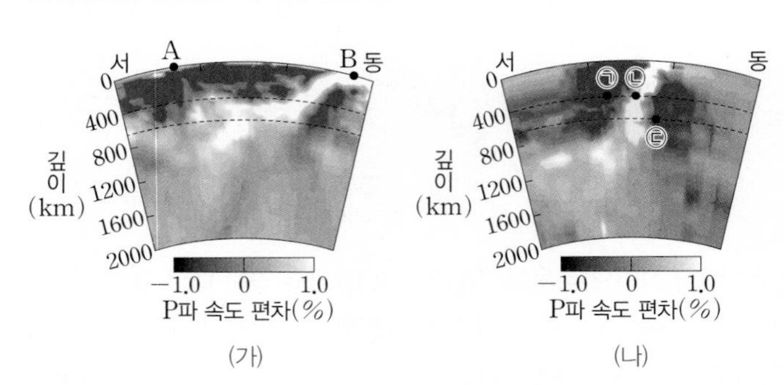

이에 대한 설명으로 옳은 것만을 〈보기〉에서 있는 대로 고른 것은?

보기

ㄱ. 판의 밀도는 지점 A가 속한 판이 지점 B가 속한 판보다 크다.
ㄴ. 온도는 ㉠에서보다 ㉡에서 낮다.
ㄷ. ㉢은 맨틀 대류의 하강부이다.

① ㄱ ② ㄷ ③ ㄱ, ㄴ ④ ㄴ, ㄷ ⑤ ㄱ, ㄴ, ㄷ

05

▸24069-0316

그림 (가)는 어느 지역의 지질 단면을, (나)는 방사성 동위 원소 X와 Y의 붕괴 곡선을 나타낸 것이다. A～F는 퇴적층이고, 화성암 P와 Q는 X와 Y 중 서로 다른 한 종류만 포함하며, 현재 P와 Q에 포함된 X와 Y의 함량은 각각 처음 양의 50 %와 25 % 중 서로 다른 하나이다. 자원소는 모두 각각의 모원소가 붕괴하여 생성되었다.

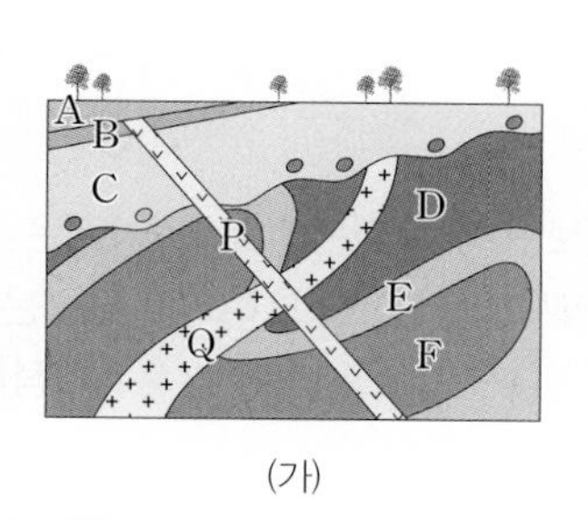

(가)

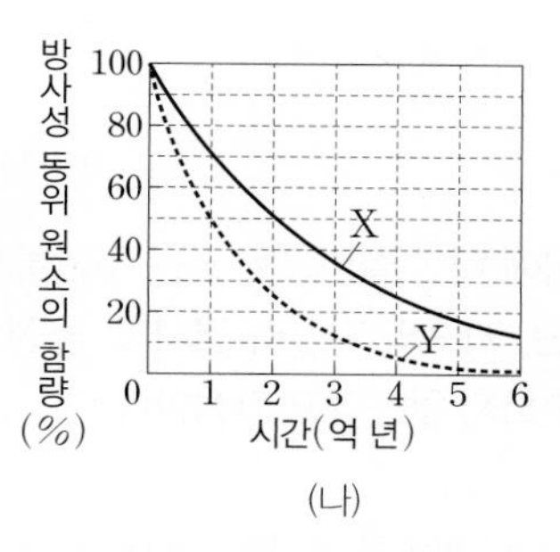

(나)

이에 대한 설명으로 옳은 것만을 〈보기〉에서 있는 대로 고른 것은? [3점]

〈보기〉

ㄱ. A는 고생대에 퇴적되었다.

ㄴ. Q에 포함된 방사성 동위 원소의 함량이 현재의 $\frac{1}{2}$이 될 때, P에 포함된 자원소 함량은 모원소 함량의 7배이다.

ㄷ. 2억 년 후에 $\frac{\text{P에 포함된 자원소 함량}}{\text{Q에 포함된 자원소 함량}}$은 0.5이다.

① ㄱ ② ㄴ ③ ㄱ, ㄷ ④ ㄴ, ㄷ ⑤ ㄱ, ㄴ, ㄷ

06

▸24069-0317

그림 (가)는 현생 누대 동안 완족류와 삼엽충의 과의 수 변화를, (나)는 현생 누대 동안 생물 과의 멸종 비율과 대멸종 시기 ㉠, ㉡, ㉢을 나타낸 것이다. A와 B는 각각 완족류와 삼엽충 중 하나이다.

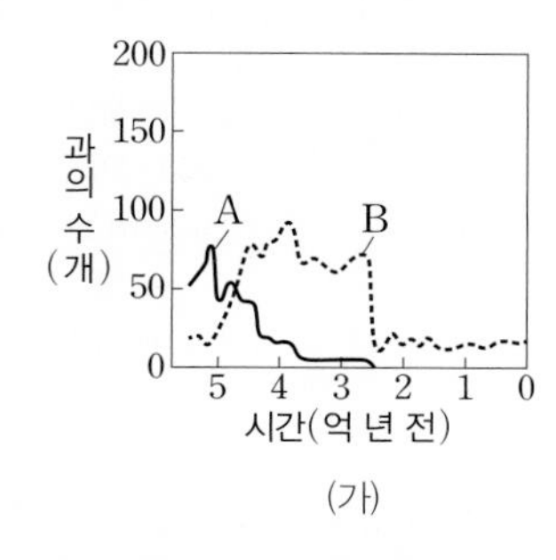

(가)

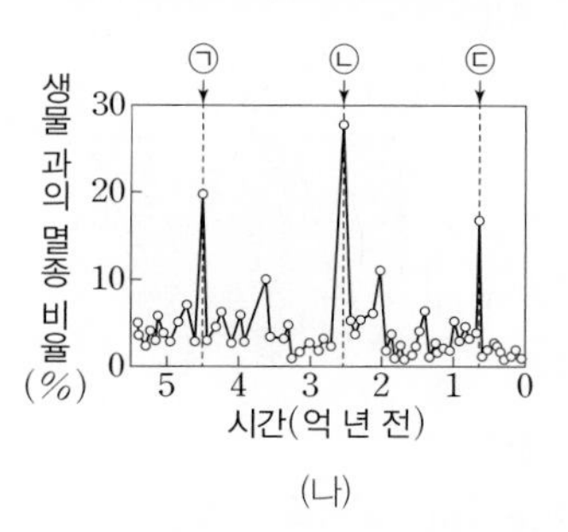

(나)

이에 대한 설명으로 옳은 것만을 〈보기〉에서 있는 대로 고른 것은?

〈보기〉

ㄱ. A는 고생대의 표준 화석이다.

ㄴ. 생물 과의 멸종 비율은 ㉠보다 ㉢ 시기에 낮다.

ㄷ. B의 과의 수는 ㉠, ㉡, ㉢ 중 ㉡ 시기에 가장 많이 감소하였다.

① ㄱ ② ㄷ ③ ㄱ, ㄴ ④ ㄴ, ㄷ ⑤ ㄱ, ㄴ, ㄷ

07

▸24069-0318

그림은 온대 저기압 중심이 우리나라 어느 관측소의 북쪽을 통과하는 동안 관측한 기상 요소를 나타낸 것이다. 이 기간 동안 온난 전선과 한랭 전선이 모두 이 관측소를 통과하였다.

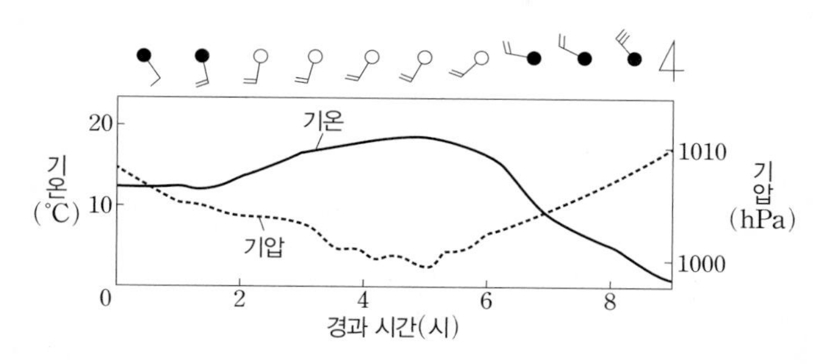

이에 대한 설명으로 옳은 것만을 〈보기〉에서 있는 대로 고른 것은? [3점]

〈보기〉

ㄱ. 이 기간 동안 관측소의 풍향은 시계 방향으로 변하였다.

ㄴ. 경과 시간 3시에 관측소의 상공에는 온난 전선면이 나타난다.

ㄷ. 한랭 전선은 경과 시간 7시～8시에 관측소를 통과하였다.

① ㄱ ② ㄷ ③ ㄱ, ㄴ ④ ㄴ, ㄷ ⑤ ㄱ, ㄴ, ㄷ

08

▸24069-0319

그림은 어느 태풍의 위치를 6시간 간격으로 나타낸 것이다.

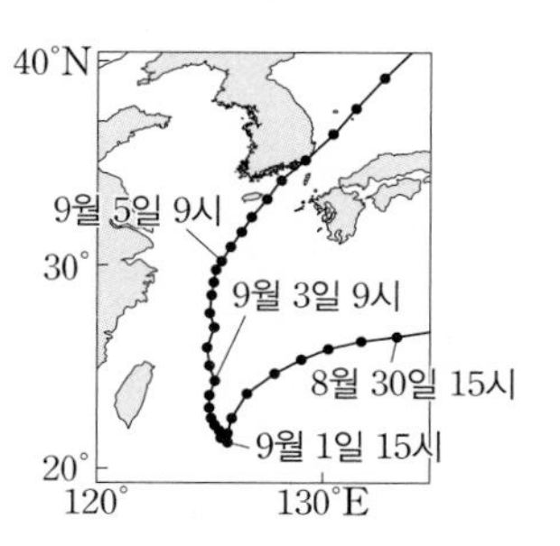

이 자료에 대한 설명으로 옳은 것만을 〈보기〉에서 있는 대로 고른 것은?

〈보기〉

ㄱ. 9월 5일 9시부터 태풍이 우리나라에 상륙하기 전까지 제주도는 안전 반원에 위치한다.

ㄴ. 태풍의 평균 이동 속력은 9월 2일이 9월 5일보다 빠르다.

ㄷ. 이 태풍은 남쪽 방향으로 이동한 적이 있다.

① ㄱ ② ㄴ ③ ㄱ, ㄷ ④ ㄴ, ㄷ ⑤ ㄱ, ㄴ, ㄷ

09

▸24069-0320

그림은 우리나라 동해 어느 해역의 깊이에 따른 수온, 염분, 용존 산소량을 나타낸 것이다. ㉠과 ㉡은 각각 수온과 염분 중 하나이다.

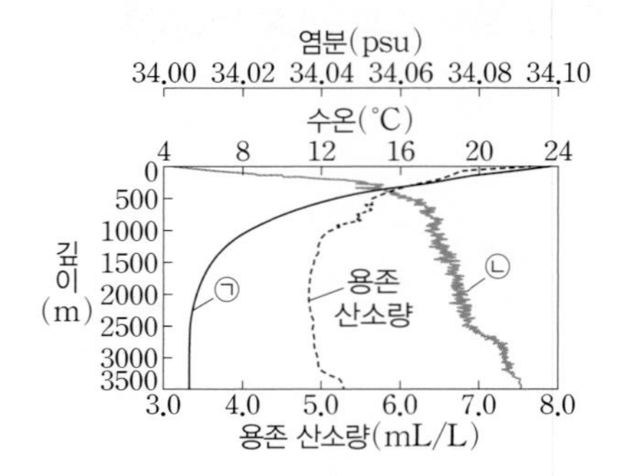

이에 대한 설명으로 옳은 것만을 〈보기〉에서 있는 대로 고른 것은?

> 보기
> ㄱ. ㉠은 수온이다.
> ㄴ. 깊이에 따른 밀도 증가율은 수심 0~500 m 구간이 2000 ~2500 m 구간보다 크다.
> ㄷ. 용존 산소량은 표층이 심해층보다 많다.

① ㄱ ② ㄷ ③ ㄱ, ㄴ ④ ㄴ, ㄷ ⑤ ㄱ, ㄴ, ㄷ

10

▸24069-0321

그림 (가)와 (나)는 서로 다른 두 시기의 중앙 태평양 적도 부근 해역의 풍향과 풍속을 나타낸 것이다. (가)와 (나)는 각각 엘니뇨와 라니냐 시기 중 하나이다.

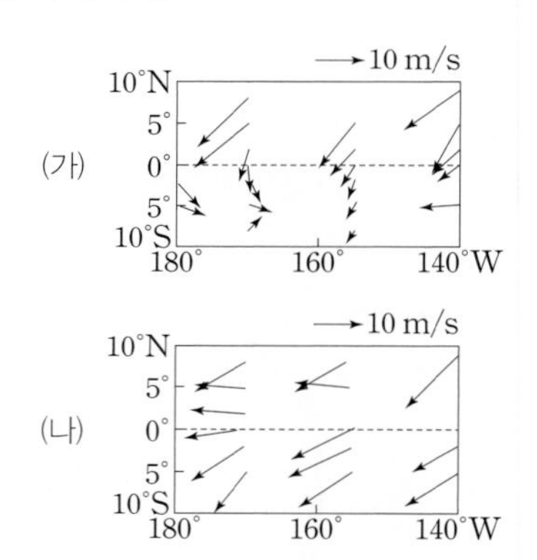

이에 대한 설명으로 옳은 것만을 〈보기〉에서 있는 대로 고른 것은? [3점]

> 보기
> ㄱ. 동태평양 적도 부근 해역의 표층 수온은 (가) 시기가 (나) 시기보다 낮다.
> ㄴ. 적도 부근에서 $\frac{\text{동태평양 평균 해면 기압}}{\text{서태평양 평균 해면 기압}}$은 (가) 시기가 (나) 시기보다 크다.
> ㄷ. 적도 부근 동태평양 해역에서 수온 약층이 나타나기 시작하는 깊이는 (가) 시기가 (나) 시기보다 깊다.

① ㄱ ② ㄷ ③ ㄱ, ㄴ ④ ㄴ, ㄷ ⑤ ㄱ, ㄴ, ㄷ

11

▸24069-0322

그림은 지구의 자전축 경사각과 공전 궤도 이심률의 변화를 나타낸 것이다.

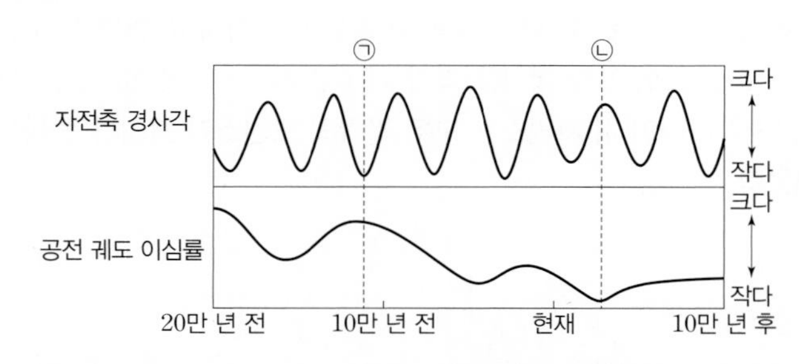

이에 대한 설명으로 옳은 것만을 〈보기〉에서 있는 대로 고른 것은? (단, 지구의 자전축 경사각, 공전 궤도 이심률 변화 이외의 요인은 변하지 않는다고 가정한다.) [3점]

> 보기
> ㄱ. 원일점 거리와 근일점 거리의 차는 현재가 ㉠ 시기보다 크다.
> ㄴ. 우리나라에서 겨울철 태양의 남중 고도는 ㉡ 시기가 현재보다 높다.
> ㄷ. 우리나라에서 기온의 연교차는 ㉡ 시기가 ㉠ 시기보다 크다.

① ㄱ ② ㄷ ③ ㄱ, ㄴ ④ ㄴ, ㄷ ⑤ ㄱ, ㄴ, ㄷ

12

▸24069-0323

그림은 대서양의 심층 순환을, 표는 수괴 ㉠, ㉡, ㉢의 평균 염분과 표층에서의 평균 밀도를 나타낸 것이다. 수괴 A, B, C와 ㉠, ㉡, ㉢은 각각 남극 저층수, 남극 중층수, 북대서양 심층수 중 하나이다.

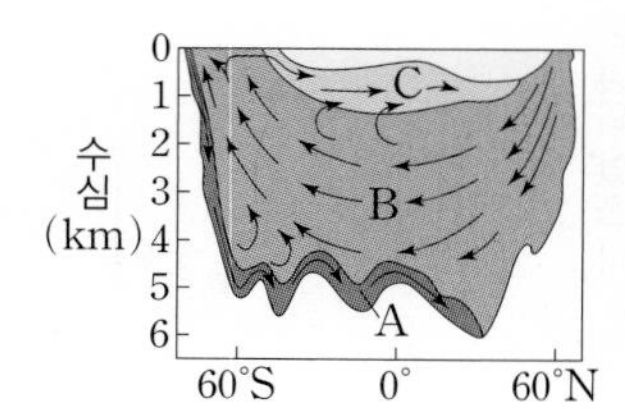

수괴	평균 염분 (psu)	표층에서의 평균 밀도 (g/cm³)
㉠	34.9	1.0278
㉡	34.2	1.0270
㉢	34.7	1.0279

이에 대한 설명으로 옳은 것만을 〈보기〉에서 있는 대로 고른 것은?

> 보기
> ㄱ. A는 ㉢이다.
> ㄴ. 평균 염분은 A가 B보다 높다.
> ㄷ. 주로 남쪽으로 이동하는 수괴는 ㉠이다.

① ㄱ ② ㄴ ③ ㄱ, ㄷ ④ ㄴ, ㄷ ⑤ ㄱ, ㄴ, ㄷ

13

▸24069-0324

그림은 복사 평형을 이루고 있는 지구가 흡수한 연평균 태양 복사 에너지와 방출한 연평균 지구 복사 에너지의 차를 위도에 따라 나타낸 것이다.

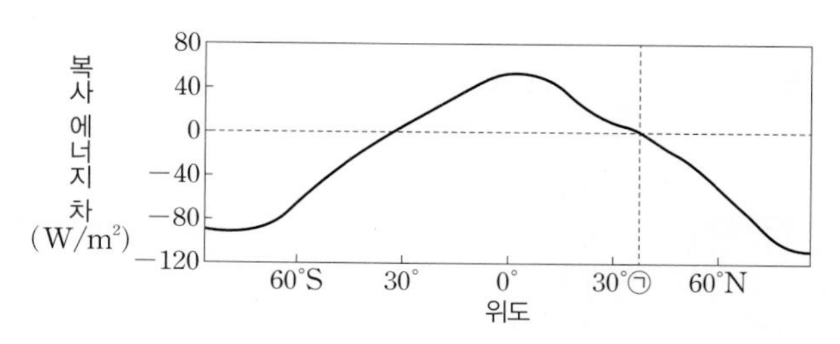

이에 대한 설명으로 옳은 것만을 ⟨보기⟩에서 있는 대로 고른 것은?

보기

ㄱ. 20°S 지역은 에너지 과잉 상태이다.

ㄴ. 남북 방향의 에너지 수송량은 ㉠에서가 60°N보다 적다.

ㄷ. 위도별 에너지 불균형은 대기와 해양의 순환을 일으킨다.

① ㄱ ② ㄴ ③ ㄱ, ㄷ ④ ㄴ, ㄷ ⑤ ㄱ, ㄴ, ㄷ

14

▸24069-0325

그림은 별 **A**, **B**, **C**의 최대 복사 에너지 방출 파장과 절대 등급을 나타낸 것이다. **A**, **B**, **C** 중 **2**개는 거성이고 **1**개는 주계열성이다.

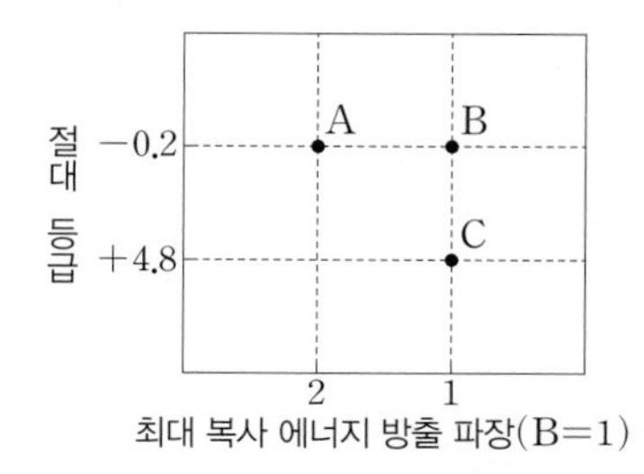

이에 대한 설명으로 옳은 것만을 ⟨보기⟩에서 있는 대로 고른 것은? [3점]

보기

ㄱ. 단위 시간에 단위 면적당 방출하는 복사 에너지의 양은 B가 A의 16배이다.

ㄴ. A, B, C 중 반지름은 A가 가장 크다.

ㄷ. 주계열성은 C이다.

① ㄱ ② ㄴ ③ ㄱ, ㄷ ④ ㄴ, ㄷ ⑤ ㄱ, ㄴ, ㄷ

15

▸24069-0326

그림 (가)와 (나)는 주계열성 **A**와 **B**의 중심부에서 우세하게 일어나는 핵융합 반응을 각각 나타낸 것이고, (다)는 **A**와 **B** 중 하나의 내부 구조를 나타낸 것이다. **A**와 **B**의 질량은 각각 태양 질량의 **1**배와 **10**배 중 하나이다.

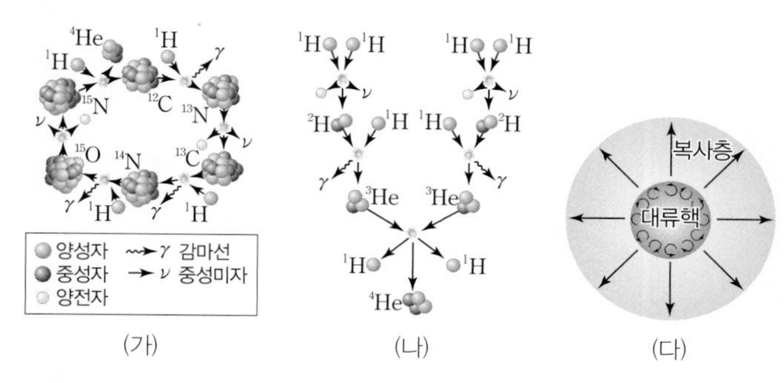

(가) (나) (다)

이에 대한 설명으로 옳은 것만을 ⟨보기⟩에서 있는 대로 고른 것은?

보기

ㄱ. 질량은 A가 B보다 크다.

ㄴ. (다)는 A의 내부 구조이다.

ㄷ. $\frac{\text{원시별이 막 생성되었을 때 광도}}{\text{주계열성에 막 도달했을 때 광도}}$는 B가 A보다 크다.

① ㄱ ② ㄴ ③ ㄱ, ㄷ ④ ㄴ, ㄷ ⑤ ㄱ, ㄴ, ㄷ

16

▸24069-0327

그림은 각각 하나의 행성이 있는 두 외계 행성계에서 질량이 같은 주계열성인 중심별 **A**와 **B**의 시선 속도를 나타낸 것이다. **A**와 **B**가 공통 질량 중심을 중심으로 공전하는 속도의 크기는 같다.

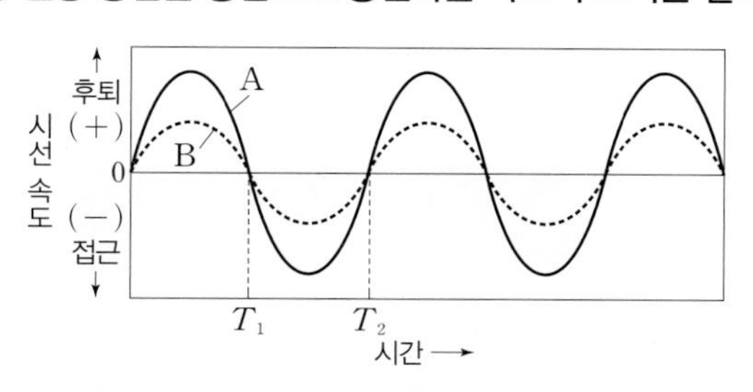

이에 대한 설명으로 옳은 것만을 ⟨보기⟩에서 있는 대로 고른 것은? [3점]

보기

ㄱ. 지구로부터 A까지의 거리는 T_1일 때보다 T_2일 때 가깝다.

ㄴ. 공통 질량 중심으로부터 중심별까지의 거리는 A와 B가 같다.

ㄷ. 관측자의 시선 방향과 외계 행성의 공전 궤도면이 이루는 각은 A가 B보다 크다.

① ㄱ ② ㄷ ③ ㄱ, ㄴ ④ ㄴ, ㄷ ⑤ ㄱ, ㄴ, ㄷ

17

▸24069-0328

그림은 태양이 주계열 단계에 도달한 직후부터 시간에 따른 광도비$\left(\frac{\text{태양의 광도}}{\text{현재 태양의 광도}}\right)$, 반지름비$\left(\frac{\text{태양의 반지름}}{\text{현재 태양의 반지름}}\right)$, 표면 온도비$\left(\frac{\text{태양의 표면 온도(K)}}{\text{1000 K}}\right)$의 변화를 A, B, C로 순서 없이 나타낸 것이다.

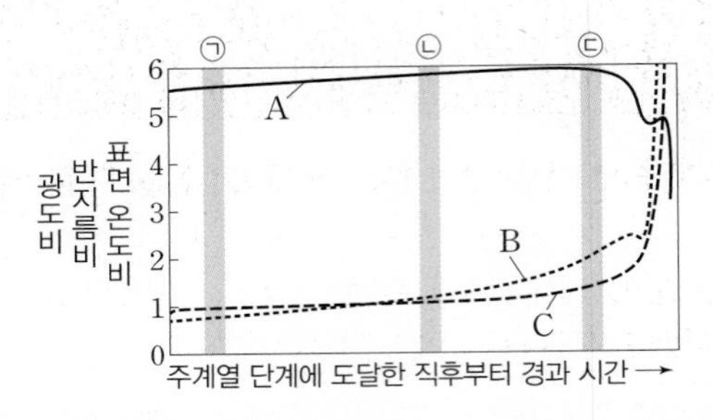

이 자료에 대한 설명으로 옳은 것만을 〈보기〉에서 있는 대로 고른 것은? [3점]

보기

ㄱ. 태양의 광도는 시간에 따라 계속 증가한다.
ㄴ. 지구에서 태양으로부터 단위 시간에 단위 면적당 받는 복사 에너지양은 ㉡ 시기가 ㉠ 시기보다 많다.
ㄷ. 생명 가능 지대의 폭 증가율은 ㉠ 시기가 ㉢ 시기보다 작다.

① ㄱ ② ㄷ ③ ㄱ, ㄴ
④ ㄴ, ㄷ ⑤ ㄱ, ㄴ, ㄷ

18

▸24069-0329

그림 (가)와 (나)는 각각 세이퍼트은하와 전파 은하의 가시광선 영상을 나타낸 것이다.

(가)

(나)

이에 대한 설명으로 옳은 것만을 〈보기〉에서 있는 대로 고른 것은?

보기

ㄱ. 성간 기체는 (나)보다 (가)에 많이 분포한다.
ㄴ. (나)에서는 강한 X선이 방출된다.
ㄷ. (가)와 (나) 모두 중심부에 블랙홀이 존재할 것으로 추정된다.

① ㄱ ② ㄷ ③ ㄱ, ㄴ
④ ㄴ, ㄷ ⑤ ㄱ, ㄴ, ㄷ

19

▸24069-0330

다음은 우리은하와 외부 은하 A, B, C에 대한 설명이다. 우리은하와 A, B, C 중 3개는 일직선상에 위치하며 네 은하는 허블 법칙을 만족한다.

- B에서 우리은하와 A, C를 관측하면, 600 nm의 고유 파장을 갖는 흡수선이 우리은하와 A, C의 스펙트럼에서 각각 604 nm, 608 nm, 610 nm로 관측된다.
- 우리은하에서 A와 B를 관측하면, A의 후퇴 속도는 B의 후퇴 속도의 3배이다.
- A에서 관측할 때 우리은하와 C의 시선 방향은 수직이다.

이에 대한 설명으로 옳은 것만을 〈보기〉에서 있는 대로 고른 것은? (단, 빛의 속도는 3×10^5 km/s이고, 허블 상수는 70 km/s/Mpc이다.) [3점]

보기

ㄱ. A에서 관측한 C의 후퇴 속도는 2000 km/s이다.
ㄴ. 우리은하에서 관측할 때 1200 nm의 고유 파장을 갖는 흡수선의 파장이 1224 nm로 관측되는 은하는 A이다.
ㄷ. C에서 거리가 가장 먼 은하는 우리은하이다.

① ㄱ ② ㄷ ③ ㄱ, ㄴ
④ ㄴ, ㄷ ⑤ ㄱ, ㄴ, ㄷ

20

▸24069-0331

그림은 세 우주 모형 A, B, C의 시간에 따른 우주의 상대적 크기 변화를 나타낸 것이다. A, B, C 중 2개는 평탄 우주 모형이고, 1개는 닫힌 우주 모형이다.

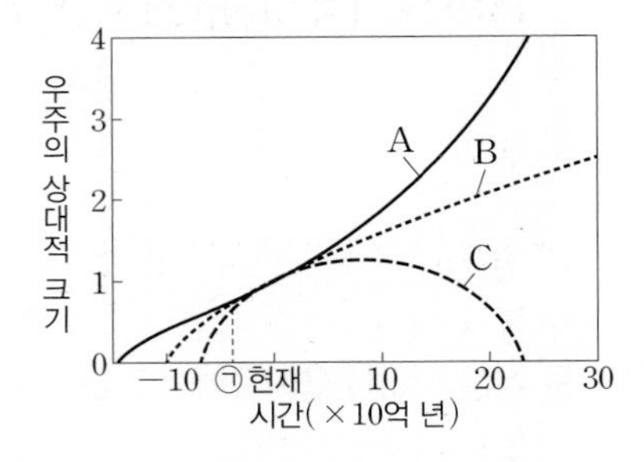

이에 대한 설명으로 옳은 것만을 〈보기〉에서 있는 대로 고른 것은?

보기

ㄱ. 현재 암흑 에너지의 비율은 A가 B보다 높다.
ㄴ. ㉠ 시기에 C에서 우주의 팽창 속도는 감소한다.
ㄷ. 우주의 곡률이 (+)인 것은 A이다.

① ㄱ ② ㄷ ③ ㄱ, ㄴ
④ ㄴ, ㄷ ⑤ ㄱ, ㄴ, ㄷ

EBS

2025학년도

수능 연계교재 수능완성

한 권에 수능 에너지 가득
YOU MADE IT!

5회분 실전 모의고사 수록

테마편 + 실전편

과학탐구영역 정답과 해설

지구과학 I

본 교재는 대학수학능력시험을 준비하는 데 도움을 드리고자 과학과 교육과정을 토대로 제작된 교재입니다.
학교에서 선생님과 함께 교과서의 기본 개념을 충분히 익힌 후 활용하시면 더 큰 학습 효과를 얻을 수 있습니다.

문제를 사진 찍고
해설 강의 보기
Google Play | App Store

EBSi 사이트
무료 강의 제공

2025학년도

수능 연계교재

수능완성

☆☆☆

과학탐구영역

지구과학 I

정답과 해설

판 구조론과 대륙 분포의 변화

닮은 꼴 문제로 유형 익히기

본문 6쪽

정답 ③

그림의 해양 지각은 남반구 중위도에 위치하고, 해양판은 남북 방향으로만 확장하며, 정자극기에 생성된 해양 지각에서 측정한 고지자기 방향은 북쪽을 향한다. 아래 그림과 같이 고지자기 줄무늬는 해령의 열곡과 나란하며 해령의 열곡을 축으로 양쪽이 대칭을 이룬다.

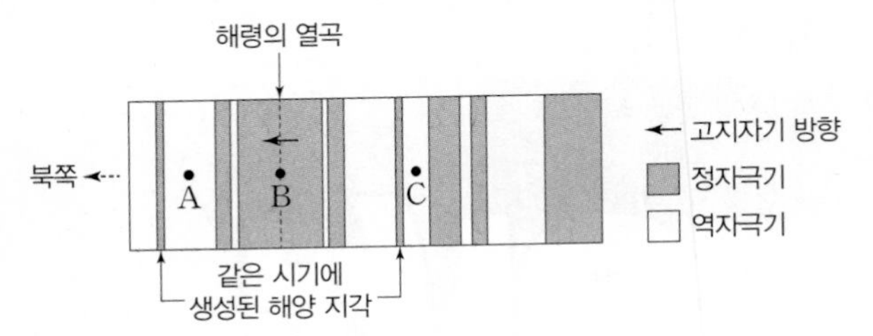

ㄱ. 현재는 정자극기이다. 지점 A와 C의 해양 지각은 역자극기에 생성되었고 지점 B의 해양 지각은 정자극기에 생성되었으며, 지점 B를 지나는 선을 축으로 고지자기 줄무늬가 대칭을 이룬다. 따라서 해령의 열곡은 지점 B에 위치한다.

ㄴ. 그림의 해양 지각은 남반구 중위도에 위치하고, 해양판은 남북 방향으로만 확장하며, 정자극기에 생성된 해양 지각에서 측정한 고지자기 방향은 북쪽을 향한다. 따라서 지점 A는 지점 B보다 북쪽에 위치하고, 위도는 지점 A가 지점 B보다 낮다.

ㄷ. 해령의 열곡에서 새로운 해양 지각이 생성되고 확장되므로, 해령의 열곡에서 멀어질수록 해양 지각의 연령이 증가하고 고지자기 줄무늬는 해령의 열곡과 나란하며 해령의 열곡을 축으로 양쪽이 거의 대칭을 이룬다. 해령의 열곡은 지점 B에 위치하므로 해양 지각의 연령은 지점 A가 지점 C보다 적다.

수능 2점 테스트

본문 7~9쪽

01 ④	02 ④	03 ②	04 ①	05 ④
06 ②	07 ④	08 ⑤	09 ②	10 ④
11 ②	12 ⑤			

01 베게너의 대륙 이동설과 지질 구조의 연속성

베게너가 대륙 이동설의 증거로 제시한 습곡 산맥 분포에서의 습곡 산맥은 고생대 말에 대륙판이 충돌하여 판게아가 형성되는 과정에서 만들어졌다.

ㄱ. A는 고생대 말에 판게아가 형성되는 과정에서 해성층이 융기하여 만들어졌다. 따라서 A에서 삼엽충 화석이 산출될 수 있다.

ㄴ. B는 판게아가 형성되는 과정에서 만들어졌다.

ㄷ. 그림의 습곡 산맥은 판게아가 형성되는 과정에서 만들어진 후 판게아가 분리되는 과정에서 분리되었다. 따라서 A와 B에서 암석 분포와 지질 구조가 연속성을 갖는다.

02 대륙 이동설과 판게아

판게아는 고생대 말기~중생대 초기에 존재했던 초대륙이다.

ㄱ. 메소사우루스는 고생대 후기에 생존했던 육상 파충류이며 메소사우루스 화석이 현재 남아메리카 대륙과 아프리카 대륙에서 산출되는 것으로 보아, 판게아가 존재하던 당시에 A 대륙(남아메리카 대륙)과 B 대륙(아프리카 대륙)에는 메소사우루스가 서식하였다.

ㄴ. 대서양은 판게아가 분리되는 과정에서 만들어졌다.

ㄷ. 판게아가 존재하던 당시에 인도 대륙은 남반구에 위치하였고 판게아가 분리되는 과정에서 북상하였다.

03 홈스의 맨틀 대류설

베게너의 대륙 이동설에 동조했던 홈스는 맨틀 대류가 대륙 이동의 원동력이라고 주장하였다.

ㄱ. 맨틀에서의 온도는 균일하지 않으며 맨틀에서는 온도 차에 의해서 열대류가 일어난다.

ㄴ. 습곡은 횡압력에 의해서 암석이나 지층이 휘어진 지질 구조이다.

ㄷ. 홈스의 맨틀 대류설에 의하면 맨틀 대류의 상승부에서는 대륙 지각이 분리되면서 새로운 바다가 형성되고 맨틀 대류의 하강부에서는 횡압력이 작용하면서 두꺼운 산맥이 형성된다. 따라서 '상승'이 ㉢에 해당한다.

04 음향 측심법과 해령

A_4 부근에 해령이 발달하는 것으로 보아, A_1, A_2, A_3은 판의 경계의 서쪽 해양판에 분포하며 A_5, A_6은 판의 경계의 동쪽 해양판에 분포한다.

ㄱ. A_4 부근에 해령이 발달하는 것으로 보아 A_1-A_6 구간에 분포하는 판의 경계의 종류는 발산형 경계이며, 발산형 경계의 양쪽에 위치하는 A_1과 A_5는 서로 멀어지고 있다.

ㄴ. A_4 부근에 해령이 발달하는 것으로 보아, A_2와 A_3은 같은 해양판에 위치한다.

ㄷ. A_4 부근에 해령이 발달하는 것으로 보아, 해양 지각의 연령은 A_4가 A_6보다 적다.

05 베니오프대

이 지진대는 베니오프대이며, 베니오프대에서는 진원 깊이 300 km 이상인 지진도 활발하게 발생한다.

ㄱ. 섭입하는 판을 따라 생긴 이 지진대는 베니오프대이다.

ㄴ. 대륙판과 대륙판이 수렴할 때는 판이 섭입하지 않고 베니오프대가 발달하지 않으므로 '대륙판과 대륙판'은 ㉠에 해당하지 않는다.

ㄷ. 베니오프대에서는 해구에서 대륙 쪽으로 갈수록 점차 진원의 깊이가 깊어지는 경향을 보인다.

06 해령과 변환 단층

해령은 판의 발산형 경계이며, 해령과 해령이 어긋난 구간에는 보존형 경계인 변환 단층이 발달한다. ㉠ 구간은 변환 단층이다.

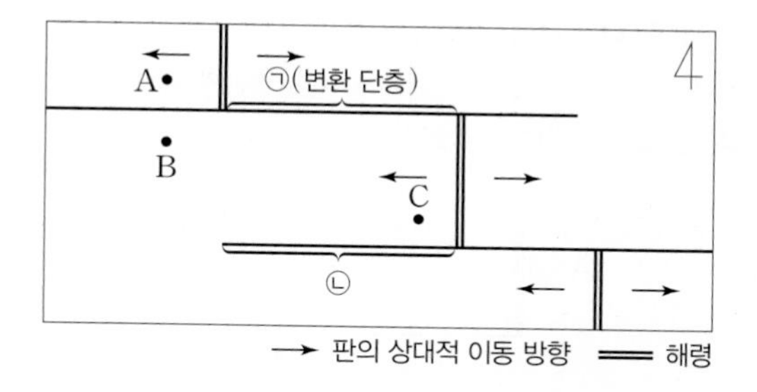

ㄱ. 해양 지각이 생성된 해령에서 멀어질수록 해양 지각의 연령은 증가한다. 해양 지각이 생성된 해령으로부터의 거리는 A 지점이 B 지점보다 가깝고 해양 지각의 연령은 A 지점이 B 지점보다 적다.
ㄴ. 해양 지각이 생성된 해령에서 멀어질수록 심해 퇴적물의 두께는 증가한다. 해양 지각이 생성된 해령으로부터의 거리는 B 지점이 C 지점보다 멀고 심해 퇴적물의 두께는 B 지점이 C 지점보다 두껍다.
ㄷ. ㉠ 구간은 보존형 경계인 변환 단층으로 지진의 발생 빈도가 높고, ㉡ 구간은 판의 경계가 아니므로 지진의 발생 빈도가 낮다.

07 해저 확장과 해양 지각의 연령

㉠과 ㉢ 각각에서 멀어질수록 해양 지각의 연령이 증가하는 것으로 보아, ㉠과 ㉢은 발산형 경계인 해령이다. ㉠과 ㉢이 어긋난 구간인 ㉡은 보존형 경계인 변환 단층이다.
ㄱ. ㉠은 발산형 경계이고 ㉡은 보존형 경계이다.
ㄴ. ㉢은 발산형 경계이며, 발산형 경계는 맨틀 대류의 상승부에 위치한다.
ㄷ. ㉠에서 해양 지각의 연령 2백만 년 등치선까지의 거리는 ㉢에서 해양 지각의 연령 2백만 년 등치선까지의 거리의 약 2배이다. 따라서 최근 2백만 년 동안 해양판 A의 평균 확장 속도는 해양판 B의 약 2배이다.

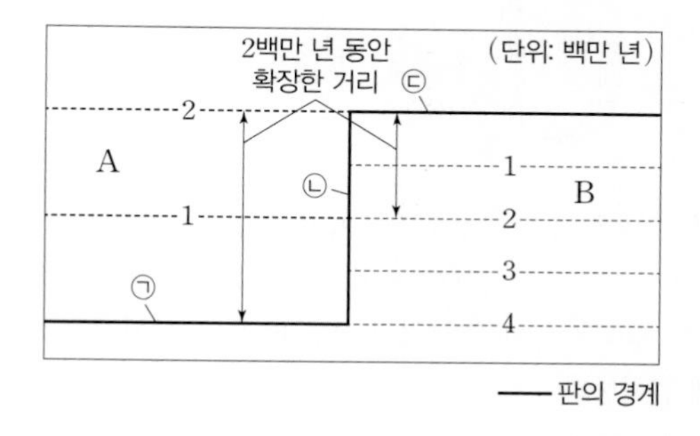

08 베니오프대와 진원 분포

태평양판과 북아메리카판의 경계 부근에서는 진원 깊이 0~70 km인 지진이 활발하게 발생하고 진원 깊이 70~300 km인 지진과 진원 깊이 300~600 km인 지진은 북아메리카판에서만 발생하는 것으로 보아 태평양판이 북아메리카판 아래로 섭입하고 있다.
ㄱ. 태평양판과 북아메리카판의 경계는 섭입형 수렴형 경계이며, 두 판의 경계에 해구가 발달한다.
ㄴ. 진원 깊이 70~300 km인 지진과 진원 깊이 300~600 km인 지진은 북아메리카판에서만 발생하는 것으로 보아 태평양판이 북아메리카판 아래로 섭입하고 있으며, 베니오프대는 북아메리카판 하부에 발달한다.
ㄷ. 섭입하는 태평양판의 영향으로 생성된 마그마가 북아메리카판에서 분출한다. 따라서 화산 활동은 태평양판보다 북아메리카판에서 활발하게 일어난다.

09 지구 자기의 역전

지질 시대 동안 전 지구적으로 지구 자기장의 방향이 역전되는 현상이 반복되었다. 지구 자기장의 방향이 현재와 같은 시기를 정자극기(정상기), 현재와 반대인 시기를 역자극기(역전기)라고 한다. 지리상 북극의 위치가 변하지 않았다고 가정하면 고지자기 복각의 크기는 위도가 높을수록 크다.

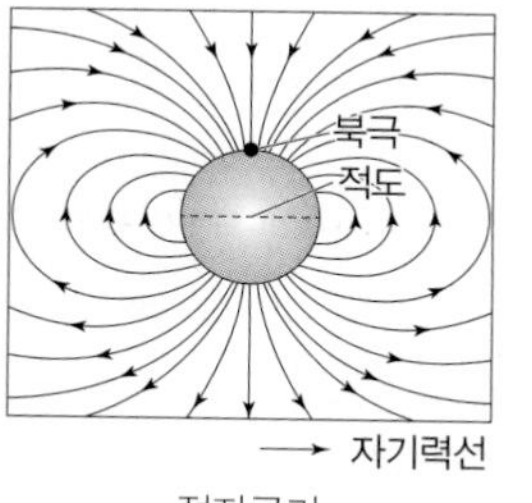

정자극기

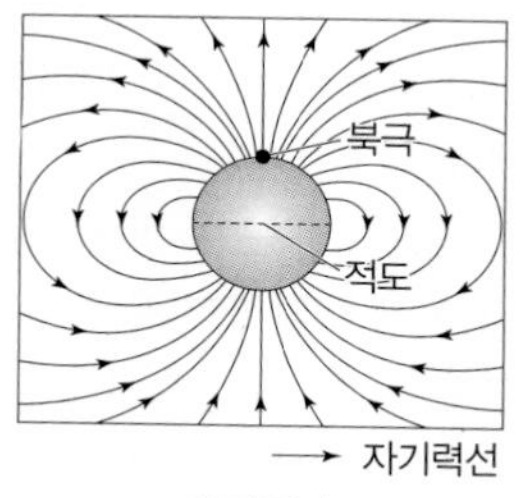

역자극기

ㄱ. A의 현무암이 생성될 당시는 정자극기였고 B의 현무암이 생성될 당시는 역자극기였다. 따라서 A의 현무암이 생성될 당시와 B의 현무암이 생성될 당시에 지구 자기장의 방향은 반대였다.
ㄴ. A의 현무암은 정자극기에 생성되었으며, A의 현무암에서 측정한 고지자기 복각이 $-40°$인 것으로 보아 현무암이 생성될 당시에 A는 남반구에 위치했다. B의 현무암은 역자극기에 생성되었으며, B의 현무암에서 측정한 고지자기 복각이 $+50°$인 것으로 보아 현무암이 생성될 당시에 B는 남반구에 위치했다.
ㄷ. 지리상 북극의 위치가 변하지 않았다고 가정하면 고지자기 복각의 크기는 위도가 높을수록 크다. B의 현무암에서 측정한 고지자기 복각은 $+50°$이고 C의 현무암에서 측정한 고지자기 복각은 $+70°$이다. 따라서 각 지역에서 현무암이 생성될 당시에 위도는 B가 C보다 낮았다.

10 지진대와 판의 경계

판의 경계 부근에서는 진원 깊이 0~70 km인 지진이 활발하게 발생하며, 하나의 판에는 대륙 지각과 해양 지각이 함께 존재할 수 있다.

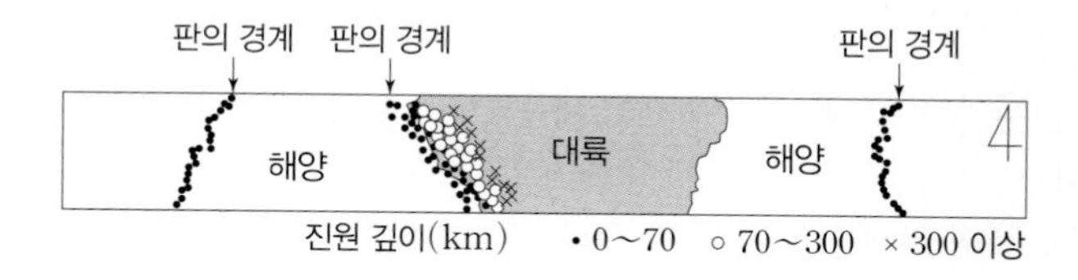

④ 이 지역에는 3개의 서로 다른 판의 경계가 있고 4개의 서로 다른 판이 존재한다.

11 지구 자기장과 복각

나침반의 자침(지구 자기장의 방향)이 수평면과 이루는 각을 복각이라고 한다. 복각이 0°인 지역을 자기 적도, +90°인 지점을 자북극, −90°인 지점을 자남극이라고 한다. 자남극(지자기 남극)이 지리상 북극 부근에 위치하므로 이 시기는 역자극기이다.
ㄱ. 이 시기는 역자극기이고 A 지점은 자남극 부근에 위치하는 것으

로 보아 A 지점에서 복각은 음(−)의 값이다.

ㄴ. 자남극에 가까울수록 복각의 크기는 크다. 따라서 복각의 크기는 A 지점이 B 지점보다 크다.

ㄷ. 자남극이 지리상 북극 부근에 위치하므로 이 시기는 역자극기이고, 이 시기에 지구 자기장의 방향은 현재와 반대이다.

12 고지자기 복각과 지괴의 이동

지리상 북극의 위치가 변하지 않았다고 가정하면 고지자기 복각의 크기는 위도가 높을수록 크다.

ㄱ. 시대의 순서는 석탄기 → 페름기 → 트라이아스기 → 쥐라기 → 백악기 → 팔레오기 순이다. 따라서 A~F 중 가장 먼저 생성된 퇴적암은 C이다.

ㄴ. 삼엽충은 페름기 말에 멸종하였으며 F의 고지자기 복각이 −12.2°이고 D의 고지자기 복각이 −7.2°인 것으로 보아, 이 지역은 삼엽충이 멸종하던 시기에 남반구에 위치했다.

ㄷ. D의 고지자기 복각이 −7.2°, A의 고지자기 복각이 +35.1°, B의 고지자기 복각이 +37.4°인 것으로 보아 이 지역은 중생대 동안 북쪽으로 이동한 시기가 있었다.

수능 3점 테스트

본문 10~13쪽

01 ②	02 ⑤	03 ②	04 ③	05 ⑤
06 ①	07 ④	08 ④		

01 음향 측심법과 해저 지형

A 지점과 B 지점 사이에는 수심 6000 m 이상인 해구가 발달한다. A 지점이 속한 판에서 해구와 나란하게 화산 활동이 활발하게 일어나는 것으로 보아, A 지점이 속한 판과 B 지점이 속한 판의 경계는 수렴형 경계이며 B 지점이 속한 판이 A 지점이 속한 판 아래로 섭입한다.

ㄱ. B 지점이 속한 판이 A 지점이 속한 판 아래로 섭입한다.

ㄴ. A 지점이 속한 판과 B 지점이 속한 판의 경계는 수렴형 경계이다. 따라서 A–B 구간에 맨틀 대류의 하강부에 위치하는 지점이 있다.

ㄷ. 수심 6000 m에서 음향 측심법을 이용하여 측정한 초음파 왕복 시간이 8초$\left(=6000\text{ m}\times\dfrac{2}{1500\text{ m/s}}\right)$이다. 이 해역에는 수심 6000 m 이상인 곳이 있으므로, 이 해역에서 음향 측심법을 이용하여 측정한 초음파 왕복 시간의 최댓값은 8초보다 길다.

02 해저 확장과 해양 지각의 연령

해령은 판의 발산형 경계이며 해령에서 멀어질수록 해양 지각의 연령이 증가한다. 해양판의 확장 속도가 빠를수록 해령으로부터의 거리에 따른 해양 지각 연령 증가율이 작다.

⑤ 해령에서 멀어질수록 해양 지각의 연령은 증가한다. 해양판의 확장 속도는 P가 Q의 2배이므로, 거리에 따른 해양 지각 연령 증가율은 P에서가 Q에서의 0.5배이다. A–B 구간에서의 해양 지각의 연령으로 가장 적절한 것은 ⑤이다.

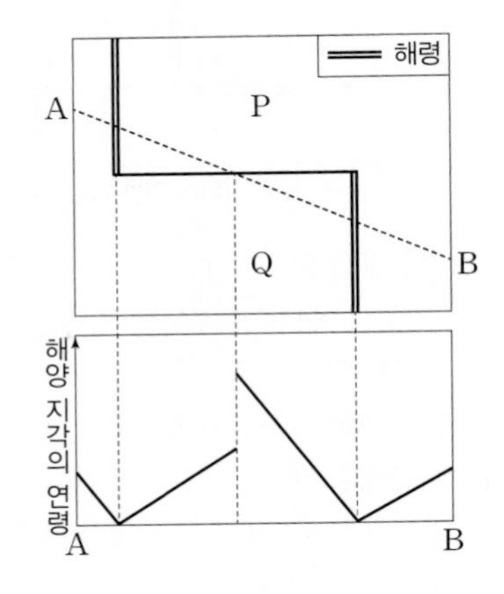

03 해저 확장과 고지자기 복각

해양 지각에 기록된 고지자기 줄무늬가 해령과 거의 나란하며 해령을 축으로 대칭을 이룬다. 이러한 해저 고지자기 줄무늬의 대칭적인 분포는 해령에서 새로운 해양 지각이 생성되면서 확장되고 지구 자기의 역전 현상이 반복되기 때문에 나타난다. 지리상 북극의 위치가 변하지 않았다고 가정하면 고지자기 복각의 크기는 위도가 높을수록 크다.

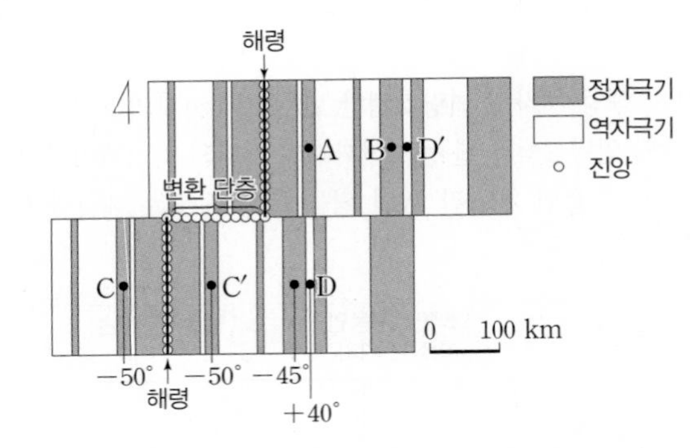

ㄱ. 해령 부근에 정자극기에 만들어진 해양 지각이 분포하고 정자극기에 만들어진 해양 지각에서의 고지자기 복각이 음(−)의 값인 것으로 보아 이 해령은 남반구에 위치한다. 따라서 A 지점은 D 지점보다 저위도에 위치한다.

ㄴ. 해령에서 멀어질수록 해양 지각의 연령은 증가한다. 지구 자기의 역전은 전 지구적으로 일어나므로 위 그림에서 D 지점과 D′ 지점은 같은 시기에 생성되었다. 따라서 해양 지각의 연령은 B 지점이 D 지점보다 적다.

ㄷ. 지리상 북극의 위치가 변하지 않았다고 가정하면 고지자기 복각의 크기는 위도가 높을수록 크다. 위 그림에서 C 지점과 C′ 지점은 같은 곳에서 생성되었고 C 지점에서 고지자기 복각의 크기가 50°이며 D 지점에서 고지자기 복각의 크기가 40°이므로 생성될 당시에는 C 지점이 D 지점보다 고위도에 위치했다.

04 해저 확장과 고지자기 줄무늬

해양 지각에 기록된 고지자기 줄무늬가 해령과 나란하며, 해령을 축으로 대체로 대칭을 이루는데 해양판의 확장 속도가 빠를수록 고지자기 줄무늬의 폭이 넓다.

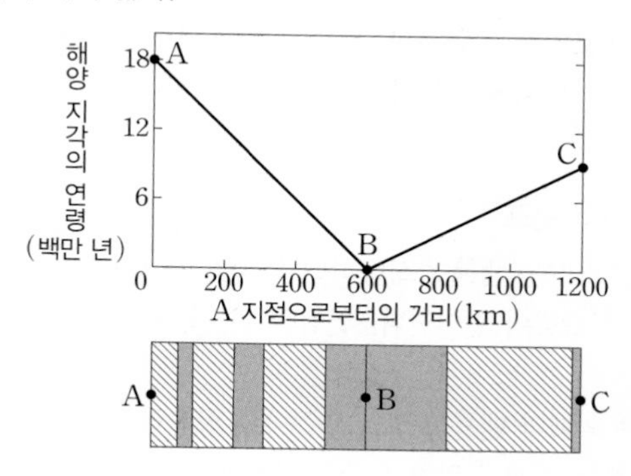

③ A－B 구간에서 해저 확장 속도는 약 3.3 cm/년 $\left(=\frac{600\times10^5\text{ cm}}{18\times10^6\text{년}}\right)$이며 B－C 구간에서 해저 확장 속도는 약 6.7 cm/년$\left(=\frac{600\times10^5\text{ cm}}{9\times10^6\text{년}}\right)$이다.

따라서 해저 고지자기 줄무늬의 폭은 B－C 구간이 A－B 구간의 약 2배이다.

05 해저 확장의 증거

해저 확장에 의해 해령에서 멀어질수록 심해 퇴적물의 두께가 증가한다. 따라서 A는 ㉡, B는 ㉠, C는 ㉢에 해당한다.

ㄱ(×). C는 ㉢에 해당하므로, ㉢에서 해양 지각의 연령은 1억 2천만 년이다.

ㄴ. B는 ㉠에 해당한다. B에서 심해 퇴적물의 두께는 700 m이고 퇴적 시간은 8천만 년이다. 따라서 B에서 심해 퇴적물의 평균 퇴적 속도는 8.75×10^{-4} cm/년$\left(=\frac{700\times10^2\text{ cm}}{80\times10^6\text{년}}\right)$이다.

ㄷ. A는 ㉡, B는 ㉠, C는 ㉢에 해당한다. 시추 지점 A, B, C는 동일 위도상에 위치하며, 해양판의 확장 속도는 일정하게 유지된다. 따라서 해저면의 평균 경사는 ㉠－㉡ 구간이 ㉠－㉢ 구간보다 급하다.

06 베니오프대

서쪽으로 갈수록 진원 깊이가 증가하는 경향을 보이는 것으로 보아 B 해양판이 A 해양판 아래로 섭입하고 있으며, A 해양판과 B 해양판의 경계는 섭입형 수렴형 경계이다.

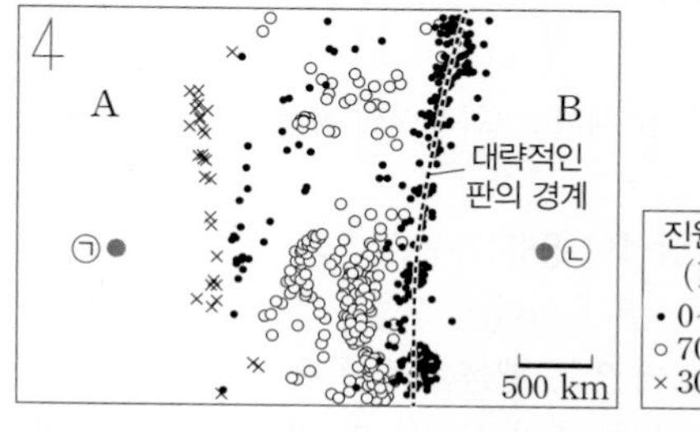

ㄱ. 섭입하는 B 해양판의 영향으로 생성된 마그마가 A 해양판에서 분출한다. 따라서 화산 활동은 B 해양판보다 A 해양판에서 활발하게 일어난다.

ㄴ(×). 해양판 A와 B 모두 이동 방향은 서쪽이며 A 해양판과 B 해양판의 경계는 섭입형 수렴형 경계이다. 따라서 판의 이동 속력은 B 해양판보다 A 해양판이 느리다.

ㄷ(×). 판의 경계 부근에서는 진원 깊이 0～70 km의 지진이 빈번하게 발생한다. 따라서 판의 경계까지의 거리는 ㉠ 지점보다 ㉡ 지점이 가깝다.

07 베니오프대

판의 경계 부근에서는 진원 깊이 0～70 km인 지진이 활발하게 발생한다. A 지점이 속한 판과 B 지점이 속한 판의 경계는 섭입형 수렴형 경계이다.

ㄱ. 최근 2천만 년 동안 해양판이 확장한 거리는 A 지점이 속한 해양판이 B 지점이 속한 해양판보다 멀다. 따라서 최근 2천만 년 동안 해양판의 평균 확장 속력은 A 지점이 속한 판이 B 지점이 속한 판보다 빨랐다.

ㄴ. A 지점이 속한 판과 B 지점이 속한 판의 경계에서 동쪽으로 갈수록 진원의 깊이가 증가하는 것으로 보아, A 지점이 속한 판과 B 지점이 속한 판의 경계는 섭입형 수렴형 경계이며 A 지점이 속한 판이 B 지점이 속한 판 아래로 섭입하고 있다.

ㄷ(×). B 지점이 속한 판과 C 지점이 속한 판의 경계는 발산형 경계로 해령이 발달한다. 해령에서 분출되는 마그마는 주로 현무암질 마그마로 마그마의 SiO_2 평균 함량은 52 %보다 적다.

08 대륙 분포의 변화

판의 이동에 의해 대륙 분포는 변한다.

ㄱ. A 대륙판과 B 대륙판 모두 이동 방향은 동쪽이지만 판의 이동 속도는 B 대륙판이 A 대륙판보다 빠르다. 따라서 A 대륙판과 B 대륙판은 멀어지고 있다.

ㄴ. A 대륙판과 C 대륙판 모두 이동 방향은 동쪽이고 판의 이동 속도는 C 대륙판이 A 대륙판보다 빠르며 A 대륙판과 C 대륙판은 미끄러지면서 어긋난다. 따라서 A 대륙판과 C 대륙판의 경계에는 주향 이동 단층이 발달한다.

ㄷ(×). B 대륙판과 C 대륙판 모두 이동 방향은 동쪽이고 판의 이동 속도는 C 대륙판이 B 대륙판보다 빠르며 B 대륙판과 C 대륙판은 미끄러지면서 어긋난다. 따라서 B 대륙판과 C 대륙판의 경계에는 주향 이동 단층이 발달하고 습곡 산맥은 형성되지 않는다. 습곡 산맥은 판의 수렴형 경계에서 형성된다.

판 이동의 원동력과 마그마 활동

닮은 꼴 문제로 유형 익히기

본문 16쪽

정답 ②

열점은 맨틀에 고정된 마그마의 생성 장소로, 암석권이 이동하더라도 열점의 위치는 변하지 않는다.

ㄱ. Y 영역은 맨틀 내부에 위치한 열점에 해당한다. 열점에서는 압력 감소에 의해 현무암질 마그마가 생성되므로 X에서는 현무암질 마그마가 분출한다.

ㄴ. 화강암의 용융 온도는 맨틀 물질의 용융 온도보다 낮고, 물을 포함한 암석은 물을 포함하지 않은 암석보다 용융 온도가 낮다. 따라서 ㉠은 물을 포함한 화강암의 용융 곡선, ㉡은 물을 포함한 맨틀 물질의 용융 곡선, ㉢은 물을 포함하지 않은 맨틀 물질의 용융 곡선이다.

ㄷ. Y 영역은 두께가 70 km인 암석권보다 깊은 곳에 위치하며, 이 영역의 맨틀 물질은 물을 포함하지 않은 마그마 상태로 존재한다. 따라서 Y 영역의 마그마 온도는 깊이 70 km에서 물을 포함하지 않은 맨틀 물질의 용융 온도인 T_2보다 높다.

수능 2점 테스트

본문 17~18쪽

01 ③	02 ①	03 ②	04 ⑤	05 ②
06 ②	07 ①	08 ①		

01 판을 이동시키는 힘

판을 이동시키는 힘에는 맨틀 대류에 의한 힘, 섭입하는 판이 잡아당기는 힘, 해령에서 판을 밀어내는 힘 등이 있다.

ㄱ. 섭입대에서 침강하는 판은 판을 섭입대 쪽으로 잡아당긴다. 따라서 A에는 섭입대에서 침강하는 판이 판을 잡아당기는 힘이 작용한다.

ㄴ. B와 C의 판 경계는 발산형 경계이다. 해령에서는 두 판을 양옆으로 밀어내는 힘이 작용한다.

ㄷ. B에는 해령에서 판을 밀어내는 힘이 작용하고, C에는 해령에서 판을 밀어내는 힘과 섭입대에서 침강하는 판이 판을 잡아당기는 힘이 작용한다. 판을 움직이는 주요 힘은 섭입대에서 침강하는 판이 판을 잡아당기는 힘이므로, 판의 평균 이동 속력은 C가 B보다 빠를 것이다.

02 플룸 구조론

플룸은 맨틀에서 주위보다 온도가 낮거나 높은 기둥 모양의 부분으로 차가운 플룸과 뜨거운 플룸이 있다.

ㄱ. A는 주변의 맨틀보다 상대적으로 온도가 높고 밀도가 작아서 위로 상승하는 뜨거운 플룸이다.

ㄴ. B는 섭입대에서 가라앉아 형성된 차가운 맨틀 물질이 지구 내부로 가라앉는 차가운 플룸이다. 판 내부에서 일어나는 화산 활동은 뜨거운 플룸과 열점 활동으로 설명할 수 있다.

ㄷ. A와 B의 연직 운동은 상부 맨틀의 운동이 아니므로 판의 이동에 직접적인 영향을 주지 않는다. 따라서 플룸 운동은 판을 움직이는 주요 원동력에 해당하지 않는다.

03 열점의 분포

열점에서는 뜨거운 플룸이 상승하여 생성된 마그마가 지각을 뚫고 분출하여 화산 활동이 일어난다. 열점의 위치는 판이 이동해도 변하지 않는다.

ㄱ. 열점은 외핵과 맨틀의 경계 부근에서 상승하는 뜨거운 플룸에 의해 형성되므로 열점의 위치는 판의 경계와 직접적인 관련이 없다. 따라서 열점은 판의 경계에 분포할 수도 있고, 판의 내부에 분포할 수도 있다.

ㄴ. 판이 이동하더라도 열점의 위치는 변하지 않는다. 따라서 판이 이동하더라도 열점 ㉠과 ㉡ 사이의 거리는 변하지 않는다.

ㄷ. 열점은 외핵과 맨틀의 경계 부근에서 상승하는 뜨거운 플룸에 의해 형성되므로 열점 ㉠과 ㉡에서는 현무암질 마그마가 분출하는 화산 활동이 일어난다.

04 열점에 의한 화산섬 생성

화산섬(하와이 열도)은 열점의 화산 활동과 판의 운동에 의해 생성되었다.

ㄱ. 열점 활동으로 생성된 화산섬들의 생성 시기를 보면, ㉠은 43만 년 전~현재에 생성되었다. 따라서 현재 열점은 ㉠의 하부에 위치한다.

ㄴ. 화산섬의 나이가 북서쪽으로 갈수록 증가하므로 현재 태평양판은 북서쪽으로 이동하고 있다.

ㄷ. 판의 이동 속도는 열점 활동으로 생성된 화산섬 사이의 거리가 멀수록, 화산섬의 나이 차가 작을수록 빠르다. 화산섬 사이의 거리는 510만 년 전~260만 년 전이 180만 년 전~현재보다 가깝고, 화산섬의 나이 차는 510만 년 전~260만 년 전이 180만 년 전~현재보다 크다. 따라서 태평양판의 평균 이동 속도는 510만 년 전~260만 년 전이 180만 년 전~현재보다 느렸다는 것을 알 수 있다.

05 마그마의 생성 과정

㉠은 물이 포함된 화강암의 용융 곡선이고, ㉡은 물이 포함된 맨틀 물질의 용융 곡선이다. ㉢은 물이 포함되지 않은 맨틀 물질의 용융 곡선이다.

ㄱ. 지표(깊이 0 km)에서 ㉠(화강암의 용융 곡선)의 온도는 1000 ℃보다 낮다.

ㄴ. 물이 포함된 암석의 용융 곡선은 ㉠과 ㉡이고, 물이 포함되지 않은 암석의 용융 곡선은 ㉢이다.

ㄷ. 깊이 100 km에 있는 맨틀 물질의 온도는 약 1200 ℃이다. 이 맨틀 물질이 온도 변화 없이 상승할 때 깊이 약 20 km에서는 용융 곡선과 만나지 않으므로 용융이 일어나지 않는다.

06 화성암의 분류

화성암은 화학 조성에 따라 염기성암, 중성암, 산성암으로 분류하고,

암석의 조직에 따라 화산암과 심성암 등으로 분류한다.

ㄱ. A와 D는 염기성암이고, C와 F는 산성암이다. 따라서 ㉠에는 '유색 광물의 함량'이 들어갈 수 있다. 한편 냉각 속도를 기준으로 화산암과 심성암을 구분할 수 있다.

ㄴ. 조립질 조직을 갖는 암석은 심성암이고, 밝은색 암석은 산성암이다. 따라서 조립질 조직을 갖는 밝은색 암석은 F에 가깝다.

ㄷ. 압력 감소 과정을 거쳐 생성된 마그마는 현무암질 마그마이며, 이 마그마가 지표로 분출하면 주로 A가 생성된다.

07 마그마 분출 지역

A에서는 열점에서 생성된 마그마의 분출이 일어나고, B에서는 해령 하부에서 생성된 마그마의 분출이 일어난다. C에서는 마그마 혼합 과정을 거쳐 생성된 마그마가 주로 분출한다.

ㄱ. A에서는 현무암질 마그마가 분출하고, C에서는 주로 안산암질 마그마가 분출한다. 따라서 분출하는 마그마의 SiO_2 함량(%)은 대체로 A가 C보다 적다.

ㄴ. A와 B에서는 압력 감소에 의해 생성된 현무암질 마그마가 분출하고, C에서는 주로 마그마 혼합 과정에서 생성된 안산암질 마그마가 분출한다.

ㄷ. C에서 분출하는 마그마는 섭입대에서 물 공급에 의한 용융 온도 하강으로 생성된 마그마가 상승 과정에서 대륙 지각 하부의 물질을 부분 용융시키고, 마그마 혼합 과정을 거쳐 지표로 분출한다.

08 화강암과 현무암

(가)의 주요 구성 암석은 화강암이고, (나)의 주요 구성 암석은 현무암이다.

ㄱ. 밝은색 광물의 함량(%)은 (가)가 (나)보다 많다.

ㄴ. (가)의 암석은 지하 깊은 곳에서 천천히 냉각되어 형성된 화강암이다. 따라서 (가)의 절리는 지하 깊은 곳의 암석이 지표로 융기하는 과정에서 압력 감소에 의해 형성된 판상 절리이다.

ㄷ. (가)의 암석은 마그마가 지하 깊은 곳에서 천천히 냉각되어 형성되었고, (나)의 암석은 마그마가 지표에서 급격하게 냉각되어 형성되었다. 따라서 마그마가 지표로 분출하는 화산 활동에 의해 형성된 암석은 (나)이다.

수능 3점 테스트

본문 19~21쪽

01 ④ 02 ③ 03 ④ 04 ② 05 ① 06 ①

01 지진파 단층 촬영 영상

지구 내부에서 지진파의 속도 편차가 (+)인 곳은 주위보다 온도가 낮고 밀도가 큰 영역이고, 지진파의 속도 편차가 (−)인 곳은 주위보다 온도가 높고 밀도가 작은 영역이다.

A. 해령에서 해구 쪽으로 갈수록 대체로 수심이 깊어진다. 지진파 단층 촬영 영상에서 해구의 왼쪽 하부에 섭입대가 나타난다. 따라서 ㉠과 ㉡이 속한 해양판은 해구 아래로 섭입하고 있으며, 수심은 해구에 가까운 ㉠에서 ㉡으로 갈수록 대체로 얕아질 것이다.

B. X 영역에서 지진파의 속도 편차는 (+)이고, Y 영역에서 지진파의 속도 편차는 (−)이다. 따라서 X 영역은 Y 영역에 비해 온도가 낮을 것이다.

C. X 영역의 맨틀 물질은 상대적으로 차가운 해양판이 섭입하여 형성되었으며, 상부 맨틀과 하부 맨틀의 경계 부근에 충분히 쌓이면 차가운 플룸을 형성할 것이다.

02 하와이 열도와 알류샨 열도

하와이 열도는 열점에 의한 화산 활동으로 형성되었고, 알류샨 열도는 섭입대 부근에서 형성된 호상 열도이다.

ㄱ. 하와이 열도 중 가장 남동쪽에 위치한 섬에서만 지진이 발생하고 있다. 따라서 열점의 위치는 이 섬(하와이섬)의 하부에 위치하고 있으며, 하와이 열도가 북서쪽으로 배열되어 있으므로 하와이 열도가 포함된 판은 북서쪽으로 이동하고 있다.

ㄴ. 알류샨 열도는 판의 경계와 거의 나란하게 배열되어 있다. 알류샨 열도는 태평양판이 북아메리카판 아래로 섭입하는 과정에서 형성된 호상 열도이다. 알류샨 열도가 포함된 판(북아메리카판)은 섭입하고 있는 태평양판의 위쪽에 놓여 있다.

ㄷ. (가)에서는 화산 활동에 의해 주로 천발 지진이 발생하고, (나)에서는 판이 섭입함에 따라서 천발 지진~심발 지진이 모두 발생한다. 따라서 진원의 평균 깊이는 (나)가 (가)보다 깊을 것이다.

03 열점에 의한 화산 활동

열점에서 형성된 화산섬은 판의 이동을 따라 이동하며, 열점에서 멀어질수록 화산섬의 연령은 많아진다. 4개의 화산섬 중 3개는 한 열점에서, 1개는 다른 열점에서 형성되었다. 화산섬의 연령은 ㉠ → ㉡ → ㉢으로 갈수록 많아지고, ㉣의 연령은 가장 적다. 따라서 ㉠, ㉡, ㉢이 같은 열점에서 형성되었고, ㉣이 다른 열점에서 형성되었다.

ㄱ. 3개의 화산섬 ㉠, ㉡, ㉢을 형성한 열점은 현재 ㉠ 부근 아래에 위치한다. 따라서 이 열점으로부터의 거리는 ㉣이 가장 멀다.

ㄴ. 이 판은 현재 북동쪽으로 이동하고 있으며 평균 이동 속도는 $\frac{(150-0)\text{ km}}{(1.8-0.04)\times10^{6}\text{년}}=\frac{1.5\times10^{7}\text{ cm}}{1.76\times10^{6}\text{년}}\fallingdotseq 8.5\text{ cm/년}$이다.

ㄷ. ㉢은 현재 적도에 가장 가까운 곳에 위치하지만, 형성 위치는 ㉠ 부근이다. ㉣은 연령이 매우 적으므로 현재 위치 부근에서 형성되었다. 따라서 화산섬이 형성된 위치는 ㉢이 ㉣보다 적도에서 멀고, 구성 암석에서 측정한 고지자기 복각의 크기는 ㉢이 ㉣보다 크다.

04 마그마의 생성 과정

A에서는 마그마의 혼합 과정을 거쳐 생성된 안산암질 마그마가 주로 분출하며, B와 C에서는 압력 감소에 의해 생성된 현무암질 마그마가 분출한다.

ㄱ. a → a′ 과정에서 유문암질 마그마가 생성된다. 따라서 이 마그마의 SiO_2 함량은 63 % 이상이다.

ㄴ. A 부근에는 해구가 존재하며, 이곳에서는 주로 안산암질 마그마가 분출한다. 안산암질 마그마는 물 공급 과정(c → c′ 과정)과 대륙

지각의 부분 용융 과정(a → a′ 과정)을 거쳐 생성된 두 마그마가 혼합 과정을 거쳐 생성될 수 있다.

ㄴ. B에는 열점에 의해 형성된 하와이 열도가 있고, C에는 판의 발산형 경계인 해령이 분포한다. C의 화산 활동은 상부 맨틀의 운동으로 설명할 수 있으나, 판의 내부에서 일어나는 B의 화산 활동은 상부 맨틀의 운동만으로 설명하기 어렵다.

05 안산암의 분포 경계선

현무암이 분포하는 지역과 안산암이 분포하는 지역의 경계선을 '안산암선'이라고 하며, 이 경계선의 바깥쪽(대륙 쪽)에는 안산암이 분포하지만, 경계선의 안쪽(태평양 중심부 쪽)에는 안산암이 분포하지 않는다.

ㄱ. 태평양 가장자리를 따라 판의 섭입형 경계가 분포하며, 섭입형 경계는 이 자료에서 제시한 안산암선과 거의 일치한다.

ㄴ. 화산 활동이 일어나는 ㉠은 경계선의 안쪽에 위치하므로 현무암질 마그마가 분출한다.

ㄷ. 남아메리카 대륙의 서쪽 연안은 경계선의 바깥쪽(대륙 쪽)에 분포한다. 이곳에서는 안산암질 마그마가 주로 분출하는 화산 활동이 활발하므로 SiO_2 함량이 52 %～63 %인 화산암이 분포한다.

06 화산암과 주상 절리

(가)는 신생대 말기에 생성된 화산암이고, (나)는 신생대 초기에 생성된 화산암이다.

ㄱ. (가)의 암석은 현무암이므로 암석의 SiO_2 함량은 52 % 이하이다.

ㄴ. (나)의 암석에는 마그마가 급격하게 식으면서 형성된 주상 절리가 잘 발달해 있다. 따라서 이 암석에는 세립질 조직(또는 유리질 조직)이 발달해 있을 것이다.

ㄷ. (가)와 (나)의 암석에 발달한 기둥 모양의 절리는 주변 암석의 풍화에 관계없이 마그마가 냉각되는 과정에서 부피 수축에 의해 형성된 것이다.

테마 03 퇴적암과 지질 구조

닮은 꼴 문제로 유형 익히기

본문 23쪽

정답 ⑤

(가)에서 지층 A에는 사층리, B에는 점이 층리, C에는 연흔이 나타난다.

ㄱ. 사층리는 주로 수심이 얕은 물밑이나 바람의 방향이 자주 바뀌는 곳에서 물이 흘러가거나 바람이 불어가는 방향의 비탈면에 퇴적물이 쌓여 형성되므로, 사층리를 통해 퇴적물이 공급된 방향을 알 수 있다.

ㄴ. (나)를 통해 이 지층에서는 위로 갈수록 퇴적물 입자의 크기가 작아진다는 것을 알 수 있다. 즉, (나)는 점이 층리를 나타내는 자료로 B에 해당하는 자료이다.

ㄷ. C는 연흔이다. 연흔은 수심이 얕은 물밑에서 퇴적물이 퇴적될 때 물결의 영향을 받아 잘 형성되며, 뾰족한 부분이 위를 향한다. 이를 통해 지층의 역전 여부를 판단할 수 있다.

수능 2점 테스트

본문 24～25쪽

01 ③	02 ④	03 ⑤	04 ③	05 ②
06 ③	07 ②	08 ④		

01 속성 작용

속성 작용은 퇴적물이 쌓여 퇴적암이 되기까지의 전체 과정으로, 다짐 작용과 교결 작용이 있다.

ㄱ. A 과정에서 아랫부분의 퇴적물이 윗부분에 쌓인 퇴적물의 무게에 의해 다져지며 퇴적물 사이에 존재하는 지하수가 빠져나가게 된다.

ㄴ. 다짐 작용과 교결 작용에 의해 퇴적물 사이의 거리는 가까워지고 공극의 총 부피는 감소한다.

ㄷ. 속성 작용을 받으며 원 내부를 구성하는 물질의 평균 밀도는 증가하게 된다.

02 퇴적암의 분류

퇴적암은 퇴적물의 기원에 따라 쇄설성 퇴적암, 화학적 퇴적암, 유기적 퇴적암으로 분류된다. 쇄설성 퇴적암에는 역암, 사암, 이암 등이 있고, 화학적 퇴적암에는 석회암, 암염 등이 있으며, 유기적 퇴적암에는 석탄, 석회암 등이 있다.

ㄱ. 사암과 셰일은 쇄설성 퇴적암으로, 암석을 구성하는 주요 퇴적물이 모래인 퇴적암은 사암(A)이다. 셰일(B)은 암석을 구성하는 주요 퇴적물이 실트나 점토이므로 퇴적된 입자의 평균 크기는 사암이 셰일보다 크다.

ㄴ. 질문 ㉠에 대한 답이 '예'에 해당하는 퇴적암으로 석탄을 제시하였으므로 '유기적 퇴적암인가?'는 ㉠으로 적절하다.

ㄷ. C는 암염으로, 증발에 의해 물속의 염화 나트륨이 침전되어 생성된 화학적 퇴적암이다.

03 건열

퇴적층의 표면이 갈라져서 쐐기 모양의 틈이 생긴 퇴적 구조를 건열이라고 한다. 수심이 얕은 물밑에 점토질 물질이 쌓인 후 퇴적물의 표면이 대기 중에 노출되어 건조해지고 갈라지면 건열이 형성된다.
ㄱ. (가), (나), (다)는 건열의 형성 과정을 나타낸 것이다.
ㄴ. 이 퇴적 구조는 퇴적층 B가 쌓이고 표면이 대기 중에 노출되어 갈라진 후 새로운 퇴적층 A가 쌓여 형성되었다.
ㄷ. 건열을 통해 과거에 지층이 수면 위로 노출되었다는 것을 알 수 있다.

04 퇴적 환경

퇴적암이 생성되는 퇴적 환경은 크게 육상 환경, 연안 환경, 해양 환경으로 구분된다. (가)는 육상 환경의 선상지를 나타낸 것이고 (나)는 연안 환경의 삼각주를 나타낸 것이다.
ㄱ. A는 선상지로 육상 환경에 해당한다.
ㄴ. 선상지에는 자갈과 모래 등이 섞여 퇴적되고 삼각주에는 주로 모래 크기 이하의 입자가 퇴적된다.
ㄷ. 선상지와 삼각주 모두 평균 유속이 느려지며 물에 의해 운반되던 퇴적물이 퇴적되는 곳이다.

05 단층

단층은 크게 역단층, 정단층, 주향 이동 단층으로 구분되는데, (가)의 경우 상반이 하반에 대해 위로 이동하였으므로 역단층이다. (나)는 상공에서 관측한 모습으로, 수평 방향으로 어긋나게 작용하는 힘을 받아 지괴가 수평 방향으로 이동한 주향 이동 단층이다.
ㄱ. (가)는 상반이 하반에 대해 위로 이동한 역단층이다.
ㄴ. (나)는 수평 방향으로 어긋나게 작용하는 힘을 받아 지괴가 수평 방향으로 이동한 주향 이동 단층이다.
ㄷ. (가)는 양쪽에서 미는 힘인 횡압력을 받았고, (나)는 수평 방향으로 어긋나게 작용하는 힘을 받았다.

06 부정합

(가)는 부정합면을 기준으로 상하 지층이 서로 경사져 있으므로 경사 부정합이고, (나)는 부정합면을 기준으로 위, 아래 지층이 평행하므로 평행 부정합이다.
ㄱ. 기저 역암은 일반적으로 부정합면 위에 분포하게 되는데, 이를 통해 지층의 역전 여부를 판단할 수 있다. (나)의 경우, 부정합면 아래에 기저 역암이 분포하는 것으로 보아 지층이 역전되었다고 판단할 수 있다.
ㄴ. (가)의 A는 부정합이 형성된 이후에 만들어졌고, (나)의 B는 부정합이 형성되기 이전에 만들어졌다.
ㄷ. (가)는 경사 부정합, (나)는 평행 부정합이다.

07 습곡

습곡에서 지층이 위로 볼록하게 휘어진 부분을 배사, 아래로 오목하게 휘어진 부분을 향사라고 한다.
ㄱ. P의 지층을 보면 아래로 오목하게 휘어졌으므로 향사 구조가 나타난다.
ㄴ. 습곡은 암석이 비교적 온도가 높은 지하 깊은 곳에서 횡압력을 받아 휘어진 지질 구조이다.
ㄷ. 지층의 역전이 일어나지 않았기 때문에 아래에 있는 지층일수록 먼저 생성되었다.

08 퇴적 구조와 지질 구조

건열은 지층이 건조한 환경에 노출되었을 때 형성되고, 사층리는 퇴적물이 일정한 방향으로 공급될 때 형성된다. 그리고 부정합은 퇴적이 오랫동안 중지되었을 때 형성된다.
ㄱ. A층에서 건열이 관찰되는 것으로 보아 A층이 퇴적되는 동안 수면 밖의 건조한 환경에 노출된 시기가 있었다는 것을 알 수 있다.
ㄴ. 사층리의 경우, 물이 흘러가거나 바람이 불어가는 방향의 비탈면에 퇴적물이 쌓여 형성된다. 그림의 사층리 모습을 보면 퇴적물은 ㉠ 방향으로 공급되었다.
ㄷ. 부정합면을 기준으로 위, 아래 지층이 평행하지 않고 경사졌으므로 경사 부정합이 나타난다고 할 수 있다.

01 퇴적암의 생성

(가)는 물이 증발하면서 물에 녹아 있던 물질이 침전되거나 잔류하여 만들어지는 화학적 퇴적암의 생성 과정에 해당한다.
ㄱ. 증발에 의해 물에 녹아 있던 물질이 침전 또는 잔류하여 퇴적암이 되는데, 이러한 과정으로 생성되는 퇴적암 A는 화학적 퇴적암이다.
ㄴ. 다짐 작용에 의해 단위 부피당 퇴적물 입자의 개수는 증가하게 되므로 ㉠에 들어갈 물리량으로 적절하다.
ㄷ. (가) 과정 동안 퇴적암 B 위에 퇴적물이 쌓이게 되면서 그 무게로 인해 퇴적암 B, C가 다져지게 된다. 이로 인해 퇴적암 C의 평균 공극 크기는 감소하게 된다.

02 판의 경계와 지질 구조

A는 발산형 경계가 나타나는 곳으로 주로 양쪽에서 잡아당기는 힘인 장력이 작용하고, B는 수렴형 경계가 나타나는 곳으로 양쪽에서 미는 힘인 횡압력이 작용한다.
ㄱ. A에는 장력이 작용하므로 주로 정단층이 발달한다.
ㄴ. 습곡과 역단층은 횡압력이 작용할 때 형성되기 때문에 횡압력이 작용하는 B에서는 습곡과 역단층이 함께 발달할 수 있다.
ㄷ. 주향 이동 단층의 경우, 지층이 수평 방향으로 어긋나게 작용하

는 힘을 받을 때 형성되는데 수렴형 경계보다 발산형 경계 부근에서 주로 발달한다.

03 해수면 상승과 퇴적 작용

하천이 바다와 만나는 지점에서 유속은 크게 느려지며 퇴적물이 쌓이게 된다. 주로 육지와 가까운 곳에서는 퇴적물 입자의 크기가 크고 육지에서 멀어질수록 퇴적물 입자의 크기가 작아진다. 주로 A는 자갈, B는 모래, C는 점토이다.

㉠. A에 쌓인 퇴적물은 주로 자갈로, 자갈은 지름이 약 2 mm 이상인 퇴적물이다.

X. (나)를 보면 지층의 하부에는 역암이 있고 상부로 가면서 퇴적물 입자의 크기가 작아지므로 이 지역에는 해수면 상승이 있었다는 것을 알 수 있다. 해수면 상승에 의해 기존의 해안선이 더욱 육지 쪽으로 이동하게 되면서 P 지점에는 점차 크기가 작은 퇴적물의 퇴적이 일어나게 된다.

X. 평균 공극 크기는 퇴적물 입자의 크기가 큰 모래보다 퇴적물 입자의 크기가 작은 점토일 때가 더 작다.

04 퇴적 구조

퇴적 구조의 경우, 관찰하는 방향에 따라 다른 모습으로 보일 수 있다. 지층 B의 사층리가 형성될 때 퇴적물이 북쪽에서 공급되었다고 했으므로 비스듬히 기울어진 층리의 모습은 동쪽 또는 서쪽 방향에서 관찰할 때 볼 수 있다.

X. (나)를 통해 지층 A에는 연흔이 나타난다는 것을 알 수 있다. 연흔은 주로 수심이 얕은 물밑에서 형성된다.

㉡. 지층 B에는 사층리가 분포하는데 (나)를 보면 기울어진 층리가 관찰되지 않는다. 그 이유는 퇴적물이 북쪽에서 공급되었으므로 기울어진 층리의 모습은 동쪽 또는 서쪽 방향에서 관찰할 때 볼 수 있기 때문이다. 즉, (나)는 ㉠ 방향에서 관찰한 것이다.

㉢. (다)는 ㉢ 방향에서 건열을 보았을 때의 모습이다. 건열을 통해 이 지역은 과거에 수면 위로 노출된 적이 있었다는 것을 알 수 있다.

테마 04 지층의 생성 순서와 지질 연대 측정

닮은 꼴 문제로 유형 익히기 본문 30쪽

정답 ⑤

그림의 지층 경계를 통해 (가)를 포함하는 지층 경계에서 경사 부정합이 나타난다는 것과 (다)를 포함하는 지층 경계에서 평행 부정합이 나타난다는 것을 파악할 수 있다.

㉠. 기울어진 지층 경계를 통해 이 지역의 지층에는 횡압력이 작용하여 습곡이 형성되었다는 것을 알 수 있다.

㉡. (다)를 포함하는 지층 경계에 나타나는 지질 구조는 부정합이다. 이를 토대로 부정합면 하부의 지층이 상부의 지층보다 오래되었다는 사실을 알 수 있으므로 '증가'는 ㉠에 해당한다.

㉢. 지질 단면을 보면 (다)를 포함하는 지층 경계에 부정합이 나타난다는 것과 (가)를 포함하는 지층 경계에 부정합이 나타난다는 것을 알 수 있다. 따라서 두 부정합면과 접하고 있는 지층 A는 최소 2회 육상에 노출되었다.

수능 2점 테스트 본문 31~33쪽

01 ⑤	02 ④	03 ③	04 ③	05 ①
06 ⑤	07 ②	08 ②	09 ③	10 ⑤
11 ④	12 ②			

01 지사학의 법칙

(가)는 수평 퇴적의 법칙에 대한 설명이고, (나)는 지층 누중의 법칙에 대한 설명이다.

㉠. (가)는 퇴적물이 쌓일 때 중력의 영향으로 수평면과 나란한 방향으로 쌓여 지층이 생성된다는 수평 퇴적의 법칙에 대한 설명이다.

㉡. 수평 퇴적의 법칙에 의해 퇴적물은 수평면과 나란한 방향으로 퇴적된다. 만약 어느 지역의 지층이 기울어져 있다면 수평하게 퇴적된 후 지각 변동을 받았다고 할 수 있다.

㉢. (나)의 지층 누중의 법칙을 적용하기 위해서는 지층이 역전되지 않아야 한다는 조건이 필요하다. 지층의 역전 여부는 퇴적 구조와 지층 속의 화석을 이용하여 판단할 수 있다.

02 상대 연령

(가)를 통해 습곡, (나)와 (다)를 통해 부정합, (라)를 통해 관입, (마)를 통해 단층이 분포한다는 것을 알 수 있다.

㉠. (가)를 통해 습곡이 형성되고 (나), (다)를 통해 부정합이 만들어졌다는 것을 알 수 있으므로 이 지역에는 경사 부정합이 나타난다.

X. (라)에서 마그마가 새로운 퇴적층 아래에 관입했다는 내용이 있

지만 이를 통해 난정합이 나타난다는 것을 파악할 수는 없다.
ㄷ. 양쪽에서 미는 힘인 횡압력을 받게 되면 단층면을 기준으로 지층의 상반이 하반에 대해 위로 이동한 역단층이 형성된다.

03 관입의 법칙과 부정합의 법칙

관입 당한 암석은 관입한 화성암보다 먼저 생성되었다는 관입의 법칙과 부정합면을 경계로 상부 지층과 하부 지층의 퇴적 시기 사이에 큰 시간적 간격이 존재한다는 부정합의 법칙을 통해 암석들의 상대 연령을 파악할 수 있다.
ㄱ. 화성암 Q가 C에 의해 단절되어 있으므로 B와 C 사이에 부정합면이 존재한다는 것을 파악할 수 있다. B와 C는 부정합면을 기준으로 평행하므로 평행 부정합 관계라는 것을 알 수 있다.
ㄴ. 관입의 법칙과 부정합의 법칙에 의해 Q는 A, B가 퇴적되고 나서 관입하였고 이후 C가 퇴적된 후 R가 관입하였다. 그 다음 D가 퇴적된 후 P가 관입하였다.
ㄷ. R는 D가 생성되기 이전에 A, B, C를 관입하였으므로 R에서 D의 조각이 포획암으로 발견될 수 없다.

04 화석에 의한 지층 대비

같은 종류의 표준 화석이 산출되는 지층은 같은 시기에 생성된 지층이라고 할 수 있으므로 이를 활용해 지층의 선후 관계를 판단할 수 있다.
ㄱ. (가)에서 신생대의 표준 화석인 화폐석 화석이 산출되고 있기 때문에 가장 최근에 생성된 지층은 (가)에 위치한다.
ㄴ. 세 지역의 C, a, ㉠ 지층에서 동일한 표준 화석인 암모나이트 화석이 산출된다. 따라서 (가)의 C 지층과 대비되는 (나)와 (다)의 지층은 a와 ㉠이다.
ㄷ. 삼엽충, 암모나이트, 화폐석 화석은 바다에서 생성되지만 고사리 화석은 육지에서 생성된다.

05 지층 대비

서로 다른 두 시기에 분출된 화산재가 쌓여 만들어진 공통된 지층은 응회암층이라고 볼 수 있다. 세 지역 모두 응회암층이 두 개씩 존재하는데 이를 화석의 분포를 고려해 연결하면 지층의 상대 연령을 파악할 수 있다.
ㄱ. 응회암층은 비교적 짧은 시기 동안 퇴적되었으면서도 넓은 지역에 걸쳐 분포하기 때문에 건층으로 사용하기에 가장 적절하다.
ㄴ. 세 지역의 가장 아래쪽에 있는 응회암층을 연결해 보면 가장 오래된 석회암층이 있는 지역은 Ⅱ인 것을 파악할 수 있다.
ㄷ. Ⅱ, Ⅲ 지역의 암모나이트 화석이 산출되는 지층이 퇴적되기 직전의 응회암층을 서로 연결해 보면 Ⅱ 지역의 사암층이 Ⅲ 지역의 사암층보다 오래되었다는 것을 알 수 있다.

06 관입의 법칙과 암석의 연령

(가)를 보면 A가 B를 관입한 형태이기 때문에 관입의 법칙에 의해 A보다 B가 먼저 생성되었다.
ㄱ. 마그마의 관입이 일어나면 기존에 있던 암석은 마그마의 높은 열에 의해 변성이 일어날 수 있다.
ㄴ. 포획암의 형태를 띠는 것은 C이다.
ㄷ. A는 B를 관입하였고 D는 C를 포획하고 있다. 이때 B와 D의 절대 연령이 같으므로 암석의 나이는 C가 가장 많다.

07 지질 단면 해석

이 지역의 지질 단면을 보면 A는 B를 관입하였고 A, B와 C 사이에 난정합, C와 D 사이에 경사 부정합이 형성된 것을 파악할 수 있다.
ㄱ. B와 C의 지층 경계면의 기저 역암 분포를 통해 B가 육상에 노출되었음을 알 수 있다. 또한 B와 C 사이의 부정합면과 C와 D 사이의 부정합면의 분포를 통해 B와 C 사이의 부정합면이 침식되었다는 것을 확인할 수 있다. 이를 통해 B는 최소 2회 육상에 노출되었다는 것을 파악할 수 있다.
ㄴ. A와 C 사이의 부정합면을 보면 부정합면 아래에 화강암이 분포하고 있으므로 A와 C는 난정합 관계이다.
ㄷ. A가 B를 관입하였고 부정합면이 형성된 후 C가 퇴적되었다. 이후 부정합면이 형성된 후 D가 퇴적되었다.

08 지질 단면 해석

갑주어와 방추충 화석은 고생대, 공룡 발자국 화석은 중생대, 화폐석 화석은 신생대의 대표적인 표준 화석이다.
ㄱ. 갑주어, 방추충, 화폐석은 바다에서 살았던 생물들로, 각 생물의 화석이 분포하는 지층들은 바다에서 퇴적되었다. 한편 공룡은 육지에서 살았던 생물로, 공룡 발자국 화석이 분포하는 지층은 육지에서 퇴적되었다.
ㄴ. Q와 접하고 있는 주변 암석을 보면 모두 변성 흔적이 나타나는 것을 알 수 있다. 이를 통해 Q는 생성 당시 지표 밖으로 분출하지 않았다는 것을 알 수 있다.
ㄷ. 각 화성암의 변성 흔적을 통해 R는 Q를 관입하였고, P는 R를 관입했다는 것을 알 수 있다. 이를 통해 화성암은 Q → R → P 순으로 생성되었다는 것을 파악할 수 있다.

09 단층

단층면을 기준으로 지층의 상반이 하반에 대해 위로 이동한 단층은 역단층이고 이와 반대로 상반이 하반에 대해 아래로 이동한 단층은 정단층이다. 이때 단층면을 기준으로 위, 아래에 위치한 지층의 연령은 불연속적이다.
ㄱ. (나)에서 단층면을 기준으로 하반의 나이가 상반의 나이보다 적다는 것을 알 수 있다. 이는 단층면을 기준으로 상반이 하반에 대해 위로 이동한 경우에 가능하기 때문에 이 지역에 발달한 단층은 역단층이다.
ㄴ. 이 지역에는 역단층이 발달했고 A 지점과 C 지점은 수평하다. A 지점이 위치한 상반이 하반에 대해 위로 올라와 있는 상태이기 때문에 지표면에서의 지층 연령은 A 지점이 C 지점보다 많다.
ㄷ. 화성암 P의 관입 형태를 보면 관입이 일어난 후 풍화, 침식을 겪어 부정합이 형성된 것을 알 수 있다. C 지점이 위치한 지층이 P와

부정합 관계이고 단층에 의해 잘려있기 때문에 단층은 P가 생성된 후에 만들어졌다.

10 방사성 동위 원소

방사성 동위 원소는 시간이 흐름에 따라 붕괴하여 안정적인 자원소로 바뀐다. 즉, 방사성 동위 원소의 함량은 감소하고 자원소의 함량은 증가한다.

㉠. 시간이 지남에 따라 A의 함량은 감소하고 B의 함량은 증가하고 있기 때문에 B는 A가 붕괴하여 만들어진 자원소이다.

㉡. 그림을 보면 A의 함량이 감소한 만큼 B의 함량이 증가하는 것을 파악할 수 있다.

㉢. 반감기는 방사성 동위 원소가 붕괴하여 처음 함량의 반으로 줄어드는 데 걸리는 시간이다. A의 함량이 감소한 만큼 B의 함량이 증가하게 되는데, A의 함량은 첫 번째 반감기에 절반이 줄어들게 되고 두 번째 반감기에 첫 번째 반감기에서 감소하고 남은 양의 절반이 감소하기 때문에 시간이 지날수록 B 함량의 증가율은 감소한다.

11 방사성 동위 원소

방사성 동위 원소는 붕괴하여 그 양이 줄어들게 되고 방사성 동위 원소의 붕괴에 의해 만들어진 자원소는 그 양이 점차 늘어나게 된다. t년 전 A는 6개, B는 2개, C는 6개, D는 4개였고 현재(t년이 경과한 시점) A는 9개, B는 3개, C는 3개, D는 3개이다. 이를 통해 A, B는 자원소이고 C, D는 방사성 동위 원소임을 알 수 있다.

~~ㄱ~~. C는 양이 감소했기 때문에 방사성 동위 원소이다.

㉡. B는 1개가 늘어났고 D는 1개가 감소하였기 때문에 B는 D의 자원소이다.

㉢. t년 전 A와 C는 6개였고 현재 A는 9개, C는 3개라는 점을 통해 A는 C의 자원소임을 알 수 있다. 또한 t년 전 1 : 1의 함량비가 현재는 3 : 1로 되었다는 것을 통해 C의 반감기가 t년이라는 점을 파악할 수 있다.

12 암석의 절대 연령

P, Q, R에 포함된 방사성 동위 원소 X의 양이 각각 암석이 생성될 당시의 $\frac{1}{2}$, $\frac{3}{8}$, $\frac{1}{4}$이라는 것을 통해 P에는 방사성 동위 원소 X의 양이 50 %, Q에는 37.5 %, R에는 25 %가 남아 있다는 것을 알 수 있다.

~~ㄱ~~. $f-f'$은 단층면을 기준으로 지층의 상반이 하반에 대해 위로 이동한 역단층이다.

~~ㄴ~~. 남아 있는 방사성 동위 원소 X의 양이 P는 처음 암석이 생성될 당시의 50 %, Q는 37.5 %, R는 25 %이기 때문에 화성암의 관입 순서는 R → Q → P 순이다.

㉢. 화성암 P의 절대 연령은 약 1억 년이고, 화성암 Q의 절대 연령은 약 1억 4천만 년, 화성암 R의 절대 연령은 약 2억 년이다. 화성암 R가 단층면에 의해 잘려있고 Q와 A는 잘려있지 않기 때문에 A는 2억 년 전 이후에 퇴적되었다는 것을 알 수 있다. 또한 A는 P에 의해 관입을 당했는데 P의 절대 연령이 약 1억 년이기 때문에 A는 중생대(약 2억 5천 2백만 년 전~약 6천 6백만 년 전)에 생성되었다.

수능 3점 테스트 본문 34~37쪽

01 ④	02 ④	03 ③	04 ⑤	05 ④
06 ②	07 ⑤	08 ③		

01 상대 연령

지사학 법칙을 이용하면 화성암 A보다 화성암 B가 나중에 생성되었다는 것을 알 수 있다.

~~ㄱ~~. 화성암 A와 지층 ㉠의 경계 부근의 A의 침식물을 보면 부정합 관계라는 것을 알 수 있고, 이를 통해 A가 ㉠보다 먼저 생성되었다는 것을 파악할 수 있다.

㉡. 화성암 A는 셰일층이 퇴적되고 난 후 관입했다. (가)에서 화성암 B가 화성암 A를 관입했으므로, 화성암 B는 셰일층보다 나중에 생성되었다.

㉢. (나)를 보면 화성암 A가 두 층에 걸쳐 나타나는 것을 통해 (나)는 Y−Y′에서의 지질 단면이라는 것을 알 수 있다.

02 지사 해석과 암석의 연령 변화

단층면을 기준으로 지층의 상반이 하반에 대해 위쪽으로 이동한 것을 통해 이 지역에 발달한 단층은 역단층이라는 점을 알 수 있다. 단층면을 기준으로 지층의 연령이 불연속적으로 변한다.

④ A, B 사이에 형성된 건열 구조를 근거로 B가 A보다 먼저 생성되었고 이후에 A와 B가 역전되었다는 것을 파악할 수 있다. 그리고 B와 C 사이의 부정합면과 기저 역암의 분포를 통해 A와 B가 역전된 이후에 C가 생성되었다는 것을 알 수 있다. 이를 토대로 지층의 연령은 C<A<B라는 것을 파악할 수 있다. 또한 그림에서 역단층이 발달하고 있는데, 단층이 나타나면 단층면을 기준으로 지층의 연령이 불연속적이게 된다. X−Y 구간의 X 부근에서는 지층 C를 통과하기 때문에 지층의 연령은 증가한다. 하지만 지층 A, B가 역전되었기 때문에 부정합면을 경계로 지층의 연령은 최댓값으로 증가한다. 이후 Y 쪽으로 갈수록 지층의 연령은 감소하고 단층면을 경계로 지층의 연령은 다시 증가하며 Y까지 지층의 연령은 감소하는 형태를 띠게 된다.

03 주향 이동 단층, 습곡, 관입

(가)에서 지층 경계면이 지표면에서 보이는 것으로 보아 이 지역의 지층들은 기울어졌다는 것을 알 수 있다. 또한 (나)의 지층 경계면이 평행한 것으로 보아 이 지역의 지층들은 한 방향으로만 기울어졌다는 점 또한 파악할 수 있다.

㉠. (가)를 통해 지층은 기울어졌다는 것을 알 수 있고 (나)에서 지층 경계면이 평행한 것을 통해 이 지역의 지층이 동서 방향으로 기울어진 것이 아닌 남북 방향으로 기울어져 있다는 것을 파악할 수 있다.

㉡. (나)를 보면 지층의 상반과 하반을 구분할 수 없다. 그리고 (가)를 통해 이 지역의 지층들이 수평 방향으로 어긋나게 작용하는 힘을 받았다는 것을 알 수 있기 때문에 이 지역에 발달한 단층은 주향 이동 단층이다.

~~ㄷ~~. (나)에서 단층면이 화성암 P를 절단하고 있기 때문에 화성암 P가 관입한 후에 단층이 형성되었다고 할 수 있다.

04 습곡

암석이 비교적 온도가 높은 지하 깊은 곳에서 횡압력을 받아 휘어진 지질 구조를 습곡이라고 한다.

ㄱ. 습곡은 습곡축을 기준으로 양쪽의 지층 분포가 서로 대칭적인 모습을 띠는데, (가)를 통해 지층 D에 습곡축이 있다는 것을 알 수 있다. (나)에서 지층 D 부근에서의 연령이 가장 많고 양쪽으로 갈수록 줄어드는 것으로 보아 이 지역에서는 배사 구조가 나타나는 것을 알 수 있다.

ㄴ. (가)를 보았을 때 지표면에 드러나는 지층의 분포가 습곡축을 기준으로 양쪽이 대칭적이지만 그 간격이 다르다는 점과 (나)의 그래프에서 습곡축면을 기준으로 양쪽 지층의 연령 변화 정도가 다르다는 것을 통해 습곡축면을 기준으로 양쪽의 지질 구조가 비대칭이라는 점을 파악할 수 있다.

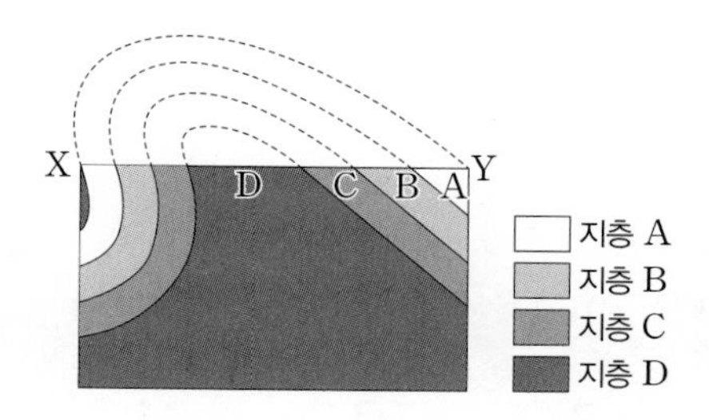

ㄷ. 습곡은 일반적으로 비교적 온도가 높은 지하 깊은 곳에서 횡압력을 받아 만들어지기 때문에 (가)의 습곡 작용이 일어날 때 지층들은 현재보다 지하 깊은 곳에 있었다.

05 단층

단층의 종류를 판단할 때는 단층면을 기준으로 지층의 상반과 하반의 위치 관계를 파악하면 된다. 단층면을 기준으로 지층의 상반이 하반에 대해 위로 이동한 단층은 역단층, 상반이 하반에 대해 아래로 이동한 단층은 정단층이다.

ㄱ. 단층면을 기준으로 B와 C는 지층의 상반에 위치하기 때문에 지층 분포가 동일할 것이다. 단, B의 경우 단층면과 만나는 지점부터는 A와 지층 분포가 동일할 것이다. 이를 토대로 자료를 해석해 보면 ㉠과 ㉢에서 일정 깊이까지 지층 분포가 동일하다는 것, ㉠과 ㉡ 또한 특정 깊이부터 지층 분포가 동일하다는 것을 통해 ㉠은 B, ㉡은 A, ㉢은 C 하부의 지층 분포인 것을 파악할 수 있다.

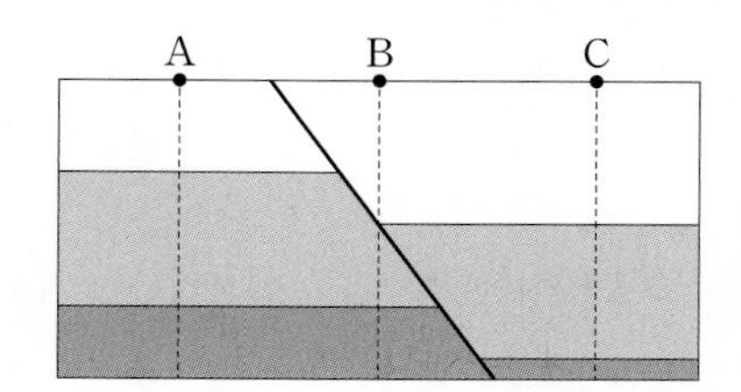

ㄴ. (가), (나)를 통해 이 지역에 발달한 단층은 단층면을 기준으로 지층의 상반이 하반에 대해 아래로 이동한 정단층이라는 것을 알 수 있다.

ㄷ. C가 위치한 지층의 상반이 A가 위치한 지층의 하반에 대해 아래로 이동하였기 때문에 동일한 깊이에서 지층의 연령은 A 하부가 C 하부보다 많다.

06 상대 연령과 방사성 동위 원소의 붕괴 곡선

지사학 법칙을 이용하여 상대 연령을 결정하고 방사성 동위 원소의 함량 분석을 통해 화성암 A의 절대 연령을 확인하면 해당 지역의 지사를 파악할 수 있다. A는 C를 관입하고 있고, B는 A를 관입하고 있기 때문에 관입 순서는 C → A → B 순이다. 그리고 A에 포함된 방사성 동위 원소 X의 함량이 암석이 생성될 당시의 $\frac{2}{5}$이기 때문에 자원소 Y의 함량은 $\frac{3}{5}$(=60 %)이다. 이를 통해 A는 약 8천만 년 전에 생성되었다는 것을 알 수 있다.

ㄱ. B는 A를 관입하고 있기 때문에 관입의 법칙에 따라 A는 B가 만들어지기 이전에 생성되었다. A의 절대 연령은 약 8천만 년이기 때문에 B는 고생대에 생성된 지층이 아니다.

ㄴ. C가 A보다 오래되었기 때문에 방사성 동위 원소 X의 함량은 C가 A보다 적을 것이고 자원소 Y의 함량은 C가 A보다 많을 것이다. 즉, $\frac{\text{Y의 함량(\%)}}{\text{X의 함량(\%)}}$은 A가 C보다 작다.

ㄷ. E와 C 사이에 부정합이 발달해 있고 E, F에서 방추충 화석이 발견되는 것으로 보아 암석의 생성 순서는 D(퇴적) → C(관입) → 부정합 → E(고생대 퇴적) → F(고생대 퇴적) → A(약 8천만 년 전 관입) → B(관입)이다.

07 두 가지의 방사성 동위 원소를 포함한 암석

지사학 법칙과 방사성 동위 원소의 함량을 통해 지층의 생성 순서를 파악할 수 있다. 변성 부분을 통해 C는 B와 D가 만들어지고 난 뒤 관입하였고 C가 관입한 이후에 E가 관입했다는 것을 알 수 있다. 그리고 E와 F가 부정합 관계이므로 F는 E가 관입한 이후에 퇴적되었다고 할 수 있다.

ㄱ. 지사학 법칙을 이용하면 암석의 생성 순서는 A(퇴적) → B(퇴적) → D(퇴적) → C(관입) → E(관입) → 부정합 → F(퇴적)이다.

ㄴ. 방사성 동위 원소 X의 반감기는 7억 년이다. 화성암 E의 경우 반감기가 1번 지났기 때문에 절대 연령이 7억 년이라고 할 수 있다. 방사성 동위 원소 Y의 함량은 25 %이기 때문에 방사성 동위 원소 Y의 반감기는 2번 지났다고 할 수 있다. 7억 년 동안 반감기가 2번 지났기 때문에 방사성 동위 원소 Y의 반감기는 3억 5천만 년이다.

ㄷ. 현재로부터 7억 년 후 방사성 동위 원소 X는 반감기가 1번, 방사성 동위 원소 Y는 반감기가 2번 지난다. 현재 화성암 E에 남아 있는 방사성 동위 원소 X의 함량은 50 %, 방사성 동위 원소 Y의 함량은 25 %이기 때문에 7억 년 후 남아 있는 방사성 동위 원소 X의 함량은 25 %가 되고 방사성 동위 원소 Y의 함량은 6.25 %가 된다. 따라서 현재로부터 7억 년 후 화성암 E에 남아 있는 $\frac{\text{X의 함량(\%)}}{\text{Y의 함량(\%)}}=4$이다.

08 생성 시기가 다른 두 화성암의 절대 연령

표와 그림을 통해 화성암 A가 화성암 B보다 먼저 생성되었다는 것을 파악할 수 있다. 화성암 A에 포함되어 있는 방사성 동위 원소 X가 먼저 붕괴하고, 이후에 화성암 B가 생성되며 B에 포함되어 있는 방사성 동위 원소 Y가 붕괴한다. 각 시기의 X와 Y의 비율을 통해

X와 Y의 반감기를 파악할 수 있다.

ㄱ. 표를 보면 화성암 B가 생성된 t년 이후 2천 5백만 년이 지났을 때 Y : Y′=1 : 1이다. 이를 통해 Y의 반감기는 2천 5백만 년임을 파악할 수 있다. 화성암 A의 경우 ($t-0.25$억 년)~($t+0.25$억 년), 즉 5천만 년 동안 모원소와 자원소의 비율이 1 : 1에서 1 : 3으로 변한 것으로 보아 X의 반감기는 5천만 년임을 파악할 수 있다. ($t-0.25$억 년)일 때 X : X′=1 : 1이므로 ($t-0.75$억 년)일 때 화성암 A가 생성되었다는 것을 알 수 있다. 이를 표로 정리하면 다음과 같다.

화성암 B의 생성 시점 t에 대한 경과 시간	화성암 A	화성암 B
	X : X′	Y : Y′
$t-0.75$억 년	A 생성	—
$t-0.5$억 년		—
$t-0.25$억 년	1 : 1	—
t년		B 생성
$t+0.25$억 년	1 : 3	1 : 1
$t+0.5$억 년		1 : 3
$t+0.75$억 년	1 : 7	1 : 7

ㄴ. t 시점으로부터 화성암 B에 포함되어 있는 $\frac{\text{Y의 함량(\%)}}{\text{Y}'\text{의 함량(\%)}}=\frac{1}{15}$이라는 것은 Y : Y′=1 : 15=6.25 % : 93.75 %라는 것을 의미한다. 즉, 반감기가 4번 지났을 때까지의 시간이라는 것이다. Y의 반감기가 2천 5백만 년이므로 반감기가 4번 지날 때까지 걸린 시간은 1억 년이다.

ㄷ. 현재 방사성 동위 원소와 자원소의 비율이 화성암 A와 B에서 같다는 것은 각 화성암에서 방사성 동위 원소와 자원소의 비율이 1 : 7이라는 것을 의미한다. 이는 반감기가 3번 지났다는 것을 의미하기 때문에 화성암 A의 연령은 1억 5천만 년, 화성암 B의 연령은 7천 5백만 년이다. 그림을 통해 A, B, C의 상대 연령을 구해보면 A 생성 → C 퇴적 → B 관입이라는 것을 알 수 있다. 즉, C는 1억 5천만 년 전 ~ 7천 5백만 년 전 사이에 생성되었으므로, C에서 고생대의 화석인 삼엽충 화석은 발견될 수 없다.

테마 05 지질 시대의 환경과 생물

닮은 꼴 문제로 유형 익히기

본문 39쪽

정답 ②

A는 고생대 말의 대멸종 시기, B는 중생대 말의 대멸종 시기이다.

ㄱ. 공룡이 멸종한 시기는 중생대 말이다. 그림을 보면 ㉠ 생물 과의 수는 고생대 말에 가장 많이 감소하였다.

ㄴ. 히말라야산맥은 신생대에 형성되었으므로, B 시기 이후에 형성되었다.

ㄷ. B는 중생대 말의 대멸종 시기로, 그림을 보면 B 시기에 줄어든 생물 과의 수는 ㉡이 ㉠보다 많다.

수능 2점 테스트

본문 40~41쪽

01 ③ 02 ⑤ 03 ② 04 ③ 05 ⑤
06 ① 07 ④ 08 ④

01 지질 시대

삼엽충 출현은 고생대 초기, 속씨식물 출현은 중생대 말기의 일이고 화폐석 멸종은 신생대 네오기의 일이다. 즉, ㉠은 고생대 초기~중생대 말기이고 ㉡은 중생대 말기~신생대 네오기까지이다.

Ⓐ. ㉠ 기간에 포함되는 고생대 말에 초대륙 판게아가 형성되었다.

Ⓑ. ㉡ 기간에 포함되는 신생대에 알프스산맥과 히말라야산맥이 형성되었다.

Ⓒ. 생물의 멸종 비율이 가장 높았던 대멸종 시기는 고생대 말의 페름기로 ㉠ 기간에 포함된다.

02 지질 시대의 생물

지질 시대 동안 동물계는 어류, 양서류, 파충류, 포유류 순으로 번성했고 식물계는 양치식물, 겉씨식물, 속씨식물 순으로 번성했다.

ㄱ. ㉠은 고생대 기간으로 양치식물이 번성했다.

ㄴ. 지질 시대 동안 척추동물로서 먼저 번성하기 시작한 동물에는 고생대 데본기에 번성한 어류가 있다. 데본기에 번성한 대표적인 어류는 갑주어이다.

ㄷ. A는 겉씨식물이 번성한 중생대로 해양에서는 암모나이트가 번성했다.

03 지질 시대의 생물

방추충은 고생대 석탄기에, 화폐석은 신생대 팔레오기와 네오기에, 암모나이트는 중생대에 번성했다.

ㄱ. 방추충은 고생대 석탄기에 번성한 생물이며, 속씨식물은 중생대에 출현하였다.

ㄱ(×). 생물들이 생존한 시기는 방추충(고생대) → 암모나이트(중생대) → 화폐석(신생대) 순이다.
ㄷ(○). 방추충, 화폐석, 암모나이트 모두 각 지질 시대의 대표적인 해양 생물이다.

04 표준 화석

표준 화석은 지질 시대 중 일정 기간에만 번성했다가 멸종한 생물의 화석으로, 지질 시대 결정과 지층 대비에 이용된다.
ㄱ(○). 자료로 보아 생존 기간이 가장 긴 동물은 D라는 것을 파악할 수 있다.
ㄴ(×). C는 약 1억 6천만 년 전부터 있었던 것을 알 수 있는데 겉씨식물이 출현한 시기는 고생대 말이다.
ㄷ(○). 생존 기간만을 고려했을 때 표준 화석으로 가장 적절한 것은 생존 기간이 짧은 화석이라고 할 수 있다. 자료를 보면 산출되는 기간이 가장 짧은 화석은 A의 화석이라는 점을 파악할 수 있다.

05 지질 시대

지질 시대는 크게 시생 누대, 원생 누대, 현생 누대로 구분할 수 있다. 시생 누대는 약 40억 년 전~약 25억 년 전까지이고, 원생 누대는 약 25억 년 전~약 5억 4천 백만 년 전까지이며, 현생 누대는 약 5억 4천 백만 년 전부터 현재까지이다. 이를 통해 A는 원생 누대, B는 시생 누대, C는 현생 누대라는 점을 알 수 있다.
ㄱ(○). A 시기(원생 누대) 말에 최초의 다세포 동물이 출현하였으며, 그 일부가 에디아카라 동물군 화석으로 남아 있다.
ㄴ(○). B 시기(시생 누대)의 바다에서 최초의 생명체가 탄생하였다.
ㄷ(○). C 시기(현생 누대)의 고생대 중기에 오존층이 형성되어 육상으로 생물이 진출했다.

06 지질 시대 생물의 멸종

생물 과의 멸종 비율이 높은 시기를 대멸종 시기라고 하는데, 그림을 보면 ㉠이 생물 과의 멸종 비율(%)이고 ㉡이 생물 과의 수(개)라는 것을 알 수 있다.
ㄱ(○). 생물 과의 멸종 비율(%)이 높을 때 생물 과의 수가 감소하기 때문에 ㉠은 생물 과의 멸종 비율(%)이다.
ㄴ(×). B 시기는 중생대와 신생대의 경계 시기이며, 화폐석은 신생대 네오기에 멸종했다.
ㄷ(×). 그림을 보면 생물 과의 수 감소 폭은 A 시기가 B 시기보다 크다는 것을 알 수 있다.

07 지질 시대의 기후

중생대(약 2억 5천 2백만 년 전~6천 6백만 년 전)는 전반적으로 온난한 시기였다. 신생대 초기에도 온난하였으나 제4기가 되면서 한랭해졌다.
ㄱ(○). 겉씨식물은 고생대 말(A 시기)에 출현하였다.
ㄴ(○). 평균 기온을 보았을 때 B 시기보다 C 시기가 낮기 때문에 전 세계 평균 해수면의 높이는 B 시기가 C 시기보다 높았다.
ㄷ(×). 평균 기온의 변화는 C 시기가 B 시기보다 크다.

08 우리나라의 중생대 지층

우리나라 중생대의 지층은 모두 육지에서 만들어졌다. 우항리의 경우, 얕은 호수 근처에서 퇴적되었다고 알려졌으며 여러 공룡 발자국과 새 발자국, 익룡 발자국 화석 등이 발견되었다.
ㄱ(○). ㉠은 중생대에 퇴적된 지층으로 중생대에는 겉씨식물이 번성했다.
ㄴ(×). 새 발자국 화석은 중생대 이후 지층에서도 발견되기 때문에 표준 화석으로 이용하기에 적절하지 않다.
ㄷ(○). 우리나라의 중생대 지층은 육지에서 퇴적된 육성층이기 때문에 '얕은 호수'는 ㉢에 해당한다.

01 관입의 법칙과 화석을 이용한 지층 대비

관입 당한 암석은 관입한 암석보다 오래되었기 때문에 A, C는 X보다 오래되었다는 것을 알 수 있다. 또한 B에는 X에 의한 변성 흔적이, D에는 X의 침식물이 있다는 것을 토대로 B는 관입이 일어나기 이전에, D는 관입이 일어난 이후에 생성되었다는 것을 알 수 있다.
ㄱ(×). A에서는 고생대의 표준 화석인 필석 화석이, C에서는 중생대의 표준 화석인 암모나이트 화석이 산출되는 것으로 보아 지층의 나이는 A가 C보다 많다.
ㄴ(○). (가)의 X는 A와 B를 관입했기 때문에 B의 조각이 포획암으로 발견될 수 있다.
ㄷ(○). 각 지층과 암석에서 산출된 화석, 변성 흔적, 침식 흔적 등을 종합적으로 판단해 보면 A(필석 화석 산출) → C(암모나이트 화석 산출) → B(X의 관입에 의한 변성 흔적) → X(관입) → D(화성암의 침식물) 순으로 생성되었다.

02 지사 해석

동일한 시기에 분출된 화산재가 쌓여서 만들어진 지층인 응회암층을 건층으로 사용하여 지층 대비를 할 수 있고, 화석을 이용해 지층의 선후 관계를 파악할 수 있다.
ㄱ(×). 화폐석은 신생대 네오기에 멸종했으므로 신생대 제4기의 지층에서는 발견될 수 없다.
ㄴ(×). (가)의 응회암층 하부에 암모나이트 화석이 발견된 지층이 있는 것으로 보아 (가)의 응회암층은 (나)의 셰일층 상부의 응회암층과 동일한 시기에 퇴적되었다는 것을 알 수 있다. 이를 통해 (가)의 사암층보다 (나)의 사암층이 더 오래되었다는 것을 알 수 있다.
ㄷ(○). 삼엽충, 암모나이트, 화폐석은 모두 바다에서 살았던 생물들이다.

03 산소 동위 원소비$\left(\frac{^{18}O}{^{16}O}\right)$와 고기후 연구

빙하의 산소 동위 원소비$\left(\frac{^{18}O}{^{16}O}\right)$가 높을수록 다른 시기에 비해 해수면 높이가 높다는 것을 통해 기후가 온난했다는 것을 알 수 있다.
ㄱ. 자료를 보면 대체로 빙하의 산소 동위 원소비$\left(\frac{^{18}O}{^{16}O}\right)$가 낮을수록 해수면 높이가 낮고, 빙하의 산소 동위 원소비$\left(\frac{^{18}O}{^{16}O}\right)$가 높을수록 해수면 높이가 높다는 것을 알 수 있다.
ㄴ. 해수면 높이와 빙하의 산소 동위 원소비$\left(\frac{^{18}O}{^{16}O}\right)$를 통해 A 시기가 B 시기보다 온난했다는 것을 알 수 있다. 그러므로 대륙 빙하의 면적은 A 시기가 B 시기보다 좁았을 것이다.
ㄷ. 현재는 빙하의 산소 동위 원소비$\left(\frac{^{18}O}{^{16}O}\right)$가 높은 시기로 빙하의 산소 동위 원소비$\left(\frac{^{18}O}{^{16}O}\right)$가 낮은 B 시기에 비해 온난하다고 할 수 있다. 또한 해수면 높이를 통해서도 현재가 B 시기에 비해 온난하다는 것을 파악할 수 있다.

04 지질 시대와 대륙 분포

고생대 말에 판게아가 형성되었고 중생대에 판게아가 분리되기 시작하였다. 또한 시조새는 중생대의 대표적인 표준 화석이기 때문에 (가)는 중생대, (나)는 고생대라는 점을 파악할 수 있다.
ㄱ. 시조새는 중생대의 대표적인 표준 화석이기 때문에 (가) 시기에 생존했다.
ㄴ. 중생대에 속씨식물이 출현하였다.
ㄷ. 글로소프테리스는 고생대에 생존했던 식물로 (나) 시기에 퇴적된 지층에서 글로소프테리스 화석이 발견될 수 있다.

기압과 날씨의 변화

닮은 꼴 문제로 유형 익히기

본문 45쪽

정답 ④
온대 저기압에 동반된 온난 전선과 한랭 전선의 위치로 보아 북반구 어느 지역에 발달한 온대 저기압이다.
ㄱ. 북반구에서는 대체로 온대 저기압 중심의 남동쪽으로 온난 전선이, 남서쪽으로 한랭 전선이 발달한다.
ㄴ. 온대 저기압 중심의 남서쪽으로 발달한 ㉠은 한랭 전선, 남동쪽으로 발달한 ㉡은 온난 전선이다.
ㄷ. 북반구에서 온대 저기압 중심 이동 경로의 북쪽에 위치할 때는 풍향이 시계 반대 방향으로 변하기 때문에 (나)는 A에서 관측한 자료이다.

수능 2점 테스트

본문 46~47쪽

01 ⑤	02 ①	03 ②	04 ④	05 ①
06 ⑤	07 ③	08 ①		

01 계절별 일기도

정체성 고기압은 고기압의 중심부가 거의 이동하지 않고 한곳에 머무르는 고기압, 이동성 고기압은 시베리아 기단에서 일부가 떨어져 나오거나 양쯔강 기단에서 발달하여 이동하는 비교적 규모가 작은 고기압이다.
ㄱ. (가)는 이동성 고기압이 발달한 봄철, (나)는 시베리아 기단이 발달한 겨울철이다.
ㄴ. (나)에서는 시베리아 기단의 영향으로 주로 북풍 계열인 북서풍이 분다.
ㄷ. A는 편서풍의 영향을 받아 이동하는 이동성 고기압, B는 정체성 고기압이다.

02 우리나라 주변의 기단

기단은 지표면의 영향을 받아 넓은 지역에 걸쳐 성질(기온, 습도 등)이 비슷해진 거대한 공기 덩어리이다. 차가운 대륙에서 발생한 기단은 한랭 건조하고, 따뜻한 해양에서 발생한 기단은 고온 다습하다.
ㄱ. 우리나라 초여름에 영향을 미치고 장마 전선을 형성할 수 있는 기단은 오호츠크해 기단과 북태평양 기단이다. 기단 D는 기온이 높고 습한 성질을 가지고 있으므로 북태평양 기단이다. 따라서 기단 A는 오호츠크해 기단이다.
ㄴ. 북서 계절풍은 주로 우리나라 겨울철에 부는 바람이므로 기단 B와 가장 관계가 깊다.
ㄷ. 기단 B는 기온이 낮고 건조한 성질을 가지므로 시베리아 기단,

기단 C는 봄철의 황사 현상과 관련이 있으므로 양쯔강 기단이다. 기단이 형성되는 위도는 양쯔강 기단이 시베리아 기단보다 낮다.

03 온난 고기압과 한랭 고기압

고기압권 내의 기온이 주위보다 높은 고기압을 온난 고기압, 고기압권 내의 기온이 주위보다 낮은 고기압을 한랭 고기압이라고 한다.

✗. (가)는 지표면의 냉각에 의해 형성된다.

㉡. A의 기압은 600 hPa이고, B의 기압은 600 hPa보다 낮으며, C의 기압은 600 hPa보다 높으므로 A~C 중 기압이 가장 높은 곳은 C이다.

✗. (나)는 북태평양 고기압으로 30°N 부근에서 형성되었다.

04 기상 위성 영상 해석

가시 영상에서 밝게 보일수록 구름의 두께는 두꺼우며, 적외 영상에서 밝게 보일수록 구름의 최상부 높이가 높다.

✗. 적란운은 두께가 두껍고 구름의 최상부 높이가 높으므로, B에 해당한다.

㉡. 구름의 평균 $\frac{\text{연직 규모}}{\text{수평 규모}}$는 B(적운형 구름)가 A(층운형 구름)보다 크다.

㉢. 뇌우를 동반할 수 있는 구름은 주로 적운형 구름(적란운)이므로 뇌우는 A보다 B에서 발생할 가능성이 높다.

05 온대 저기압의 일생

(가)는 정체 전선 형성, (나)는 폐색 전선 발달, (다)는 온대 저기압 발달 단계이다.

㉠. 온대 저기압의 일생은 정체 전선 형성 → 파동 형성 → 온대 저기압 발달 → 폐색 전선 형성 시작 → 폐색 전선 발달 → 온대 저기압 소멸 순이므로, (가) → (다) → (나) 순이다.

✗. 주로 위도 5°~25°의 열대 해상에서 발생하는 저기압은 열대 저기압이다.

✗. (나) 이후 온대 저기압은 소멸되므로 열대 저기압으로 발달하지 않는다.

06 온대 저기압과 날씨

온대 저기압에 동반된 온난 전선과 한랭 전선이 통과함에 따라 날씨 변화가 다르게 나타난다.

✗. A의 기압은 1000.7 hPa, B의 기압은 999.7 hPa, C의 기압은 1001.2 hPa이므로 기압이 가장 높은 곳은 C이다.

㉡. ㉠이 통과하기 전인 B에서는 날씨가 맑고 남서풍이 불며 기온은 11 ℃이다. ㉠이 통과한 A에서는 날씨가 흐리고 북서풍이 불며 기온은 8 ℃이다. 따라서 ㉠은 한랭 전선이고, 한랭 전선이 통과한 후 B의 기온은 11 ℃보다 낮아질 것이다.

㉢. ㉡은 온난 전선이다. C에 온난 전선이 통과할 때 풍향은 남동풍에서 남서풍으로 바뀌므로, 시계 방향으로 변한다.

07 정체 전선

장마 전선은 정체 전선의 한 종류로, 고온 다습한 북태평양 기단과 한랭 다습한 오호츠크해 기단이 만나거나 고온 다습한 북태평양 기단과 북쪽의 찬 기단이 만날 때 형성될 수 있다.

✗. 구름은 대체로 장마 전선의 북쪽에 형성되므로 A 지역이 B 지역보다 운량이 많다.

✗. A 지역이 B 지역보다 운량이 많으므로, 강수량도 A 지역이 B 지역보다 많다.

㉢. A 지역은 북쪽의 찬 기단의 영향을, B 지역은 북태평양 기단의 영향을 받으므로 지표 부근의 기온은 A 지역이 B 지역보다 낮다.

08 온대 저기압

한랭 전선이 통과한 후에는 기온이 낮아지고, 바람은 남서풍에서 북서풍으로 바뀐다.

㉠. 평상시에는 06시부터 12시까지 대체로 기온이 높아지는데, 이날은 한랭 전선의 영향으로 기온이 낮아지고 있다. 또한 A에서는 바람이 남서풍에서 서풍으로, B에서는 바람이 남풍에서 북서풍으로 바뀌므로 이 기간 동안 한랭 전선이 A와 B를 통과하였다.

✗. 이날 06시에 관측소 A에는 남서풍이 불므로 관측소 A는 한랭 전선의 전면에 위치한다. 따라서 관측소 A의 상공에는 전선면이 나타나지 않는다.

✗. A와 B 모두 풍향이 시계 방향으로 바뀌므로 온대 저기압의 중심은 A와 B의 북쪽으로 통과하였다.

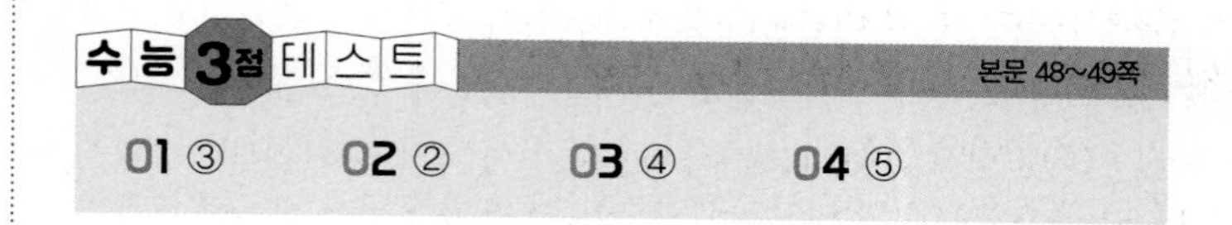

01 기상 위성 영상 해석

가시 영상은 구름과 지표면에서 반사된 태양 빛의 반사 강도를 나타내는 것으로, 반사도가 큰 부분은 밝게 나타나고 반사도가 작은 부분은 어둡게 나타난다.

✗. (가)는 폐색 전선이 발달하였을 때, (나)는 온대 저기압이 발달할 때 온대 저기압의 위성 영상이다. (나)는 (가)보다 앞선 시기의 위성 영상이다.

✗. (가) 시기의 A 지역은 북풍 계열 또는 서풍 계열의 바람이 우세하다.

㉢. A 지역은 온대 저기압 중심의 남쪽에 위치하므로 이 기간 동안 풍향은 시계 방향으로 변한다.

02 온대 저기압

온대 저기압은 편서풍의 영향으로 서쪽에서 동쪽으로 이동한다.

✗. (가)에서 온대 저기압의 중심은 (나)에서보다 동쪽에 위치하므로 (가)는 (나)보다 12시간 후의 일기도이다.

㉡. 한랭 전선이 통과하기 전인 (나)에서 A 지점의 기온은 20 ℃이

고, 한랭 전선이 통과한 후인 (가)에서 A 지점의 기온은 7 ℃이므로, 한랭 전선이 통과한 후에 A 지점의 기온은 낮아진다.
✕ㄷ. (가)에서 A 지점은 한랭 전선 후면에 위치하므로 상공에 전선면이 나타날 가능성이 있지만, (나)에서 A 지점은 한랭 전선과 온난 전선 사이에 위치하므로 상공에 전선면이 나타나지 않는다.

03 정체 전선

우리나라 여름철에 형성된 정체 전선은 북쪽의 찬 기단과 북태평양 기단의 세력에 따라 남하 또는 북상한다.
㉠. 정체 전선을 기준으로 북쪽에 구름과 강수량이 많으므로 정체 전선의 위치는 ㉡이다.
✕ㄴ. A 지역의 구름을 형성하는 수증기는 주로 전선의 남쪽에 위치한 북태평양 기단에서 공급된다.
㉢. 북태평양 기단의 세력이 강해지면 정체 전선이 북상하므로 B 지역에서 강수 현상이 발생할 가능성은 낮아진다.

04 기단의 변질

한랭한 대륙에서 형성된 기단이 따뜻한 바다 위를 지나가면 기단의 하층부가 가열되어 불안정해지므로 적운이나 적란운이 형성된다.
㉠. 겨울철 폭설과 관련된 기단은 시베리아 기단이다. 시베리아 기단이 확장하면서 황해상을 지나감에 따라 열을 공급받으므로 기단의 하층부가 가열되어 불안정해진다.
✕ㄴ. 기단의 하층부가 가열되었으므로 기단의 높이에 따른 온도는 ㉡으로 변했다.
㉢. (가)의 가시 영상을 촬영할 당시에 A와 B 지역은 구름이 없는 맑은 날씨였지만, 가시 영상에서 A 지역은 밝게 보이고 B 지역은 어둡게 보인다. 가시 영상은 구름과 지표면에서 반사된 태양 빛의 반사 강도를 나타내는 것으로, 반사도가 큰 부분은 밝게 나타나고 반사도가 작은 부분은 어둡게 나타난다. 이날 가시 영상에 영향을 미치는 요인은 적설량이고, 적설량이 많을수록 태양 빛의 반사 강도가 크므로 밝게 보인다. 따라서 폭설이 내린 날의 적설량은 A가 B보다 많다.

테마 07 태풍과 우리나라의 주요 악기상

닮은 꼴 문제로 유형 익히기

본문 52쪽

정답 ③

적외 영상에서는 구름의 최상부 고도가 높을수록 밝게 나타난다.
✕ㄱ. 북반구에서 태풍 진행 방향의 오른쪽 지역은 위험 반원, 태풍 진행 방향의 왼쪽 지역은 안전 반원이다. 북반구에서 태풍은 대체로 북서쪽이나 북동쪽으로 이동하므로, 태풍의 영향을 받는 동안 지점 B는 위험 반원에 위치한다.
✕ㄴ. 시간당 강수량은 태풍의 눈에 위치한 지점 A보다 지점 B에서 많다.
㉢. 적외 영상에서는 구름의 최상부 고도가 높을수록 밝게 나타난다. 따라서 구름이 없는 지점 A보다 B에서 구름의 최상부 고도가 높다.

수능 2점 테스트

본문 53~54쪽

01 ② 02 ⑤ 03 ④ 04 ② 05 ①
06 ④ 07 ③ 08 ④

01 태풍

태풍은 북태평양 서쪽의 위도 5°~25°의 열대 해상에서 주로 발생하고, 우리나라에 영향을 미치는 태풍은 주로 여름철과 가을철에 발생한다.
✕ㄱ. 우리나라에 영향을 미친 태풍은 6, 7, 8, 9월로 주로 여름철과 가을철에 발생한다.
㉡. 6월에 발생한 태풍의 1분 평균 최대 풍속은 18~42 m/s이고, 9월에 발생한 태풍의 1분 평균 최대 풍속은 70 m/s 이상인 경우도 있으므로 6월보다 9월에 발생한 태풍이 1분 평균 최대 풍속이 대체로 빠르다.
✕ㄷ. 태풍의 수명이 길수록 1분 평균 최대 풍속이 증가하는 경향이 있다.

02 태풍의 진로

태풍의 진로는 대기 대순환의 바람과 주변 기압 배치의 영향을 받는다.
㉠. 우리나라에 영향을 주는 태풍은 주로 여름철 북태평양 기단의 세력이 강할 때 발생하므로 A는 북태평양 기단이다.
㉡. 태풍은 북태평양 기단의 가장자리를 따라 이동하는 경향이 있다. 북태평양 기단의 세력이 한반도까지 확장되어 있으므로(북태평양 고기압이 발달한 지역에서는 구름이 잘 형성되지 않으므로) 태풍의 실제 이동 경로는 ㉠이다.
㉢. 태풍의 실제 이동 경로가 ㉠이므로 제주도 지역은 위험 반원에 위치한다.

03 태풍

태풍은 전체적으로 상승 기류가 발달하여 중심부로 갈수록 두꺼운 적운형 구름이 형성되고, 중심으로 갈수록 기압은 계속 낮아진다. 또한 풍속은 중심부로 갈수록 빨라지다가 태풍의 눈에서는 약해진다.

㉠. 태풍의 중심부에 가까울수록 바람이 강해지므로, ㉠ 높이에서는 태풍의 중심부에서 수평 방향으로 멀어질수록 수평 방향의 풍속은 점차 느려지는 경향이 있다.

㉡. ㉡ 높이에서 수평 방향의 평균 풍속은 A 방향보다 B 방향이 대체로 빠르다.

~~ㄷ~~. A 방향보다 B 방향의 풍속이 빠른 이유는 B 방향이 태풍이 진행하는 방향의 오른쪽인 위험 반원이기 때문이다. 정북 방향으로 진행하는 태풍의 동쪽(오른쪽)이 위험 반원이므로 A 방향은 서쪽, B 방향은 동쪽이다.

04 태풍과 날씨

북반구에서 태풍 진행 경로의 오른쪽에 위치하면 태풍 통과 시 풍향이 시계 방향으로 변하고, 태풍 진행 경로의 왼쪽에 위치하면 태풍 통과 시 풍향이 시계 반대 방향으로 변한다.

~~ㄱ~~. 이 기간 동안 태풍의 평균 이동 속력은 대체로 빨라졌다.

~~ㄴ~~. 태풍이 우리나라를 통과하는 동안 서울은 안전 반원에 위치하므로 풍향은 시계 반대 방향으로 바뀐다.

㉢. (나)의 A는 남해 동부와 동해에 태풍 경보가, B는 주로 남해에 태풍 경보가 발효되었으므로, A는 B 이후에 발효된 특보이다. 따라서 A는 9월 7일 15시, B는 9월 6일 21시에 발효된 특보 상황이다.

05 뇌우

뇌우는 강한 상승 기류에 의해 적란운이 발달하면서 천둥, 번개와 함께 소나기가 내리는 현상으로, 적운 단계 → 성숙 단계 → 소멸 단계를 거치면서 변한다.

㉠. (가)는 적운 단계, (나)는 소멸 단계, (다)는 성숙 단계이므로, 뇌우의 발달과 소멸 과정을 순서대로 나열하면 (가) → (다) → (나)이다.

~~ㄴ~~. 뇌우는 주로 여름철 강한 햇빛을 받은 지표 부근의 공기가 국지적으로 가열되어 활발하게 상승할 때 발생한다.

~~ㄷ~~. 천둥, 번개, 소나기, 우박 등의 현상은 성숙 단계일 때 동반될 수 있는 기상 현상이다. 따라서 (다)보다 (나)에서 발생할 가능성은 낮다.

06 우박

얼음 결정 주위에 차가운 물방울이 얼어붙어 땅 위로 떨어지는 얼음 덩어리를 우박이라고 한다.

~~ㄱ~~. 우박은 주로 적란운에서 강한 상승 기류를 타고 발생하므로 적운형 구름이 발달하는 한랭 전선의 후면이 층운형 구름이 발달하는 온난 전선의 전면보다 우박이 발생할 확률이 높다.

㉡. 우박은 주로 상승 기류가 강한 적란운에서 발생한다.

㉢. 우박은 한여름에는 거의 발생하지 않는다. 매우 더울 때는 우박이 떨어지는 동안에 녹아서 없어지기 때문이다. 따라서 (가)는 8월, (나)는 5월의 우리나라 우박 일수 분포도이다.

07 우리나라의 악기상

악기상은 일상생활에 큰 불편함과 위험을 동반하는 기상 현상을 말하며, 우리나라에서 발생하는 악기상에는 뇌우, 호우, 폭설, 강풍, 우박, 황사 등이 있다.

㉠. 폭설은 시베리아 기단의 찬 공기가 남하하면서 해수면으로부터 열과 수증기를 공급받아 하층이 불안정해질 때 잘 발생하므로 ㉠ 기단은 시베리아 기단이다.

㉡. 호우는 발달한 저기압에서 대기가 불안정하여 적란운이 형성될 때 주로 발생할 수 있다.

~~ㄷ~~. 황사는 모래 먼지가 편서풍을 타고 멀리까지 날아가 서서히 내려오면서 우리나라에 피해를 주는 악기상이다. 따라서 ㉢은 편서풍이다.

08 한파

한파는 시베리아 기단의 세력이 강할 때 나타날 수 있다.

㉠. 2019년에는 서울 지역의 한파 일수가 0이므로 한파가 발생하지 않았다.

~~ㄴ~~. 2010년부터 2022년까지 서울 지역의 총 한파 일수는 67일이므로 연평균 한파 일수는 약 5일이다.

㉢. 한파는 한랭 건조한 시베리아 기단의 영향이 우세한 겨울철에 잘 발생한다.

수능 3점 테스트

본문 55~57쪽

01 ③	02 ⑤	03 ③	04 ④	05 ④
06 ⑤				

01 태풍과 날씨

태풍이 접근함에 따라 기압은 낮아지고 풍속은 빨라진다. 태풍에 의해 용승이 일어나므로 표층 수온은 낮아진다.

~~ㄱ~~. 태풍에 의해 용승이 일어나므로 표층 수온은 낮아지고, 태풍이 가까워짐에 따라 풍속은 대체로 빨라진다. 따라서 A는 표층 수온, B는 풍속이다.

~~ㄴ~~. 관측소 P의 풍향은 북동풍 → 북풍 → 북서풍으로 변하므로 시계 반대 방향으로 바뀐다. 따라서 관측소 P는 안전 반원에 위치해야 하므로, (나)를 관측한 시기에 영향을 준 태풍의 이동 경로는 ㉡이다.

㉢. a 시기에 관측소 P의 풍향은 북동풍이므로 태풍의 중심은 관측소 P보다 남쪽에 위치해야 한다.

02 태풍

태풍이 차가운 바다 위를 지나거나 육지에 상륙하면 열과 수증기의 공급이 줄어들어 세력이 약해진다. 또한 태풍이 육지에 상륙하면 지표면과의 마찰이 증가하여 세력이 급격히 약해진다.

㉠. 우리나라 부근 해상을 통과할 때 열과 수증기의 공급이 줄어들어 태풍의 세력이 약해진다. 따라서 태풍의 세력이 더 강한 (가)는 (나)보다 12시간 전의 풍속 분포이다.

㉡. 태풍의 중심 기압이 낮을수록 태풍의 세력이 강하다. 따라서 태풍의 세력이 더 강한 (가)일 때 태풍의 중심 기압이 더 낮다.

ㄷ. 태풍 중심을 기준으로 북서쪽보다 남동쪽의 풍속이 상대적으로 빠르므로 태풍은 북동쪽으로 이동하고 있다.

03 태풍 특보 상황

태풍은 강한 바람과 비를 동반하는 기상 현상으로, 수온이 약 27 ℃ 이상인 열대 해상에서 발생하여 중심 부근 최대 풍속이 17 m/s 이상으로 성장한 열대 저기압을 말한다.

ㄱ. (나)에서 남해와 황해에 태풍 특보가 발효되었으므로 (나)의 태풍의 이동 경로는 ㉠이다.

ㄴ. (나)의 태풍이 통과할 때 P 지역은 태풍 이동 경로에 대해 오른쪽에 있으므로 위험 반원에 위치한다.

ㄷ. 태풍으로 인해 발효된 특보 상황을 시간 순서대로 나열하면 주로 남해 일부에 태풍 특보가 발효된 C, 남해 일부와 황해에 태풍 특보가 발효된 B, 황해 일부에 태풍 특보가 발효된 A 순이다.

04 황사

황사는 발원지에서 강한 바람이 불어 상공으로 올라간 다량의 모래 먼지가 상층의 편서풍을 타고 멀리까지 날아가 서서히 내려오는 현상을 말한다.

ㄱ. 우리나라에 영향을 주는 황사는 주로 편서풍을 타고 이동한다.

ㄴ. 1973년부터 2010년까지 우리나라에 황사를 발생시킨 월평균 총 일수는 발원지 A보다 B가 많으므로, 이 기간 동안 우리나라에 황사를 발생시킨 총 일수는 발원지 A보다 B가 많다.

ㄷ. 발원지 A와 B 모두 월평균 상대 습도가 가장 낮은 4월에 우리나라에 황사를 발생시킨 일수가 가장 많다.

05 집중 호우

호우는 강한 상승 기류에 의해 형성된 적란운이 한곳에 정체할 때 주로 발생한다.

ㄱ. 구름 최상부의 높이가 높을수록 적외 영상에서 밝게 나타난다. 따라서 적외 영상에서 더 밝은 A 지역 상공에 발달한 구름은 B 지역 상공에 발달한 구름보다 최상부의 높이가 높다.

ㄴ. 구름의 두께가 두꺼울수록 가시 영상에서 밝게 나타난다. 따라서 가시 영상에서 더 밝은 A 지역 상공에 발달한 구름의 두께가 B 지역 상공에 발달한 구름의 두께보다 두껍다.

ㄷ. ㉠에서 일 강수량은 0 mm이고, ㉡에서 일 강수량은 129.6 mm이므로 적란운이 발달한 A 지역에서 관측한 날씨는 ㉡이고, B 지역에서 관측한 날씨는 ㉠이다.

06 한랭 전선의 특징

한랭 전선 후면의 좁은 지역에 적운형 구름(적란운)이 발달하여 소나기, 뇌우, 우박 등을 동반할 수 있다.

ㄱ. A 지역에 강수량이 많으므로 적운형 구름이 발달하였을 것이다. 적운형 구름은 소나기, 뇌우, 우박 등을 동반할 수 있으므로 우박이 발생한 지역은 A 지역이다.

ㄴ. 한랭 전선 후면에 적운형 구름이 발달하므로 한랭 전선의 위치는 ㉡이다.

ㄷ. 이날 우박은 한랭 전선 후면의 적란운에서 강한 상승 기류를 타고 상승과 하강을 반복하며 성장하여 발생하였다.

테마 08 해수의 성질

닮은 꼴 문제로 유형 익히기

본문 59쪽

정답 ⑤

해수의 밀도는 수온이 낮을수록, 염분이 높을수록 커진다.

ㄱ. ㉠~㉣ 중 10 ℃의 증류수 500 g에 소금 20 g이 녹아 있는 ㉣의 소금물 염분이 가장 높다.

ㄴ. A의 소금물이 B의 소금물보다 밀도가 작으므로 '위'는 ⓐ에 해당한다.

ㄷ. ㉠~㉣ 중 수온이 낮고 염분이 가장 높은 ㉣ (다)의 비커 B의 밀도가 가장 크고, 수온이 높고 염분이 가장 낮은 ㉢ (다)의 비커 A의 밀도가 가장 작다. 소금의 양이 같은 ㉠ (나)의 비커 A와 ㉡ (나)의 비커 B 중 수온이 낮은 ㉡이 ㉠보다 밀도가 크다. 따라서 비커 속 소금물의 밀도는 ㉣>㉡>㉠>㉢이다.

수능 2점 테스트

본문 60~61쪽

01 ②	02 ③	03 ⑤	04 ⑤	05 ①
06 ③	07 ②	08 ④		

01 증발량, 강수량과 표층 염분

적도 지방은 저압대에 위치하므로 증발량보다 강수량이 많아 표층 염분이 중위도 지방보다 낮고, 극지방은 증발량이 적고 빙하가 융해되어 표층 염분이 낮지만, 얼음이 어는 해역에서는 표층 염분이 높게 나타난다.

ㄱ. 극지방은 증발량이 적고 빙하가 융해되어 표층 염분이 낮다. 따라서 A는 표층 염분이다.

ㄴ. 극지방의 표층 염분은 평균적으로 북반구보다 남반구가 높다. 따라서 ㉠은 북반구, ㉡은 남반구이다.

ㄷ. 위도 60°보다 고위도 지역에서는 (증발량－강수량) 값과 표층 염분이 비례하지 않는다.

02 해수의 온도

표층 해수의 온도 분포에 가장 큰 영향을 미치는 요인은 태양 복사 에너지이다. 따라서 표층 수온은 위도와 계절에 따라 달라진다.

Ⓐ. 위도가 높아질수록 단위 면적당 받는 태양 복사 에너지양이 적기 때문에 표층 수온은 대체로 낮아진다. 표층 해수의 온도 분포에 가장 큰 영향을 미치는 요인은 단위 면적당 받는 태양 복사 에너지이다.

Ⓑ. 고위도 지역의 표층수는 흡수하는 태양 복사 에너지가 매우 적어 심해층과 수온 차가 거의 없기 때문에 수온 약층이 발달하지 못한다.

Ⓒ. 수온 약층은 수심이 깊어질수록 해수의 밀도가 커지므로 매우 안정하다. 따라서 혼합층과 심해층의 물질 및 에너지 이동을 차단한다.

03 해수의 물리량

해수의 밀도는 주로 수온과 염분에 의해 결정된다. 해수의 밀도는 수온이 낮을수록, 염분이 높을수록, 수압이 클수록 커진다.

㉠. (가)는 수온, (나)는 염분 자료이다. 혼합층은 태양 복사 에너지에 의한 가열로 수온이 높고, 바람의 혼합 작용으로 인해 깊이에 따라 수온이 거의 일정한 층이다. 혼합층의 두께는 B 시기가 A 시기보다 두껍다.

X. 밀도는 수온이 낮을수록, 염분이 높을수록 크다. 깊이 20 m 해수를 비교해 보면 A 시기가 B 시기에 비해 수온이 높고 염분이 낮으므로 밀도는 작다.

㉢. 표층에서 A 시기는 B 시기보다 수온이 높고 염분이 낮으므로 밀도가 작다. 한편 깊이 120 m 해수의 밀도는 A 시기와 B 시기에 거의 차이가 없으므로 표층 해수와 깊이 120 m 해수의 밀도 차는 A 시기가 B 시기보다 크다.

04 해수의 용존 기체

해수의 용존 기체량은 일차적으로 기체의 용해도에 영향을 미치는 수온, 수압 및 염분에 의해 결정된다. 그리고 해수 중에 존재하는 생물 활동의 영향을 크게 받는다.

㉠. A는 표층에서 가장 높으므로 용존 산소량이다. 용존 산소량은 식물성 플랑크톤의 광합성과 대기로부터의 산소 공급에 의해 해수 표층에서 가장 많다.

X. 깊이 0~100 m 사이에서 A는 약 6 mL/L, B는 약 44 mL/L이므로 A가 B보다 적다.

㉢. 깊이 3000 m보다 깊은 곳에서 A와 B가 증가하는데, A는 극지방의 표층에서 침강한 찬 해수의 영향과 압력 증가에 의해 증가하고, B는 압력 증가에 의해 증가한다.

05 해수의 물리량

깊이에 따른 압력의 효과를 무시할 때 해수의 밀도는 약 1.021~1.027 g/cm^{3}로 순수한 물보다 크다.

㉠. 단위 면적당 입사되는 태양 복사 에너지양이 가장 적은 곳은 표층 수온이 가장 낮은 A이다.

X. 수온이 가장 낮고 염분이 가장 높은 해역 A의 밀도가 가장 크고, 수온이 가장 높고 염분이 가장 낮은 해역 C의 밀도가 가장 작다. 따라서 밀도는 ㉠>㉡>㉢이다.

X. 해수의 밀도는 약 1.021~1.027 g/cm^{3}로 두 배 이상 차이가 나지 않으므로 ㉠은 ㉡보다 2배 이상 크지 않다.

06 해수의 물리량

해수의 밀도는 수온이 낮을수록, 염분이 높을수록 커진다.

㉠. 깊이가 깊어질수록 값이 대체로 큰 폭으로 작아지는 물리량 X는 수온, 깊이에 따른 값의 변화가 작은 물리량 Y는 염분이다.

㉡. 혼합층은 태양 복사 에너지에 의한 가열로 수온이 높고, 바람의 혼합 작용으로 인해 깊이에 따라 수온이 거의 일정한 층이다. 따라서 이 해역에서 혼합층의 두께는 200 m보다 얇다.

X. 깊이 50 m는 깊이 300 m보다 수온이 높고 염분이 낮다. 따라서 해수의 밀도는 깊이 50 m보다 깊이 300 m에서 크다.

07 해수의 물리량

고위도 지역의 표층수는 흡수하는 태양 복사 에너지가 매우 적어 심해층과 수온 차이가 거의 없기 때문에 수온 약층이 발달하지 않는다.

X. 이 해역에서 깊이에 따른 수온 감소율의 평균값은 깊이 0~60 m 구간이 깊이 60~120 m 구간보다 크다.

X. 이 해역은 고위도 지역으로 혼합층, 수온 약층, 심해층이 뚜렷하게 구분되지 않는다.

㉢. 수심이 깊어질수록 수온은 대체로 낮아지고 염분은 높아지기 때문에 수심이 깊어질수록 해수의 밀도는 대체로 커진다.

08 해수면의 수온과 표층 염분

등수온선은 대체로 위도와 나란하게 나타난다. 등수온선이 위도와 나란하지 않은 곳은 해류나 용승 등의 영향을 받는 곳이다. 아열대 해양에서는 한류가 흐르는 대양의 동안보다 난류가 흐르는 대양의 서안에서 표층 수온이 대체로 높다.

㉠. 위도에 대체로 나란하게 나타나는 (가)는 전 세계 해수면의 평균 수온 분포이고, (나)는 평균 표층 염분 분포이다.

X. 해수면의 평균 수온은 한류가 흐르는 B가 난류가 흐르는 A보다 낮다.

㉢. 증발량이 강수량보다 많은 중위도 고압대의 해양에서는 표층 염분이 높게 나타나며, 담수가 유입되는 연안보다 대양의 중앙부에서 표층 염분이 높게 나타난다. 또한 난류는 한류보다 염분이 높으므로 평균 표층 염분은 난류가 흐르는 C가 한류가 흐르는 B보다 높다.

01 우리나라 동해의 수온과 염분

해수의 밀도는 수온이 낮을수록, 염분이 높을수록 커진다.

㉠. A와 B 모두 수심이 깊어질수록 대체로 값이 감소하는 경향이 나타나는 (다)는 수온 자료이고, (나)는 염분 자료이다.

X. 혼합층은 태양 복사 에너지에 의한 가열로 수온이 높고, 바람의 혼합 작용으로 인해 깊이에 따라 수온이 거의 일정한 층이므로, A가 B보다 두껍다.

㉢. 표층 해수의 밀도는 표층 수온이 낮고 표층 염분이 높은 B가 A보다 크다. 하지만, 두 해역에서 깊이 35 m 해수의 밀도 차는 거의 없으므로 표층 해수와 깊이 35 m 해수의 밀도 차는 A가 B보다 크다.

02 해양의 층상 구조

혼합층은 태양 복사 에너지에 의한 가열로 수온이 높고, 바람의 혼합 작용으로 인해 깊이에 따라 수온이 거의 일정한 층이다. 혼합층의 두께는 대체로 바람이 강한 지역에서 두껍다.

ㄱ(X). 해역 A는 난류가 흐르는 지역이고, 해역 B는 한류가 흐르는 지역이다. 여름철 표층 수온이 더 높은 (다)는 해역 A 자료이고, (나)는 해역 B 자료이다. 표층 해수의 수온 연교차는 해역 A에서는 약 8 ℃이고, 해역 B에서는 약 3 ℃이므로, A가 B보다 크다.

ㄴ. (나)와 (다) 자료 모두 8월보다 12월에 수온이 거의 동일하게 나타나는 표층의 두께가 두껍다. 따라서 A와 B 모두 8월보다 12월에 혼합층의 두께가 두껍다.

ㄷ(X). 수온만을 고려할 때, 산소의 용해도는 수온이 낮을수록 커진다. 깊이 100 m에서 해역 A에서는 3월, 해역 B에서는 5월에 산소의 용해도가 가장 크다.

03 담수 유입과 표층 염분

여름철 강수량 증가, 댐 방류 등의 담수 유입으로 표층 해수의 염분이 크게 낮아질 수 있다.

ㄱ. 방류 지점으로부터 가까운 A가 B보다 대규모 방류 시 표층 염분이 크게 변한다. 따라서 (나)는 해역 B의 자료이고, (다)는 해역 A의 자료이다.

ㄴ(X). T_2 시점에 A에서는 표층 수온이 약 29 ℃이고 B에서는 표층 수온이 약 26.5 ℃이므로 겨울철에 해당하지 않는다.

ㄷ. 수심이 깊어질수록 수온이 낮아지고, 표층에 가까울수록 강물 방류의 영향을 더 많이 받으므로 염분이 낮을 것이다. 따라서 ⓑ는 ⓐ보다 수심이 깊다.

04 해수의 용존 산소량

용존 산소량은 식물성 플랑크톤의 광합성과 대기로부터의 산소 공급에 의해 해수 표층에서 많으며, 표층 아래에서는 생물의 호흡에 의해 감소한다. 심해에서는 극지방의 표층에서 침강한 찬 해수에 의해 용존 산소량이 증가한다.

ㄱ. a 구간에 비해 표층과 심해층에서는 용존 산소량이 많으므로 '증가'는 ㉡에 적절하다.

ㄴ. A 해역에 비해 B 해역의 표층 용존 산소량이 많다. 수온이 낮을수록 용존 산소량이 많으므로 B 해역에는 한류가 흐른다.

ㄷ(X). a 구간에서는 생물의 광합성에 의해 발생하는 산소가 거의 없고, 주로 생물의 호흡에 의해 산소가 이용되므로 용존 산소량이 표층에 비해 적다. 따라서 표층과 a 구간의 산소 농도가 다른 주요 원인은 생물 활동이다.

해수의 순환

닮은 꼴 문제로 유형 익히기

본문 66쪽

정답 ②

A는 극순환이며 A의 지표 부근에는 극동풍이 분다. B는 페렐 순환이며 B의 지표 부근에는 편서풍이 분다. C는 해들리 순환이며 C의 지표 부근에는 북동 무역풍이 분다.

ㄱ(X). A의 지표 부근에는 극동풍이 불고, 극동풍은 동풍 계열의 바람이다. B의 지표 부근에는 편서풍이 불고 편서풍은 서풍 계열의 바람이다.

ㄴ. B의 지표 부근에는 편서풍이 불고 북태평양 해류는 편서풍에 의해 형성된다. 따라서 B가 분포하는 위도대에는 북태평양 해류가 나타난다.

ㄷ(X). C의 지표 부근에는 북동 무역풍이 불고 북동 무역풍에 의해 형성된 주요 표층 해류는 북적도 해류이다. 북동 무역풍은 동풍 계열의 바람이며 북적도 해류는 주로 서쪽으로 흐른다.

수능 2점 테스트

본문 67~68쪽

01 ③	02 ④	03 ⑤	04 ③	05 ①
06 ②	07 ④	08 ②		

01 대기 대순환과 지표 부근의 바람

위도에 따라 흡수되는 태양 복사 에너지양의 차이와 지구 자전의 영향으로 대기 대순환이 형성되는데, 대기 대순환은 북반구와 남반구 각각에서 3개의 순환 세포로 구성된다.

③ 위도 30°N 부근 ~ 60°N 부근에서는 페렐 순환에 의해 지표 부근에는 편서풍이 분다. 위도 0° 부근 ~ 30°N 부근에서는 해들리 순환에 의해 지표 부근에는 북동 무역풍이 분다. 위도 60°N 부근 ~ 90°N 부근에서는 극순환에 의해 지표 부근에는 극동풍이 분다.

02 대기 대순환의 순환 세포

대기 대순환은 북반구와 남반구 각각에서 3개의 순환 세포로 구성된다. A는 극순환, B는 페렐 순환, C는 해들리 순환이다.

ㄱ. A(극순환)와 C(해들리 순환)는 가열된 공기가 상승하거나 냉각된 공기가 하강하면서 만들어진 열적 순환으로 직접 순환에 해당한다. 이에 비해 페렐 순환은 해들리 순환과 극순환 사이에서 형성된 간접 순환이다.

ㄴ. 지구가 자전하지 않는다면 북반구와 남반구 각각에는 1개의 순환 세포로 구성된 대기 대순환이 생기고, 자전하는 지구에는 북반구와 남반구에 각각 3개의 순환 세포로 구성된 대기 대순환이 생긴다. 지구가 자전하지 않는다면 B(페렐 순환)는 만들어지지 않는다.

ㄷ̸. B와 C 사이의 지표 부근에서는 편서풍과 북동 무역풍이 발산하므로 수렴대가 발달하지 않는다.

03 대기 대순환과 해수의 표층 순환

A 해역에는 남적도 해류가 흐르고 B 해역에는 페루 해류가 흐르며 C 해역에는 남극 순환 해류가 흐른다. 남적도 해류는 남동 무역풍에 의해서 형성된 해류이며, 남극 순환 해류는 편서풍에 의해 형성된 해류이다. 페루 해류는 고위도에서 저위도로 흐르는 한류이다.

⑤ 편서풍에 의해 형성된 해류는 C 해역에서 흐르는 남극 순환 해류(㉠)이다. 한류는 B 해역에서 흐르는 페루 해류(㉡)이다.

04 북태평양 해류와 캘리포니아 해류

서쪽에서 동쪽으로 흐르는 A는 북태평양 해류이다. 북아메리카 대륙 서쪽 해역에서 고위도에서 저위도 쪽으로 흐르는 B는 캘리포니아 해류이다.

ㄱ. 서쪽에서 동쪽으로 흐르는 A(북태평양 해류)는 편서풍의 영향을 받는다.

ㄴ. B는 캘리포니아 해류이며 캘리포니아 해류는 고위도에서 저위도로 흐르는 한류이다.

ㄷ̸. 수온만을 고려할 때, 산소 기체의 용해도는 수온이 낮을수록 크다. 캘리포니아 해류가 남하하는 과정에서 표층 수온이 높아지는 경향을 보이므로 표층 수온은 a 해역이 b 해역보다 낮다. 따라서 수온만을 고려할 때, 산소 기체의 용해도는 a 해역이 b 해역보다 크다.

05 우리나라 주변의 표층 해류

우리나라 주변 난류의 근원은 쿠로시오 해류이다. 쿠로시오 해류의 지류가 동중국해에서 갈라져 나와 북상하여 황해 난류, 대마 난류(쓰시마 난류), 동한 난류를 형성한다. 동해의 북쪽에서는 연해주 한류가 남쪽으로 흐르고, 연해주 한류에서 갈라져 나온 북한 한류가 동해안을 따라 남쪽으로 흐른다.

ㄱ. A 해역에서는 북한 한류와 동한 난류가 만나므로 남북 방향의 해수면 수온 변화가 크다. C 해역에서는 쿠로시오 해류가 흐른다. 따라서 남북 방향의 해수면 수온 변화는 A 해역이 C 해역보다 크다.

ㄴ̸. B의 해류는 북쪽으로 이동하여 동한 난류가 된다. 북한 한류는 연해주 한류에서 갈라져 나와 남쪽으로 흐르는 해류이다.

ㄷ̸. 난류는 저위도에서 고위도로 흐르는 해류이고 한류는 고위도에서 저위도로 흐르는 해류이다. B와 C 모두에서 난류가 흐른다.

06 대서양에서의 심층 순환

A 해역에서 침강한 표층 해수는 북대서양 심층수를 형성하며 북대서양 심층수는 수심 약 1500~4000 m 사이에서 60°S 부근까지 흐른다. B 해역에서 침강한 표층 해수는 남극 저층수를 형성하며 남극 저층수는 해저를 따라 북쪽으로 이동하여 30°N 부근까지 흐른다.

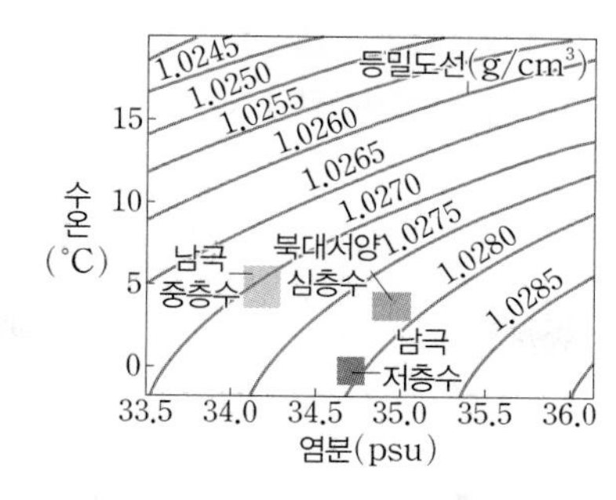

ㄱ̸. A에서 침강한 표층 해수는 심층수를 형성한다.

ㄴ̸. A에서 침강하여 형성된 수괴는 북대서양 심층수이고 B에서 침강하여 형성된 수괴는 남극 저층수이다. 남극 저층수는 북대서양 심층수보다 밀도가 크므로, 북대서양 심층수와 남극 저층수가 심해에서 만나면 B의 수괴(남극 저층수)가 A의 수괴(북대서양 심층수) 아래로 이동한다.

ㄷ. 표층 해수의 수온은 A가 B보다 높다. 따라서 A의 표층 해수 1 kg과 B의 표층 해수 1 kg을 혼합하면, 혼합된 해수의 평균 수온은 A의 표층 해수보다 낮다.

07 표층 해류

코르크 병이 타고 이동한 표층 해류는 다음 그림과 같다.

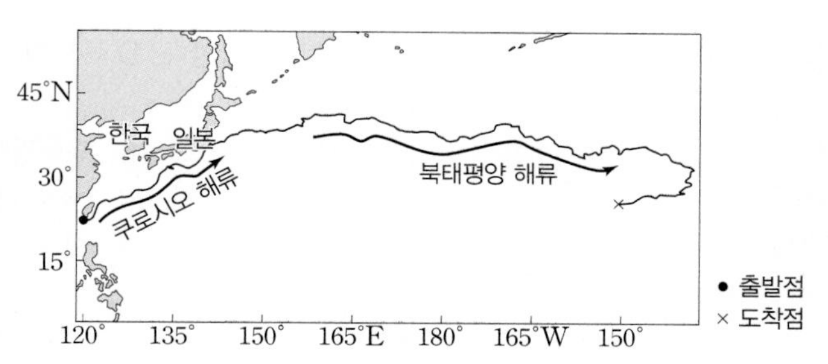

④ 코르크 병이 타고 이동한 표층 해류는 쿠로시오 해류와 북태평양 해류이다.

08 북대서양의 심층 순환

남극 대륙 주변의 웨델해에서 만들어진 남극 저층수는 해저를 따라 북쪽으로 이동하여 30°N 부근까지 흐른다. 그린란드 주변 해역에서 만들어진 북대서양 심층수는 깊이 약 1.5~4 km 사이에서 60°S 부근까지 이동한다. 60°S 부근에서 형성된 남극 중층수는 깊이 1 km 부근에서 20°N 부근까지 이동한다. A에는 남극 중층수가 분포하고 B에는 북대서양 심층수가 분포하며 C에는 남극 저층수가 분포한다.

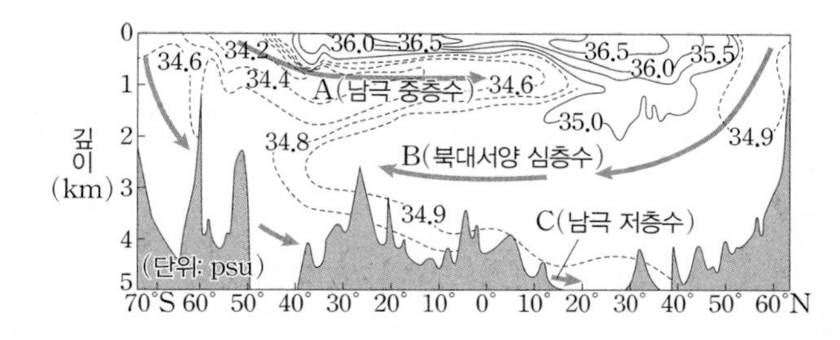

ㄱ̸. 그림을 보면 남극 중층수(A가 분포하는 수괴)는 침강한 곳에서 멀어질수록 염분이 대체로 높아지는 경향을 보인다.

ㄴ̸. B의 해수(북대서양 심층수)는 주로 남쪽으로 흐른다.

ⓒ. C의 해수는 남극 저층수이고 B의 해수는 북대서양 심층수이며, 밀도는 C의 해수가 B의 해수보다 크다.

수능 3점 테스트

본문 69~71쪽

01 ② 02 ① 03 ③ 04 ① 05 ② 06 ④

01 해수의 표층 순환

A 해역에서는 북태평양 해류가 흐르고 B 해역에서는 북적도 해류가 흐른다. C 해역에서는 멕시코 만류가 흐르고 D 해역에서는 카나리아 해류가 흐른다.

ㄱ. A 해역의 북태평양 해류는 편서풍에 의해서 형성되며 서쪽에서 동쪽으로 흐른다. B 해역의 북적도 해류는 무역풍에 의해서 형성되며 동쪽에서 서쪽으로 흐른다.

ㄴ. C 해역의 멕시코 만류는 난류이며 주로 북상한다. D 해역의 카나리아 해류는 한류이며 주로 남하한다.

ⓒ. 북태평양 아열대 순환은 북적도 해류, 쿠로시오 해류, 북태평양 해류, 캘리포니아 해류로 이루어져 있으며, 시계 방향으로 순환한다. 북대서양 아열대 순환은 북적도 해류, 멕시코 만류, 북대서양 해류, 카나리아 해류로 이루어져 있으며, 시계 방향으로 순환한다.

02 대기 대순환과 지표 부근의 바람

위도 0°~30° 부근에는 동풍 계열의 무역풍이 불고, 위도 30°~60° 부근에는 서풍 계열의 편서풍이 분다. A 해역은 아열대 고압대에 위치하고 B 해역은 위도 30°S와 60°S 사이에 위치한다.

ⓐ. A 해역은 아열대 고압대에 위치한다. A 해역에는 해들리 순환의 하강 기류에 의해 정체성 고기압이 발달한다.

ㄴ. B 해역은 위도 30°S와 60°S 사이에 위치하고 B 해역에는 서풍 계열의 바람인 편서풍이 우세하게 분다.

ㄷ. 북적도 해류는 위도 0°~30°N에서 흐르고 북태평양 해류는 위도 30°N~60°N에서 흐른다. 그림을 보면 연평균 풍속은 북적도 해류가 흐르는 해역이 북태평양 해류가 흐르는 해역보다 빠르다.

03 한반도 남부 주변 해역과 동중국해에서의 해수면 수온

해수면 수온이 높은 (가)는 여름철이고 해수면 수온이 낮은 (나)는 겨울철이다.

ㄱ. (가)는 여름철이다.

ㄴ. 등수온선의 분포로 보아 A 해역에서 황해로 유입되는 난류는 (나) 겨울철이 (가) 여름철보다 강하다.

ⓒ. (가)와 (나) 모두 B 해역에서는 난류인 쿠로시오 해류가 북상한다.

04 대서양의 수괴

남극 대륙 주변의 웨델해에서 만들어진 남극 저층수는 해저를 따라 북쪽으로 이동하여 30°N 부근까지 흐른다. 그린란드 주변 해역에서 만들어진 북대서양 심층수는 깊이 약 1.5~4 km 사이에서 60°S 부근까지 이동한다. 60°S 부근에서 형성된 남극 중층수는 깊이 1 km 부근에서 20°N 부근까지 이동한다. 평균 수온은 남극 저층수<북대서양 심층수<남극 중층수이며 평균 밀도는 남극 저층수>북대서양 심층수>남극 중층수이다. 각 수괴의 분포는 다음 그림과 같다.

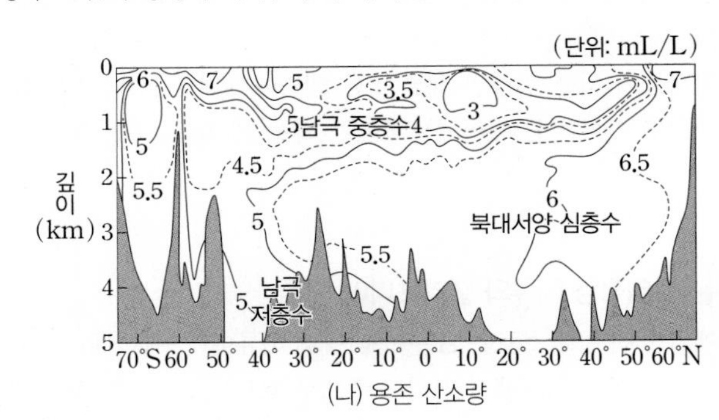

(나) 용존 산소량

ⓐ. 남극 저층수의 평균 수온은 북대서양 심층수보다 낮다.

ㄴ. 수온 약층은 깊이가 깊어질수록 수온이 급격히 낮아지는 층이다. 그림 (가)를 보면 적도 부근에는 수온 약층이 뚜렷하게 나타나지만 60°N 부근에는 수온 약층이 나타나지 않는다.

ㄷ. 그림 (나)를 보면 15°S 부근에서 남극 중층수의 평균 용존 산소량은 북대서양 심층수보다 적다.

05 심층 순환과 해수의 연령

해수의 연령은 해수가 표층에서 침강한 이후부터 현재까지 경과한 시간을 의미한다.

ㄱ. 대서양의 깊이 3000 m에서 해수의 연령은 약 400년~1400년이고 인도양의 깊이 3000 m에서 해수의 연령은 약 1400년~1800년이다. 깊이 3000 m에서 해수의 평균 연령은 대서양이 인도양보다 적다.

ⓑ. 침강이 활발한 해역에서는 깊이 3000 m 해수의 연령이 적다. 따라서 표층 해수의 침강은 B 해역이 A 해역보다 활발하다.

ㄷ. 깊이 3000 m에서 해수의 유속이 빠를수록 등연령선의 간격이 넓다. 따라서 깊이 3000 m에서 남북 방향의 평균 유속은 D 해역이 C 해역보다 느리다.

06 남대서양에서의 해수의 순환

A 해역의 표층 수온이 B 해역보다 높은 것으로 보아 A 해역에서 난류가 흐르고 B 해역에서 한류가 흐른다. 따라서 그림의 A 쪽은 서쪽이고 B 쪽은 동쪽이다.

ⓐ. A 해역을 흐르는 해류는 남대서양 아열대 순환을 이루는 난류이다. 이 난류는 주로 남쪽으로 흐른다.

ⓑ. B 해역을 흐르는 해류는 남대서양 아열대 순환을 이루는 한류이다. 이 한류는 주로 북쪽으로 흐른다.

ㄷ. 남대서양 아열대 순환에서 난류가 흐르는 A 해역은 한류가 흐르는 B 해역보다 서쪽에 위치한다.

대기와 해양의 상호 작용

닮은 꼴 문제로 유형 익히기

본문 74쪽

정답 ②

엘니뇨 시기에 동태평양 적도 부근 해역에서 해수면 높이 편차는 양(+)의 값이고, 라니냐 시기에 동태평양 적도 부근 해역에서 해수면 높이 편차는 음(−)의 값이다. 따라서 A는 엘니뇨 시기의 해수면이고 B는 라니냐 시기의 해수면이다. 엘니뇨 시기에 동태평양 적도 부근 해역에서 수온 약층이 나타나기 시작하는 깊이 편차는 양(+)의 값이고, 라니냐 시기에 동태평양 적도 부근 해역에서 수온 약층이 나타나기 시작하는 깊이 편차는 음(−)의 값이다. 따라서 a는 엘니뇨 시기에 수온 약층이 나타나기 시작하는 깊이이고 b는 라니냐 시기에 수온 약층이 나타나기 시작하는 깊이이다.

ㄱ. 엘니뇨 시기의 해수면과 수온 약층이 나타나기 시작하는 깊이는 각각 A와 a이다.

ㄴ. A는 엘니뇨 시기의 해수면이다. 동태평양 적도 부근 해역에서 상승 기류는 엘니뇨 시기가 평상시보다 발달한다. 따라서 A가 나타나는 시기에 동태평양 적도 부근 해역에서 강수량 편차는 양(+)의 값이다.

ㄷ. b는 라니냐 시기에 수온 약층이 나타나기 시작하는 깊이이다. 라니냐 시기에 동태평양 적도 부근 해역에서 해면 기압 편차는 양(+)의 값이고 서태평양 적도 부근 해역에서 해면 기압 편차는 음(−)의 값이다. 따라서 b가 나타나는 시기에 적도 부근 해역에서 (동태평양 해면 기압 편차−서태평양 해면 기압 편차)는 양(+)의 값이다.

수능 2점 테스트

본문 75~76쪽

01 ③	02 ②	03 ③	04 ②	05 ②
06 ④	07 ②	08 ⑤		

01 바람에 의한 연안 용승

대륙의 연안에서 지속적으로 부는 바람에 의해 표층 해수가 먼 바다 쪽으로 이동하면 이를 채우기 위해 심층에서 찬 해수가 올라오는 연안 용승이 일어난다. 북반구에서는 지속적으로 부는 바람에 의해 표층 해수는 주로 바람 방향의 오른쪽 직각 방향으로 이동하고 남반구에서는 지속적으로 부는 바람에 의해 표층 해수는 주로 바람 방향의 왼쪽 직각 방향으로 이동한다.

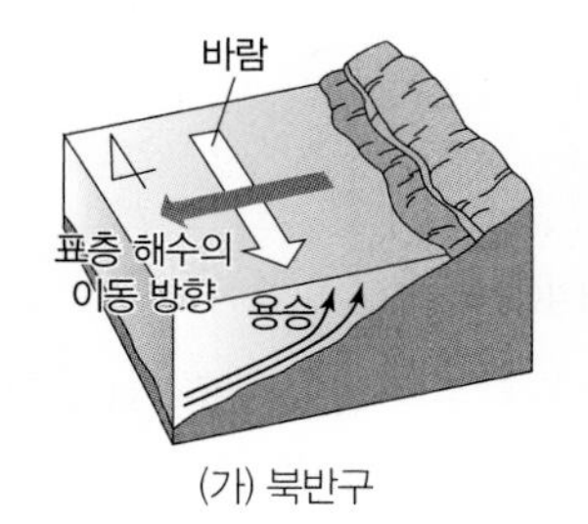

(가) 북반구

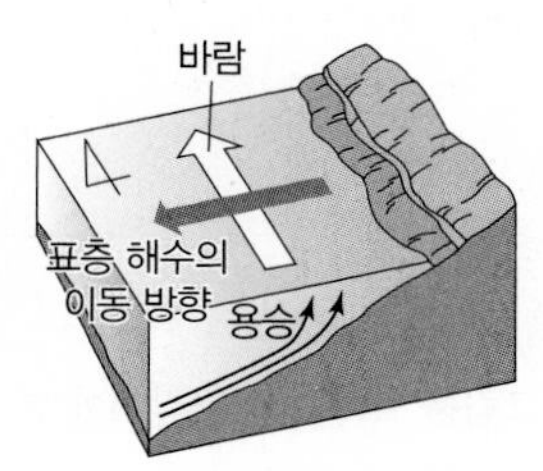

(나) 남반구

③ (가) 북반구에서 표층 해수가 먼 바다 쪽으로 이동하고 연안 용승이 일어나려면 북풍 계열의 바람이 지속적으로 불어야 한다. (나) 남반구에서 표층 해수가 먼 바다 쪽으로 이동하고 연안 용승이 일어나려면 남풍 계열의 바람이 지속적으로 불어야 한다.

02 바람에 의한 침강

대륙의 연안에서 지속적으로 부는 바람에 의해 표층 해수가 연안 쪽으로 이동하면 연안에서 표층 해수가 가라앉는 침강이 일어난다. 북반구에서는 지속적으로 부는 바람에 의해 표층 해수는 주로 바람 방향의 오른쪽 직각 방향으로 이동하고 남반구에서는 지속적으로 부는 바람에 의해 표층 해수는 주로 바람 방향의 왼쪽 직각 방향으로 이동한다.

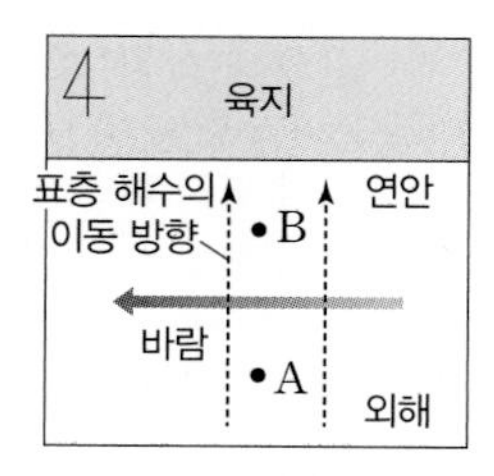

ㄱ. 동풍에 의해 표층 해수가 주로 북쪽으로 이동하면 연안에서는 침강이 일어난다.

ㄴ. 북반구에서는 지속적으로 부는 바람에 의해 표층 해수는 주로 바람 방향의 오른쪽 직각 방향으로 이동하므로, 지속적으로 부는 동풍에 의해서 표층 해수는 주로 북쪽으로 이동한다.

ㄷ. 지속적으로 부는 동풍에 의해 표층 해수는 주로 북쪽으로 이동하므로, 해수면의 높이는 A에서 B로 갈수록 높아지는 경향을 보인다.

03 연안 용승

해역 A~D 모두에서 연안 용승이 일어난다. 북반구에서는 지속적으로 부는 바람에 의해 표층 해수는 주로 바람 방향의 오른쪽 직각 방향으로 이동하고 남반구에서는 지속적으로 부는 바람에 의해 표층 해수는 주로 바람 방향의 왼쪽 직각 방향으로 이동한다.

ㄱ. 해역 A~D 모두에서 바람에 의해서 연안 용승이 일어나는 것으로 보아, 해역 A~D 모두에서 지속적으로 부는 바람에 의해 표층 해수는 주로 먼 바다로 이동한다.

ㄴ. 아열대 순환은 무역풍에 의해 형성된 표층 해류와 편서풍에 의해 형성된 표층 해류로 이루어진 순환이다. A 해역은 북태평양 아열대 순환을 이루는 한류(캘리포니아 해류)의 영향을 받는다. B 해역은 남태평양 아열대 순환을 이루는 한류(페루 해류)의 영향을 받는다. C 해역은 북대서양 아열대 순환을 이루는 한류(카나리아 해류)의 영향을 받는다. D 해역은 남대서양 아열대 순환을 이루는 한류(벵겔라 해류)의 영향을 받는다.

ㄷ. A와 C 해역은 북반구에 위치하므로 A와 C 해역에서는 지속적으로 부는 바람에 의해서 표층 해수는 주로 바람 방향의 오른쪽 직각 방향으로 이동한다. B와 D 해역은 남반구에 위치하므로 B와 D 해역에서는 지속적으로 부는 바람에 의해서 표층 해수는 주로 바람 방향의 왼쪽 직각 방향으로 이동한다.

04 엘니뇨와 라니냐 시기의 수온 약층 분포

엘니뇨 시기에 동태평양 적도 해역의 해수면 수온은 평상시보다 높고 라니냐 시기에 동태평양 적도 해역의 해수면 수온은 평상시보다 낮다. 동태평양 적도 해역에서 수온 약층이 나타나기 시작하는 깊이가 상대적으로 깊은 (가)는 엘니뇨 시기이다. 동태평양 적도 해역에서 수온 약층이 나타나기 시작하는 깊이가 상대적으로 얕은 (나)는 라니냐 시기이다.

ㄱ. 태평양 적도 부근 해역에서 무역풍의 세기는 (나) 라니냐 시기가 (가) 엘니뇨 시기보다 강하다.

ㄴ. 동태평양 적도 부근 해역에서 용승은 (나) 라니냐 시기가 (가) 엘니뇨 시기보다 강하다.

ㄷ. (가) 엘니뇨 시기에 서태평양 적도 해역의 해면 기압 편차는 양(+)의 값이고 동태평양 적도 해역의 해면 기압 편차는 음(−)의 값이다. (나) 라니냐 시기에 서태평양 적도 해역의 해면 기압 편차는 음(−)의 값이고 동태평양 적도 해역의 해면 기압 편차는 양(+)의 값이다. 따라서 $\frac{\text{서태평양 적도 해역의 평균 해면 기압}}{\text{동태평양 적도 해역의 평균 해면 기압}}$은 (나) 라니냐 시기가 평상시보다 작고 $\frac{\text{서태평양 적도 해역의 평균 해면 기압}}{\text{동태평양 적도 해역의 평균 해면 기압}}$은 (가) 엘니뇨 시기가 평상시보다 크다.

05 엘니뇨와 라니냐

엘니뇨 시기에 동태평양 적도 해역의 해수면 수온 편차(관측값−평년값)는 양(+)의 값이고 라니냐 시기에 동태평양 적도 해역의 해수면 수온 편차(관측값−평년값)는 음(−)의 값이다.

ㄱ. 이 시기는 엘니뇨 시기이다.

ㄴ. 평상시에 서태평양 적도 해역의 해수면 높이는 동태평양 적도 해역의 해수면 높이보다 높다. 엘니뇨 시기에 서태평양 적도 해역의 해수면 높이 편차(관측값−평년값)는 음(−)의 값이고 동태평양 적도 해역의 해수면 높이 편차(관측값−평년값)는 양(+)의 값이다. 따라서 (서태평양 적도 해역의 해수면 높이−동태평양 적도 해역의 해수면 높이)는 이 시기가 평상시보다 작다.

ㄷ. 이 시기는 엘니뇨 시기이므로, 태평양 적도 해역에서 무역풍의 세기는 이 시기가 평상시보다 약하다.

06 지구 자전축의 기울기 변화와 기후 변화

현재 지구 자전축의 기울기는 약 23.5°이지만 약 41000년을 주기로 약 21.5°~24.5° 사이에서 변한다. 지구 자전축의 기울기가 변하면 각 위도에 입사되는 태양 복사 에너지양이 변한다. (가)에서 지구 자전축의 기울기는 21.5°이고 (나)에서 지구 자전축의 기울기는 23.5°이다.

ㄱ. (가)와 (나) 모두에서 북반구의 계절은 겨울철이며 (가)에서 지구 자전축의 기울기는 21.5°이고 (나)에서 지구 자전축의 기울기는 23.5°이다. 지구 자전축의 기울기가 커지면 30°N에서 겨울철 태양의 남중 고도가 낮아지고 입사되는 태양 복사 에너지양이 감소한다. 따라서 30°N에 입사되는 태양 복사 에너지양은 (가)가 (나)보다 많다.

ㄴ. (가)와 (나) 모두에서 남반구의 계절은 여름철이며 (가)에서 지구 자전축의 기울기는 21.5°이고 (나)에서 지구 자전축의 기울기는 23.5°이다. 따라서 남반구에서 태양의 최대 고도가 90°인 위도는 (가)가 (나)보다 낮다.

ㄷ. (가)와 (나) 시기 모두에서 지구는 근일점에 위치한다. 따라서 지구 자전축의 기울기 이외의 요인은 고려하지 않는다면 지구 전체에 입사되는 태양 복사 에너지양은 (가)와 (나)가 같다.

07 온실 효과와 지구의 열수지

현재 지구는 흡수하는 태양 복사 에너지양과 방출하는 지구 복사 에너지양이 같은 복사 평형 상태이다. 대기에 의한 온실 효과는 지표면의 온도를 높이고 지표면의 온도가 높아지면 지표면 복사 에너지양은 증가한다.

② 대기가 없고 지구가 복사 평형을 이룬다고 가정하면, 지구의 반사(A)는 현재보다 감소하고 지표면이 흡수하는 태양 복사 에너지양(B)은 현재보다 증가하며 지표면 복사(C)는 현재보다 감소한다.

08 지구 온난화

지구 온난화에 의해 연평균 기온이 상승할 때, 지역별로 연평균 기온 상승량이 다르다.

ㄱ. 그림을 보면 연평균 기온 상승량은 북반구가 남반구보다 크다.

ㄴ. 그림을 보면 남반구에서 연평균 기온 상승량은 대륙이 바다보다 크다.

ㄷ. 그림을 보면 북극 지방에서의 연평균 기온 상승량이 매우 크다. 북극 지방에서 연평균 기온이 상승하면 북극 지방의 빙하 면적이 감소하며 이에 따라 북극 지방의 지표면 반사율은 감소할 것이다.

수능 3점 테스트

본문 77~79쪽

01 ③	02 ③	03 ④	04 ②	05 ③
06 ⑤				

01 바람에 의한 연안 용승

그림을 보면 동쪽으로 갈수록 해수면에서의 해수 밀도는 감소하는 경향을 보이고 깊은 곳의 고밀도의 해수가 연안에서 용승하고 있다.

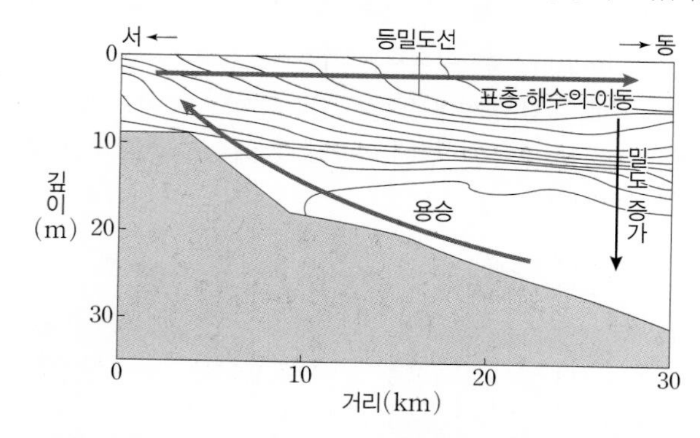

ㄱ. 그림을 보면 같은 깊이에서 서쪽 해수의 밀도가 동쪽보다 큰 경향을 보이는 것으로 보아, 이 연안에서는 연안 용승이 일어나고 있다.

ㄴ. 이 연안은 남반구에 위치하고 표층 해수가 주로 동쪽으로 이동한다. 남반구에서는 지속적으로 부는 바람에 의해 표층 해수는 주로 바람 방향의 왼쪽 직각 방향으로 이동한다. 따라서 이 연안에서는 북풍 계열의 바람이 지속적으로 불고 있다.

ㄷ. 그림을 보면 해수면 부근에서의 해수 밀도는 동쪽으로 갈수록 감소하는 경향을 보인다. 이는 북풍 계열의 바람에 의해서 표층 해수가 주로 동쪽으로 이동하기 때문이다.

02 열대 저기압과 용승

(가)에서 바람이 열대 저기압 중심부로 시계 반대 방향으로 불어 들어가고 있는 것으로 보아 이 열대 저기압은 북반구에 위치한다. (나)의 B 부근에서 수온 약층이 시작되는 깊이가 얕은 것으로 보아 B 부근에서 열대 저기압의 바람에 의해서 용승이 일어난다.

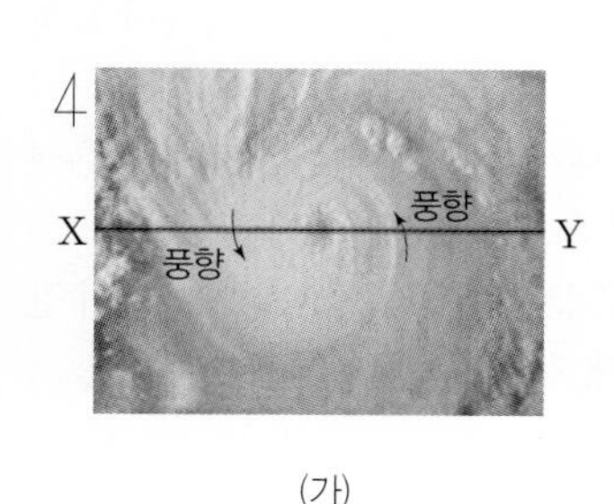

(가)

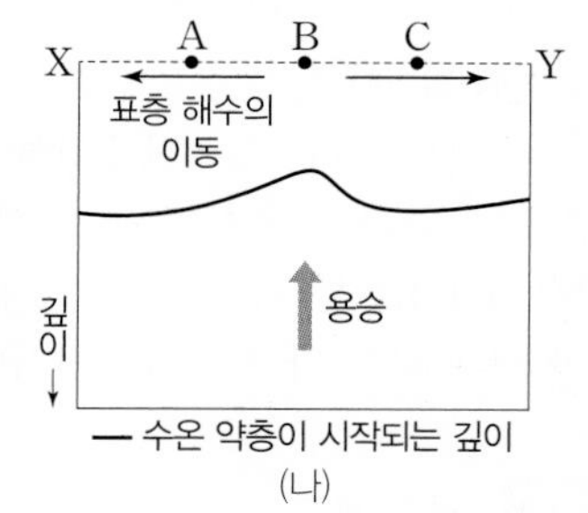

(나)

ㄱ. (가)에서 바람이 열대 저기압 중심부로 시계 반대 방향으로 불어 들어가는 것으로 보아 열대 저기압은 북반구에 위치하며 A에서는 북풍 계열의 바람이 우세하고 C에서는 남풍 계열의 바람이 우세하다.

ㄴ. 이 해역은 북반구에 위치한다. 북반구에서는 바람에 의해 표층 해수는 주로 바람 방향의 오른쪽 직각 방향으로 이동한다. 따라서 A에서는 바람에 의해 표층 해수는 주로 서쪽 방향으로 이동하고 C에서는 바람에 의해 표층 해수는 주로 동쪽 방향으로 이동한다.

ㄷ. B 부근에서 심층의 찬 해수가 표층으로 올라오는 용승이 일어난다. 따라서 표층 수온은 B 부근이 C 부근보다 낮을 것이다.

03 엘니뇨와 라니냐

구름의 양이 많아지면 기상 위성으로 관측한 적외선 방출 복사 에너지양의 편차(관측값−평년값)가 음(−)의 값이 된다. 구름의 양이 적어지면 기상 위성으로 관측한 적외선 방출 복사 에너지양의 편차(관측값−평년값)가 양(+)의 값이 된다. 이 시기는 엘니뇨 시기이며, 엘니뇨 시기에 동태평양 적도 해역에서는 구름의 양이 평상시보다 많아지고 서태평양 적도 해역에서는 구름의 양이 평상시보다 적어진다. A 해역(20°N∼20°S, 120°E∼170°E)은 서태평양 해역에 해당하며 B 해역(20°N∼20°S, 120°W∼170°W)은 동태평양 해역에 해당한다.

ㄱ. (가)의 적도 해역에서 기상 위성으로 관측한 적외선 방출 복사 에너지양의 편차가 음(−)의 값인 것으로 보아 (가)는 B 해역이다.

ㄴ. (가)는 동태평양 해역에 해당하며, 엘니뇨 시기에 동태평양 적도 해역 해수면 수온 편차는 양(+)의 값이다.

ㄷ. (나)는 서태평양 해역에 해당하며, 엘니뇨 시기에 서태평양 적도 해역 해면 기압 편차는 양(+)의 값이다.

04 지구 공전 궤도 이심률 변화와 기후 변화

지구 공전 궤도 이심률이 커지면 근일점 거리는 더 가까워지고 원일점 거리는 더 멀어진다. 따라서 공전 궤도 이심률은 A 시기가 현재보다 크다. 현재와 A 시기 모두 지구가 근일점에 위치할 때 30°N은 겨울철이고 30°S는 여름철이다. 현재와 A 시기 모두 지구가 원일점에 위치할 때 30°N은 여름철이고 30°S는 겨울철이다.

ㄱ. 지구 공전 궤도 이심률 이외의 요인은 고려하지 않는다면, 공전 궤도 이심률이 달라도 근일점에서 원일점까지의 거리는 같다. 따라서 근일점에서 원일점까지의 거리는 A 시기와 현재가 같다.

ㄴ. 현재 지구가 근일점에 위치할 때 30°S는 여름철이고, 지구가 원일점에 위치할 때 30°S는 겨울철이다. 따라서 지구의 공전 궤도 이심률이 커지면, 30°S에서 여름철 평균 기온은 높아지고 겨울철 평균 기온은 낮아지며 기온의 연교차는 커지므로, 30°S에서 기온의 연교차는 A 시기가 현재보다 크다.

ㄷ. A 시기에 지구가 근일점(㉠)에 위치할 때 30°N은 겨울철이고 지구가 원일점(㉡)에 위치할 때 30°N은 여름철이다. 따라서 A 시기에 30°N에서 낮의 길이는 ㉠이 ㉡보다 짧다.

05 온실 기체와 지구 온난화

2000년의 온실 효과 기여도가 상대적으로 큰 A는 이산화 탄소이고 상대적으로 작은 B는 메테인이다.

ㄱ. A는 이산화 탄소이다.

ㄴ. ppm은 백만분의 1을 나타내는 단위이고 ppb는 10억분의 1을 나타내는 단위이다. 1 ppm은 1000 ppb와 같다. 2020년에 대기 중 이산화 탄소의 농도는 약 430 ppm이고 메테인의 농도는 약 1200 ppb(=1.2 ppm)이다.

ㄷ. 2000년에 단위 농도의 기체가 온실 효과에 기여하는 정도는 A(이산화 탄소)가 약 $\frac{65.0\ \%}{420\ \text{ppm}} \fallingdotseq 0.15\ \%/\text{ppm}$이고 B(메테인)는 약 $\frac{20.6\ \%}{1200\ \text{ppb}} = \frac{20.6\ \%}{1.2\ \text{ppm}} \fallingdotseq 17.2\ \%/\text{ppm}$이다. 이와 같이 단위 농도의 기체가 온실 효과에 기여하는 정도는 A가 B보다 작다.

06 지구 온난화와 강수량 변화

A는 고탄소 배출 시나리오이고 B는 저탄소 배출 시나리오이며, 지구가 온난화되면 지구의 평균 강수량은 증가하는 경향을 보인다.

ㄱ. 기온 변화량이 큰 A는 고탄소 배출 시나리오이다.

ㄴ. 동아시아 지역의 기온 변화량이 클수록 동아시아 지역의 평균 강수량은 증가하는 경향을 보인다. 따라서 B에 따른 동아시아 지역의 현재 대비 ㉠ 기간의 평균 강수량 변화율은 (다)이다.

ㄷ. A는 고탄소 배출 시나리오이고 B는 저탄소 배출 시나리오이다. A에 따른 동아시아 지역의 현재 대비 ㉠ 기간의 평균 강수량 변화율은 (나)이고 B에 따른 동아시아 지역의 현재 대비 ㉠ 기간의 평균 강수량 변화율은 (다)이다. ㉠ 기간의 한반도 평균 강수량 변화율은 A가 B보다 크므로, ㉠ 기간의 한반도 평균 강수량은 A가 B보다 많다.

11 별의 물리량과 분류

닮은 꼴 문제로 유형 익히기

본문 82쪽

정답 ⑤

(가)는 거리가 10 pc보다 가까우므로 겉보기 등급이 절대 등급보다 작고, (나)는 거리가 100 pc이므로 겉보기 등급이 절대 등급보다 5등급 크다.

㉠. (가)는 거리가 8 pc이므로 절대 등급이 겉보기 등급인 0등급보다 크다. 한편 10 pc에 위치할 때의 밝기가 절대 등급에 해당한다. (나)는 거리가 100 pc이므로 10 pc에 위치할 때보다 밝기가 $\frac{1}{100}$배로 줄어들어 절대 등급은 겉보기 등급보다 5등급 작다. 따라서 (나)의 절대 등급은 -3등급이므로, (가)와 (나)의 절대 등급 차는 3등급보다 크다.

ㄴ. (가)는 색지수(B$-$V)가 0인 흰색 별이므로 분광형은 A0형이다. (나)는 표면 온도가 6500 K이므로 분광형이 F형인 별이다. 스펙트럼에 나타나는 수소 흡수선의 상대적 세기는 분광형이 A형인 별에서 가장 강하므로 (가)가 (나)보다 강하다.

㉢. 반지름을 R, 광도를 L, 표면 온도를 T라고 하면, $R\propto\frac{\sqrt{L}}{T^2}$이다.

따라서 $\frac{\text{(나)의 반지름}}{\text{(가)의 반지름}}$은 다음과 같이 나타낼 수 있다.

$$\frac{R_{(나)}}{R_{(가)}}=\sqrt{\frac{L_{(나)}}{L_{(가)}}}\times\left(\frac{T_{(가)}}{T_{(나)}}\right)^2$$

한편 (가)와 (나)의 절대 등급을 비교하면, (나)가 (가)보다 3등급 이상 작으므로 광도는 (나)가 (가)의 2.5^3배보다 크다.

따라서 $\sqrt{\frac{L_{(나)}}{L_{(가)}}}>2.5^{\frac{3}{2}}\fallingdotseq4$이다. 또한 표면 온도를 비교하면,

$\left(\frac{T_{(가)}}{T_{(나)}}\right)^2=\left(\frac{10000}{6500}\right)^2>2$이다.

따라서 $\frac{R_{(나)}}{R_{(가)}}=\sqrt{\frac{L_{(나)}}{L_{(가)}}}\times\left(\frac{T_{(가)}}{T_{(나)}}\right)^2>4\times2(=8)$이다.

수능 2점 테스트

본문 83~84쪽

01 ① 02 ③ 03 ⑤ 04 ⑤ 05 ④
06 ① 07 ④ 08 ④

01 플랑크 곡선과 흑체 복사 법칙

플랑크 곡선은 흑체가 단위 시간에 단위 면적당 방출하는 복사 에너지의 세기를 파장에 따라 나타낸 것이다.

㉠. 흑체는 표면 온도가 높을수록 최대 복사 에너지를 방출하는 파장이 짧다. 최대 복사 에너지를 방출하는 파장이 ㉠이 ㉡의 $\frac{1}{6}$배이므로 표면 온도는 ㉠이 ㉡의 6배이다.

ㄴ. 그래프와 가로축이 이루는 면적은 흑체가 단위 시간에 단위 면적당 방출하는 복사 에너지양에 해당하며, 이 값은 표면 온도의 네제곱에 비례한다. 따라서 최대 복사 에너지를 방출하는 파장은 ㉢이 ㉠의 20배이므로 표면 온도는 ㉠이 ㉢의 20배이고, 그래프와 가로축이 이루는 면적은 ㉠이 ㉢의 20^4배이다.

ㄷ. 흑체의 표면 온도가 높을수록 파장이 짧은 영역에서 방출하는 복사 에너지양이 상대적으로 많다. 따라서 $\frac{\text{적외선 영역의 복사 에너지양}}{\text{자외선 영역의 복사 에너지양}}$은 흑체의 표면 온도가 높을수록 작다.

02 분광형에 따른 흡수선의 종류와 세기

별의 대기에 존재하는 원소들은 별의 표면 온도에 따라 이온화되는 정도가 다르므로 표면 온도에 따라 다양한 흡수선이 형성된다.

㉠. 분광형이 A형인 별에서는 H Ⅰ 흡수선이 매우 강하고, 분광형이 M형인 별에서는 TiO 흡수선이 강하다. 따라서 ㉠은 분광형이 A형인 흰색 별이다.

㉡. ㉡에서는 TiO 흡수선이 강하므로 ㉡은 분광형이 M형인 붉은색 별이다. 따라서 ㉡은 태양보다 표면 온도가 낮은 별이다.

ㄷ. Fe Ⅰ 흡수선은 표면 온도가 낮은 분광형이 K형, M형인 별에서 잘 나타난다. 따라서 Fe Ⅰ 흡수선의 상대적 세기는 ㉡이 ㉠보다 강하다.

03 광도 계급

표면 온도가 같을 때, 광도가 클수록 광도 계급의 숫자는 작다.

㉠. 표면 온도가 같을 때, 절대 등급은 ㉠<㉡<㉢이므로 광도는 ㉠>㉡>㉢이다. 따라서 광도 계급의 숫자는 ㉠<㉡<㉢이고, ㉠의 광도 계급은 Ⅰb(덜 밝은 초거성), ㉡의 광도 계급은 Ⅲ(거성), ㉢의 광도 계급은 Ⅴ(주계열성)이다.

㉡. 표면 온도가 같으면 분광형이 같으므로 분광형이 같을 때 광도 계급의 숫자가 클수록 절대 등급이 크다.(광도가 작다.)

㉢. 대부분의 별들은 주계열성에 속하므로 가장 많은 별들이 속한 광도 계급은 ㉢의 광도 계급과 같다.

04 별의 광도와 반지름 및 표면 온도의 관계

별의 광도(L)는 반지름(R)의 제곱과 표면 온도(T)의 네제곱의 곱에 비례($L\propto R^2\cdot T^4$)하므로 반지름은 $\frac{\sqrt{L}}{T^2}$에 비례한다.

㉠. A와 B는 절대 등급이 같으므로 광도가 같다. A와 B의 광도 계급은 각각 Ⅲ과 Ⅴ 중 하나이므로 표면 온도가 낮은 별의 광도 계급이 Ⅲ이고, 표면 온도가 높은 별의 광도 계급이 Ⅴ이다. 같은 양의 복사 에너지를 방출하는 면적은 A가 B보다 좁으므로 표면 온도는 A가 B보다 높다. 따라서 A는 광도 계급이 Ⅴ(주계열성)이고, B는 광도 계급이 Ⅲ(거성)이다.

㉡. 단위 시간당 같은 양의 복사 에너지를 방출하는 면적은 B가 A의 625배$=5^4$배이므로 단위 시간당 단위 면적에서 방출하는 에너지양은 A가 B의 5^4배이다. 이 값은 표면 온도의 네제곱에 비례하므로 별의 표면 온도는 A가 B의 5배이다.

㉢. 별의 반지름(R)은 $\frac{\sqrt{L}}{T^2}$(L: 광도, T: 표면 온도)에 비례한다. 따라서 별의 반지름은 B가 A의 25배이다.

$$\frac{R_B}{R_A}=\left(\frac{L_B}{L_A}\right)^{\frac{1}{2}}\times\left(\frac{T_A}{T_B}\right)^2=1\times5^2=25$$

05 주계열성의 특성

주계열성은 질량이 클수록 표면 온도가 높고 광도가 크지만, 주계열 단계에 머무르는 시간이 짧다.

㉠. 주계열성은 절대 등급이 작을수록 광도가 커서 에너지 생성량이 급격하게 증가하여 수명이 짧아진다.

~~㉡~~. 주계열성은 반지름이 클수록 표면 온도가 높으므로 복사 에너지를 최대로 방출하는 파장이 짧다.

㉢. 주계열성은 질량이 클수록 단위 시간 동안 수소 핵융합 반응에 의한 에너지 생성량이 급격하게 증가한다. 이로 인해 중심부의 수소를 모두 소모하는 데 걸리는 시간이 짧아져서 수명이 짧다.

06 H−R도와 별의 종류

H−R도는 가로축에 표면 온도나 분광형, 세로축에 절대 등급 또는 광도를 나타낸 그래프이다. (가)는 주계열성이고, (나)는 초거성, (다)는 거성, (라)는 백색 왜성이다.

㉠. 태양은 중심부에서 수소 핵융합 반응이 일어나는 주계열성 (가)에 속한다.

~~㉡~~. 별의 진화 속도는 질량이 클수록 빠르다. 따라서 초거성은 거성에 비해 질량이 더 큰 주계열성이 진화하여 생성되므로 진화 속도는 (나)가 (다)보다 빠르다.

~~㉢~~. (라)는 진화 과정에서 수소를 대부분 소모한 백색 왜성이다. 백색 왜성 (라)는 주로 탄소와 산소로 이루어져 있으며 별 전체에서 수소가 차지하는 비율이 (가)~(라) 중 가장 낮다.

07 별의 물리량

별의 평균 밀도는 백색 왜성>주계열성>거성>초거성이다.

~~㉠~~. ㉠이 주계열성이라고 했으므로, ㉠보다 평균 밀도가 큰 ㉡은 백색 왜성이다.

㉡. 두 별의 표면 온도가 같으므로 ㉠과 ㉡은 분광형이 같다.

㉢. X는 주계열성인 ㉠이 백색 왜성인 ㉡보다 더 큰 값을 갖는 물리량이어야 한다. 따라서 광도는 X에 해당할 수 있다.

08 시리우스의 물리량

㉠. 시리우스 A까지의 거리는 약 2.5 pc이므로 10 pc에 있을 때보다 $\frac{1}{4}$배로 가깝다. 따라서 겉보기 밝기는 절대 밝기(10 pc에 있을 때의 밝기)보다 약 16배 밝다. 16배(≒2.5^3)의 밝기 차는 등급으로 약 3등급 차에 해당하므로, 시리우스 A의 절대 등급은 겉보기 등급 −1.5등급보다 약 3등급이 큰 약 1.5등급이다.

㉡. 시리우스 A는 지구 쪽으로 접근하고 있으므로 스펙트럼에서 청색 편이가 관측된다.

~~㉢~~. 시리우스 A는 주계열성이므로 광도 계급이 Ⅴ이고, 시리우스 B는 백색 왜성이므로 광도 계급이 Ⅶ이다. 따라서 광도 계급의 숫자는 시리우스 B가 시리우스 A보다 크다.

수능 3점 테스트

본문 85~87쪽

01 ③ 02 ④ 03 ⑤ 04 ④ 05 ⑤ 06 ③

01 광도 계급에 따른 스펙트럼의 특징

여키스 천문대의 모건과 키넌은 분광형이 같더라도 별의 광도가 클수록(반지름이 클수록) 스펙트럼 흡수선의 폭이 좁아지는 것을 발견하고, 새로운 별의 분류법을 제안하였다. 광도 계급은 별을 Ⅰ~Ⅶ로 분류하며, 분광형이 같을 때 광도 계급의 숫자가 클수록 별의 반지름과 광도가 작아진다.

㉠. ㉠~㉤은 모두 분광형이 A0형인 별이므로 표면 온도가 약 10000 K으로 같다.

~~㉡~~. 표면 온도가 같을 때, 절대 등급은 광도 계급의 숫자가 클수록 크다. 따라서 절대 등급은 ㉠~㉤ 중 광도 계급이 Ⅴ인 ㉤이 가장 크다.

㉢. 자료에서 ㉤에서 ㉠으로 갈수록 광도 계급의 숫자가 작아지고, 흡수선의 폭이 좁아지는 경향이 나타난다. 이를 이용하여 분광형이 같은 별들을 광도에 따라 분류할 수 있다.

02 별의 물리량 변화

T_0 이전은 원시별 단계에 해당하며 광도와 반지름이 감소한다. T_0 이후 별의 광도, 반지름은 계속 증가하고, 표면 온도는 거의 일정하게 나타나는 시기가 존재하는데 이 시기가 주계열 단계에 해당한다.

~~㉠~~. 광도는 표면 온도의 네제곱과 반지름의 제곱을 곱한 값에 비례한다. 자료에서 표면 온도가 일정할 때, ㉠은 ㉡보다 빠르게 증가하므로 ㉠은 광도, ㉡은 반지름이다.

㉡. T_0~T_1 기간은 주계열 단계에 해당한다. 따라서 이 기간 동안 별의 중심부에서 수소 핵융합 반응이 일어난다. 주계열 단계를 벗어나 거성 단계로 들어갈 때 표면 온도가 낮아지기 시작한다. 이 시기는 T_1~T_2 사이에 존재한다.

㉢. T_1일 때는 T_2일 때보다 표면 온도가 높고, 광도가 작은 시기이다. 따라서 T_1일 때 이 별은 H−R도에서 T_2일 때보다 왼쪽 아래에 위치한다.

03 별의 물리량

㉠은 표면 온도가 낮고 광도가 큰 적색 초거성이고, ㉡은 광도가 비교적 크고, 표면 온도가 높은 주계열성이다. ㉢은 표면 온도가 비교적 높고 광도가 큰 청색 초거성이다.

㉠. ㉠은 표면 온도가 3600 K이므로 분광형이 K형인 별이다. 절대 등급은 −5.9등급이므로 태양보다 절대 등급이 10등급 이상 작은 매우 밝은 별이다. 따라서 이 별은 적색 초거성이다.

㉡. ㉡은 광도가 태양의 1000배인 주계열성이므로 표면 온도가 약 20000 K보다 높다. ㉠과 ㉢은 표면 온도가 각각 3600 K, 12000 K이므로 세 별 중 표면 온도는 ㉡이 가장 높다.

㉢. 별의 반지름은 표면 온도가 낮고 광도가 큰 ㉢이 ㉡보다 크다.

04 별의 스펙트럼 비교

㉠은 He Ⅰ 흡수선, ㉡은 H Ⅰ 흡수선, ㉢은 Ca Ⅱ 흡수선, ㉣은 TiO 흡수선이다.

ㄱ. 태양과 분광형이 비슷한 별에서는 Ca Ⅱ 흡수선이 강하게 나타난다. 따라서 Ca Ⅱ 흡수선은 ㉢이다.

ㄴ. He Ⅰ 흡수선은 표면 온도가 높은 분광형이 O형, B형인 별에서 강하게 나타난다. 따라서 He Ⅰ 흡수선의 상대적 세기는 적색 거성인 X보다 청색 초거성인 Y에서 강하다.

ㄷ. Z는 백색 왜성이며, H Ⅰ 흡수선은 분광형이 A0형인 흰색 별에서 강하게 나타난다. TiO 흡수선은 표면 온도가 낮은 별에서 강하게 나타난다.

05 성단을 이루는 별들의 물리량

이 성단을 구성하는 별들은 대부분 H－R도에서 왼쪽 위에서 오른쪽 아래로 이어지는 대각선상에 분포한다.

ㄱ. H－R도에 표시한 성단의 별들은 대부분 주계열성이다.

ㄴ. 별의 평균 밀도$\propto\frac{\text{질량}}{\text{부피}}\propto\frac{\text{질량}}{\text{반지름}^3}=\frac{M}{R^3}$이다. 따라서 평균 밀도($\rho$)는 ㉠이 ㉡보다 작다.

$$\frac{\rho_㉠}{\rho_㉡}=\left(\frac{M_㉠}{M_㉡}\right)\left(\frac{R_㉡}{R_㉠}\right)^3=\left(\frac{2.10}{1.03}\right)\left(\frac{1.05}{1.70}\right)^3<1$$

ㄷ. 세 별은 모두 주계열성이므로 절대 등급은 질량이 큰 ㉠이 질량이 작은 ㉢보다 작다.

06 별의 표면 온도와 반지름

광도가 태양의 100배인 주계열성은 태양보다 표면 온도가 높고 반지름이 크다.

ㄱ. ㉠과 ㉡은 모두 표면 온도가 태양과 같고, 반지름은 태양보다 큰 별이다. ㉢은 표면 온도가 태양보다 높고, 반지름도 태양보다 큰 별이다. 따라서 세 별 중 주계열성은 ㉢이다.

ㄴ. 별이 단위 시간에 단위 면적당 방출하는 에너지양은 표면 온도의 네제곱에 비례한다. ㉡과 태양은 표면 온도가 같으므로 단위 시간에 단위 면적당 방출하는 에너지양도 같다.

ㄷ. ㉠과 ㉡은 표면 온도가 같고, 반지름은 ㉠이 ㉡의 2.5배이므로 광도는 ㉠이 ㉡의 6.25배이다. 한편, ㉡과 ㉢은 광도가 같으므로 ㉠의 광도는 ㉢의 6.25배이다. 1등급에 해당하는 밝기 비는 약 2.5배이므로 절대 등급은 ㉢이 ㉠보다 약 2등급 크다.

테마 12 별의 진화와 내부 구조

닮은 꼴 문제로 유형 익히기

본문 90쪽

정답 ①

㉠～㉡ 기간은 별의 중심부에서 수소 핵융합 반응이 일어나는 주계열 단계이고, ㉢～㉣ 기간은 별의 중심부에서 헬륨 핵융합 반응이 일어나는 단계이다. 별의 중심부에서 핵융합 반응이 일어나는 기간 동안 별은 매우 안정하여 크기와 광도가 거의 일정하게 유지된다.

ㄱ. 이 별의 질량은 태양과 비슷하므로 주계열 단계에 있는 동안 p－p 반응이 CNO 순환 반응보다 우세하게 일어난다. 따라서 ㉠～㉡ 기간 동안 p－p 반응에 의한 에너지 생성량은 CNO 순환 반응에 의한 에너지 생성량보다 많다.

ㄴ. ㉢～㉣ 기간 동안 별의 중심부에서 헬륨 핵융합 반응이 일어난다. 탄소 핵융합 반응은 태양보다 질량이 훨씬 큰 별에서 일어난다.

ㄷ. ㉣～㉤ 기간 동안 광도가 주기적으로 변하는 맥동 변광성 단계를 거친다. 맥동 변광성 단계에서 별의 바깥층 물질이 우주 공간으로 방출되어 행성상 성운이 만들어지며, 별의 중심부는 더욱 수축하여 백색 왜성(㉤)이 된다. 따라서 행성상 성운은 ㉣～㉤ 기간에 형성된다.

수능 2점 테스트

본문 91～92쪽

01 ⑤ 02 ② 03 ④ 04 ⑤ 05 ①
06 ① 07 ② 08 ⑤

01 원시별의 진화

원시별이 중력 수축을 하여 중심부 온도가 약 1000만 K에 이르면, 중심부에서 수소 핵융합 반응이 일어나는 주계열성이 된다.

ㄱ. 원시별의 진화 과정에서 방출하는 에너지는 모두 중력 수축 에너지이다. 따라서 진화 과정에서 단위 시간당 중력 수축 에너지 생산량은 광도가 큰 A가 B보다 많다.

ㄴ. C는 진화하는 동안 광도가 계속 작아지고 표면 온도는 약간 높아진다. 따라서 C는 주계열성으로 진화하는 동안 반지름이 계속 작아진다.

ㄷ. 원시별의 질량이 작을수록 주계열에 도달하는 데 걸리는 시간이 길다. 따라서 원시별에서 주계열성이 되는 데 걸리는 시간은 A<B<C이다.

02 정역학 평형

주계열성은 중력과 기체 압력 차에 의한 힘이 평형을 이루는 정역학 평형 상태에 있으므로 수축이나 팽창을 하지 않고 크기가 거의 일정하게 유지된다.

ㄱ. A는 별의 표면에서 바깥쪽으로 밀어내는 힘에 해당하므로 기체

압력 차에 의한 힘이다.
㉡. (나)는 중력과 기체 압력 차에 의한 힘이 평형을 이루고 있는 정역학 평형 상태이다.
✕. 중심핵의 수소가 모두 소모되어 헬륨으로 이루어진 중심핵이 수축하면, 중심핵을 둘러싼 영역에서 수소 껍질 연소가 일어나 별의 표면이 팽창한다. 따라서 이때 별의 표면 상태는 (가)에 해당한다.

03 주계열성의 내부 구조

질량이 태양과 비슷한 별은 중심에서부터 중심핵, 복사층, 대류층의 내부 구조를 갖지만, 질량이 태양보다 2배 이상 큰 별은 대류핵, 복사층의 내부 구조를 가진다.
㉠. 별의 중심부 온도는 대류핵이 존재하는 (가)가 (나)보다 높다.
㉡. (가)의 대류 영역은 중심핵에 해당하며, 중심핵에서는 수소 핵융합 반응이 일어난다.
✕. 별의 일생 중 주계열 단계에 머무르는 시간은 질량이 작은 (나)가 (가)보다 길다.

04 태양 정도의 질량을 가진 별의 진화 과정

태양 정도의 질량을 가진 별은 원시별(A) → 주계열성(B) → 적색 거성(C) → 백색 왜성(D)으로 진화한다.
✕. A일 때 별은 원시별 단계에 해당하므로 크기가 감소한다. 정역학 평형 상태를 유지하는 단계는 B이다.
✕. B → C로 진화하는 동안 헬륨 핵융합 반응이 일어난다. 철 원자핵이 생성되려면 질량이 태양보다 훨씬 커야 하며, 이러한 별은 초신성 폭발을 일으킨다.
㉢. C 이후 별의 바깥층 물질이 우주 공간으로 방출되어 행성상 성운이 만들어진다. 별의 중심부는 수축하여 백색 왜성이 된다.
㉣. D 이후에는 별 중심부에서 핵융합 반응이 일어나지 않으며, 복사 에너지를 우주 공간으로 방출하면서 점점 식어간다.

05 질량이 태양보다 훨씬 큰 별의 진화

질량이 매우 큰 별은 초거성 단계에서 별 중심부에서 계속적인 핵융합 반응이 일어나 탄소, 규소, 철 등의 무거운 원소가 만들어진다. 철 원자핵이 생성되면 중심부에서 핵융합 반응이 멈추고 별은 급격하게 중력 수축하다가 초신성 폭발을 일으킨다.
㉠. 이 별은 질량이 태양보다 훨씬 큰 별이다. 따라서 주계열 단계일 때, 별의 중심핵에서 단위 시간당 생성되는 에너지양은 태양보다 많다.
✕. ㉠은 철 원자핵이다. 철보다 무거운 원자핵은 초신성 폭발이 일어날 때 생성될 수 있다.
✕. (나)는 초신성 폭발이 일어나기 직전의 단계에 해당한다. A 단계에서 B 단계로 진행하기 직전에는 중심부에 헬륨핵이 존재한다.

06 태양의 내부 구조

태양 중심에서 표면으로 갈수록 온도는 낮아진다. 태양 중심핵에서는 수소 핵융합 반응이 일어나므로 바깥쪽 영역에 비해 헬륨의 비율이 높고, 수소의 비율이 낮다.
㉠. X는 중심핵에서 수소 핵융합 반응을 거쳐 생성된 헬륨이다. 중심핵의 바깥 영역에서는 핵융합 반응이 일어나지 않으므로 헬륨의 비율이 거의 일정하게 유지된다.
✕. ㉡은 주로 복사에 의해 에너지가 전달되는 복사층이고, ㉢은 주로 대류에 의해 에너지가 전달되는 대류층이다.
✕. 주계열 단계에 머무르는 동안, 중심핵 ㉠에서는 헬륨의 함량이 계속 증가한다. 이후 헬륨으로 이루어진 핵이 존재하면 주계열 단계를 벗어나기 시작한다.

07 수소 핵융합 반응

(가)는 탄소·질소·산소 순환 반응(CNO 순환 반응)이고, (나)는 양성자·양성자 반응(p−p 반응)이다.
✕. 대류핵이 있는 주계열성은 질량이 태양의 약 2배 이상이며, 이런 별에서는 (나)보다 (가)의 CNO 순환 반응이 우세하게 일어난다.
✕. 반응에 참여하는 수소 원자핵(양성자)의 개수는 (가)의 CNO 순환 반응에서 4개이고, (나)의 p−p 반응에서 6개이다.
㉢. (가)와 (나)의 반응에서는 모두 양성자 4개가 헬륨 원자핵 1개로 바뀐다. 따라서 (가)와 (나)에서 핵융합 반응을 거쳐 최종적으로 생성되는 원자핵은 동일하다. 한편 (가)와 (나)는 반응 경로가 다르므로 주어진 온도와 압력 조건에서 반응 속도가 다르다.

08 주계열성의 광도와 수명

별의 질량이 클수록 주계열 단계일 때 절대 등급이 작고(광도가 크고), 주계열 단계에 머무르는 시간이 짧다.
㉠. A는 질량이 클수록 감소하는 물리량이므로 주계열 단계에 머무르는 시간이다. B는 절대 등급이다.
㉡. 광도가 태양의 100배인 주계열성은 절대 등급이 약 0등급이고, 절대 등급이 약 0등급인 별의 질량은 태양 질량의 5배보다 작다.
㉢. 질량이 태양의 5배인 별은 주계열 단계에 머무르는 시간이 약 10^8년이다. 이 값은 태양이 주계열 단계에 머무르는 시간(10^{10}년)의 약 $\frac{1}{100}$배이다.

01 핵융합 반응의 종류

(가)는 양성자·양성자 반응(p−p 반응)이고, (나)는 탄소·질소·산소 순환 반응(CNO 순환 반응)이다. (다)는 헬륨 핵융합 반응이다.
✕. 중심부 온도가 T_0 이하인 별은 p−p 반응이, 중심부 온도가 T_0 이상인 별은 CNO 순환 반응이 우세하게 일어난다. 따라서 (가)는 p−p 반응이다.
㉡. 태양에서는 p−p 반응이 CNO 순환 반응보다 우세하게 일어나

므로 태양의 중심부 온도는 T_0보다 낮다.

ㄷ. 태양과 질량이 같은 별이 진화할 때 별의 중심부에서 (나)의 수소 핵융합 반응은 주계열 단계에 있는 동안 일어나고, (다)의 헬륨 핵융합 반응은 거성으로 진화한 이후 일부 기간 동안 일어난다. 별은 일생의 대부분을 주계열 단계에서 보내므로 별의 중심부에서 (나)가 일어나는 시간은 (다)가 일어나는 시간보다 길다.

02 별의 진화

별은 질량에 따라 서로 다른 진화 과정을 갖는다. 질량이 태양과 비슷한 별은 최종 단계에서 백색 왜성이 되고, 질량이 태양보다 훨씬 큰 별은 최종 단계에서 중성자별 또는 블랙홀이 된다.

ㄱ. (가)는 질량이 태양과 비슷한 별의 진화 경로를, (나)는 질량이 태양보다 훨씬 큰 별의 진화 경로를 나타낸 것이다. 따라서 $A_0 \rightarrow A_4$까지 걸린 시간은 $B_0 \rightarrow B_4$까지 걸린 시간보다 길다.

ㄴ. H−R도에서 광도가 감소하거나 표면 온도가 증가할 때 반지름이 감소한다. (가)의 진화 경로에서 광도가 감소하고 표면 온도가 증가하는 구간이 있으며, (나)의 진화 경로에서 광도는 거의 일정하지만 표면 온도가 증가하는 구간이 있다. 따라서 (가)와 (나)에서 모두 별의 반지름이 감소하는 구간이 존재한다.

ㄷ. (가)는 A_4 이후 행성상 성운과 백색 왜성으로 진화하고, (나)는 B_4 이후 초신성 폭발을 일으킨다.

03 주계열성의 에너지원

4개의 수소 원자핵이 융합하여 만들어진 헬륨 원자핵 1개의 질량은 4개의 수소 원자핵을 합한 질량에 비해 약 0.7 % 작으므로 수소 핵융합 과정에서 질량 결손이 발생한다. 이 질량 결손은 아인슈타인의 질량·에너지 등가 원리에 따라 에너지로 전환된다.

ㄱ. 태양은 주계열성이며, 현재 태양 복사 에너지는 모두 수소 핵융합 반응을 거쳐 생성되고 있다.

ㄴ. 수소 핵융합 반응은 양성자 4개가 핵융합하여 헬륨 원자핵 1개를 생성하는 반응이다.

ㄷ. 반응 전과 후에 약 0.7 %의 질량 결손이 생기며, 줄어든 질량이 에너지로 전환된다.

$$\frac{0.0286 \times 1.66 \times 10^{-27}\ \mathrm{kg}}{4.0312 \times 1.66 \times 10^{-27}\ \mathrm{kg}} \fallingdotseq 0.007 = 0.7\ \%$$

04 태양의 내부 구조

질량이 태양 정도인 주계열성은 수소 핵융합 반응이 일어나는 중심핵을 복사층과 대류층이 차례로 둘러싸고 있다.

ㄱ. 태양 반지름을 1이라고 할 때, 태양 중심핵의 크기는 0～0.3, 복사층은 0.3～0.7, 대류층은 0.7～1.0이다. (가)에서 태양의 누적 질량(태양 질량=1)은 중심핵이 전체 질량의 약 0.6, 복사층이 약 0.37, 대류층이 약 0.03이다. 따라서 태양 내부의 각 층이 차지하는 질량비는 중심핵 > 복사층 > 대류층이다.

ㄴ. 태양은 정역학 평형 상태를 유지하고 있으므로 기체 압력 차에 의한 힘과 중력이 균형을 이루고 있다. 태양 내부에서 중력의 크기는 기체 압력 차에 의한 힘의 크기와 같고, 기체 압력 차에 의한 힘은 압력 변화가 크게 나타나는 중심핵과 ㉡층의 경계가 ㉠층과 ㉡층의 경계보다 크다.

ㄷ. 태양 스펙트럼의 흡수선들은 태양 내부에서 형성되는 것이 아니라 빛이 태양 대기층을 통과하는 과정에서 만들어진다.

05 주계열성의 특징

(가)는 주계열 단계 이후, 수축이 일어나던 중심핵에서 헬륨 핵융합 반응이 급격하게 시작되는 단계이다. (나)는 주계열 단계를 벗어나기 시작하여 수소 껍질 연소가 시작되는 단계이다. (다)는 중심부의 탄소핵이 수축하면서 탄소핵을 둘러싼 영역에서 헬륨 껍질 연소가 시작되는 단계이다. (라)는 행성상 성운이 만들어지는 단계이다. (마)는 중심핵에서 헬륨 핵융합 반응이 비교적 안정하게 일어나는 단계이다.

④ 질량이 태양과 비슷한 별의 주계열 단계 이후에 나타나는 특징을 순서대로 나열하면 (나) 수소 껍질 연소 시작 → (가) 급격하게 헬륨 핵융합 반응 시작 → (마) 중심핵에서 안정적으로 헬륨핵 연소 → (다) 헬륨 껍질 연소 시작 → (라) 맥동 변광성(행성상 성운 형성)이다.

06 거성의 내부 구조 변화

B는 태양과 질량이 같은 별이고, A는 B보다 질량이 10배, 표면 온도는 4배, 광도는 10000배인 별이다.

ㄱ. A는 B보다 표면 온도(T)는 4배 높고, 광도(L)는 10000배 크므로 별의 반지름(R)은 A가 B의 6배보다 크다.

$$\frac{R_A}{R_B} = \left(\frac{L_A}{L_B}\right)^{\frac{1}{2}} \times \left(\frac{T_B}{T_A}\right)^2 = 100 \times \left(\frac{1}{4}\right)^2 = 6.25$$

ㄴ. $A \rightarrow A'$ 과정과 $B \rightarrow B'$ 과정에서 모두 중심핵이 수축하고, 중심핵을 둘러싼 영역에서 수소 껍질 연소가 일어난다.

ㄷ. $A \rightarrow A'$ 과정에서 별의 광도 계급은 Ⅴ에서 Ⅰ(초거성)로 바뀌고, $B \rightarrow B'$ 과정에서 별의 광도 계급은 Ⅴ에서 Ⅲ(거성)으로 바뀐다. 따라서 광도 계급의 숫자 변화량은 $A \rightarrow A'$이 $B \rightarrow B'$보다 크다.

테마 13 외계 행성계와 생명체 탐사

닮은 꼴 문제로 유형 익히기

본문 97쪽

정답 ⑤

T_1일 때는 중심별이 지구에서 멀어지므로 적색 편이가 나타나고, T_2와 T_3일 때는 중심별이 지구에 가까워지므로 청색 편이가 나타난다.

ㄱ. T_1일 때 중심별이 지구에서 멀어지므로 행성은 지구에 가까워지고 있다.

ㄴ. 중심별의 시선 속도를 v, 중심별의 어느 흡수선의 기준 파장을 λ_0, 파장 변화량을 $\Delta\lambda$, 빛의 속도를 c라고 하면 $v=\frac{\Delta\lambda}{\lambda_0}\times c$이다. T_1일 때 중심별의 시선 속도가 $+15$ km/s이고 관측 파장이 600.03 nm이므로 λ_0은 600이다.

ㄷ. T_2일 때 중심별의 시선 속도가 -15 km/s이고 기준 파장이 600 nm이므로 관측 파장은 599.97 nm이다. T_3일 때 중심별의 시선 속도가 -30 km/s이고 기준 파장이 600 nm이므로 관측 파장은 599.94 nm이다.

수능 2점 테스트

본문 98~99쪽

01 ⑤ 02 ③ 03 ① 04 ③ 05 ①
06 ② 07 ② 08 ①

01 시선 속도 변화를 이용한 외계 행성계 탐사

외계 행성계에서 중심별과 행성이 공통 질량 중심을 중심으로 공전함에 따라 중심별의 시선 속도에 변화가 나타난다.

ㄱ. T_1일 때 중심별은 지구에 가장 가까울 때이므로 이때 행성은 지구에서 가장 멀리 있다.

ㄴ. T_4일 때 중심별은 지구에 접근하고 있으므로 행성은 지구로부터 멀어지고 있다.

ㄷ. 식 현상은 지구에서 볼 때 행성이 중심별 앞을 지나갈 때 나타나는 현상이므로 T_2에서 T_4 사이에 관측된다.

02 시선 속도 변화를 이용한 외계 행성계 탐사

중심별과 행성은 공통 질량 중심을 중심으로 공전하며, 이로 인해 중심별의 스펙트럼에 도플러 효과가 나타난다.

ㄱ. 별의 공전 방향과 행성의 공전 방향은 같기 때문에 행성은 ㉠ 방향으로 공전한다.

ㄴ(X). 행성이 C를 지날 때 행성은 지구 쪽으로 접근하고 중심별은 지구에서 멀어지므로 중심별의 스펙트럼에서 적색 편이가 나타난다.

ㄷ. 중심별의 최대 시선 속도는 60 m/s이고 행성이 B에 있을 때 중심별의 시선 속도의 크기는 30 m/s이다.

시선 속도는 $\left(\frac{\text{파장 변화량}}{\text{고유 파장}}\times\text{빛의 속도}\right)$와 같다. 따라서 중심별에서 관측되는 500 nm의 고유 파장을 갖는 흡수선의 파장 변화량은 5×10^{-5} nm이다.

03 식 현상과 미세 중력 렌즈 현상을 이용한 외계 행성계 탐사

미세 중력 렌즈 현상을 이용한 외계 행성계 탐사는 앞쪽에 위치한 외계 행성계의 중력에 의해 나타나는 뒤쪽에 위치한 별의 밝기 변화를 관찰한다.

ㄱ. 식 현상에 의한 중심별의 최대 밝기 변화 정도는 $\left(\frac{\text{행성의 반지름}}{\text{중심별의 반지름}}\right)^2$에 비례하므로 $\frac{\text{중심별의 반지름}}{\text{행성의 반지름}}$은 10이다.

ㄴ(X). 미세 중력 렌즈 현상을 이용한 외계 행성계 탐사는 관측자의 시선 방향과 행성의 공전 궤도면이 이루는 각과 관계없이 사용할 수 있다.

ㄷ(X). 미세 중력 렌즈 현상은 주기적으로 관측할 수 없다.

04 관측자의 시선 방향과 행성의 공전 궤도면

동일한 행성계를 서로 다른 관측자가 관측할 경우 관측자의 시선 방향과 행성의 공전 궤도면이 이루는 각이 다르면 관측되는 중심별의 최대 시선 속도는 서로 다르다.

ㄱ. (가)는 (나)에 비해 행성이 중심별의 중심에서 먼 곳을 통과하므로 관측자의 시선 방향과 행성의 공전 궤도면이 이루는 각이 크다.

ㄴ(X). 관측자의 시선 방향과 행성의 공전 궤도면이 이루는 각이 클수록 행성에 의한 중심별의 최대 시선 속도가 감소한다.

ㄷ. 관측자의 시선 방향과 행성의 공전 궤도면이 이루는 각이 달라도 동일한 행성계에서 식 현상이 일어나는 주기는 같다.

05 발견된 외계 행성의 특징

지금까지 발견된 외계 행성은 대부분 목성과 같이 질량이 큰 기체형 행성이었지만 최근에는 외계 생명체가 존재할 가능성이 높은 지구형 행성을 중심으로 탐사하고 있다.

ㄱ. 행성의 공전 궤도 반지름이 작을수록 행성이 중심별을 가리는 식 현상이 일어나는 주기가 짧아 행성의 존재를 확인하기 쉽다. 따라서 식 현상을 이용하여 발견한 외계 행성은 다른 탐사 방법으로 발견한 외계 행성에 비해 공전 궤도 반지름이 대체로 작은 B이다.

ㄴ(X). 직접 관측법을 통한 외계 행성 발견은 행성의 반지름이 클수록, 행성이 중심별에서 멀리 떨어져 있을수록 유리하다. 따라서 직접 관측법은 중심별로부터 행성까지의 거리가 대부분 10 AU 이상인 D이다.

ㄷ(X). A와 C는 각각 시선 속도 변화와 미세 중력 렌즈 현상을 이용한 방법이다. 시선 속도 변화는 관측자의 시선 방향과 행성의 공전 궤도면이 수직인 경우 관측되지 않는다.

06 생명 가능 지대

생명 가능 지대의 폭은 중심별의 광도가 클수록 넓어지고 생명 가능 지대의 위치는 중심별의 광도가 클수록 중심별로부터 멀어진다.

ㄱ(X). (가)는 태양보다 생명 가능 지대의 바깥쪽 경계가 먼 것으로 보아 태양보다 광도가 크므로 생명 가능 지대의 안쪽 경계도 태양보다 중심별에서 멀다.

~~ㄴ~~. 광도는 (가)가 태양보다 크므로 중심별로부터 단위 시간에 단위 면적당 받는 복사 에너지가 지구와 같은 (가)의 생명 가능 지대에 위치한 행성과 중심별 사이의 거리는 1 AU보다 멀다.

㉢. 중심별로부터 생명 가능 지대까지의 거리로 보아 중심별의 질량은 (가)가 (나)보다 크다.

07 생명 가능 지대

생명 가능 지대는 중심별의 광도가 클수록 중심별로부터 거리가 멀어진다.

~~ㄱ~~. (다)가 (가)보다 중심별로부터 생명 가능 지대에 위치한 행성까지의 거리가 먼 것으로 보아 중심별의 광도는 (다)가 (가)보다 크다.

~~ㄴ~~. 생명 가능 지대의 폭은 중심별의 광도가 클수록 넓다. 따라서 생명 가능 지대의 폭은 (가), (나), (다) 중 (다)가 가장 넓다.

㉢. (가)는 (다)보다 중심별의 질량이 작으므로 주계열 단계에 머무르는 시간은 (가)의 중심별이 (다)의 중심별보다 길다.

08 식 현상을 이용한 외계 행성계 탐사

외계 행성이 중심별을 가리는 식 현상이 일어나면 중심별의 밝기에 변화가 나타난다.

㉠. 식 현상에 의해 중심별의 밝기가 최대로 어두워졌을 때 밝기 변화 정도는 $\left(\frac{\text{행성의 반지름}}{\text{중심별의 반지름}}\right)^2$에 비례한다. 따라서 중심별의 반지름은 행성 반지름의 20배이다.

~~ㄴ~~. 식 현상이 일어날 때 식 현상이 지속되는 시간은 관측자의 시선 방향과 행성의 공전 궤도면이 나란하지 않을 때가 나란할 때보다 짧다.

~~ㄷ~~. 행성이 중심별의 광구에 진입하기 직전부터 광구에서 벗어난 직후까지 행성이 직선으로 움직였다고 할 때 움직인 거리는 (행성의 반지름+중심별의 반지름)×2이다. 따라서 식 현상이 일어나는 동안 행성이 이동한 거리는 행성 반지름의 42배보다 크다.

수능 3점 테스트

본문 100~101쪽

01 ②　02 ⑤　03 ①　04 ③

01 시선 속도 변화를 이용한 외계 행성계 탐사

관측자의 시선 방향과 행성의 공전 궤도면이 나란할 때 관측되는 중심별의 최대 시선 속도의 크기보다 관측자의 시선 방향과 행성의 공전 궤도면이 나란하지 않을 때 관측되는 중심별의 최대 시선 속도의 크기가 작다.

~~ㄱ~~. 관측자의 시선 방향과 행성의 공전 궤도면이 나란할 때가 관측자의 시선 방향과 행성의 공전 궤도면이 나란하지 않을 때보다 관측되는 중심별의 최대 시선 속도의 크기가 크다.

㉡. 관측자의 시선 방향과 행성의 공전 궤도면이 나란할 때는 (나)이고 이때 나타나는 중심별의 최대 시선 속도가 중심별이 중심별과 행성의 공통 질량 중심을 중심으로 공전하는 속도이다.

~~ㄷ~~. 관측자의 시선 방향과 행성의 공전 궤도면이 이루는 각이 30°인 것은 (다)이고 이때 시선 속도 크기의 최댓값은 $60\times\cos30°=30\sqrt{3}$이다.

02 생명 가능 지대

주계열 단계에서 생명 가능 지대의 폭은 중심별의 나이가 증가함에 따라 대체로 넓어진다.

㉠. 같은 나이일 때 생명 가능 지대의 위치로 보아 중심별의 질량은 (나)가 (가)보다 작고 중심별이 주계열 단계에 머무르는 시간은 (나)가 (가)보다 길다.

㉡. 현재 별의 나이는 50억 년이고 중심별로부터 1.5 AU 거리가 생명 가능 지대에 포함된 것은 (가)이다.

㉢. 중심별로부터 1 AU 거리에 있는 행성은 (가)의 경우 주계열성에 도달한 직후부터 약 80억 년까지 생명 가능 지대에 머무르고, (나)의 경우 약 90억 년부터 약 260억 년까지 생명 가능 지대에 머무른다. 따라서 중심별로부터 1 AU 거리에 있는 행성이 생명 가능 지대에 머무르는 시간은 (가)가 (나)보다 짧다.

03 식 현상을 이용한 외계 행성계 탐사

관측자의 시선 방향과 행성의 공전 궤도면이 나란하지 않을 때 행성 전체가 중심별을 가리지 못하는 경우가 있고 이때 나타나는 식 현상은 관측자의 시선 방향과 행성의 공전 궤도면이 나란할 때 나타나는 식 현상에 비해 중심별이 최대로 어두워지는 정도가 작다.

㉠. (가)에서 중심별의 밝기가 최대로 어두워질 때 밝기 변화 폭은 $\left(\frac{\text{행성의 반지름}}{\text{중심별의 반지름}}\right)^2$에 비례하므로 중심별의 반지름은 행성 반지름의 40배이다.

~~ㄴ~~. 중심별의 스펙트럼에서 식 현상이 시작되기 직전에는 적색 편이가 나타나고 식 현상이 끝난 직후에는 청색 편이가 나타난다.

~~ㄷ~~. (나)에서 행성에 의한 중심별의 식 현상이 일어나지만 최대 밝기 변화가 관측자의 시선 방향과 행성의 공전 궤도면이 나란할 때 나타나는 식 현상에 비해 작으므로 행성은 중심별 앞을 지나갈 때 중심별의 중심으로부터 $39r$(r: 행성의 반지름)와 $41r$ 사이를 지나간다. 중심별의 중심과 행성의 중심 사이의 거리는 행성 반지름의 100배이므로 관측자의 시선 방향과 행성의 공전 궤도면이 이루는 각은 30°보다 작다.

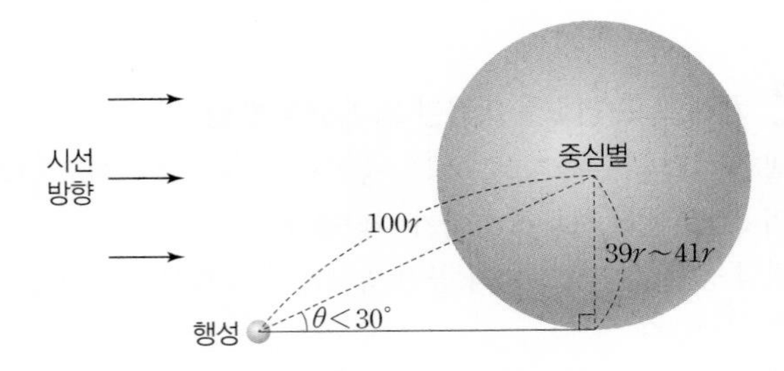

04 생명 가능 지대

주계열성의 광도가 클수록 생명 가능 지대는 중심별로부터 멀어진다.

㉠. A의 반지름은 a 반지름의 20배이고, B의 반지름은 b 반지름의 10배이다. 따라서 A와 B의 반지름은 같고 주계열성이므로 광도가

거의 같다. 따라서 b는 생명 가능 지대에 위치한다.

X. 중심별의 생명 가능 지대의 범위로 보아 C가 질량이 가장 작은 별이고 수명이 가장 길기 때문에 행성이 생명 가능 지대에 머무를 수 있는 시간이 가장 길다.

ㄷ. C의 반지름은 c 반지름의 10배이다. C는 B보다 반지름이 작으므로 ㉠은 2보다 작다.

테마 14 외부 은하

닮은 꼴 문제로 유형 익히기

본문 103쪽

정답 ②

타원 은하는 타원의 납작한 정도에 따라 세분하고, 나선 은하는 나선팔이 감긴 정도와 은하핵의 상대적인 크기에 따라 세분한다. (가)는 타원 은하, (나)는 정상 나선 은하, (다)는 불규칙 은하이다.

X. 타원 은하는 타원의 납작한 정도에 따라 세분하는데, E0에 가까울수록 구형에 가깝다. (가)는 구형에 가깝지 않으므로 E0에 해당하지 않는다.

ㄴ. 타원 은하에는 나이가 많은 붉은색 별이 많고, 불규칙 은하에는 나이가 적은 파란색 별이 많다.

X. (가)는 타원 은하로 성간 물질이 적고, (다)는 불규칙 은하로 성간 물질이 많다.

수능 2점 테스트

본문 104~105쪽

01 ①	02 ⑤	03 ③	04 ③	05 ④
06 ②	07 ④	08 ⑤		

01 허블의 은하 분류

(가)는 막대 나선 은하, (나)는 정상 나선 은하이다.

ㄱ. (가)는 중심부에 막대 모양의 구조가 있는 막대 나선 은하이다.

X. A는 중앙 팽대부, B는 나선팔이다. 나선팔에는 성간 물질과 젊은 파란색 별이 많으며, 중앙 팽대부에는 늙은 붉은색 별과 구상 성단이 주로 분포한다.

X. 은하는 다른 모양의 은하로 진화하지 않는다.

02 나선 은하의 분류

나선 은하는 중심부의 막대 모양 구조의 유무와 나선팔이 감긴 정도 그리고 은하핵의 상대적인 크기에 따라 분류한다.

ㄱ. (가)는 SBb형, (나)는 Sa형이다. (가)와 (나)는 중심부의 막대 모양 구조의 유무로 구분한다.

ㄴ. (다)는 Sc형으로 (나)에 비해 은하핵의 상대적인 크기가 작고 나선팔이 느슨하게 감겨 있다.

ㄷ. (다)는 은하핵의 상대적인 크기와 나선팔의 감긴 정도로 보아 Sc형이다.

03 전파 은하의 특징

전파 은하는 보통의 은하보다 수백 배 이상 강한 전파를 방출하는 은하로, 관측하는 방향에 따라 중심부가 뚜렷한 전파원으로 보이거나 제트로 연결된 로브가 중심부의 양쪽에 대칭으로 나타난다.

ㄱ. (나)가 가시광선 영상이고 형태로 보아 타원 은하이다.

ㄴ. (가)의 전파 영상에서 제트가 관측된다.

ㄷ̸. 제트가 방출되는 방향으로 보아 은하 중심부 별들의 회전축은 관측자의 시선 방향과 나란하지 않다.

04 충돌 은하

우주에 무리를 지어 분포하는 은하들 중 서로 가까이 있는 은하들은 서로 잡아당기는 인력에 의해 충돌하기도 한다.

ㄱ. 형태로 보아 A와 B는 나선 은하이다.

ㄴ. A와 B는 서로 접근하고 있으므로 A에서 관측할 때 B에 속한 별 중 스펙트럼에서 청색 편이가 나타나는 별이 있다.

ㄷ̸. 별들 사이의 간격이 매우 멀기 때문에 은하가 충돌하더라도 별들끼리 충돌하는 경우는 거의 없다.

05 은하의 형태에 따른 색지수

타원 은하에는 상대적으로 늙은 별이 많이 분포하고, 불규칙 은하에는 상대적으로 젊은 별이 많이 분포한다.

ㄱ̸. 색지수가 큰 별이 많을수록 은하 내에 상대적으로 늙은 별이 많은 것이므로 타원 은하는 ㉠이다.

ㄴ. 색지수로 보아 은하를 구성하는 별들의 평균 나이는 ㉠이 ㉢보다 많다.

ㄷ. 평균 색지수는 타원 은하인 ㉠이 정상 나선 은하인 ㉡보다 크다.

06 중력 렌즈 현상

거리가 매우 먼 퀘이사와 지구 사이에 일반 은하가 같은 시선 방향에 위치하면 일반 은하의 중력에 의해 중력 렌즈 현상이 나타나 동일한 퀘이사가 여러 개로 관측된다.

ㄱ̸. 중력 렌즈 현상에 의해 빛이 굴절되어 여러 개로 보이는 퀘이사가 중력 렌즈 현상을 일으키는 일반 은하보다 더 멀리 있는 은하이고 적색 편이는 A가 B보다 작다.

ㄴ. B~E는 동일한 퀘이사이므로 고유 파장이 같은 흡수선의 관측 파장은 B~E에서 같다.

ㄷ̸. 후퇴 속도는 지구로부터의 거리가 먼 퀘이사(B~E)가 일반 은하(A)보다 빠르다.

07 충돌 은하와 세이퍼트은하

은하들 중 가까이 있는 은하들 사이에는 인력이 작용하여 충돌하기도 하는데 이를 충돌 은하라고 한다.

ㄱ̸. A는 은하핵을 가로지르는 막대 모양 구조가 없는 것으로 보아 정상 나선 은하이다.

ㄴ. 두 은하가 충돌할 때는 거대한 분자운들이 충돌하게 되고 격렬한 충격이 발생하면서 급격히 기체가 압축되어 많은 별들이 탄생할 수 있다.

ㄷ. A는 세이퍼트은하로 중심부에는 거대 질량의 블랙홀이 있다.

08 세이퍼트은하와 전파 은하

세이퍼트은하는 대부분 나선 은하의 형태로 관측되며, 전파 은하는 일반 은하보다 수백 배 이상 강한 전파를 방출한다.

ㄱ. (가)는 세이퍼트은하로 나선 은하의 형태로 관측된다.

ㄴ. 전파 은하의 제트와 로브의 일부 영역에서는 강한 X선을 방출한다.

ㄷ. 세이퍼트은하와 전파 은하의 중심부에는 거대 질량의 블랙홀이 있다.

수능 3점 테스트

본문 106~107쪽

01 ② 02 ② 03 ⑤ 04 ③

01 허블의 은하 분류

허블은 은하들을 가시광선 영역에서 관측되는 형태에 따라 타원 은하, 나선 은하, 불규칙 은하로 분류하였다.

ㄱ̸. (다)는 모든 조건에 해당하지 않는 것으로 보아 불규칙 은하이고, (가)는 정상 나선 은하이다. B는 타원 은하이다.

ㄴ̸. (나)는 타원 은하, (다)는 불규칙 은하이므로 은하의 질량에 대한 성간 물질의 질량비는 (나)가 (다)보다 작다.

ㄷ. (가), (나), (다)는 막대 나선 은하가 아니므로 '중심부에 막대 구조가 있는가?'는 ㉡에 해당한다.

02 퀘이사의 분포

퀘이사는 수많은 별들로 이루어진 은하이지만 너무 멀리 있어 하나의 별처럼 보인다. 대부분의 퀘이사는 우주 생성 초기에 만들어진 것이다.

ㄱ̸. (가)에서 퀘이사의 개수 밀도는 빅뱅 이후 약 20억 년 후에 가장 크므로, 퀘이사의 개수 밀도와 적색 편이의 크기는 비례하지 않는다.

ㄴ̸. 별의 생성 비율도 퀘이사의 개수 밀도와 비슷하게 빅뱅 이후 약 20억 년 후까지는 증가하지만 그 이후에는 감소하고 있다. 관측 거리가 먼 은하일수록 과거의 은하이다.

ㄷ. 퀘이사의 개수 밀도와 별의 생성 비율은 빅뱅 이후 약 20억 년 후일 때 가장 높았고 그 당시 우주의 크기는 현재보다 작았다.

03 나선 은하

나선 은하는 나선팔이 감긴 정도와 은하핵의 상대적인 크기에 따라 Sa, Sb, Sc 또는 SBa, SBb, SBc로 구분한다.

ㄱ. T_1일 때 연간 생성된 별의 총 질량은 A가 B보다 크다.

ㄴ. T_2일 때 A는 새로운 별의 생성이 거의 없지만 C는 상대적으로 많다. 따라서 별의 평균 나이는 A가 C보다 많다.

ㄷ. A, B, C에서 은하 생성 초기에 비해 현재는 연간 생성된 별의 총 질량이 감소하였다.

04 세이퍼트은하와 퀘이사

퀘이사에서 방출되는 에너지는 보통 은하의 수백 배나 되지만 에너지가 방출되는 영역의 크기는 태양계 정도이다.

ㄱ. 퀘이사는 적색 편이가 매우 크게 나타나고 매우 먼 거리에 위치한다. (가)는 세이퍼트은하, (나)는 퀘이사이다.

ㄴ̸. 퀘이사에서 방출되는 에너지는 보통 은하의 수백 배나 되지만 에너지가 방출되는 영역의 크기는 태양계 정도이므로 은하의 $\frac{\text{중심부의 밝기}}{\text{전체 밝기}}$는 (가)가 (나)보다 작다.

ㄷ. A는 은하의 형태가 나선 은하로 뚜렷하게 보이는 것으로 보아 세이퍼트은하이다.

테마 15 우주 팽창

닮은 꼴 문제로 유형 익히기

본문 110쪽

정답 ②

우주가 팽창함에 따라 우주에서 암흑 에너지의 비율은 증가하는 반면, 보통 물질과 암흑 물질의 비율은 감소한다. A는 암흑 물질, B는 보통 물질, C는 암흑 에너지이다.

ㄱ. A는 암흑 물질로, 전자기파로는 관측되지 않고 중력을 이용한 방법으로 존재를 추정할 수 있다.

ㄴ. 시간이 흐름에 따라 우주가 팽창하고 우주 배경 복사의 파장은 길어진다.

ⓒ. 현재 이후 우주가 팽창하는 동안 암흑 에너지의 상대적 밀도는 일정하고 암흑 물질과 보통 물질의 상대적 밀도는 감소하므로, $\frac{(\text{A}+\text{B})\text{의 비율}}{\text{C의 비율}}$은 감소한다.

수능 2점 테스트

본문 111~113쪽

01 ②	02 ④	03 ⑤	04 ②	05 ⑤
06 ④	07 ⑤	08 ③	09 ③	10 ⑤
11 ②	12 ①			

01 빅뱅 우주론 및 수소와 헬륨의 질량비

초기 우주에서 생성된 양성자와 중성자의 개수비는 약 7 : 1이었으며, 양성자와 중성자가 2개씩 결합하여 헬륨 원자핵이 생성되었다.

ㄱ. 헬륨 원자핵이 생성된 후 수소 원자핵과 헬륨 원자핵의 질량비는 약 3 : 1이다.

ㄴ. 우주 배경 복사는 방출된 이후 우주의 팽창으로 인해 파장이 길어졌다.

ⓒ. 헬륨 원자핵은 빅뱅 이후 약 3분 동안에 만들어졌고, 우주 배경 복사가 방출된 시기는 빅뱅 이후 약 38만 년 후이다. 따라서 우주의 온도는 (가) 시기가 (나) 시기보다 높다.

02 허블 법칙

허블 법칙을 만족하는 은하의 후퇴 속도는 은하까지의 거리에 비례하고, 허블 상수는 $\frac{\text{은하의 후퇴 속도}}{\text{은하까지의 거리}}$이다.

ㄱ. 후퇴 속도가 같은 경우 은하까지의 거리는 (다)에서가 (가)에서보다 멀다.

ⓛ. $\frac{\text{은하의 후퇴 속도}}{\text{은하까지의 거리}}$가 (가)가 (나)보다 크므로 허블 상수는 (가)가 (나)보다 크다.

ⓒ. 20억 년 후 은하들 사이의 평균 거리는 우주의 팽창 속도가 빠를수록 멀다.

03 우주 배경 복사

우주 배경 복사는 우주의 온도가 약 3000 K일 때 방출되었던 복사로, 우주가 팽창하는 동안 온도가 낮아지고 파장이 길어져 현재는 약 2.7 K 복사로 관측되고 있다.

ⓖ. 우주 배경 복사에서 관측되는 미세한 온도 편차는 우주 초기의 미세한 밀도 차이 때문에 나타난다.

ⓛ. 우주 배경 복사는 우주가 팽창하는 동안 온도가 낮아지고 파장이 길어졌다.

ⓒ. 대폭발 이론은 우주 배경 복사의 설명이 가능하다.

04 우주의 가속 팽창

최근의 관측 결과, 현재 우주는 팽창 속도가 증가하고 있다.

ㄱ. 은하들까지의 거리와 은하들의 후퇴 속도는 1 : 1로 비례하는 관계가 아니다.

ⓛ. Ⅰa형 초신성은 매우 밝으며, 거리에 관계없이 최대로 밝아졌을 때의 절대 등급이 거의 일정하다.

ㄷ. 거리가 ㉠인 은하의 후퇴 속도는 A가 B보다 빠르므로 스펙트럼 흡수선의 관측 파장 예측값은 A가 B보다 크다.

05 허블 법칙

은하들의 후퇴 속도는 거리에 비례하며, 이 관계를 허블 법칙이라고 한다.

ⓖ. 적색 편이는 $\frac{\text{관측 파장}-\text{고유 파장}}{\text{고유 파장}}$이므로 (가)의 적색 편이는 $\frac{510\text{ nm}-500\text{ nm}}{500\text{ nm}}=0.02$이다.

ⓛ. 은하의 후퇴 속도는 적색 편이에 비례한다. 적색 편이는 (다)가 (가)의 4배이므로 은하의 후퇴 속도는 (다)가 (가)의 4배이다.

ⓒ. 지구로부터의 거리는 허블 법칙에 따라 후퇴 속도에 비례하므로 (나)가 (가)의 2배이다.

06 우주 구성 요소

(가)는 암흑 물질, (나)는 암흑 에너지, (다)는 보통 물질이다.

ㄱ. (가)는 질량을 가지고 있으므로 물질이고 전자기파로 관측되지 않으므로 암흑 물질이다.

ⓛ. (나)는 암흑 에너지로 우주에서 암흑 에너지 밀도는 일정하므로 우주가 팽창함에 따라 총량은 증가한다.

ⓒ. $\frac{\text{물질의 비율}}{\text{암흑 에너지의 비율}}$은 우주가 팽창함에 따라 감소한다.

07 허블 법칙

멀리 있는 은하일수록 빠르게 멀어지는 현상은 우주가 팽창한다는 것을 의미하며, 우주의 어느 위치에서 관측하더라도 동일하게 관측된다.

ⓖ. A에서 C까지의 거리가 40 Mpc이고 A에서 관측한 C의 후퇴 속도가 2800 km/s이므로 허블 법칙에 따라 허블 상수는 70 km/s/Mpc이다.

ㄴ. C에서 관측한 D의 후퇴 속도는 허블 법칙에 따라 1400 km/s이고 후퇴 속도는 (빛의 속도×적색 편이)이다. 따라서 600 nm의 고유 파장을 갖는 흡수선이 602.8 nm로 관측된다.
ㄷ. B와 D 사이의 거리가 50 Mpc이므로 후퇴 속도는 3500 km/s이다.

08 정상 우주론과 빅뱅 우주론

정상 우주론과 빅뱅 우주론 모두 우주는 팽창하지만 정상 우주론에서는 빅뱅 우주론과 달리 우주의 온도와 밀도가 일정하다고 설명한다.
ㄱ. (가)에서 우주의 질량이 증가하고, (나)에서 우주의 질량이 일정한 것으로 보아 (가)는 정상 우주론, (나)는 빅뱅 우주론이다. 정상 우주론에서 우주의 밀도는 일정하므로 우주의 부피 변화는 질량 변화에 비례한다.
ㄴ. 정상 우주론에서는 우주 배경 복사를 설명하지 못한다.
ㄷ. 정상 우주론에서는 우주의 온도가 일정하다고 설명한다.

09 급팽창 이론

급팽창 이론은 빅뱅 직후 우주가 급격히 팽창했다는 이론으로, 기존의 빅뱅 우주론에서 설명하기 어려웠던 여러 가지 문제들을 해결할 수 있다.
ㄱ. (가)는 초기 빅뱅 우주론, (나)는 급팽창 이론이다. ㉠은 우주의 평탄성 문제이다.
ㄴ. 초기 빅뱅 우주론은 우주의 자기 홀극 문제를 설명할 수 없다.
ㄷ. 급팽창 이론은 우주가 생성 초기에 급격히 팽창하였기 때문에 팽창이 일어나기 이전에 가까이 있던 두 지역은 서로 정보를 교환할 수 있다고 설명한다.

10 우주의 팽창 속도와 우주 구성 요소

A는 암흑 물질, B는 보통 물질, C는 암흑 에너지이다.
ㄱ. 현재 우주는 약 4.9 %의 보통 물질, 약 26.8 %의 암흑 물질, 약 68.3 %의 암흑 에너지로 구성되어 있다.
ㄴ. ㉠ 시기에 우주의 팽창 속도가 감소한 것으로 보아 우주는 감속 팽창했다.
ㄷ. 우주가 팽창함에 따라 암흑 에너지의 비율은 증가하고 보통 물질의 비율은 감소한다.

11 우주 모형 비교

우주의 밀도는 물질 밀도와 암흑 에너지 밀도의 합이다. 이 값을 임계 밀도와 비교하여 우주의 곡률을 알 수 있다.
ㄱ. 우주의 곡률이 음(−)인 것은 열린 우주이고 A이다.
ㄴ. ㉡은 평탄 우주이고 B에 해당한다.
ㄷ. ㉢은 닫힌 우주이고 C이다. 현재 C는 감속 팽창하고 있다.

12 빅뱅 우주론

헬륨 원자핵은 빅뱅 이후 약 3분 동안 생성되었다. 우주 배경 복사는 우주의 나이가 약 38만 년일 때 형성되었으며, 최초의 별은 그 이후에 생성되었다.
ㄱ. 관측되는 가장 가까운 퀘이사에서 빛이 출발한 시기는 최초의 별이 탄생한 이후이다. 따라서 사건이 일어난 시간 순서는 (가) → (다) → (나) → (라)이다.
ㄴ. 우주의 급팽창은 빅뱅 직후 약 10^{-36}~10^{-34}초 사이에 일어났다.
ㄷ. 헬륨 원자핵은 빅뱅 이후 약 3분 동안 생성되었고 우주 배경 복사는 우주의 나이가 약 38만 년일 때 출발하였다.

수능 3점 테스트

본문 114~117쪽

01 ⑤ 02 ② 03 ② 04 ⑤ 05 ④
06 ① 07 ③ 08 ④

01 허블 법칙

허블 법칙은 은하까지의 거리와 후퇴 속도가 비례한다는 것이다. 외부 은하의 후퇴 속도를 v, 빛의 속도를 c, 고유 파장을 λ_0, 관측된 파장을 λ라고 할 때 $v=c\times\frac{\lambda-\lambda_0}{\lambda_0}$이다. 외부 은하에서 관측되는 흡수선의 파장이 허블 법칙으로 예상되는 값과 다른 경우가 있다.
ㄱ. B와 C의 흡수선 관측 파장은 허블 법칙으로 예상되는 값과 같고, $v=c\times\frac{\lambda-\lambda_0}{\lambda_0}$이므로 고유 파장 600 nm인 흡수선의 관측 파장은 고유 파장 300 nm인 흡수선의 관측 파장의 2배가 된다. 따라서 ㉠은 300.6이다.
ㄴ. B의 후퇴 속도는 (빛의 속도×적색 편이)이다. 따라서 B의 후퇴 속도는 600 km/s이다. 허블 법칙에 따라 후퇴 속도는 (허블 상수×은하까지의 거리)이므로 허블 상수는 70 km/s/Mpc이다.
ㄷ. 허블 법칙으로 예상한 A의 후퇴 속도는 1000 km/s이고, 관측된 흡수선 파장으로 계산한 A의 후퇴 속도는 700 km/s이다. 따라서 A의 후퇴 속도는 허블 법칙으로 예상한 값보다 300 km/s 작다.

02 우주 구성 요소의 비율 변화와 우리은하의 회전

A는 암흑 물질, B는 보통 물질, C는 암흑 에너지이다.
ㄱ. 중력 렌즈 현상은 보통 물질이나 암흑 물질로 인해 나타난다.
ㄴ. ㉠은 우리은하의 실제 회전 속도, ㉡은 우리은하에서 물질의 대부분이 중심부에 밀집된 것으로 보이는 관측 가능한 물질로부터 추론한 회전 속도이다.
ㄷ. ㉠과 ㉡의 차이는 눈에 보이지 않는 암흑 물질(A)로 인해 나타난다.

03 빅뱅 우주론

빅뱅 우주론에서 우주는 점차 팽창하고, 물질은 새로 생성되지 않는다. 우주가 팽창해도 암흑 에너지 밀도는 일정하다.
ㄱ. 우주가 팽창해도 새로운 물질은 생성되지 않으므로 우주의 질량은 일정하다.
ㄴ. 우주가 팽창함에 따라 우주의 온도는 낮아지고 우주 배경 복사의 파장은 길어진다.
ㄷ. 우주가 팽창해도 암흑 에너지의 밀도는 변하지 않는다.

04 우주 모형 비교

우주의 밀도는 물질 밀도와 암흑 에너지 밀도의 합이다. 이 값을 임계 밀도와 비교하여 우주의 곡률을 알 수 있다. 암흑 에너지는 척력으로 작용해 우주를 가속 팽창시키는 역할을 하는 것으로 추정된다.

㉠. Ω_m과 Ω_Λ를 더한 값이 A, B, C에서 모두 1이므로 A, B, C는 모두 평탄 우주이다.

㉡. 우주의 가속 팽창을 설명하기 위해서는 암흑 에너지를 고려해야 한다. 현재 $\Omega_m+\Omega_\Lambda=1$이므로 암흑 에너지 밀도가 클수록 우주의 팽창 속도가 시간에 따라 더 빨리 증가한다. 따라서 A가 ㉠, B가 ㉢, C가 ㉡이다.

㉢. Ⅰa형 초신성의 관측 결과를 설명하기 위해서는 물질과 함께 암흑 에너지도 고려해야 한다.

05 허블 법칙

허블 법칙에 따르면 멀리 있는 은하일수록 후퇴 속도가 빠르다. 후퇴 속도가 빠른 은하일수록 동일한 흡수선의 관측되는 파장과 고유 파장의 차가 커진다.

㉠. A와 B의 절대 등급이 같은데 겉보기 등급은 A가 B보다 작은 것으로 보아 A가 B보다 지구로부터의 거리가 가깝다. 따라서 A가 B보다 후퇴 속도가 느리고 A의 관측 파장은 508 nm보다 짧다.

✗. A와 B는 절대 등급이 같은데 겉보기 밝기는 A가 B보다 밝으므로 지구로부터의 거리는 A가 B보다 가깝다.

㉢. B와 C의 겉보기 등급으로 보아 관측자가 볼 때 B는 C보다 약 100배 밝게 보인다. 은하까지의 거리는 C가 B의 2배이므로 절대 등급이 같다면 관측자가 보는 밝기는 B가 C의 4배여야 한다. 따라서 절대 등급은 B가 C보다 작다.

06 빅뱅 우주론

우주 배경 복사는 빅뱅 이후 약 38만 년 후에 형성되었고, 그 이후에 최초의 별과 은하가 생성되었다.

㉠. 가장 가까이 있는 퀘이사는 최초의 별이 생성된 이후에 만들어졌다.

✗. 우주 배경 복사가 출발한 후 지구까지 이동하는 동안 우주는 계속 팽창하고 있으므로 A까지의 거리는 약 138억 광년보다 멀다.

✗. 현재 ㉠과 ㉡은 거의 서로 반대 방향에 위치하기 때문에 전자기파로 상호 작용할 수 없다.

07 우주의 나이와 우주 구성 요소의 변화

미래로 갈수록 우주가 팽창하므로 암흑 에너지의 상대적 비율은 증가하고, 암흑 물질과 보통 물질의 상대적 비율은 감소한다.

㉠. 현재 암흑 에너지의 비율은 약 68.3 %, 암흑 물질의 비율은 약 26.8 %, 보통 물질의 비율은 약 4.9 %이므로, T_1이 현재이다. A는 암흑 에너지, B는 보통 물질, C는 암흑 물질이다.

㉡. B는 보통 물질로 전자기파로 관측이 가능하다.

✗. T_2가 미래이고 T_3이 과거이다. $\frac{\text{암흑 에너지 밀도}}{\text{물질 밀도}}$는 T_2가 T_3보다 크다.

08 급팽창 이론

급팽창 이론에 따르면 우주 생성 초기에 우주가 급팽창하였기 때문에 팽창이 일어나기 이전에 가까이 있었던 두 지역은 서로 정보를 교환할 수 있었다. (가)는 급팽창이 일어난 후, (나)는 급팽창이 일어나기 전에 해당한다.

✗. (가)에서 실제 우주의 크기가 빅뱅 이후 빛이 이동한 거리보다 크기 때문에 우주의 모든 지역이 서로 정보 교환이 가능한 것은 아니다.

㉡. 우주 생성 초기에 급격히 팽창하여 공간의 크기가 매우 커지면 관측되는 우주의 영역은 평탄하게 보이게 된다고 설명함으로써 급팽창 이론은 우주의 평탄성 문제를 설명할 수 있다.

㉢. 급팽창이 일어나기 전 실제 우주의 크기는 관측 가능한 우주의 크기보다 작았지만 급팽창이 일어난 후 실제 우주의 크기는 관측 가능한 우주의 크기보다 커졌다.

실전 모의고사 1회 본문 120~124쪽

01 ④	02 ④	03 ⑤	04 ③	05 ③
06 ④	07 ⑤	08 ①	09 ②	10 ①
11 ②	12 ③	13 ②	14 ③	15 ①
16 ⑤	17 ⑤	18 ⑤	19 ③	20 ⑤

01 암석의 순환

A는 화강암이 풍화·침식되는 과정이며, B는 쇄설성 퇴적물이 쇄설성 퇴적암이 되는 과정이다.

X. A는 화강암이 풍화·침식되는 과정이다. 화강암이 풍화·침식되는 과정에서 생성된 자갈과 모래는 쇄설성 퇴적물이다.

㉡. B는 쇄설성 퇴적물이 속성 작용을 받아 쇄설성 퇴적암이 되는 과정이며, 속성 작용을 받는 과정에서 퇴적물 공극의 평균 크기는 작아진다.

㉢. Si와 O 모두는 ㉡ 마그마의 주요 구성 원소이다. 화강암은 마그마가 굳어서 만들어진 암석이므로 Si와 O 모두는 화강암의 주요 구성 원소이다.

02 해저 지형

㉠ 해역에는 동태평양 해령이 분포하며, ㉡ 해역에는 대서양 중앙 해령이 분포한다.

㉠. 현재는 정자극기이고 해령에서는 새로운 해양 지각이 생성된다. 따라서 ㉠ 해역과 ㉡ 해역 모두에는 정자극기에 만들어진 해양 지각이 분포한다.

㉡. 해령은 맨틀 대류의 상승부에서 생성되는 해저 지형이다. 따라서 ㉠ 해역과 ㉡ 해역 모두의 해양판 하부에는 맨틀 대류의 상승류가 있다.

X. 해령은 판의 발산형 경계이다. 따라서 ㉠ 해역과 ㉡ 해역 모두에서는 진원 깊이 300 km 이상인 지진이 발생하지 않는다.

03 퇴적암의 종류

퇴적 입자의 상당량이 자갈인 것으로 보아 이 퇴적암은 역암이다. 퇴적암은 생성 시기가 다른 여러 광물 입자가 섞여 있으므로 퇴적암에서 측정한 절대 연령은 퇴적암의 퇴적 시기 상한선을 지시한다.

X. 퇴적 입자의 상당량이 자갈인 것으로 보아 이 퇴적암은 역암이다.

㉡. 신생대는 약 0.66억 년 전부터 현재까지이다. 퇴적 입자 A를 구성하는 광물에서 측정한 절대 연령이 0.5억 년이다. 따라서 이 퇴적암은 0.5억 년 전 이후에 퇴적되었으며 퇴적 시기는 신생대이다.

㉢. 이 퇴적암은 역암이며, 역암은 생성되는 과정에서 속성 작용을 받는다.

04 아열대 순환

무역풍에 의한 북적도 해류와 남적도 해류 모두는 동쪽에서 서쪽으로 흐르고 편서풍에 의한 표층 해류는 서쪽에서 동쪽으로 흐른다. A 해역과 B 해역의 서안 모두에서는 난류가 흐르고 A 해역과 B 해역의 동안 모두에서는 한류가 흐른다.

③ A 해역에서의 표층 순환(북아열대 순환)은 시계 방향으로 순환하고, B 해역에서의 표층 순환(남아열대 순환)은 시계 반대 방향으로 순환한다.

05 퇴적 구조

지층에서 나타나는 퇴적 구조는 사층리이며 사층리를 이용해 지층의 생성 순서를 파악할 수 있다.

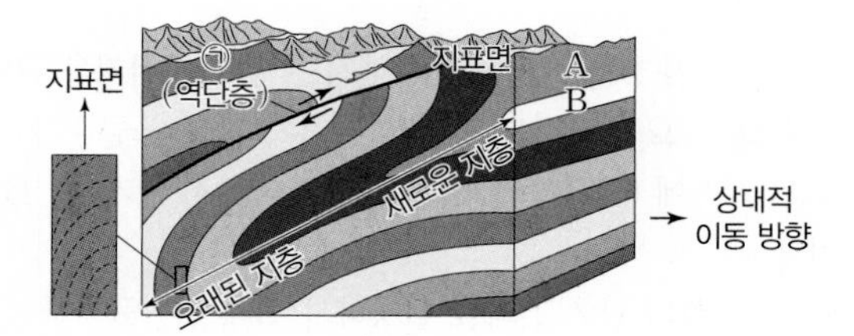

㉠. ㉠은 횡압력에 의해 상반이 하반에 대해 위로 이동한 역단층이다.

㉡. 사층리는 층리가 나란하지 않고 비스듬히 기울어지거나 엇갈려 나타나는 퇴적 구조이다. 지층에서 나타나는 퇴적 구조는 사층리이며 사층리로부터 퇴적물이 공급된 방향을 추정할 수 있다.

X. 사층리를 이용해 지층의 생성 순서를 파악해 보면 위 그림과 같이 왼쪽 아래에서 오른쪽 위로 갈수록 새로운 지층이 분포한다. 따라서 A층은 B층보다 먼저 퇴적되었다.

06 상대 연령

쇄설성 퇴적암은 아래로 갈수록 암석의 연령이 증가하고 심성암은 화성암의 일종으로 암석의 연령이 거의 일정하다. 따라서 A는 쇄설성 퇴적암이고 B와 C는 심성암이다. 이 지역에서는 C(심성암)의 관입 → 난정합 → A(쇄설성 퇴적암)의 퇴적 → B(심성암)의 관입 순으로 지질학적 사건이 있었다.

㉠. 난정합은 부정합면의 하부에 심성암이나 변성암이 분포하는 부정합이다. A(쇄설성 퇴적암)와 C(심성암) 사이의 부정합면은 난정합면이다.

㉡. 암석의 생성 순서는 C → A → B이고 C는 심성암이다.

X. B가 C를 관입하였으므로 B와 접한 C에 변성된 부분이 나타날 수 있지만, C와 접한 B에는 변성된 부분이 나타날 수 없다.

07 대기 대순환

저위도에서 고위도로 갈수록 대기 대순환에 의한 순환 세포 상한의 평균 높이는 낮아지는 경향을 보인다. 따라서 A는 적도 저압대, B는 북반구 한대 전선대, C는 북반구 중위도 고압대이다.

X. 평균 해면 기압은 A(적도 저압대)가 C(북반구 중위도 고압대)보다 낮다.

㉡. A는 적도 저압대이고 C는 북반구 중위도 고압대이므로, A와 C 사이 지표 부근에서는 대기 대순환에 의한 동풍 계열의 바람(북동 무역풍)이 우세하다.

㉢. B는 북반구 한대 전선대이고 C는 북반구 중위도 고압대이다. 북반구 한대 전선대와 북반구 중위도 고압대 사이의 대기 대순환 세포는 페렐 순환이며 페렐 순환은 간접 순환이다.

08 온대 저기압과 전선

온대 저기압에 동반되는 전선을 경계로 동서 방향의 기온이 크게 다르고 이 전선의 서쪽 기온이 동쪽 기온보다 낮은 것으로 보아, 이 전선은 한랭 전선이다.

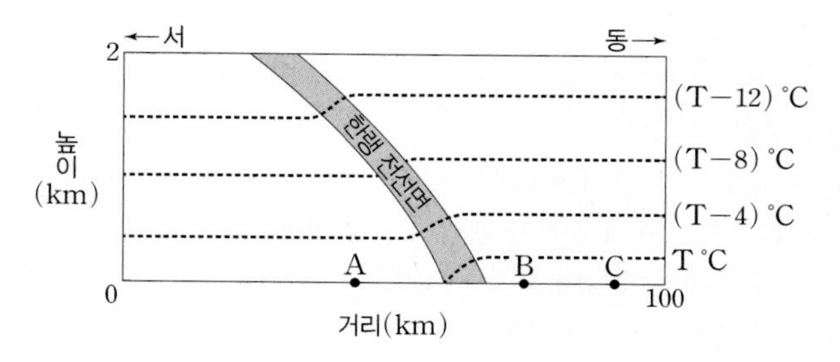

ㄱ. 그림과 같이 A 지점 상공에는 한랭 전선면이 나타난다.
ㄴ. A 지점은 한랭 전선의 후면에 위치하며 지상에서 북풍 계열의 바람이 우세하다. C 지점은 한랭 전선의 전면에 위치하며 지상에서 남풍 계열의 바람이 우세하다.
ㄷ. 연직 방향에서 등온선의 간격이 좁을수록 높이에 따른 기온 감소율이 크다. 따라서 B 지점에서 높이에 따른 기온 감소율은 증가하는 경향을 보이지 않는다.

09 열대 저기압

열대 저기압 중심으로 시계 반대 방향으로 바람이 불어 들어가는 것으로 보아 이 열대 저기압은 북반구에 위치한다. 북반구 열대 저기압에서 이동 방향의 오른쪽은 위험 반원이고 왼쪽은 안전 반원이므로, 이 열대 저기압의 이동 방향은 북서쪽이다.

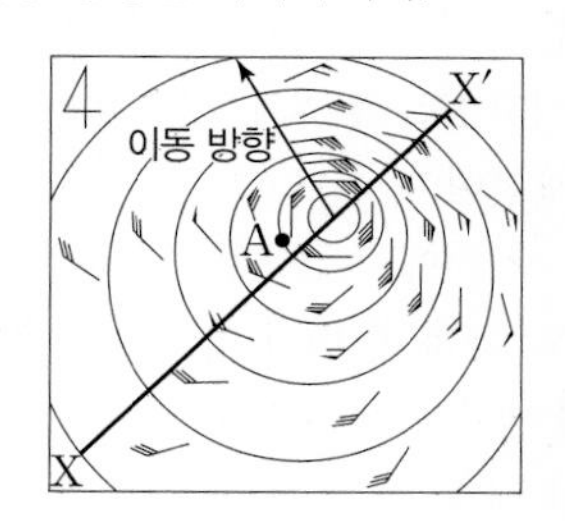

ㄱ. 이 열대 저기압의 이동 방향은 북서쪽이다.
ㄴ. A 지점은 이 열대 저기압의 이동 방향의 왼쪽에 위치하므로, A 지점은 안전 반원에 위치한다.
ㄷ. 그림을 보면 X−X′ 구간에서 거리에 따른 기압 변화의 평균값은 태풍 중심의 북동쪽이 남서쪽보다 크다.

10 황사

황사 발원지에서 멀어질수록 월별 황사 총 일수는 감소하는 경향을 보인다. 따라서 A는 부산이고 B는 서울이다.
ㄱ. 그림 (나)를 보면 우리나라에서 황사는 주로 봄철인 3월, 4월, 5월에 발생한다.
ㄴ. 황사는 주로 편서풍을 타고 서쪽에서 동쪽으로 이동한다.
ㄷ. A는 부산이다.

11 우박

우박은 빙정 주위에 차가운 물방울이 얼어붙어 땅에 떨어지는 얼음덩어리이다.
ㄱ. 그림의 구름은 연직으로 발달한 적운형 구름이며 우박은 적란운과 같은 적운형 구름에서 잘 발생한다.
ㄴ. 과냉각 물방울은 0 ℃ 이하의 온도에서도 얼지 않고 액체 상태로 존재하는 물방울이다. 구름에서 온도가 0 ℃ 이하인 구름층이 존재하며 이 구름층에서 빙정이 성장하고 있는 것으로 보아 구름에는 과냉각 물방울이 존재한다.
ㄷ. 우리나라에서 우박은 주로 봄과 가을에 발생한다. 따라서 A는 가을이다.

12 북태평양 고기압

북태평양 고기압은 해들리 순환의 하강 기류에 의해 발달하는 아열대 고기압이다. 그림에서 북태평양 고기압 중심의 위도가 30°N보다 고위도인 것으로 보아 이 달은 7월이다.
ㄱ. 그림에서 등압선의 간격은 4 hPa이고 북태평양에서는 아시아 대륙 쪽으로 갈수록 기압이 낮아지는 경향을 보인다. 따라서 A 등압선의 기압값은 1008 hPa이다.
ㄴ. 북태평양 고기압에서 시계 방향으로 바람이 불어 나오므로 ㉠ 해역에는 북풍 계열의 바람이 지속적으로 불고 연안 용승이 일어날 수 있다.
ㄷ. 북태평양 고기압 중심은 북반구 여름철에 북상하고 북반구 겨울철에 남하한다. 따라서 북태평양 고기압 중심의 평균 위도는 7월이 6개월 후의 1월보다 높다.

13 열점과 판의 운동

고정된 열점에서 분출된 마그마에 의해 생성된 화산섬은 판에 실려서 이동한다. 따라서 최근 3천만 년 동안 (가) 해양판과 (나) 해양판 모두는 북쪽으로 이동하였으며 최근 3천만 년 동안 판의 평균 이동 속도는 (가) 해양판이 (나) 해양판보다 빨랐다.
ㄱ. 최근 3천만 년 동안 판의 평균 이동 속도는 (가) 해양판이 (나) 해양판보다 빨랐다.
ㄴ. 현재 (가) 해양판과 (나) 해양판 모두 북쪽으로 이동하고 있으며 판의 이동 속도는 (가) 해양판이 (나) 해양판보다 빠르다. 따라서 현재 (가) 해양판과 (나) 해양판의 경계에는 발산형 경계가 발달한다.
ㄷ. 화산섬에서 측정한 고지자기 복각의 크기는 화산섬이 생성된 열점의 위도가 높을수록 크다. 따라서 ㉠ 화산섬에서 측정한 고지자기 복각의 크기는 ㉡ 화산섬에서 측정한 고지자기 복각의 크기보다 작다.

14 표층 순환과 수온 염분도

C 해역에서는 난류인 쿠로시오 해류가 흐르고 D 해역에서는 한류인 캘리포니아 해류가 흐른다. 표층 수온과 표층 염분 모두는 C 해역이 D 해역보다 높으므로 ㉠은 C 해역의 관측값이고 ㉡은 D 해역의 관측값이다.
ㄱ. A 해역 부근에서는 난류와 한류가 만나므로 남북 방향의 표층 수온 변화는 A 해역 부근이 B 해역 부근보다 크다.
ㄴ. ㉠은 C 해역의 관측값이고 ㉡은 D 해역의 관측값이다. C 해역에서 표층 해수의 밀도가 1.022 g/cm^{3}이므로 D 해역에서 표층 해수의 밀도는 1.022 g/cm^{3}보다 크다.
ㄷ. B에서 D로 표층 해류가 흐르는 과정에서 표층 수온이 점차 높아지는 경향을 보인다. 따라서 B에서 표층 수온은 ㉡보다 낮다.

15 충돌 은하

이 천체의 질량이 태양 질량의 1.5×10^{12}배인 것으로 보아 이 천체는 외부 은하이며 적외선 영상으로 보아 이 은하는 나선 은하이다.

ㄱ. 이 천체는 외부 은하이며 우리은하 밖에 있는 천체이다.

ㄴ. 이 은하의 시선 속도가 −301 km/s인 것으로 보아 이 은하는 우리은하에 가까워지고 있으며 이 은하는 허블 법칙을 만족하지 않는다.

ㄷ. 이 은하의 시선 속도가 −301 km/s이므로 이 천체에서 우리은하를 관측하면 시선 속도는 −301 km/s로 관측될 것이다.

16 별의 물리량

절대 등급은 별이 10 pc에 있다고 가정했을 때의 등급이고, 겉보기 등급은 관측자에게 보이는 밝기를 나타내는 등급이다. 밝기는 거리의 제곱에 반비례하며 1등급의 밝기 차는 약 2.5배이다. B 별의 거리가 1 pc이고 겉보기 등급이 −5등급이므로 B 별의 절대 등급은 0등급이다. C 별의 거리가 10 pc이고 겉보기 등급이 0등급이므로 C 별의 절대 등급은 0등급이다.

ㄱ. A 별의 절대 등급이 −5등급이고 B 별의 절대 등급이 0등급이며, 표면 온도는 A 별과 B 별이 같다. 광도는 표면 온도의 네제곱과 반지름의 제곱을 곱한 값에 비례하므로 A 별의 반지름은 B 별의 10배이다.

ㄴ. A 별의 절대 등급이 C 별보다 5등급 작으므로 A 별의 광도는 C 별의 100배이다.

ㄷ. B 별은 거리가 1 pc이고 겉보기 등급이 −5등급이므로 B 별의 절대 등급은 0등급이다.

17 별의 물리량

이 별이 최대 복사 에너지를 방출하는 파장은 태양의 2배이므로 이 별의 표면 온도는 태양의 0.5배인 약 3000 K이다. 이 별은 겉보기 등급이 0등급이고 거리가 100 pc이므로 이 별의 절대 등급은 −5등급이다.

ㄱ. 표면 온도가 약 3000 K이고 절대 등급이 −5등급인 별은 적색 초거성이며 적색 초거성의 광도 계급은 Ⅰ이다.

ㄴ. 이 별은 겉보기 등급이 0등급이고 거리가 100 pc이므로 이 별의 절대 등급은 −5등급이다.

ㄷ. 현재 이 별은 적색 초거성이며, 적색 초거성으로 진화하는 별은 주계열성일 때 표면 온도가 태양보다 높다.

18 허블 법칙

(가)를 보면 B 은하에는 후퇴 속도가 나타나 있지 않고 A, C, D, E 은하는 B 은하에서 멀어지고 있으므로 (가)는 B 은하에서 관측한 것이다. (나)를 보면 A 은하에는 후퇴 속도가 나타나 있지 않고 B, C, D, E 은하는 A 은하에서 멀어지고 있으므로 (나)는 A 은하에서 관측한 것이다. 허블 법칙에 의하면 은하의 후퇴 속도 $v=H\cdot r$(H: 허블 상수, r: 은하까지의 거리)이다.

ㄱ. 은하들이 서로 멀어지는 우주에서는 어떤 은하에서 보더라도 은하들 사이의 거리가 멀어지는 것으로 나타나기 때문에 특정한 위치를 우주의 중심으로 정할 수 없다.

ㄴ. 허블 법칙에서 은하까지의 거리는 후퇴 속도에 비례하고 후퇴 속도는 흡수선의 파장 변화량에 비례한다. (가)에서 후퇴 속도는 E 은하가 D 은하의 2배이므로 어느 흡수선의 파장 변화량도 E 은하가 D 은하의 2배이다.

ㄷ. (가)를 보면, A 은하와 C 은하의 후퇴 속도 모두는 3500 km/s이고 B 은하에서 A 은하를 관측한 시선 방향과 B 은하에서 C 은하를 관측한 시선 방향이 이루는 각이 120°이므로 A와 C의 거리는 A와 B의 거리의 $\sqrt{3}$배이다. A에서 관측한 B의 후퇴 속도가 3500 km/s이고 A와 C의 거리는 A와 B의 거리의 $\sqrt{3}$배이므로, (나)에서 C의 후퇴 속도는 $3500\sqrt{3}$ km/s이다.

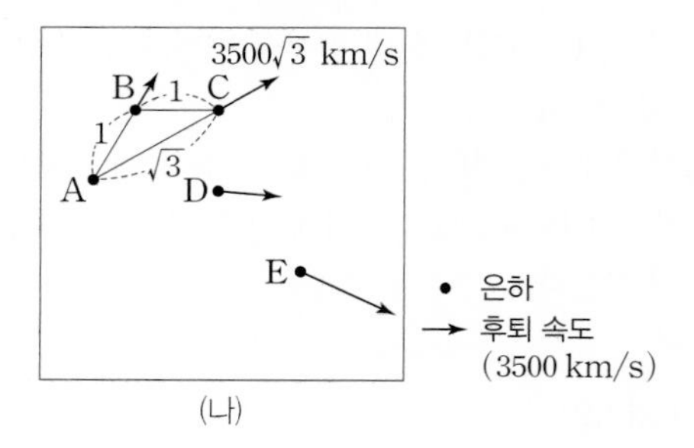

(나)

19 급팽창 이론

급팽창 이론에서 급팽창 직전에는 우주의 지평선이 우주의 크기보다 크고 급팽창 직후에는 우주의 크기가 우주의 지평선보다 크다. 따라서 A는 우주의 지평선이고 B는 우주의 크기이다.

ㄱ. A는 우주의 지평선이다.

ㄴ. (가) 급팽창 직전 시기에 우주에는 중성 수소와 중성 헬륨이 존재하지 않았다. 빅뱅 후 약 38만 년이 지났을 때 원자핵과 전자가 결합해 중성 수소와 중성 헬륨이 만들어졌다.

ㄷ. 급팽창이 일어날 때 우주는 빛보다 빠른 속도로 팽창하였다.

20 식 현상을 이용한 외계 행성계 탐사

(가)와 (나)를 비교해 보면, 행성에 의한 식 현상이 일어나기 직전에서 최초로 행성 전체가 중심별을 가린 시기까지 걸린 시간은 (가)가 (나)보다 짧다. 아래 그림의 A와 B를 비교해 보면, A는 관측자의 시선 방향과 행성의 공전 궤도면이 이루는 각이 0°인 경우이며 B는 관측자의 시선 방향과 행성의 공전 궤도면이 이루는 각이 0°가 아닌 경우이다. A에서 a(행성에 의한 식 현상이 일어나기 직전)에서 b(최초로 행성 전체가 중심별을 가린 시기)로 공전하는 데 걸리는 시간은 B에서 c(행성에 의한 식 현상이 일어나기 직전)에서 d(최초로 행성 전체가 중심별을 가린 시기)로 공전하는 데 걸리는 시간보다 짧다.

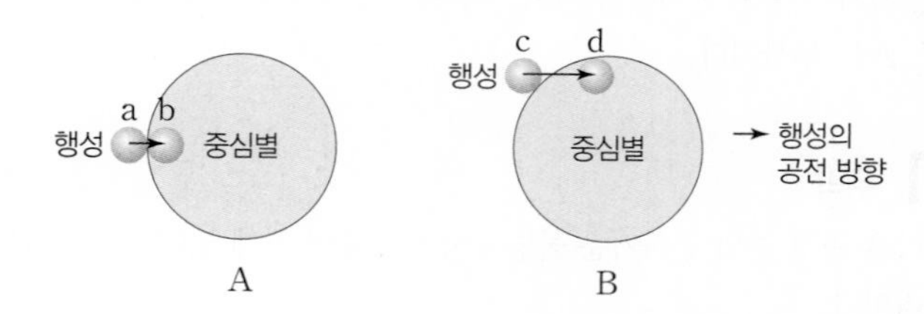

ㄱ. (가)와 (나)를 비교해 보면, 행성에 의한 식 현상이 일어나기 직전에서 최초로 행성 전체가 중심별을 가린 시기까지 걸린 시간은 (가)가

(나)보다 짧은 것으로 보아 관측자의 시선 방향과 행성의 공전 궤도면이 이루는 각은 (가)가 (나)보다 작다.

ㄴ. 식 현상이 일어나지 않았을 때 중심별의 겉보기 밝기 상댓값이 1이고 행성 전체가 중심별을 가렸을 때 중심별의 겉보기 밝기 상댓값이 0.990이므로, 행성에 의한 중심별의 겉보기 밝기 최대 감소량은 0.01이다. 행성 전체가 중심별을 가렸을 때, 중심별이 행성에 의해 가려지는 단면적은 중심별 단면적의 $\frac{1}{100}$이므로 $\frac{\text{중심별의 반지름}}{\text{행성의 반지름}}$은 10이다.

ㄷ. (가)와 (나) 모두에서 $T_1 \rightarrow T_2$ 과정에서 중심별의 스펙트럼에서 적색 편이가 나타나고 적색 편이량이 감소하고 있으므로, (가)와 (나) 모두에서 중심별의 어느 흡수선 파장은 T_1일 때가 T_2일 때보다 길다.

실전 모의고사 2회 본문 125~129쪽

01 ④	02 ④	03 ③	04 ②	05 ①
06 ③	07 ③	08 ⑤	09 ②	10 ③
11 ④	12 ①	13 ②	14 ④	15 ⑤
16 ②	17 ③	18 ①	19 ③	20 ②

01 마그마의 생성

A와 C에서는 압력 감소에 의해 생성된 현무암질 마그마가 분출하고, B에서는 물 공급에 의한 용융 온도 하강으로 생성된 현무암질 마그마와 대륙 지각의 온도 상승으로 생성된 유문암질 마그마의 혼합 과정을 거쳐 생성된 안산암질 마그마가 주로 분출한다.

ㄱ. A에서는 현무암질 마그마가 분출하고, B에서는 주로 안산암질 마그마가 분출한다. 따라서 분출하는 마그마의 SiO_2 함량(%)은 A보다 B에서 많다.

ㄴ. C의 마그마는 대륙 열곡대에서 분출하는 현무암질 마그마이다. 열곡대 하부에서는 주로 압력 감소 과정을 거쳐 마그마가 생성된다.

ㄷ. 연약권의 온도는 B의 하부가 A의 하부보다 대체로 낮다. 따라서 같은 깊이의 연약권에서 지진파의 속도는 B의 하부가 A의 하부보다 대체로 빠르다.

02 대륙의 이동과 고지자기 복각 변화

(가)는 초대륙의 분리가 계속 진행 중이었던 신생대 초기의 수륙 분포이고, (나)는 현재의 수륙 분포이다.

ㄱ. (가)일 때 ㉠에서는 북아메리카 대륙과 유라시아 대륙이 서로 멀어지면서 대서양이 넓어진다. 따라서 이 시기에 ㉠에서는 대규모 습곡 산맥이 형성되지 않았다.

ㄴ. ㉡은 인도의 히말라야산맥 부근에 위치한 지점이다. ㉡에 분포하는 암석은 신생대 초기인 (가)일 때 적도 부근에 위치하였고, 현재는 북반구 중위도에 위치해 있다. 따라서 ㉡에 분포하는 암석의 고지자기 복각의 크기는 팔레오기(신생대 초)에 생성된 암석보다 제4기에 생성된 암석에서 크다.

ㄷ. 대서양에는 해양 지각이 소멸하는 수렴형 경계가 거의 존재하지 않는다. 따라서 대서양에서 해양 지각의 평균 연령은 시간이 지날수록 증가한다.

03 해양 지각의 연령 분포

발산형 경계인 해령의 중심부에서 생성된 해양 지각은 양옆으로 확장되며, 수렴형 경계인 해구에서 상대적으로 오래된 해양 지각이 소멸된다.

ㄱ. 고지자기의 줄무늬 분포는 해령의 중심축을 중심으로 대칭으로 나타난다. 자료에서 해령의 중심축은 기준점으로부터의 거리가 약 350 km인 지점 부근에 위치한다. 이 지점의 자극기가 ㉡이므로 ㉡은 정자극기, ㉠은 역자극기이다.

ㄴ. 해수면에서 초음파의 왕복 시간을 측정하면 해령에 가까울수록 대체로 짧다. 따라서 기준점으로부터 100 km 지점보다 200 km 지점에서 초음파의 왕복 시간이 짧다.

ㄷ. 판의 확장 속도는 10 cm/년이라고 했으며, 측정 구역에서 해령

의 중심축으로부터 최대 거리는 약 350 km이다. 따라서 측정 구역에서 해양 지각의 최대 연령은 약 350만 년이다.

$$\frac{350\text{ km}}{10\text{ cm/년}}=3.5\times10^6\text{년}=350\text{만 년}$$

04 퇴적 환경과 퇴적 구조

퇴적암이 생성되는 퇴적 환경은 크게 육상 환경, 연안 환경, 해양 환경으로 구분할 수 있다. 퇴적 구조 ㉠은 점이 층리이고, ㉡은 사층리이다.

ㄱ. A는 대륙대이며, 해양 환경에 속한다.

ㄴ. B는 하천과 바다가 만나는 지역에서 발달하는 삼각주이다. 삼각주에서는 퇴적물의 공급 방향에 따라 사층리가 잘 나타난다. 점이 층리는 대륙대 퇴적물에서 잘 나타난다.

ㄷ. 대륙대에서는 쇄설성 퇴적암과 화학적 퇴적암(예 석회암)이 모두 생성될 수 있지만, 삼각주에서는 화학적 퇴적암보다 쇄설성 퇴적암이 잘 생성된다.

05 상대 연령과 절대 연령

이 지역에서 지층의 상대 연령은 B 퇴적 → P 관입 → 부정합 → A 퇴적 순이다.

ㄱ. Q에서 방사성 동위 원소 X가 100 %에서 80 %로 감소하는 데 0.5억 년이 걸렸으므로 P에서 100 %에서 60 %로 40 % 감소하는 데는 0.5억 년의 2배인 1억 년보다 오래 걸린다. 따라서 P의 절대 연령은 1억 년보다 많다.

ㄴ. 단층 $f-f'$에 의해 부정합면이 어긋나 있으므로 부정합은 단층이 형성되기 전에 만들어졌다.

ㄷ. 제시된 자료만으로는 Q와 A의 상대 연령을 비교할 수 없다. 이와 같은 경우에는 A에서 산출되는 표준 화석과 Q의 절대 연령을 비교하는 방법 등을 이용해야 한다.

06 지질 시대의 환경과 생물

고기후를 연구하는 방법에는 화석 연구, 지층의 퇴적물 연구, 나무의 나이테 연구, 빙하 코어 연구 등이 있다.

ㄱ. A, B, C에서는 모두 육상 생물 화석과 해양 생물 화석이 산출된다. 따라서 A, B, C에는 모두 육성층과 해성층이 존재한다.

ㄴ. (나)에서 지구의 평균 기온은 중생대 말기가 신생대 말기보다 높았다. 따라서 B가 퇴적될 당시는 C가 퇴적될 당시보다 따뜻했으며, 평균 해수면 높이가 높았음을 알 수 있다.

ㄷ. 남극 대륙의 빙하 시추 연구를 통해서는 비교적 최근의 지구 평균 기온 변화만 알아낼 수 있다. 따라서 (나)의 지구 평균 기온 변화는 다른 연구 방법(화석 연구, 퇴적물 연구 등)을 이용하여 알아내야 한다.

07 기단과 날씨

우리나라에서 계절에 따른 평균 풍속은 여름철보다 겨울철에 대체로 빠르다. 따라서 (가)는 7월, (나)는 1월의 해면 기압 분포이다.

ㄱ. 우리나라에서 계절에 따른 평균 풍속은 여름철보다 겨울철에 대체로 빠르다. 풍속은 등압선 간격이 좁을수록 빠르므로, 등압선 간격이 넓은 (가)는 여름철인 7월, 등압선 간격이 좁은 (나)는 겨울철인 1월의 해면 기압 분포이다.

ㄴ. (가)일 때 대륙에 저기압이 발달하므로 우리나라에서는 남풍 계열의 바람이 우세하다.

ㄷ. 우리나라에서 집중 호우에 의한 피해는 여름철인 (가)일 때 주로 발생한다.

08 온대 저기압과 날씨

(가)에서는 전선의 앞쪽에서 남서풍이 불고, (나)에서는 전선의 앞쪽에서 남동풍이 불고 있다.

ㄱ. (가)에서 전선의 앞쪽에 남서풍이 불고 있으므로 ㉠은 한랭 전선이다.

ㄴ. 온대 저기압이 통과할 때 관측 지역에서는 온난 전선이 먼저 통과한 다음 한랭 전선이 통과한다. 따라서 관측 시각은 $T_2 \rightarrow T_1$이다.

ㄷ. T_2일 때, 구름 최상부의 높이는 온난 전선에서 가까운 곳보다 먼 곳에서 높다. 따라서 구름 최상부의 높이는 A보다 B에서 높다.

09 태풍

태풍은 순간 최대 풍속을 기준으로 매우 강, 강, 중, 약으로 구분하고, 강풍 반경의 범위를 기준으로 초대형, 대형, 중형, 소형으로 구분한다.

ㄱ. 남해안에 상륙한 이후 6시간이 지난 31일 21시에 태풍의 최대 풍속은 28 m/s이다. 태풍 강도 분류에 따르면 이 시기에 태풍은 '중'이다.

ㄴ. 1일 03시에 태풍의 강풍 반경은 290 km이었으며, 지도의 축척을 고려할 때, 제주도는 강풍 반경 바깥쪽에 위치한다.

ㄷ. 태풍이 통과하는 동안 ㉠은 태풍의 안전 반원에 위치하였다. 따라서 ㉠에서 풍향은 시계 반대 방향으로 바뀌었다.

10 대기와 해양의 상호 작용

평상시 무역풍으로 인해 열대 서태평양은 따뜻한 해수로부터 열과 수증기를 공급받은 공기가 상승하여 강수대가 형성되고, 상대적으로 온도가 낮은 동태평양은 공기가 하강한다. 이로 인해 열대 태평양 지역에서는 동서 방향의 거대한 순환이 형성되는데, 이를 워커 순환이라고 한다. 엘니뇨 시기에는 워커 순환이 약해지고 무역풍도 약해진다.

ㄱ. 무역풍이 약화되면서 엘니뇨 현상이 강화되는 과정을 나타낸 것이다.

ㄴ. 태평양 적도 부근 해역에서 동서 방향의 기압 차가 감소하게 되면 워커 순환이 약화되면서 무역풍도 약해진다.

ㄷ. 무역풍이 약해지면 동태평양 적도 부근 해역에서 용승이 약해지면서 동서 방향의 해수면 온도 차도 감소한다.

11 해수의 성질

표층 수온은 적도 부근 해역에서 가장 높게 나타나고, 표층 염분은 아열대 해역에서 가장 높게 나타난다.

ㄱ. 표층 용존 산소량은 표층 수온에 반비례한다. 따라서 북태평양

아열대 해역에서 표층 용존 산소량은 난류가 흐르는 해역보다 수온이 낮은 한류가 흐르는 해역에서 많다.

ㄴ. 표층 염분은 (연 증발량－연 강수량) 값이 클수록 대체로 높게 나타난다. 따라서 북태평양보다 북대서양에서 (연 증발량－연 강수량) 값이 대체로 클 것이다.

ㄷ. 표층 해수의 밀도는 표층 수온이 낮을수록, 표층 염분이 높을수록 크다. 용존 산소량은 ㉠ 해역이 ㉡ 해역보다 적으므로 표층 수온은 ㉠ 해역이 ㉡ 해역보다 높으며, 표층 염분은 ㉠ 해역이 ㉡ 해역보다 낮다. 따라서 표층 해수의 밀도는 ㉠ 해역이 ㉡ 해역보다 작다.

12 대서양의 심층 순환

수괴는 표층에서 침강하여 흐르면서 수온과 염분이 거의 일정하게 유지되는 해수 덩어리이다. 수괴는 다른 수괴와 잘 섞이지 않기 때문에 수온과 염분이 거의 변하지 않는다. 대서양 심층 수괴의 밀도는 남극 저층수>북대서양 심층수>남극 중층수이므로 ㉠은 남극 중층수, ㉡은 남극 저층수, ㉢은 북대서양 심층수이다.

ㄱ. 수괴의 염분은 남극 중층수가 북대서양 심층수보다 낮다. 따라서 침강 해역에서 표층 염분은 남극 중층수가 형성되는 해역이 북대서양 심층수가 형성되는 해역보다 낮을 것이다.

ㄴ. 지중해 유출수의 수온과 염분을 수온 염분도에 나타내면 남극 중층수인 ㉠보다 밀도가 큰 영역에 표시된다.

ㄷ. 같은 질량의 남극 중층수와 남극 저층수를 혼합한 해수는 수온과 염분이 각각 두 수괴의 중간값을 갖는다. 따라서 혼합 해수의 밀도는 북대서양 심층수보다 작다.

13 기후 변화를 일으키는 지구 외적 요인

기후 변화를 일으키는 지구 외적 요인에는 지구의 공전 궤도 이심률 변화, 자전축의 경사각 변화, 세차 운동 등이 있다.

ㄱ. 공전 궤도 이심률은 근일점 거리와 원일점 거리의 차가 큰 (가)가 (나)보다 크다.

ㄴ. 40°N 지역은 (가)의 경우 원일점일 때 여름철이고, (나)의 경우 근일점일 때 여름철이다. 또한 여름철 태양의 남중 고도는 자전축 경사각이 큰 (나)일 때가 (가)일 때보다 높다. 따라서 40°N에서 여름철에 입사하는 태양 복사 에너지양은 (가)보다 (나)에서 많다.

ㄷ. (가)에서 (나)로 변하면, 세차 운동에 의해 40°N에서는 근일점 부근에서 겨울철이었다가 원일점 부근에서 겨울철이 된다. 40°S에서는 이와 반대로 원일점 부근에서 겨울철이었다가 근일점 부근에서 겨울철이 된다. 한편, (가)에서 (나)로 변하면, 자전축의 경사각 변화에 의해 40°N과 40°S에서 모두 겨울철에 태양의 남중 고도가 동일하게 낮아진다. 세차 운동과 자전축 경사각 변화를 모두 고려하면, 40°N에서는 (가)에서 (나)로 변할 때 겨울철 평균 기온이 크게 낮아지고, 40°S에서는 두 효과가 상쇄되어 겨울철 평균 기온 변화량이 40°N보다 작게 나타난다.

14 별의 물리량

두 별은 공통 질량 중심 주위를 돌고 있는 쌍성이다. 따라서 지구로부터 두 별까지의 거리는 거의 같다고 할 수 있다.

ㄱ. 두 별의 거리가 같다고 가정하면, 관측된 겉보기 등급의 차는 절대 등급의 차와 같다. 겉보기 등급은 ㉡이 ㉠보다 2등급 작으므로 절대 등급도 ㉡이 ㉠보다 2등급 작다. 따라서 광도는 ㉡이 ㉠의 약 2.5^2배이다.

ㄴ. 표면 온도는 ㉠이 ㉡보다 높으므로 최대 복사 에너지 세기를 갖는 파장은 ㉠이 ㉡보다 짧다. 따라서 ㉠의 파장에 따른 복사 에너지 세기는 X이다.

ㄷ. 광도는 ㉡이 ㉠의 약 2.5^2배이고, 표면 온도는 ㉡이 ㉠의 $\frac{1}{5}$배이다. 따라서 반지름은 ㉡이 ㉠의 50배보다 크다.

$$\frac{R_{\text{㉡}}}{R_{\text{㉠}}}=\left(\frac{L_{\text{㉡}}}{L_{\text{㉠}}}\right)^{\frac{1}{2}}\times\left(\frac{T_{\text{㉠}}}{T_{\text{㉡}}}\right)^{2}=2.5\times5^{2}=62.5$$

15 별의 종류

별 ㉠~㉥을 H－R도에 나타내면 다음과 같다.

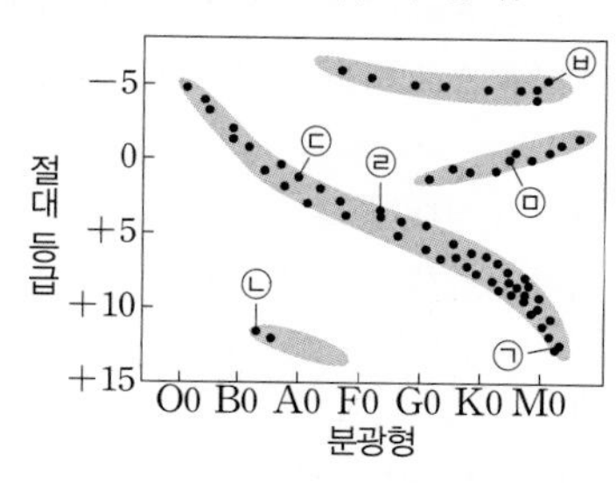

ㄱ. 별 ㉠~㉥ 중 ㉠, ㉢, ㉣은 주계열성에 해당한다. 따라서 ㉠의 광도 계급은 Ⅴ이다.

ㄴ. 별의 평균 밀도는 백색 왜성인 ㉡이 주계열성인 ㉢보다 크다.

ㄷ. H－R도에서 가장 오른쪽 상단에 위치한 별(초거성)은 ㉥이다.

16 별의 진화와 내부 구조

주계열성은 중심핵에서 수소 핵융합 반응이 일어나는 별이다. 따라서 (나)는 주계열 단계이다.

ㄱ. (가)는 중심부에서 헬륨핵의 수축이 일어나고, 헬륨핵을 둘러싼 영역에서 수소 껍질 연소가 일어나는 단계이다. 한편, (나)는 중심핵에서 수소 핵융합 반응이 일어나는 주계열 단계이다. 따라서 별의 중심부 온도는 (나)보다 (가)일 때 높다.

ㄴ. (나)의 경우, 별의 가장 바깥쪽 영역에 복사층이 존재하므로 이 별의 중심부에는 대류핵이 존재한다.

ㄷ. (가)에서는 수소 껍질 연소가 일어나고, (나)에서는 중심부에서 수소 핵융합 반응이 일어난다. 광도는 (가)가 (나)보다 크고, 단위 시간 동안 수소 핵융합 반응에 의한 에너지 생성량도 광도가 큰 (가)일 때가 (나)일 때보다 많다.

17 외계 행성계 탐사

중심별의 질량은 행성 질량의 500배이다. 따라서 공통 질량 중심으로부터의 거리는 행성이 중심별의 500배이다.

ㄱ. 행성의 공전 주기는 행성에 의한 중심별의 식 현상이 반복되는 주기와 같다. 따라서 행성의 공전 주기는 $4T$이다.

ㄴ. 중심별의 시선 속도의 최댓값은 중심별이 공통 질량 중심 주위를 회전하는 공전 속도와 같다. 따라서 중심별의 공전 속도는 60 m/s이다. 한편 중심별과 행성은 공통 질량 중심을 중심으로 같은 주기로 회

전하므로 행성의 공전 속도는 60 m/s×500=30 km/s이다.

ㄴ. 행성의 식 현상에 의한 중심별의 밝기 감소 비율이 1 %이므로 중심별의 단면적은 행성 단면적의 100배이고, 반지름은 중심별이 행성의 10배이다. 한편, 질량은 중심별이 행성의 500배이므로 평균 밀도(ρ)는 중심별이 행성의 0.5배이다.

$$\frac{\rho_{중심별}}{\rho_{행성}}=\left(\frac{500}{1}\right)\left(\frac{1}{10}\right)^3=0.5$$

18 은하의 종류와 특징

(가)에서 색지수(B−V)가 클수록 은하를 구성하는 별들의 표면 온도가 낮다. 허블의 은하 분류 체계에 따르면 ㉠은 타원 은하, ㉡은 불규칙 은하, ㉢은 정상 나선 은하이다.

ㄱ. 정상 나선 은하는 나선팔이 감긴 정도와 은하핵의 상대적인 크기에 따라 Sa, Sb, Sc로 구분하는데, 소문자가 a → b → c로 갈수록 중심핵의 크기가 상대적으로 작고 나선팔이 느슨하게 감겨 있다. 한편, (가)에서 Sa → Sb → Sc로 갈수록 색지수(B−V)가 감소한다. 따라서 중심핵의 크기가 상대적으로 작고 나선팔이 느슨하게 감겨 있을수록 나선 은하에서 붉은색 별의 비율이 감소한다.

ㄴ. 은하를 구성하는 별들의 평균 색지수(B−V)는 타원 은하인 ㉠이 나선 은하인 ㉢보다 크다.

ㄷ. ㉠, ㉡, ㉢ 중에서 은하에서 성간 물질이 차지하는 질량 비율은 불규칙 은하인 ㉡이 가장 크다.

19 퀘이사와 중력 렌즈 현상

암흑 물질은 전자기파 관측을 통해 존재를 확인할 수 없는 물질로, 중력 렌즈 현상을 관측하여 간접적으로 존재를 확인한다. 암흑 물질에 의한 중력 렌즈 현상으로 멀리 있는 퀘이사가 여러 개의 왜곡된 영상으로 관측될 수 있다.

ㄱ. 천체까지의 거리는 퀘이사가 A보다 멀다. 따라서 스펙트럼에 나타난 적색 편이는 퀘이사가 A보다 크다.

ㄴ. A의 중력 렌즈 작용에 의해 퀘이사에서 관측자 쪽으로 입사하는 빛이 휘어지므로 퀘이사의 상이 여러 개로 관측될 수 있다.

ㄷ. 중력 렌즈 현상을 일으키는 천체는 A이다. 따라서 A에 포함된 물질(암흑 물질+보통 물질)의 양이 많을수록 빛의 굴절이 크게 일어나 θ가 커진다.

20 빅뱅 우주론과 우주 팽창

우주의 크기가 2배로 커지면 고유 파장 λ_0인 빛은 파장이 $2\lambda_0$으로 관측되며, 이때의 적색 편이(z)는 1.0이다.

$$z=\frac{\lambda-\lambda_0}{\lambda_0}\text{이므로 } z=1.0,\ \lambda=2\lambda_0$$

ㄱ. 우주의 나이가 38만 년일 때 우주 배경 복사가 형성되었으며, 우주의 나이가 수억 년이 되었을 무렵 최초의 별이 생성되었다.

ㄴ. 우주의 나이가 77억 년일 때 출발한 빛이 현재 적색 편이(z) 1.0으로 관측되었다. 따라서 이 기간 동안 우주의 크기는 2배가 되었으며, 우주의 나이가 77억 년일 때 우주의 상대적 크기는 현재의 0.5배이다.

ㄷ. 우주의 크기가 현재보다 작았던 우주의 나이 77억 년일 때 ㉠에서 출발한 빛이 ㉡까지 이동하는 데 61억 년이 걸렸다. 따라서 현재 ㉠에서 출발한 빛이 ㉡에 도착하려면 61억 년보다 훨씬 많이 걸린다.

실전 모의고사 3회 본문 130~134쪽

01 ①	02 ④	03 ①	04 ⑤	05 ②
06 ①	07 ②	08 ④	09 ①	10 ⑤
11 ③	12 ①	13 ③	14 ⑤	15 ④
16 ⑤	17 ①	18 ④	19 ①	20 ③

01 황사

황사의 발원지는 주로 중국 북부, 몽골의 사막 또는 건조한 황토 지대로 편서풍을 타고 우리나라로 유입된다. 보통 우리나라의 서쪽 지역부터 황사가 유입되어 동쪽 지역으로 퍼지게 된다.

ㄱ. (나)의 4월 3일의 대기질 농도를 보면 관측소 A가 관측소 B보다 먼저 농도가 높아지는 것을 볼 수 있다.

ㄴ. 황사는 발원지에서 발생하여 편서풍을 타고 우리나라로 오는 데까지 걸리는 시간이 있기 때문에 4월 3일 3시경 이전에 발생하였을 것이다.

ㄷ. 황사는 중국 북부와 몽골의 사막 등에서 발원하여 편서풍을 타고 우리나라로 유입된다.

02 플룸 구조론

플룸 구조론은 판의 내부에서 일어나는 화산 활동을 설명하기 위해 제시되었다. 플룸 구조론에서는 수렴형 경계에서 섭입한 판에 의해 생성되는 차가운 플룸과 맨틀과 외핵의 경계에서 뜨거운 맨틀 물질이 상승하여 생성되는 뜨거운 플룸이 지구 내부에서 하강 또는 상승하는 운동을 하며 지구 내부의 변동을 일으킨다고 설명한다.

ㄱ. 그림을 보면 맨틀과 외핵의 경계에서 뜨거운 맨틀 물질이 상승하여 생성되는 뜨거운 플룸임을 알 수 있다.

ㄴ. 뜨거운 플룸은 맨틀과 외핵의 경계에서 뜨거운 맨틀 물질이 상승하여 생성된다.

ㄷ. B의 하부에서는 뜨거운 플룸의 상승으로 인해 현무암질 마그마가 생성되고 분출한다.

03 표층 순환과 수온 염분도

북태평양 아열대 순환의 서쪽에서는 쿠로시오 해류가, 동쪽에서는 캘리포니아 해류가 흐르고 있다. 쿠로시오 해류의 경우 상대적으로 수온과 염분이 높은 난류이고, 캘리포니아 해류의 경우 상대적으로 수온과 염분이 낮은 한류이다. 해수의 밀도는 대체로 수온이 낮을수록, 염분이 높을수록 커진다.

ㄱ. ㉠은 쿠로시오 해류가 흐르는 해역으로 ㉡에 비해 수온과 염분이 높다.

ㄴ. 해수의 수온이 낮을수록, 염분이 높을수록 밀도가 크다. (나)의 수온 염분도에서 A의 밀도가 B의 밀도보다 크다.

ㄷ. 해수의 용존 산소량은 대체로 난류보다 한류가 더 많다. 그러므로 난류인 쿠로시오 해류가 흐르는 ㉠ 해역보다 한류인 캘리포니아 해류가 흐르는 ㉡ 해역의 용존 산소량이 많다.

04 점이 층리

점이 층리는 다양한 크기의 퇴적물이 한꺼번에 퇴적될 때 큰 입자가 밑바닥에 먼저 가라앉고 작은 입자는 천천히 가라앉아 형성되는 퇴적 구조이다. 주로 저탁류에 의해 형성된다.

ㄱ. 이 실험은 점이 층리가 형성될 때 크기가 큰 입자가 먼저 가라앉고 작은 입자가 나중에 가라앉는 과정을 이해하기 위한 것이다.

ㄴ. 입자의 크기가 클수록 물의 흐름(난류)에 의한 영향을 상대적으로 덜 받아 입자의 크기가 작은 퇴적물보다 빨리 가라앉는다.

ㄷ. 점이 층리는 해양 환경에서 주로 대륙붕 가장자리에 불안정하게 쌓인 퇴적물이 지진이나 해저 사태에 의해 대륙 사면을 미끄러져 내려간 후 대륙대에 쌓여 형성된다.

05 은하의 분류

은하를 형태학적으로 분류했을 때, (가)는 나선 은하, (나)는 타원 은하라는 것을 알 수 있다.

ㄱ. (가)는 나선 은하로 은하에서 성간 물질이 차지하는 비율이 (나)의 타원 은하보다 높으므로 (나)는 A이고 (가)는 B이다.

ㄴ. 허블의 은하 분류에 의하면 타원 은하(Elliptical galaxy)는 알파벳 E로 표현되며 타원의 납작한 정도에 따라 E0~E7로 세분하여 나타낸다. 이때 형태가 원에 가까울수록 E0, 납작한 타원형에 가까울수록 E7에 해당한다. (나)는 납작한 타원형에 가까우므로 E0에 해당하지 않는다.

ㄷ. 은하를 구성하는 별들의 평균 연령은 나선 은하보다 타원 은하가 더 많으므로 '은하를 구성하는 별들의 평균 연령'은 ㉠에 해당한다.

06 태풍과 날씨

태풍의 이동 경로는 대기 대순환의 바람과 주변 기압 배치의 영향을 받는데 저위도 지역에서는 대체로 북서쪽으로 진행하고 중위도 지역에서는 대체로 북동쪽으로 진행한다. 이때 태풍의 진행 방향의 오른쪽 영향권은 풍속이 상대적으로 빠른 위험 반원, 왼쪽 영향권은 풍속이 상대적으로 느린 안전 반원이다.

ㄱ. 그림을 보면 태풍의 중심을 기준으로 남동쪽의 풍속이 빠른 것을 알 수 있다. 이를 통해 이 지역이 태풍의 위험 반원이라는 것을 파악할 수 있다. 태풍의 위험 반원은 태풍의 진행 방향의 오른쪽이기 때문에 현재 이 태풍은 북동쪽으로 이동한다는 것을 파악할 수 있다.

ㄴ. P_1에서의 일기 기호를 보면 태풍이 지나가면서 풍향이 시계 방향으로 바뀐다는 것을 알 수 있다. 따라서 P_1은 태풍의 위험 반원에 위치한다.

ㄷ. 태풍 중심으로부터의 거리가 가까울수록 기압은 감소하는데 $t+6$시의 두 관측소의 기압을 보면 P_1은 966.0 hPa, P_2는 971.0 hPa이므로 태풍 중심까지의 거리는 P_1이 P_2보다 가깝다.

07 표준 우주 모형

표준 우주 모형은 급팽창 이론을 포함한 대폭발 우주론에 암흑 물질과 암흑 에너지의 개념까지 모두 포함된 우주 모형이다. 우주가 팽창함에 따라 보통 물질과 암흑 물질의 상대적 비율은 감소하고, 암흑 에너지의 상대적 비율은 증가하는 것으로부터 t_1, t_2의 선후 관계를 파악할 수 있다.

ㄱ. a는 암흑 물질, b는 암흑 에너지, c는 보통 물질이다. 우주가 팽창함에 따라 암흑 물질과 보통 물질의 상대적 비율은 감소하기 때문에 A는 t_2 시기이고 B는 t_1 시기이다.

ㄴ. b는 암흑 에너지로, 전자기파를 이용한 관측이 불가능하다.

ㄷ. 암흑 에너지는 공간이 갖는 에너지로 우주의 팽창에 따라 함께 커지기 때문에 암흑 에너지 밀도는 과거와 현재가 같다. 그러나 우주의 물질 밀도는 시간이 지나면서 우주의 팽창으로 감소하게 되기 때문에 $\frac{\text{암흑 에너지 밀도}}{\text{물질 밀도}}$는 t_1 시기가 t_2 시기보다 크다.

08 지질 시대

지질 시대는 크게 시생 누대, 원생 누대, 현생 누대로 구분할 수 있다. 시생 누대는 약 40억 년 전~약 25억 년 전까지이고 원생 누대는 약 25억 년 전~약 5억 4천 백만 년 전까지이며 현생 누대는 약 5억 4천 백만 년 전부터 현재까지이다. 이를 통해 A는 원생 누대, B는 시생 누대, C는 현생 누대라는 점을 파악할 수 있다.

ㄱ. 대기 중 산소의 평균 농도는 시생 누대에 출현한 남세균의 광합성에 의해 증가해왔기 때문에 A 시기(원생 누대)가 B 시기(시생 누대)보다 높다.

ㄴ. A 시기(원생 누대) 말기에 최초의 다세포 동물이 출현하였으며, 그 일부가 에디아카라 동물군 화석으로 남아 있다.

ㄷ. C 시기(현생 누대)에 오존층이 형성되면서 육상으로 생물이 진출하기 시작하였다.

09 판의 경계와 마그마 생성

A 지역에서는 맨틀 물질이 상승하여 압력이 감소하면 맨틀 물질이 용융되어 마그마가 생성된다. B 지역에서는 온도 상승으로 인해 대륙 지각이 용융되어 마그마가 생성되고, C 지역에서는 섭입대에서 해양 지각과 퇴적물의 함수 광물에 포함된 물이 빠져나와 맨틀에 물이 공급되어 용융 온도가 낮아져 마그마가 생성된다.

ㄱ. A 지역에서는 주로 현무암질 마그마가 생성되고 C 지역에서는 유문암질 마그마가 생성된다. 마그마의 SiO_2 함량(%)은 유문암질 마그마가 현무암질 마그마보다 많다.

ㄴ. 물의 공급에 의해서 맨틀 물질이 용융되는 깊이는 그림 (나)에서 물이 포함된 맨틀의 용융 곡선과 지하의 온도 분포 곡선이 만나는 지점이라고 할 수 있다. 물이 포함된 맨틀의 용융 곡선과 해양의 지하 온도 분포, 대륙의 지하 온도 분포가 만나는 깊이를 확인해 보면 해양의 지하 온도 분포와 만나는 지점이 상대적으로 더 얕다는 것을 알 수 있다.

ㄷ. ㉡은 물이 맨틀에 공급되어 마그마가 생성되는 과정으로 C에서 마그마가 생성되는 과정에 해당한다.

10 대기 대순환

북반구 겨울철에는 시베리아 고기압이 강하게 발달하기 때문에 대륙에서 해양으로 북서 계절풍이 나타난다. 또한 대체로 북반구의 겨울철 평균 풍속이 여름철보다 빠른 것을 통해 (가)가 겨울철, (나)가 여름철이라는 것을 알 수 있다.

ㄱ. 북반구의 경우, 겨울철 평균 풍속이 여름철보다 빠르게 나타나고 대륙에서 해양으로의 대기 흐름이 강하게 나타나기 때문에 (가)는 겨울철의 풍향 및 풍속 분포이다.

ㄴ. A 해역은 아열대 순환에서 북태평양 해류가 흐르는 곳이다.

ㄷ. B 해역의 고기압은 중위도 고압대인 30°N 부근에 발달해 있다. 따라서 해들리 순환의 하강 기류로 인해 형성된 고기압이다.

11 행성상 성운

질량이 태양과 비슷한 별은 적색 거성 단계 이후 수축과 팽창을 반복하면서 별의 바깥층 물질을 외부로 방출하고 행성상 성운을 형성하게 된다. 행성상 성운의 중심부는 더욱 수축하여 크기가 매우 작고 밀도가 큰 백색 왜성이 된다.

ㄱ. 행성상 성운은 태양 정도의 질량을 갖는 별의 진화 단계로 중심부에는 백색 왜성이 존재한다.

ㄴ. A와 B 지점에서는 관측자의 방향으로 팽창하므로 관측 파장이 짧아지는 청색 편이가 나타난다.

ㄷ. 방출선의 편이를 이용해 시선 속도를 파악할 수 있는데 A 지점의 경우 관측자의 시선 방향과 나란하기 때문에 최대 팽창 시선 속도 값을 갖는다. B 지점의 경우 최대 팽창 시선 속도 값의 cos60°배, 즉 $\frac{1}{2}$배이므로 팽창 시선 속도의 크기는 A 지점에서가 B 지점에서의 2배이다.

12 온대 저기압의 일생

온대 저기압은 온대 지방 또는 한대 전선대에서 형성되어 편서풍에 의해 서쪽에서 동쪽으로 이동한다. 이때 한랭 전선이 온난 전선보다 이동 속도가 빨라 폐색 전선이 형성된다. 결국 찬 공기는 하층에 위치하게 되고 따뜻한 공기는 상층에 위치하게 되면서 온대 저기압은 소멸하게 된다.

ㄱ. (가) 시기는 폐색 전선이 발달한 상태로 이후 온대 저기압의 세력은 대체로 약해져 소멸하게 된다.

ㄴ. 가시 영상에서 밝게 보인다는 것은 구름의 두께가 두껍다는 것을 의미한다. A 지점은 한랭 전선의 뒤쪽에 위치하므로 두꺼운 적운형 구름이 분포할 것이고 B 지점은 온난 전선의 앞쪽에 위치하므로 얇은 층운형 구름이 분포할 것이다. 적운형 구름이 분포한 곳이 가시 영상에서 더 밝게 보이기 때문에 가시 영상에서 A 지점이 B 지점보다 밝게 보일 것이다.

ㄷ. 온대 저기압의 한랭 전선은 온난 전선보다 이동 속도가 빨라 온대 저기압이 발달함에 따라 온난 전선을 따라잡게 되면서 폐색 전선을 형성하게 된다. (가)의 경우, 폐색 전선이 발달한 상태이기 때문에 (나) 이후 시기의 모습이라고 할 수 있다.

13 별의 물리량

별이 최대 복사 에너지를 방출하는 파장(λ_{max})은 표면 온도(T)가 높을수록 짧아진다는 빈의 변위 법칙$\left(\lambda_{max}=\frac{a}{T},\ a=2.898\times10^{-3}\ \text{m}\cdot\text{K}\right)$을 따른다. 이를 통해 A는 ㉠, B는 ㉡, C는 ㉢이라는 것을 알 수 있다.

ㄱ. 그림에서 최대 복사 에너지를 방출하는 파장이 A가 가장 짧기

때문에 표면 온도는 A가 가장 높다.

㉡. A는 B보다 표면 온도가 높기 때문에 단위 시간에 단위 면적당 방출하는 복사 에너지양이 많다.

✗. 별의 반지름을 r, 표면 온도를 T라고 했을 때 별의 광도 L은 $L \propto r^2T^4$으로 나타낼 수 있다. B의 광도 L_B와 C의 광도 L_C를 비교하면 $\frac{L_B}{L_C} = \frac{{r_B}^2{T_B}^4}{{r_C}^2{T_C}^4} = \frac{1^2(15000)^4}{1.5^2(10000)^4} = \frac{9}{4}$이므로 별의 광도는 B가 C의 $\frac{9}{4}$배이다.

14 엘니뇨와 라니냐

A는 호주 동부(서태평양 지역)의 강수량 편차가 음(−)의 값이고 남방 진동 지수 또한 음(−)의 값이므로 엘니뇨 시기이고, B는 라니냐 시기이다.

㉠. (나)를 보면 상승 기류의 중심이 서태평양에서 중앙 태평양 쪽으로 이동한 형태이기 때문에 (나)는 엘니뇨 시기(A)이다.

㉡. 엘니뇨 시기(A)에 동태평양 적도 부근의 평균 해면 기압은 평상시보다 낮아지고, 서태평양 적도 부근의 평균 해면 기압은 평상시보다 높아진다. 라니냐 시기(B)에는 엘니뇨 시기와 반대의 기압 변화가 나타나므로 적도 부근에서 $\frac{\text{서태평양 평균 해면 기압}}{\text{동태평양 평균 해면 기압}}$은 B 시기가 A 시기보다 작다.

㉢. 라니냐 시기(B)에 동태평양 적도 부근 해역의 해수면 높이는 평상시보다 낮아지고, 서태평양 적도 부근 해역의 해수면 높이는 평상시보다 높아진다. 따라서 라니냐 시기(B)의 (동태평양 적도 부근 해역의 해수면 높이 편차−서태평양 적도 부근 해역의 해수면 높이 편차)는 음(−)의 값을 갖는다.

15 외계 행성계 탐사

외계 행성계에서 중심별과 행성은 공통 질량 중심을 중심으로 공전한다. (가)의 A는 시선 속도가 음(−)의 값이므로 중심별이 관측자의 시선 방향에서 최대 시선 속도로 접근할 때이고 B는 시선 속도가 양(+)의 값이므로 중심별이 관측자의 시선 방향에서 최대 시선 속도로 후퇴할 때이다.

㉠. (가)의 A 시기는 별이 관측자의 시선 방향에서 접근할 때이다. t_2일 때 외계 행성에 의한 식 현상이 일어나기 때문에 t_1일 때는 행성이 관측자의 시선 방향에서 접근할 때이다. 즉, (가)의 A 시기는 행성이 관측자의 시선 방향에서 후퇴해야 하므로 t_3이 A 시기이다.

✗. (가)의 B 시기는 중심별이 관측자의 시선 방향에서 최대 시선 속도로 후퇴하는 경우이다. 이때 중심별과 외계 행성이 시선 방향에 나란하게 있지 않으므로 행성에 의한 식 현상이 관측되지 않는다.

㉢. 행성의 반지름이 증가하면 식 현상으로 인한 중심별의 밝기 감소량이 증가할 것이다. 또한 중심별에 의한 행성의 밝기가 증가하게 될 것이기 때문에 전체 밝기는 증가할 것이다. 이때 행성이 중심별에 의해 가려지게 되면 ㉡보다 더 큰 밝기 감소가 일어날 것이고 중심별이 행성에 의해 가려지게 되면 ㉠보다 더 큰 밝기 감소가 일어날 것이다.

16 해저 확장과 고지자기

해령 축으로부터의 동일한 거리를 기준으로 삼고 A, B, C 주변의 해양 지각 연령을 비교해 보면 A가 연령이 가장 적고 C가 연령이 가장 많다. 이를 통해 해저의 확장 속도가 A가 가장 빠르고 C가 가장 느리다는 점을 파악할 수 있다.

㉠. 해령 축으로부터 떨어진 동일한 거리의 해양 지각 연령을 비교해 보았을 때 A, B, C 중 A가 연령이 가장 적으므로 A 주변 해저의 평균 확장 속도가 가장 빠르다.

㉡. 해저 퇴적물이 쌓이는 속도가 같다고 할 때 해저의 평균 확장 속도가 빠를수록 해령 축으로부터 동일한 거리에서 해양 지각의 연령이 적기 때문에 해저 퇴적물의 두께는 얇을 것이다. 반대로 해저의 평균 확장 속도가 느릴수록 해저 퇴적물의 두께는 두꺼울 것이다. 해저의 평균 확장 속도는 A가 B보다 빠르기 때문에 해령 축으로부터 동일한 거리에서 해저 퇴적물의 두께는 B 주변이 A 주변보다 두꺼울 것이다.

㉢. 역자극기 P의 기간은 B, C에서 모두 같았을 것이다. 하지만 해저의 평균 확장 속도가 빠르다면 역자극기 P의 고지자기 분포를 갖는 해양 지각은 더 넓게 분포하고 있을 것이다. 해저의 평균 확장 속도는 C가 가장 느리므로 역자극기 P의 고지자기가 분포하는 구간의 폭은 C 주변이 B 주변보다 좁다.

17 기후 변화의 지구 외적 요인

t 시기의 근일점일 때 북반구가 겨울철이라는 것은 지구 자전축이 태양을 향해 기울어진 방향이 현재와 같다는 것을 의미한다. t 시기로부터 13000년이 지나면 지구 자전축이 기울어진 방향은 t 시기와는 정반대 방향이 될 것이다.

㉠. 겨울철 낮의 길이는 지구 자전축 경사각이 작아지면 북반구와 남반구 모두에서 길어진다. t 시기보다 $t+13000$년일 때 지구 자전축 경사각이 작아졌기 때문에 37°N에서 겨울철 낮의 길이는 길어졌다.

✗. t 시기의 근일점일 때 북반구는 겨울철이므로 남반구는 여름철이다. 그리고 $t+13000$년일 때는 지구 세차 운동에 의해 자전축이 기울어진 방향이 t 시기일 때와는 정반대가 된다. 또한 지구 공전 궤도 이심률이 t 시기보다 $t+13000$년일 때 감소했기 때문에 t 시기일 때 남반구의 여름철 지구에서 태양까지의 평균 거리보다 $t+13000$년일 때 남반구의 겨울철 지구에서 태양까지의 평균 거리가 더 멀다.

✗. A는 남반구 지역으로 t 시기의 겨울철일 때 지구는 원일점에 위치하고 $t+13000$년의 겨울철일 때 지구는 근일점에 위치한다. 그러므로 A 지역에서 겨울철에 같은 배율로 관측한 태양의 겉보기 크기는 t 시기가 $t+13000$년보다 작다.

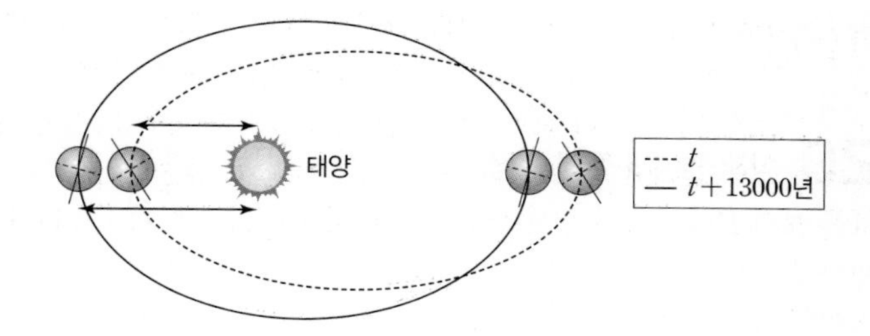

18 지질 구조와 복각 분포

마그마가 식어서 굳어질 때 자성 광물이 당시의 지구 자기장 방향으로 자화된다. 그 후 지구 자기장의 방향이 변해도 당시의 자성 광물의 자화 방향은 그대로 보존되는데, 이를 잔류 자기라고 한다. 자성 광물이 포함된 암석의 잔류 자기 방향을 안다면 암석이 생성된 위도를 파악할 수 있다.

ㄱ. 북반구에 위치한 A의 고지자기 방향이 수평면의 아래를 향하므로 고지자기 복각의 부호는 (+)이고 정자극기에 A가 생성되었다는 것을 알 수 있다.

ㄴ. 수평 상태인 지층 위에서 용암이 굳어 A와 B가 생성되었으므로 두 화성암의 고지자기 복각은 각각 하부 지층의 층리면에 대해 고지자기 방향이 이루는 각과 같아야 한다. 그런데 B는 A와 다르게 습곡에 의해 상하부 지층의 층리면이 휘어지면서 고지자기 방향도 함께 회전되어 고지자기 복각이 위치에 따라 달라지는 것을 알 수 있다. 이에 비해 A는 습곡 작용 이후에 생성되며 자화되었기 때문에 부정합 하부의 습곡 형태와 관계없이 어디에서든 고지자기 복각이 일정하게 나타난다.

ㄷ. B의 상하부 지층 경계면에 대해 고지자기 방향이 이루는 각은 B가 생성될 당시에 기록된 고지자기 복각이다. 지층 경계면을 수평으로 하였을 때 B의 고지자기 방향은 모두 일정하며, 고지자기 복각의 크기는 A보다 작은 것을 알 수 있다. 따라서 이 지역은 B가 생성된 이후에 북쪽으로 이동한 적이 있다.

19 H−R도와 별의 진화

질량이 태양 정도인 별의 경우 질량이 매우 큰 별보다 거성 단계에서의 진화에서 H−R도에서 좌우의 변화(표면 온도의 변화)보다 상하의 변화(광도의 변화)가 더 크게 나타난다. 또한 질량이 매우 큰 별의 경우, 원시별에서 주계열성이 될 때 H−R도에서 주계열 상단부에 위치하게 된다.

ㄱ. (가)의 별이 (나)의 별보다 원시별에서 주계열성이 될 때 주계열 상단부에 자리를 잡게 되었고 거성 단계의 진화에서 광도 변화보다 표면 온도의 변화가 더 크기 때문에 (가)의 별이 질량이 태양의 5배인 별이다.

ㄴ. 주계열 단계에서 중심부에 대류핵이 존재하는 경우는 주로 별의 질량이 매우 클 때로 (가)의 별의 경우라고 볼 수 있다.

ㄷ. 질량이 태양의 5배인 별의 경우, 중심핵에서 p−p 반응에 의한 에너지 생성량보다 CNO 순환 반응에 의한 에너지 생성량이 많다. 질량이 태양 정도인 별의 경우, 중심핵에서 p−p 반응에 의한 에너지 생성량이 CNO 순환 반응에 의한 에너지 생성량보다 많다. 그러므로 중심핵에서의 $\frac{\text{p−p 반응에 의한 에너지 생성량}}{\text{CNO 순환 반응에 의한 에너지 생성량}}$은 (가)의 별보다 (나)의 별이 크다.

20 상대 연령과 절대 연령

표를 보면 P의 방사성 동위 원소 X는 반감기가 약 3번 지났고 Q의 방사성 동위 원소 X는 반감기가 2번 지났다. 그리고 지층 C에서는 삼엽충 화석이, 지층 B에서는 공룡 화석이 산출된 것으로 보아 Q는 중생대 이후에 관입했다는 것을 알 수 있다.

ㄱ. 단층 $f-f'$을 기준으로 오른쪽이 상반, 왼쪽이 하반이다. 그림에서 현재 단층면을 경계로 B의 두께는 상반이 하반보다 두껍다.

ㄴ. P는 약 5억 4천 백만 년 전~약 2억 5천 2백만 년 전 사이에 관입했고, A에서 화폐석 화석, B에서 공룡 화석, C에서 삼엽충 화석이 발견되는 것으로 보아 Q는 약 2억 5천 2백만 년 전 이후에 관입했다는 것을 알 수 있다. P에 포함된 방사성 동위 원소 X는 반감기가 약 3번 지났기 때문에 방사성 동위 원소 X의 반감기는 약 1억 8천만 년~약 8천 4백만 년 사이가 될 수 있다. Q에 포함된 방사성 동위 원소 X는 반감기가 2번 지났기 때문에 방사성 동위 원소 X의 반감기는 약 1억 2천 6백만 년보다 짧을 것이다. 이를 통해 방사성 동위 원소 X의 반감기는 1억 3천만 년보다 짧다는 것을 파악할 수 있다.

ㄷ. 방사성 동위 원소 X의 반감기는 최소 약 8천 4백만 년에서 최대 약 1억 2천 6백만 년 사이의 값을 가질 것이다. A에서 화폐석 화석이 발견되는 것으로 보아 A는 신생대에 생성된 지층이라는 것을 알 수 있다. Q의 경우, 반감기가 2번 지났고 방사성 동위 원소 X의 반감기가 최소 약 8천 4백만 년이라는 점을 통해 Q는 약 1억 6천 8백만 년 전 이전에 생성되었다는 것을 알 수 있다. 이를 통해 지층과 암석의 생성 순서는 C → P → B → Q → A로 도출할 수 있다.

실전 모의고사 4회 본문 135~139쪽

01 ④	02 ②	03 ③	04 ⑤	05 ④
06 ①	07 ⑤	08 ③	09 ①	10 ⑤
11 ④	12 ②	13 ③	14 ④	15 ③
16 ③	17 ④	18 ①	19 ④	20 ③

01 상대 연령

과거에 일어난 지질학적 사건의 발생 순서나 지층과 암석의 생성 시기를 상대적으로 나타낸 것을 상대 연령이라고 한다.

④ 각 지층의 두께 및 각 지층이 쌓이는 속도가 일정하기 때문에 그래프의 기울기가 일정해야 한다. 그래프가 불연속인 깊이가 존재하므로 ㄱ은 아니다. l_1이 l_2보다 길기 때문에 하반이 상반보다 짧은 곳이어야 하므로 ㅁ은 아니다. l_1에서 가장 깊은 지점의 연령이 l_2에서 가장 깊은 지점의 연령보다 적으므로 ㄹ이 가장 적절하다.

02 마그마의 생성 과정

해령 하부와 열점에서는 맨틀 물질이 상승하여 압력이 감소하면 맨틀 물질이 부분 용융되어 마그마가 생성된다. 섭입대에서는 해양판이 섭입하여 온도와 압력이 상승하면 해양 지각과 퇴적물의 함수 광물에 포함된 물이 빠져나오고, 이 물의 영향으로 연약권을 구성하는 광물의 용융 온도가 낮아져 마그마가 생성된다.

ㄱ. A는 물이 포함된 화강암의 용융 곡선, B는 물이 포함되지 않은 맨틀의 용융 곡선이다.

ㄴ. 하와이 킬라우에아 화산을 형성한 마그마는 열점에서 맨틀 물질이 상승하여 압력 감소에 의해 생성되므로 ㉡ 과정을 거쳐 생성된다.

ㄷ. 북한산 인수봉을 형성한 마그마는 유문암질 마그마이고, 하와이 킬라우에아 화산을 형성한 마그마는 현무암질 마그마이다. 따라서 SiO_2 함량(%)은 북한산 인수봉을 형성한 마그마가 더 많다.

03 플룸 구조론

지진파의 속도가 빠른 곳은 주위보다 온도가 낮고, 지진파의 속도가 느린 곳은 주위보다 온도가 높다. 주위보다 온도가 낮은 플룸은 차가운 플룸으로 맨틀 물질이 하강하고, 주위보다 온도가 높은 플룸은 뜨거운 플룸으로 맨틀 물질이 상승한다.

ㄱ. 화산체 ㉠을 이루는 주요 암석의 평균 SiO_2 함량은 61 %로 안산암질 마그마가 굳어져서 만들어진 것이다. 안산암질 마그마는 주로 해구가 발달하는 수렴형 경계 부근에서 생성되므로, A 지역에는 섭입하는 판이 존재한다. 따라서 A 지역이 B 지역보다 P파의 속도 편차가 크다.

ㄴ. 화산체 ㉠(해구가 발달하는 수렴형 경계 부근에서 형성) 아래에는 섭입하는 판이, 화산체 ㉡(열점에 의해 형성) 아래에는 뜨거운 플룸이 존재하므로 a는 (−), b는 (+)이다.

ㄷ. 화산체 ㉡은 주요 암석의 평균 SiO_2 함량이 49 %로 현무암질 마그마가 굳어져서 만들어진 것이다. 현무암질 마그마는 주로 열점 또는 발산형 경계 부근에서 생성된다. 따라서 화산체 ㉡은 열점에 의해 형성되었다.

04 고지자기와 대륙의 이동

지질 시대 동안 지리상 북극의 위치가 변하지 않았다고 가정하면 고지자기 복각의 크기는 위도가 높을수록 크고, 고지자기 복각을 측정하면 대륙의 과거 위도를 알 수 있다.

ㄱ. A~C 시기는 모두 정자극기였고 복각이 (+) 값이므로 이 화산암체는 북반구에 위치하였다.

ㄴ. 복각이 +66° → +48° → +37°로 작아지므로 이 화산암체는 저위도 방향으로 이동하였다.

ㄷ. 고지자기로 추정한 지리상 북극 방향이 A~C 시기 동안 시계 반대 방향으로 바뀌었으므로 이 화산암체는 지리상 북극 방향에 대해 시계 방향으로 회전한 적이 있다.

05 지사학의 법칙

어느 지역 지층의 암석 분포와 지질 구조에 대한 자료가 확보되면, 지사학의 기본 법칙을 이용하여 그 지역의 지사를 유추할 수 있다.

ㄱ. (가)에서 화강암의 기저 역암을 지층 C가 포함하고 있으므로 관입의 법칙을 적용하여 지사를 해석할 수 없다.

ㄴ. B에서는 퇴적물이 수면 밖으로 노출될 때 형성된 건열이 나타나며, D에서는 비교적 수심이 깊은 곳에서 형성된 점이 층리가 나타난다. 따라서 퇴적층이 형성될 때 수심은 B가 D보다 얕았다.

ㄷ. 지층의 생성 순서는 E → D=C → B → A이다.

06 판의 경계와 지각 변동

판의 경계에서는 지진이 활발하게 발생하며, 판의 경계 중 발산형 경계와 판의 섭입이 일어나는 수렴형 경계에서는 화산 활동이 활발하게 일어난다.

ㄱ. A 지역은 태평양판이 섭입하는 수렴형 경계로 해구가 발달한다.

ㄴ. B 지역은 태평양판이 섭입하는 경계로 지진과 화산 활동이 활발하게 일어난다.

ㄷ. C 지역에서는 주로 천발 지진이 발생한다.

07 반감기와 절대 연령

암석이나 광물에 포함된 모원소와 자원소의 비율, 반감기를 알면 그 암석이나 광물이 생성된 시기를 알 수 있다.

ㄱ. 화강암 A의 절대 연령은 12억 년이다. 화강암 A에서 현재 X의 $\frac{\text{자원소 함량}}{\text{모원소 함량}}$은 7이므로 반감기가 3번, 현재 Y의 $\frac{\text{자원소 함량}}{\text{모원소 함량}}$은 15이므로 반감기가 4번 지났다. 따라서 X의 반감기는 4억 년, Y의 반감기는 3억 년이므로 $\frac{\text{X의 반감기}}{\text{Y의 반감기}}$는 $\frac{4}{3}$이다.

ㄴ. 화강암 B에서 현재 X의 $\frac{\text{자원소 함량}}{\text{모원소 함량}}$은 3이므로 X의 반감기가 2번 지났다. 따라서 화강암 B의 절대 연령은 8억 년이다.

ㄷ. 화강암 B의 절대 연령은 8억 년이므로 화강암 B에서 Y의 반감기가 2번$\left(\frac{\text{모원소 함량}}{\text{모원소 함량}+\text{자원소 함량}}=\frac{1}{4}\right)$은 지났지만, 3번$\left(\frac{\text{모원소 함량}}{\text{모원소 함량}+\text{자원소 함량}}=\frac{1}{8}\right)$은 지나지 않았다. 따라서 화강암

B에서 현재 Y의 $\frac{\text{모원소 함량}}{\text{모원소 함량}+\text{자원소 함량}}$은 $\frac{1}{8}$보다 크다.

08 우리나라의 악기상

악기상은 일상생활에 큰 불편함과 위험을 동반하는 기상 현상을 말하며, 우리나라에서 발생하는 주요 악기상에는 뇌우, 호우, 폭설, 강풍, 우박, 황사 등이 있다.

Ⓐ. 폭설은 시베리아 기단의 찬 공기가 남하하면서 황해상에서 기층이 불안정해져 상승 기류가 발달할 때 발생할 수 있다.

Ⓑ. 강풍은 겨울철에 발달한 시베리아 기단의 영향을 받을 때, 여름철에 태풍의 영향을 받을 때 주로 발생한다. 가로수 등의 여러 가지 시설물을 파손시키고, 바다에서는 높은 파도를 일으켜 선박 사고나 해안 양식장에 피해를 입힐 수 있다.

~~C~~. 호우는 주로 강한 상승 기류에 의해 형성된 적란운이 한곳에 정체하여 많은 비가 연속적으로 내릴 때 발생한다.

09 온대 저기압과 전선

한랭 전선은 찬 공기가 따뜻한 공기 쪽으로 이동하여 따뜻한 공기 밑으로 파고들 때 형성되고, 온난 전선은 따뜻한 공기가 찬 공기 쪽으로 이동하여 찬 공기 위로 올라갈 때 형성된다.

㉠. 서쪽 지역의 A와 B의 지표 부근에는 찬 공기가, 동쪽 지역의 C와 D의 지표 부근에는 따뜻한 공기가 존재한다. 또한 A와 B 지역의 상공에는 역전층이 있으므로 A와 B 지역 상공에는 전선면이 나타난다.

~~ㄴ~~. B와 C 지역 사이 또는 C 지역 부근에 한랭 전선이 존재하므로 B 지역은 한랭 전선 후면에 위치한다. 따라서 B 지역의 지표 부근에는 북풍 또는 서풍 계열의 바람이 분다.

~~ㄷ~~. C와 D 지역은 지표 부근에 따뜻한 공기가 존재하는 한랭 전선과 온난 전선 사이에 해당하므로 날씨가 대체로 맑다.

10 지구 온난화

지구의 온실 효과가 강화되어 지구의 평균 기온이 점점 높아지는 요인 중 인간 활동에 의해 대기 중 온실 기체의 양이 증가한 요인이 지구 온난화에 가장 큰 영향을 미쳤다.

㉠. 1850년~2020년 동안 지표 온도의 평균 상승률은 아시아 > 전 지구 > 우리나라이다.

㉡. 전 지구 지표 온도의 평균 상승률은 A < B < C이다.

㉢. 1850년~2020년 동안 지표 온도는 전 지구, 아시아, 우리나라 모두 높아지는 경향이 있다.

11 태풍

북반구에서 태풍 진행 방향의 오른쪽 지역은 태풍의 이동 방향이 태풍 내 바람 방향과 같아 풍속이 상대적으로 빠르므로 위험 반원, 왼쪽 지역은 태풍의 이동 방향이 태풍 내 바람 방향과 반대여서 풍속이 상대적으로 느리므로 안전 반원이라고 한다.

~~ㄱ~~. (가)는 태풍의 일 강수량, (나)는 북서쪽으로 진행하는 태풍의 오른쪽 지역이 왼쪽 지역보다 대체로 크므로 해수면 부근 풍속, (다)는 동심원 형태로 태풍의 중심에서 멀어질수록 증가하는 해면 기압 자료이다.

㉡. 일 강수량은 태풍의 중심에서 가까운 A 지역이 B 지역보다 많다.

㉢. (나)의 해수면 부근 풍속 자료에서 태풍의 중심에 대하여 대체로 북동쪽은 크고 남서쪽은 작으므로 태풍은 북서 방향으로 이동하고 있다.

12 해수의 심층 순환

A는 남극 저층수, B는 북대서양 심층수, C는 남극 중층수, D는 지중해 중층수이다.

~~ㄱ~~. (가) 자료에서 해수 표층 부근에는 표층수, 수심 약 1000 m에는 남극 중층수, 수심 약 3000 m에는 북대서양 심층수, 수심 약 4000 m에는 남극 저층수가 존재하므로 ㉠에서 측정한 것이다.

㉡. 2000 m 깊이에 존재하는 수괴의 수온은 약 4.5 ℃, 염분은 약 34.9 psu이므로, 2000 m 깊이의 수괴는 (나) 자료의 북대서양 심층수에 해당한다.

~~ㄷ~~. A～D 중 평균 염분이 가장 높은 수괴는 D(지중해 중층수)이다.

13 엘니뇨와 라니냐

평상시에 비해 무역풍이 약해지면 적도 부근 동태평양 해역에서는 연안 용승이 약해지고, 해수면이 높은 서태평양에서 동쪽으로 따뜻한 해수가 이동하여 태평양 중앙부에서 페루 연안에 이르는 해역의 표층 수온이 상승하는 현상을 엘니뇨라고 한다.

㉠. (가)의 B 시기에 동태평양 표층 수온은 평년보다 높고, 서태평양 표층 수온은 평년보다 낮으므로 엘니뇨가 발생하였다.

㉡. (나)의 E 시기에 동태평양 표층 수온은 평년보다 낮고, 서태평양 표층 수온은 평년보다 높으므로 라니냐가 발생하였다. 라니냐 시기에 적도 부근 동태평양 해역은 평상시보다 해면 기압이 높다.

~~ㄷ~~. 적도 부근 동태평양 해역에서 수온 약층이 나타나기 시작하는 평균 깊이는 엘니뇨 시기보다 라니냐 시기 때 얕다. 따라서 수온 약층이 나타나기 시작하는 평균 깊이는 B 시기(엘니뇨)보다 E 시기(라니냐)에 얕다.

14 별의 물리량

별이 단위 시간 동안 방출하는 에너지의 양을 광도(L)라고 한다. 반지름이 R인 별의 광도는 별의 표면적과 별이 단위 시간에 단위 면적당 방출하는 에너지양을 곱하여 얻을 수 있다.($L=4\pi R^2\cdot\sigma T^4$, T: 표면 온도)

~~ㄱ~~. 단위 시간당 동일한 양의 복사 에너지를 방출하는 면적이 별 A가 별 B의 625배이므로 단위 시간당 단위 면적에서 방출하는 복사 에너지의 양은 별 B가 별 A의 625배(5^4배)이다. 따라서 별 B의 표면 온도가 별 A의 표면 온도보다 5배 높으므로 빈의 변위 법칙$\left(\lambda_{\max}=\frac{a}{T}\right.$ $\left.(a=2.898\times10^{-3}\ \text{m}\cdot\text{K})\right)$에 따르면 별 B가 최대 복사 에너지를 방출하는 파장은 1 μm보다 짧다.

㉡. 별 B의 표면 온도(T_B)가 별 A의 표면 온도(T_A)의 5배이므로, 별 A의 반지름(R_A)이 별 B의 반지름(R_B)의 25배가 되어야만 별

A와 B의 광도가 같아진다.($L=4\pi R^2\cdot\sigma T^4$(슈테판·볼츠만 상수 $\sigma=5.67\times10^{-8}\ \mathrm{W\cdot m^{-2}\cdot K^{-4}}$))

ㄷ. 별 A와 B의 광도가 같으므로 두 별의 절대 등급도 같다. 하지만 별 A까지의 거리는 별 B까지 거리의 10배이므로 겉보기 밝기는 100배 차이가 난다. 100배의 밝기 차는 5등급 차이므로 (별 A의 겉보기 등급－별 B의 겉보기 등급)은 5이다.

15 별의 물리량

주계열성은 H－R도의 왼쪽 위에서 오른쪽 아래로 대각선을 따라 분포하는 별들로, 왼쪽 위에 분포할수록 표면 온도가 높고 광도가 크며 반지름과 질량이 크다.

ㄱ. 별 ㉠과 ㉡의 표면 온도는 같지만 반지름 차이가 있으므로 두 별 중 하나가 주계열성이다. 별 ㉡은 반지름이 태양과 같고 표면 온도도 태양과 비슷하므로 주계열성으로 분류할 수 있다. 별 ㉡, ㉢, ㉣은 주계열성으로 반지름이 큰 별일수록 표면 온도가 높아진다. 반지름이 가장 큰 별 ㉣이 표면 온도가 가장 높으므로 ⓐ는 30000보다 크다.

ㄴ. 같은 분광형을 가지는 별들의 스펙트럼에 나타나는 흡수선의 선폭을 비교하여 별의 크기를 알 수 있다. 흡수선의 선폭이 좁을수록 반지름이 큰 별이다. 따라서 A는 별 ㉡의 스펙트럼, B는 별 ㉠의 스펙트럼이다.

ㄷ. $\dfrac{\text{별 ㉢의 광도}}{\text{별 ㉡의 광도}}=\dfrac{(\text{별 ㉢의 반지름})^2\times(\text{별 ㉢의 표면 온도})^4}{(\text{별 ㉡의 반지름})^2\times(\text{별 ㉡의 표면 온도})^4}$

$=\dfrac{8^2\times30000^4}{1^2\times6000^4}=40000$

이다. 10000배 밝기 차는 10등급, 25000배 밝기 차는 약 11등급, 62500배 밝기 차는 약 12등급이므로 (별 ㉡의 절대 등급－별 ㉢의 절대 등급)은 11과 12 사이이다.

16 별의 진화

질량이 태양 정도인 별은 주계열 단계에서 수소 핵융합 반응이 끝나면 중심에 헬륨핵이 생성되고, 헬륨핵의 중력 수축으로 발생한 에너지가 중심부 외곽에 공급되어 헬륨핵 외곽에서 수소 핵융합 반응이 일어난다.

ㄱ. 질량이 태양 정도인 별이 백색 왜성으로 진화하기 직전에는 중심부에 탄소핵(산소 포함)이, 탄소핵 주위에는 헬륨이, 헬륨의 바깥쪽에는 수소가 존재한다. 따라서 ㉠은 탄소, ㉡은 헬륨, ㉢은 수소이다.

ㄴ. 별 A와 B 모두 태양 정도의 질량을 가진 별의 진화 경로를 따르므로 백색 왜성으로 진화하기 직전에는 헬륨이 존재하지 않는 탄소핵을 가진다. 별의 질량이 클수록 내부 온도와 압력이 높으므로 별의 중심으로부터 헬륨 핵융합 반응이 일어날 수 있는 영역이 넓다. (나)보다 (가)에서 ㉡(헬륨)이 없는 중심핵 영역이 넓으므로 (가)는 별 A, (나)는 별 B의 자료이다.

ㄷ. 탄소핵의 중력 수축으로 발생한 에너지가 외곽에 공급되어 탄소핵에 가까운 껍질층에서는 헬륨 핵융합 반응이 일어날 수 있다. 즉, 백색 왜성으로 진화하기 직전에 헬륨이 남아 있어 헬륨 핵융합 반응이 일어나는 영역은 껍질층에 해당한다. 따라서 (가)에 해당하는 별의 중심핵의 반지름은 R보다 작다.

17 외계 행성계 탐사

중심별과 행성이 공통 질량 중심을 중심으로 공전함에 따라 중심별의 시선 속도가 변하면서 도플러 효과에 의한 별빛의 파장 변화가 생기는 것을 이용해 행성의 존재를 확인할 수 있다.

ㄱ. 중심별의 스펙트럼 최대 적색 편이량은 별이 A 위치에 있을 때 나타나므로 지구 방향은 ㉠이다.

ㄴ. 지구 방향이 ㉠이므로 지구와 행성 사이의 거리가 가장 가까우려면 중심별은 D에 위치해야 한다.

ㄷ. 중심별과 행성 사이의 거리가 일정할 때, 행성의 질량이 클수록 공통 질량 중심은 현재보다 행성 쪽에 가까워지므로 중심별의 시선 속도 변화량이 커진다. 중심별의 스펙트럼 최대 편이량은 중심별의 시선 속도 변화량에 비례하므로 행성의 질량이 클수록 커진다.

18 허블 법칙

은하의 후퇴 속도(v)가 거리(r)에 비례한다는 것을 허블 법칙이라고 한다. $v=H\cdot r$(H: 허블 상수)

ㄱ. 그림에는 A～D 방법으로 측정할 수 있는 외부 은하까지의 최대 거리가 표시되어 있으므로 가장 멀리까지 측정할 수 있는 방법은 D이다.

ㄴ. 허블 법칙에서 그래프의 기울기는 허블 상수이다. 따라서 그래프의 기울기가 가장 큰 ㉠의 허블 상수가 가장 크다.

ㄷ. 적색 편이는 후퇴 속도에 비례한다. 같은 거리에 있는 외부 은하를 관측하면 ㉠, ㉡, ㉢ 중 ㉠에서 관측한 적색 편이가 가장 크고, ㉢에서 관측한 적색 편이가 가장 작다.

19 외부 은하

타원 은하는 주로 늙은 별로 구성되어 있고 성간 물질의 양이 적다. 나선 은하의 중앙 팽대부와 헤일로는 주로 늙은 별로 구성되어 있고 성간 물질의 양이 적으며, 나선팔은 주로 젊은 별로 구성되어 있고 성간 물질의 양이 많다. 불규칙 은하는 주로 젊은 별로 구성되어 있고 성간 물질의 양이 많다.

ㄱ. A는 타원 은하, B는 나선 은하, C는 불규칙 은하이다. 우리은하는 막대 나선 은하이므로 B에 속한다.

ㄴ. 세이퍼트은하는 일반적인 은하에 비해 핵이 다른 부분보다 상대적으로 밝고, 은하 내의 가스운이 매우 빠른 속도로 움직이고 있어 스펙트럼에서 넓은 방출선이 관측된다. 세이퍼트은하는 대부분 나선 은하의 형태로 관측되며, 전체 나선 은하 중 약 2 %가 세이퍼트은하로 분류된다.

ㄷ. 은하를 구성하는 별들 중 젊은 별이 차지하는 비율은 타원 은하, 나선 은하, 불규칙 은하 중 불규칙 은하가 가장 높고, 타원 은하가 가장 낮다.

20 우주의 가속 팽창

Ⅰa형 초신성 관측 자료를 분석한 결과 우주의 팽창 속도가 점점 증가하고 있다는 사실을 알아냈고, 이는 암흑 에너지의 영향 때문으로 알려져 있다. 암흑 에너지는 우주에 널리 퍼져 있으며 척력으로 작용해 우주를 가속 팽창시키는 역할을 하는 것으로 추정하고 있다.

ㄱ. 외부 은하에서 발견된 Ⅰa형 초신성의 관측 자료는 A로 잘 설명할 수 있다. 따라서 A는 암흑 에너지를 고려한 가속 팽창하는 우주 모형이다.

ㄴ. 겉보기 등급이 같은 Ⅰa형 초신성의 적색 편이는 A보다 B에서 더 크다. 후퇴 속도는 적색 편이에 비례하므로 실제 관측된 후퇴 속도는 B에서 예측한 후퇴 속도보다 느리다.

ㄷ. B는 암흑 에너지를 고려하지 않은 우주 모형이므로 $\frac{\Omega_\Lambda}{\Omega_m}=0$이고, A의 $\frac{\Omega_\Lambda}{\Omega_m}$는 0보다 크다.

실전 모의고사 5회				본문 140~144쪽
01 ③	02 ⑤	03 ②	04 ④	05 ②
06 ⑤	07 ①	08 ③	09 ⑤	10 ②
11 ②	12 ③	13 ③	14 ⑤	15 ⑤
16 ③	17 ④	18 ⑤	19 ④	20 ③

01 우리나라의 화성암과 퇴적암 지형

태백시 구문소는 고생대에 퇴적된 석회암으로 주로 이루어져 있고, 제주도 수월봉은 신생대에 생성된 응회암으로 주로 이루어져 있다.

ㄱ. 구문소는 주로 고생대에 바다에서 퇴적된 석회암으로 구성된다.

ㄴ. 주상 절리는 용암이 급격히 냉각되면서 부피가 급격히 수축되어 형성된다.

ㄷ. 제주도 수월봉은 신생대의 화산 활동으로 형성되었다.

02 고지자기

고정된 열점에 의해 형성된 화산섬에서 측정한 고지자기 복각은 판이 이동하더라도 일정하다.

ㄱ. 5백만 년 전에 형성된 화산섬의 현재 위도보다 3천만 년 전에 형성된 화산섬의 현재 위도가 북쪽이므로 판의 이동 방향은 북쪽 방향이다.

ㄴ. 현재 화산섬이 위치한 위도 차와 화산섬에서 구한 고지자기극의 위도 차는 일정하므로 ㉠은 68°N이다.

ㄷ. 화산섬 A~E는 고정된 열점에 의해 형성되었으므로 고지자기 복각은 A와 E에서 동일하다.

03 마그마의 생성

마그마는 지각의 하부나 상부 맨틀의 물질이 온도와 압력 등의 영향으로 부분 용융되어 생성된다. 마그마가 생성되기 위해서는 온도 상승, 압력 감소, 물 공급 등이 있어야 한다.

ㄱ. A에서는 현무암질 마그마가, B에서는 유문암질이나 안산암질 마그마가 생성된다.

ㄴ. ㉠은 물이 포함된 화강암의 용융 곡선, ㉡은 물이 포함되지 않은 맨틀의 용융 곡선이다.

ㄷ. C에서 생성되는 현무암질 마그마는 물의 공급에 따른 맨틀 물질의 용융 온도 하강으로 생성된다.

04 지진파의 속도 분포

지구 내부에서 지진파의 속도가 빠른 곳은 대체로 주위보다 온도가 낮고, 지진파의 속도가 느린 곳은 대체로 주위보다 온도가 높다.

ㄱ. B는 섭입하는 판 위에 위치하므로 판의 밀도는 지점 B가 속한 판이 지점 A가 속한 판보다 크다.

ㄴ. 같은 깊이에서 지진파의 속도는 ㉠에서가 ㉡에서보다 느리므로 온도는 ㉠에서가 ㉡에서보다 높다.

ㄷ. ㉢은 섭입대 하부이므로 맨틀 대류의 하강부이다.

05 상대 연령과 절대 연령

P가 Q를 관입하였으므로 Q의 절대 연령이 P보다 많다.

X. 현재 P와 Q에 포함된 방사성 동위 원소의 함량은 각각 처음 양의 50 %와 25 % 중 서로 다른 하나이므로 만약 P에 X가 포함되고 Q에 Y가 포함된다고 하면 P와 Q의 절대 연령은 모두 2억 년으로 같아져서 맞지 않는다. 따라서 Q에 X가 포함되고 절대 연령은 4억 년, P에 Y가 포함되고 절대 연령은 1억 년이다. A는 P가 생성된 이후에 퇴적되었으므로 고생대에 퇴적된 것이 아니다.

ㄴ. Q의 절대 연령은 4억 년이고 Q에 포함된 방사성 동위 원소의 함량이 현재의 $\frac{1}{2}$이 되는 데 2억 년이 걸리므로 Q에 포함된 X는 반감기를 2번 거쳤다. P에는 현재 Y가 50 % 포함되어 있으므로 2억 년 후에 P에 포함된 Y의 자원소 함량은 모원소 함량의 7배이다.

X. 현재 Q에는 X가 25 %, P에는 Y가 50 % 포함되어 있다. 2억 년 후에는 X는 반감기를 1번 거치므로 Q에는 X가 12.5 % 남고 Y는 반감기를 2번 거치므로 P에는 Y가 12.5 % 남는다. 자원소 함량은 P와 Q에 각각 87.5 %이므로 $\frac{\text{P에 포함된 자원소 함량}}{\text{Q에 포함된 자원소 함량}}$은 1이다.

06 지질 시대의 환경과 생물

삼엽충은 고생대 말에 모두 멸종하였지만, 완족류는 현재도 생존하고 있는 생물이다.

ㄱ. 고생대 말에 과의 수가 0이 되는 것으로 보아 A가 삼엽충이고 고생대의 표준 화석이다.

ㄴ. 생물 과의 멸종 비율은 ㉠보다 ㉢ 시기에 낮다.

ㄷ. B의 과의 수는 고생대와 중생대의 경계 부근인 ㉡ 시기에 가장 많이 감소하였다.

07 온대 저기압과 날씨

북반구에서 온난 전선이 통과하면 바람은 대체로 남동풍에서 남서풍으로 바뀌고, 한랭 전선이 통과하면 대체로 남서풍에서 북서풍으로 바뀐다.

ㄱ. 이 기간 동안 관측소의 풍향은 남동풍 → 남서풍 → 북서풍으로 시계 방향으로 변하였다.

X. 경과 시간 3시에는 온난 전선이 이미 통과하였으므로 경과 시간 3시에 관측소의 상공에는 온난 전선면이 나타나지 않는다.

X. 한랭 전선은 경과 시간 6시경에 관측소를 통과하였다.

08 태풍

북반구에서 태풍은 발생한 후 대체로 북서진하다가 북동진하지만 주변 고기압의 영향으로 남쪽으로 이동하는 경우도 있다.

ㄱ. 9월 5일 9시부터 태풍이 우리나라에 상륙하기 전까지 제주도는 태풍 진행 방향의 왼쪽에 위치하므로 안전 반원에 있었다.

X. 9월 2일보다 9월 5일에 태풍의 평균 이동 속력이 빠르다.

ㄷ. 8월 30일 15시부터 9월 1일 15시까지 태풍은 남쪽 방향으로 이동하였다.

09 해수의 수온, 염분, 용존 산소량 분포

해수의 밀도는 수온이 낮을수록, 염분이 높을수록 커진다.

ㄱ. ㉠은 표층에서 높다가 수심이 깊어짐에 따라 값이 작아지는 것으로 보아 수온이다.

ㄴ. 수심 0~500 m 구간에서는 수심이 깊어짐에 따라 수온이 급격히 낮아지고 염분은 급격히 높아지지만, 수심 2000~2500 m 구간에서는 수온과 염분의 변화가 거의 없다. 따라서 깊이에 따른 밀도 증가율은 수심 0~500 m 구간이 더 크다.

ㄷ. 해수의 표층에서는 대기로부터 산소가 공급되고 광합성이 활발하게 일어나므로, 용존 산소량은 표층이 심해층보다 많다.

10 엘니뇨와 라니냐

엘니뇨 시기에는 평상시보다 무역풍이 약해져 동태평양 적도 부근 해역의 용승이 약해진다.

X. 태평양 적도 부근 무역풍의 세기가 (가) 시기보다 (나) 시기에 강한 것으로 보아 (가) 시기가 엘니뇨 시기, (나) 시기가 라니냐 시기이다. 동태평양 적도 부근 해역의 표층 수온은 엘니뇨 시기가 라니냐 시기보다 높다.

X. 라니냐 시기에 적도 부근 서태평양 평균 해면 기압은 낮고, 동태평양 평균 해면 기압은 높다. 엘니뇨 시기에 적도 부근 서태평양 평균 해면 기압은 높고, 동태평양 평균 해면 기압은 낮다. 적도 부근에서 $\frac{\text{동태평양 평균 해면 기압}}{\text{서태평양 평균 해면 기압}}$은 (가) 시기가 (나) 시기보다 작다.

ㄷ. 동태평양 적도 부근 해역에서 수온 약층이 나타나기 시작하는 깊이는 동태평양 적도 부근 해역에서 용승이 약화되는 엘니뇨 시기에 깊고, 용승이 강하게 나타나는 라니냐 시기에 얕다.

11 기후 변화의 지구 외적 요인

지구 자전축의 경사각은 약 41000년을 주기로 변하고, 지구 공전 궤도 이심률은 약 10만 년을 주기로 변한다.

X. ㉠ 시기는 현재보다 공전 궤도 이심률이 크므로 원일점 거리는 현재보다 멀고 근일점 거리는 현재보다 가깝다.

X. ㉡ 시기는 현재보다 자전축 경사각이 크므로 우리나라에서 겨울철 태양의 남중 고도는 현재보다 낮다.

ㄷ. 우리나라에서 기온의 연교차는 자전축 경사각이 클수록, 공전 궤도 이심률이 작을수록 커진다.

12 대서양의 심층 순환

북대서양 그린란드 부근 해양에서 침강한 해수는 북대서양 심층수를 형성하여 남쪽으로 이동하고, 남극 대륙 주변에서 침강한 해수는 남극 저층수를 형성하여 북쪽으로 이동한다.

ㄱ. A는 남극 저층수, B는 북대서양 심층수, C는 남극 중층수이다. 밀도가 가장 큰 ㉢이 남극 저층수이다.

X. B는 북대서양 심층수로 ㉠이고 평균 염분은 A가 B보다 낮다.

ㄷ. 주로 남쪽으로 이동하는 수괴는 북대서양 심층수인 B(㉠)이다.

13 대기 대순환

위도에 따라 태양 복사 에너지의 흡수량과 지구 복사 에너지의 방출량이 차이가 난다.

ㄱ. 20°S 지역은 복사 에너지 차가 (+)로 에너지 과잉 상태이다.

X. 복사 에너지 차가 0인 ㉠ 지역에서 남북 방향 에너지 수송이 최

대로 일어난다.

ㄷ. 위도별 에너지 불균형으로 인해 저위도의 남는 에너지가 대기와 해양의 순환을 통해 고위도로 이동한다.

14 별의 물리량

별에서 복사 에너지를 최대로 방출하는 파장은 별의 표면 온도에 반비례한다.

ㄱ. 별이 단위 시간에 단위 면적당 방출하는 복사 에너지의 양은 별의 표면 온도의 네제곱에 비례한다. 표면 온도는 B가 A의 2배이므로 단위 시간에 단위 면적당 방출하는 복사 에너지의 양은 B가 A의 16배이다.

ㄴ. B와 C는 표면 온도가 같지만 광도가 100배 차이가 나므로 반지름은 B가 C보다 10배 크다. A와 B는 광도가 같지만 표면 온도는 B가 A보다 2배 높으므로 반지름은 A가 B보다 4배 크다.

ㄷ. 반지름은 C가 가장 작으므로 C가 주계열성이다.

15 별의 내부 구조

양성자·양성자 반응(p−p 반응)보다 탄소·질소·산소 순환 반응(CNO 순환 반응)이 우세한 별의 질량이 상대적으로 크다.

ㄱ. (가)는 CNO 순환 반응, (나)는 p−p 반응이므로 A가 B보다 질량이 크다.

ㄴ. 질량이 태양보다 10배 큰 별의 내부 구조는 (다)와 같다.

ㄷ. $\frac{\text{원시별이 막 생성되었을 때 광도}}{\text{주계열성에 막 도달했을 때 광도}}$는 질량이 태양의 1배인 B가 질량이 태양의 10배인 A보다 크다.

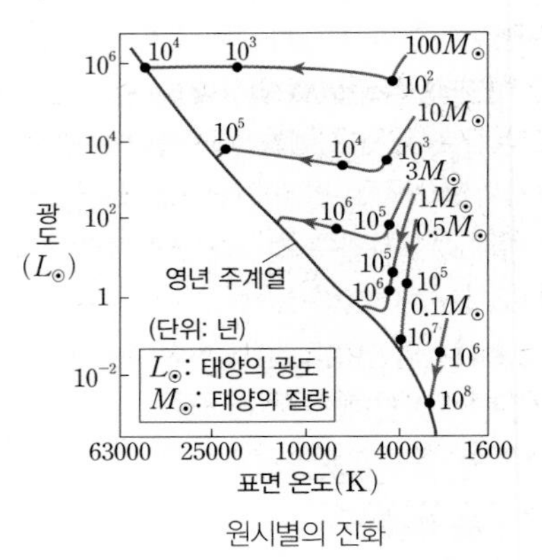

원시별의 진화

16 시선 속도 변화를 이용한 외계 행성계 탐사

중심별이 지구에 가까워지면 파장이 짧아지는 청색 편이가, 지구로부터 멀어지면 파장이 길어지는 적색 편이가 나타난다.

ㄱ. T_1일 때는 A가 지구로부터 가장 멀 때, T_2일 때는 A가 지구로부터 가장 가까울 때이다.

ㄴ. A와 B가 공통 질량 중심을 중심으로 공전하는 속도의 크기는 같다고 했고, 공전 주기도 같으므로 공통 질량 중심으로부터 중심별까지의 거리는 A와 B가 같다.

~~ㄷ~~. 공통 질량 중심을 중심으로 별이 같은 거리에서 같은 속도로 공전하는데 시선 속도는 B가 A보다 전체적으로 느리게 관측되는 것은 B에 속한 행성의 공전 궤도면이 시선 방향과 이루는 각이 A에 속한 행성의 공전 궤도면이 시선 방향과 이루는 각보다 크기 때문이다.

17 생명 가능 지대

생명 가능 지대는 중심별의 광도가 클수록 중심별로부터 멀어지고 폭은 넓어진다.

~~ㄱ~~. 태양의 표면 온도는 현재 약 5800 K이므로 A는 태양 표면 온도이다. 태양의 광도는 표면 온도의 네제곱과 반지름의 제곱의 곱에 비례하는데, C는 ㉠ 시기에 거의 일정하므로 반지름이며, B는 광도이다.

ㄴ. 지구에서 태양으로부터 단위 시간에 단위 면적당 받는 복사 에너지양은 태양의 광도에 비례하므로 ㉡ 시기가 ㉠ 시기보다 많다.

ㄷ. 생명 가능 지대의 폭은 태양의 광도가 증가하면 넓어지므로 생명 가능 지대의 폭 증가율은 ㉠ 시기가 ㉢ 시기보다 작다.

18 특이 은하

세이퍼트은하는 대부분 나선 은하의 형태로 관측된다.

ㄱ. 성간 기체는 타원 은하보다 나선 은하에 많이 분포한다.

ㄴ. 전파 은하에서는 강한 X선이 방출된다.

ㄷ. 세이퍼트은하와 전파 은하의 중심부에는 거대 블랙홀이 존재할 것으로 추정된다.

19 허블 법칙

외부 은하의 후퇴 속도(v)와 흡수선의 파장 변화량($\Delta\lambda$) 사이에는 다음과 같은 관계가 성립한다.

$$\frac{\Delta\lambda}{\lambda_0}=\frac{v}{c}\ (\lambda_0\text{: 고유 파장, } c\text{: 빛의 속도})$$

~~ㄱ~~. 세 은하는 일직선상에 있고 A에서 볼 때 우리은하와 C의 시선 방향은 수직이므로 우리은하, A, B, C의 위치 관계는 아래 그림과 같다. A에서 관측한 C의 후퇴 속도는 B에서 관측한 우리은하의 후퇴 속도의 $\frac{3}{2}$이다. B에서 관측한 우리은하의 후퇴 속도는 $\frac{604\ \text{nm}-600\ \text{nm}}{600\ \text{nm}}\times3\times10^5$ km/s이므로 2000 km/s이다. 따라서 A에서 관측한 C의 후퇴 속도는 3000 km/s이다.

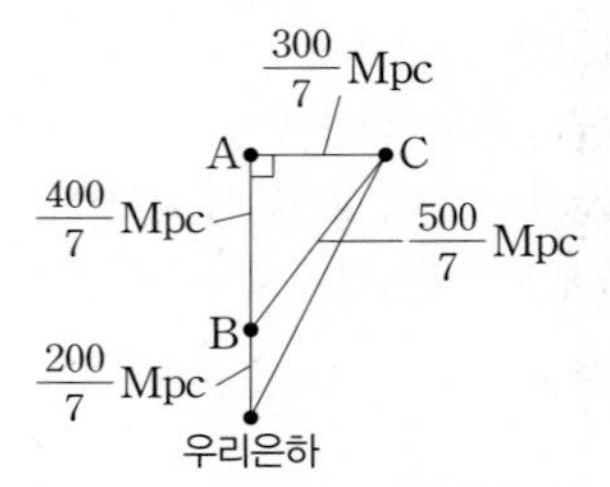

ㄴ. 고유 파장이 1200 nm인 흡수선의 파장이 1224 nm로 관측될 때 고유 파장이 600 nm인 흡수선의 파장은 612 nm로 관측된다. 따라서 우리은하에서 관측할 때 1200 nm의 고유 파장을 갖는 흡수선이 1224 nm로 관측되는 은하는 A이다.

ㄷ. C에서 거리가 가장 먼 은하는 우리은하이다.

20 우주 모형

A와 B는 평탄 우주, C는 닫힌 우주이다.

ㄱ. A와 B는 평탄 우주인데 현재 A는 가속 팽창하는 것으로 보아 암흑 에너지의 비율은 A가 B보다 높다.

ㄴ. ㉠ 시기에 C에서 우주의 팽창 속도는 감소하고 있다.

~~ㄷ~~. 우주의 곡률이 (+)인 것은 닫힌 우주로 C이다.

THE
기대돼!
한기대!
FUTURE
HAS
BEGUN
내일의 내 일에 대한 설렘,
그것은 이미 시작됐어!
가슴 뛰게 만드는 한기대에서.
AT KOREATECH.
KOREATECH
한국기술교육대학교

YONSEI UNIVERSITY
1885
연세대학교
미래캠퍼스

나의 미래를 위한
새로운 도전,
연세 미래캠퍼스!
YONSEI UNIVERSITY
1885
연세대학교
연세미래의 경쟁력
최고수준의
취업률
생활과 교육을 하나로,
RC프로그램
YONSEI
MIRAE
CAMPUS
미래가치를 창조하는
자율융합대학
· 본 교재 광고의 수익금은 콘텐츠 품질 개선과 공익사업에 사용됩니다.
· 모두의 요강(mdipsi.com)을 통해 연세대학교 미래캠퍼스의 입시정보를 확인할 수 있습니다.